Y0-AGJ-470

ЭРНСТ МУЛДАШЕВ

ОТ КОГО МЫ ПРОИЗОШЛИ?

Санкт-Петербург
Издательский Дом «Нева»
2004

УДК 133
ББК 86.42
М90

Мулдашев Э. Р.

М90 От кого мы произошли? (2-е изд.)– СПб.: Издательский Дом «Нева» 2004. — 480 с.

ISBN 5-7654-3522-X

УДК 133
ББК 86.42

ISBN 5-7654-3522-X

Предисловие автора

Я типичный ученый исследователь, и вся моя научная жизнь посвящена изучению строения и биохимии человеческих тканей с последующим их использованием в качестве трансплантантов в глазной и пластической хирургии. Я не склонен к философии. Я плохо переношу общество людей, имеющих склонность к потусторонним мыслям, экстрасенсорике, колдовству и прочим странностям. Ежегодно делая 300—400 сложнейших операций, я привык оценивать результаты научных изысканий по конкретным ясным параметрам: остроте зрения, конфигурации лица и т. п. Более того, я продукт коммунистической страны, и, хотел я того или не хотел, я был воспитан на пропаганде атеизма и возвеличивании Ленина, хотя никогда искренне не верил в коммунистические идеалы. Религию я никогда не изучал.

В связи с этим я никогда не мог подумать, что когда-нибудь с научной точки зрения займусь проблемами мироздания, антропогенеза и философского осмысления религии.

Все началось с простого в бытовом отношении вопроса: почему мы смотрим друг другу в глаза? Меня, как офтальмолога, этот вопрос заинтересовал. Начав исследования, мы вскоре создали компьютерную программу, способную анализировать геометрические параметры глаз. Это направление в офтальмологии мы назвали офтальмогеометрией. Нам удалось найти много ценных точек приложения офтальмогеометрии: идентификация личности, определение национальности, диагностика психических заболеваний и т. п. Но самым интересным оказалось то, что однажды мы, взяв фотографии людей всех рас мира, высчитали «среднестатистические глаза». Они принадлежали тибетской расе.

Далее по математическому приближению глаз других рас к «среднестатистическим глазам» мы рассчитали пути миграции человечества из Тибета, которые удивительным образом совпали с историческими фактами. А потом мы узнали, что каждый храм на Тибете и в Непале как визитную карточку имеет изображение огромных необычных глаз. Подвергнув изображение этих глаз математической обработке по принципам офтальмогеометрии, нам удалось определить внешность их обладателя, которая оказалась весьма необычной.

Кто это? — думал я. Я стал изучать восточную литературу, но ничего подобного не нашел. В то время я не мог предположить, что этот «портрет» необычного человека, который я буду держать в руках в Индии, Непале и Тибете, будет производить на лам и свами такое огромное впечатление, что они, увидев рисунок, будут восклицать: «Это Он!». В то время я даже не думал, что этот рисунок станет путеводной нитью к гипотетическому раскрытию величайшей тайны человечества — Генофонда человечества.

Я считаю логику королевой всех наук. Всю свою научную жизнь я применяю логический подход в разработке новых операций и новых трансплантантов. И в этом случае, когда мы отправились в трансгималайскую научную экспедицию с указанным рисунком необычного человека в руках, я тоже решил использовать столь привычный и обычный для меня логический подход. Полная путаница сведений, получаемых в экспедиции от лам, гуру и свами, а также из литературных и религиозных источников, стала с помощью логики выстраиваться в стройную цепочку и все более и более вела к осознанию того, что на земле существует страхующая система жизни в виде «законсервированных» путем сомати людей разных цивилизаций, находящихся в глубоких подземельях, — Генофонд человечества. Нам даже удалось найти одну из таких пещер и получить сведения от так называемых Особых людей, ежемесячно бывающих там.

Чем же помог вышеуказанный рисунок? А помог он тем, что Особые люди видели и видят под землей людей с необычной внешностью. А среди них есть такой, который похож на человека, изображенного на нашем рисунке. Именно его они почтительно называют «Он». Кто это — «Он»? Я не могу точно ответить, но думаю, что «Он» — человек Шамбалы.

Сейчас я, несмотря на то что являюсь рациональным ученым-практиком, стал полностью верить в существование Генофонда человечества. К этому привели логика и научные факты. Но одновременно с этим я понял, что наше с вами любопытство не так уж и много стоит, а нам было дозволено лишь приоткрыть великую тайну, но потрогать и сфотографировать «законсервированных» людей вряд ли удастся в ближайшем будущем. Кто мы такие? Мы еще неразумные дети в сравнении с высочайшей на земле цивилизацией лемурийцев, создавшей Генофонд человечества. Да и ставка Генофонда человечества слишком велика — быть прародителем человечества в случае глобальной катастрофы или самоуничтожения существующей земной цивилизации.

Кроме того, нам удалось понять смысл слова «аминь», которое мы говорим каждый раз, заканчивая молитву. Породило это слово так называемое последнее послание «SoHm». Выяснилось, что наша, пятая, цивилизация заблокирована от знаний Того света, в связи с чем должна развиваться самостоятельно. После этого мне стал понятен источник знаний Посвященных, таких, как Нострадамус, Е. Блаватская и другие, которым удалось преодолеть принцип «SoHm» и выйти во Всеобщее информационное пространство, т. е. знания Того Света.

Книга состоит из четырех частей. В первой части я вкратце восстанавливаю логику исследовательской мысли, начиная от постановки вопроса: «Почему мы смотрим друг другу в глаза?» — и заканчивая анализом облика человека, глаза которого изображены на тибетских храмах.

Вторая и третья части книги посвящены фактическому материалу, собранному во время экспедиции у лам, гуру и свами, и представлены в основном в виде бесед с ними. Но в некоторых главах я делаю отступления, анализируя литературные источники (Е. Блаватская и другие), а также отвечаю на такие вопросы, как: «Кем был Будда?» и «Какие цивилизации существовали на Земле до нас?»

Четвертая часть книги — самая сложная и посвящена философскому осмыслению полученных фактов. В этой части книги читатель найдет много любопытных размышлений о Генофонде человечества, загадочных Шамбале и Агарти, об одичании людей, о негативной ауре над Россией, а также о роли добра, любви и зла в жизни человека.

Честно говоря, я и сам удивился, что закончил книгу анализом таких, на первый взгляд, простых и естественных понятий, как добро, любовь и зло. Но именно после этого анализа я наконец-то понял, почему все религии мира в один голос говорят о важности добра и любви. Именно после этого анализа я стал истинно уважать религию и искренне верить в Бога.

Написав эту книгу, я, наверное, в чем-то ошибся, но в чем-то, наверное, прав. Мои друзья-соратники по экспедиции (Валерий Лобанков, Валентина Яковлева, Сергей Селиверстов, Ольга Ишмитова, Венер Гафаров) часто не соглашались со мной, спорили и поправляли меня. Очень помогли иностранные члены экспедиции — Шесканд Ариэль, Кирам Буддаачарайя (Непал), доктор Пасрича (Индия). Каждый из них внес свой вклад в наше общее дело. И я хотел бы сказать спасибо им. Также большое спасибо я хотел бы сказать Марату Фатхлисламову и Анасу Зарипову, снабжавшим меня литературой и помогавшим ее анализировать в период написания книги.

Но, мне кажется, эта книга только первая из книг на эту тему.

Исследования продолжаются.

Эрнст Рифгатович Мулдашев: *доктор медицинских наук, профессор, директор Всероссийского центра глазной и пластической хирургии (г. Уфа), хирург высшей категории, почетный консультант Луисвиллского университета (США), международный член Американской академии офтальмологии, дипломированный офтальмолог Мексики, член Международной академии наук, мастер спорта по спортивному туризму, трехкратный чемпион СССР.*

Э. Р. Мулдашев — изобретатель хирургического биоматериала «аллоплант», с помощью которого стало возможным лечить болезни, считающиеся «безнадежными» (атрофия зрительного нерва, диабетическая ретинопатия, пигментный ретинит и др.). Изобретение «аллопланта» открыло возможности регенеративной хирургии, т. е. хирургии, направленной на «выращивание» собственных человеческих тканей.

Э. Р. Мулдашев — крупный российский ученый с мировым именем. Этим ученым разработано более 70 принципиально новых глазных и пластических операций, разработано и внедрено в производство 58 видов «аллопланта». Им опубликовано около 300 научных работ в российской и зарубежной печати, получено 52 патента России, США, ФРГ, Франции, Швейцарии и Италии. Его работы удостоены золотых медалей международных выставок. С лекциями и показательными операциями он побывал в 40 странах мира. Он ежегодно проводит 300—400 сложнейших операций.

Интерес ученого к проблеме происхождения человечества не случаен. Будучи ученым с широким кругозором, Э. Р. Мулдашев начал осмысливать медицинскую проблему человеческой энергетики в философском и общечеловеческом плане, что, в конечном итоге, и вылилось в научное исследование таинственной проблемы происхождения человечества. Но из этого философского и сенсационного трактата уже сделаны прямые практические выводы, вылившиеся в создаваемые принципиально новые методы лечения.

Э. Р. Мулдашев обладает оригинальным мышлением и умеет простым и доступным языком излагать сложные научные проблемы. Предлагаемая читателю книга «От кого мы произошли?» написана в художественном стиле, хотя по своей сути она глубоко научна. Книга будет интересна как широкому кругу читателей, так и специалистам.

Р. Т. Нигматуллин,
доктор мед. наук, профессор.

Необычные глаза на буддийском храме в г. Катманду (Непал)

Российские участники экспедиции: слева направо — В. Лобанков, В. Яковлева, Э. Мулдашев, В. Гафаров, С. Селиверстов

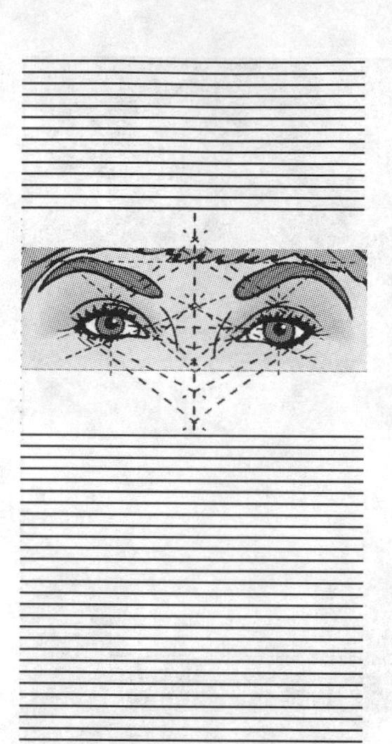

ЧАСТЬ I

ОФТАЛЬМОГЕОМЕТРИЯ – НОВЫЙ ПУТЬ В ИЗУЧЕНИИ ПРОБЛЕМЫ ПРОИСХОЖДЕНИЯ ЧЕЛОВЕЧЕСТВА

Посвящается моим родителям

Глава 1

Почему мы смотрим друг другу в глаза?

У меня есть друг. Фамилия его — Лобанов. По натуре Юрий Лобанов застенчив, поэтому во время разговора часто опускает глаза и смотрит в пол. Однажды я, будучи невольным свидетелем его тяжелого разговора по поводу женитьбы, обратил внимание на фразу, произнесенную девушкой-избранницей:

— Посмотри мне в глаза, Юра! Что глаза-то опустил, скрываешь, что ли, что-то?!

«Почему она просит посмотреть Лобанова в глаза? — неожиданно подумал я. — Наверное, в его глазах она хочет прочесть то, что он не сказал словами...»

Человеческий взгляд

Работая врачом-офтальмологом, я каждый день смотрю людям в глаза. И каждый раз я замечаю, что через глаза собеседника мы способны воспринимать дополнительную информацию.

И в самом деле, люди часто говорят: «у него в глазах страх», «влюбленные глаза», «грусть в глазах», «радость в глазах» и т. д. Не зря в известной песне поется: «Эти глаза напротив...»

Какую же информацию мы способны воспринимать из глаз? Исследований на эту тему в литературе я не нашел. Чтобы ответить на поставленный вопрос, я провел следующие два эксперимента.

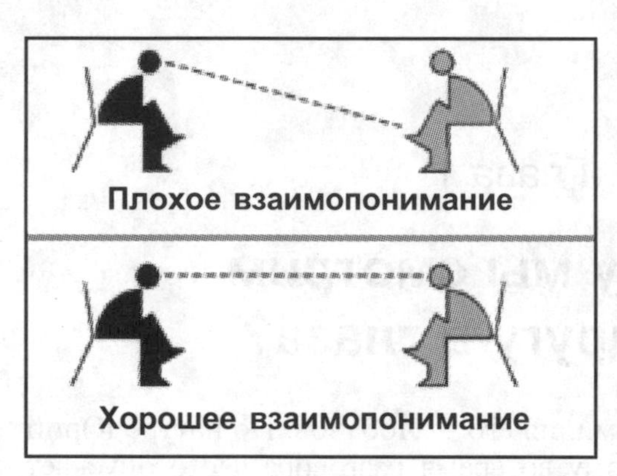

Я попросил двух высокообразованных людей сесть друг напротив друга и вести беседу, неотрывно глядя друг другу в ноги. Если беседа протекала на тему сухого малоэмоционального анализа чего-либо, то между собеседниками все же достигалось взаимопонимание, хотя оба ощущали дискомфорт от желания взглянуть в глаза собеседнику. Но как только я переводил разговор на эмоциональную тему, то беседа в положении «смотрим друг другу в ноги» становилась непереносимой для испытуемых.

— Я должен контролировать правомерность его высказываний по его глазам, — сказал один из испытуемых.

В положении «смотрим друг другу в глаза» оба испытуемых отмечали комфортность беседы и хорошее взаимопонимание при разговорах как на эмоциональную, так и на малоэмоциональную тему. Из этого эксперимента я сделал вывод, что роль дополнительной информации, которую мы получаем из глаз собеседника, достаточно значима.

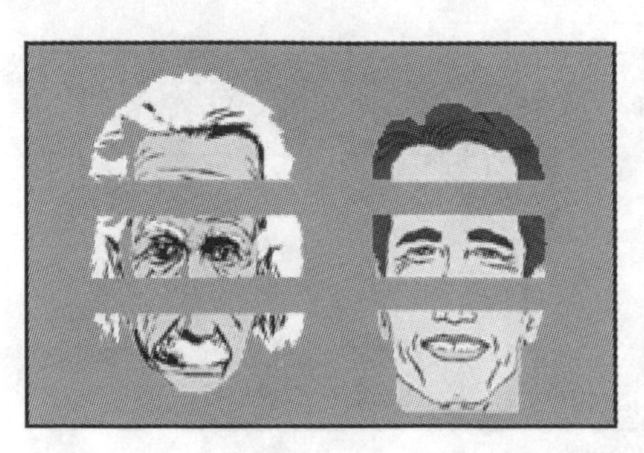

Второй эксперимент состоял в том, что я взял фотографии известных актеров, политических деятелей и ученых и разрезал их на три части: лобную часть, глазную часть и ротоносовую часть лица. Среди фотографий были снимки Аллы Пугачевой, Михаила Горбачева, Олега Даля, Арнольда Шварценеггера, Альберта Эйнштейна, Софии Ротару, Владимира Высоцкого, Леонида Брежнева и других знаменитостей.

После этого я попросил семерых людей независимо друг от друга определить, «кто есть кто», по лобной части лица. Все испытуемые оказались в замешательстве, и только в одном случае, по специфическому родимому пятну, они догадались, что этот лоб принадлежит Михаилу Горбачеву.

Такое же замешательство испытуемые ощущали при определении личности по ротоносовой части лица. Лишь один из семи узнал рот Брежнева, смеясь над тем, что в свое время он на всю жизнь запомнил, как тот целовался.

По глазной части лица испытуемые в большинстве случаев могли определить, кто есть кто, хотя и не всегда сразу. «Это Брежнев, это Высоцкий, это Пугачева...» — говорили испытуемые, рассматривая глазную часть лица. Трудность почему-то возникала у всех при определении личности Софии Ротару.

Из этого эксперимента я сделал предположение, что именно из глазной части лица мы получаем максимум информации при определении личности человека.

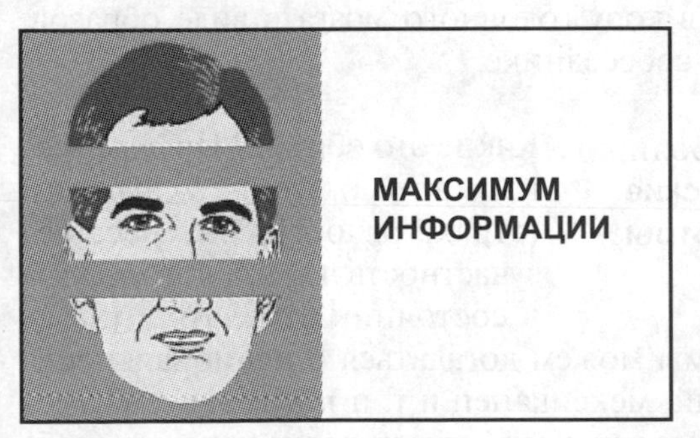

Какую же информацию мы получаем из глазной области лица? Известно, что человеческий взгляд работает как сканирующий луч; глаза при взгляде совершают мельчайшие движения, в результате чего наш взгляд вдоль и по-

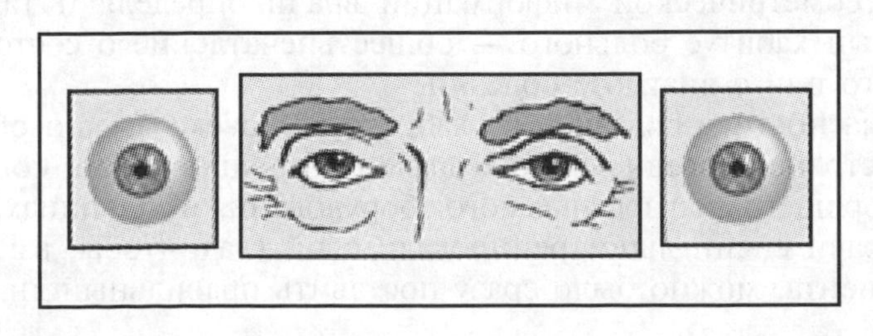

перек прочерчивает рассматриваемый объект. Именно то, что при взгляде мы получаем сканированную информацию, позволяет нам рассмотреть объем, размеры и многие детали объекта.

При сканировании глазного яблока мы не можем получить много информации, так как глазное яблоко как анатомический орган имеет в видимой части лишь четыре значимых параметра: белая склера, круглая прозрачная роговица, зрачок и цвет радужки. Причем эти параметры не меняются в зависимости от состояния человека.

Исходя из этого мы пришли к заключению, что при взгляде мы снимаем сканированную информацию со всей глазной части лица, куда входят веки, брови, переносица и углы глаз. Эти параметры составляют сложную геометрическую конфигурацию вокруг глаз, которая постоянно меняется в зависимости от состояния человека (эмоции, боль и т.п.).

Отсюда я сделал вывод, что мы смотрим друг другу в глаза для того, чтобы наблюдать за изменениями геометрических параметров окологлазной области лица.

Эта сканированная офтальмогеометрическая информация передается через глаза в подкорковые мозговые центры, в которых она перерабатывается. Далее переработанная сканированная информация передается в кору головного мозга в виде образов, по которым мы судим о собеседнике.

Офтальмогеометрические параметры

Какие это образы? Прежде всего надо отметить эмоции (страх, радость, интерес, безучастность и т. п.), которые мы в состоянии замечать в глазах собеседника. По глазам мы можем догадаться о национальности человека (японец, русский, мексиканец и т. п.). Мы можем заметить некоторые ментальные характеристики: волю, трусость, доброту, злость и т.п. И наконец, видимо, по сканированной офтальмогеометрической информации врачи определяют так называемый хабитус больного — общее впечатление о состоянии больного или о диагнозе болезни.

Диагностика болезней по хабитусу человека была особенно распространена среди земских врачей в прошлом веке, когда не было хорошего диагностического оборудования в больницах. Земские врачи специально тренировали свой глаз, чтобы, взглянув на пациента, можно было сразу поставить правильный диагноз.

— У вас, батенька, туберкулезис, — говорил земский врач, лишь взглянув в глаза пациента.

Я тоже, будучи врачом, удивлялся, как при некотором навыке удается довольно точно судить о диагнозе и состоянии больного, лишь взглянув на него. При этом ты смотришь, как правило, в глаза больного, а не проводишь полный осмотр.

Эти наблюдения показали, что научное изучение изменчивости глазной области лица может быть очень ценным для решения многих вопросов (диагностика психических заболеваний, объективное тестирование пригодности к некоторым профессиям). Но каким путем можно изучать эту область лица?

Мне удалось увлечь этой идеей небольшую группу ученых-исследователей, и мы в инициативном порядке провели исследования на большой группе людей — 1500 человек.

Предположив, что сканирующий человеческий взгляд снимает геометрическую информацию с глазной области лица, мы сделали качественные фотографии этой области и попытались по ним найти принципы геометрической обработки глазной щели, век, бровей и переносицы. Нам что-то удалось, но обобщающих геометрических параметров мы не нашли.

Компьютерная обработка глазной области лица

Мы стали фотографировать на слайды и, проецируя изображение на стене, попытались сделать то же самое при большем увеличении. Но опять нас постигла неудача — обобщающих геометрических параметров найти не удалось.

Далее мы собрали компьютерную систему, которая позволяла вывести изображение глазной области лица на экран, и стали анализировать эту область с помощью специальных программ. Этот способ оказался наиболее удобным, поскольку геометрические параметры глазной части лица можно было более точно обсчитывать и вводить в память компьютера. Но опять-таки обобщающий геометрический принцип не был найден.

Мы даже на некоторое время остановили работу: обсчет геометрических фигур был очень нудным, и их удавалось сравнивать только в относительных числах, что не позволяло подвергнуть их статистической обработке. Приближался закат этой научной идеи.

Но однажды я, к счастью, заметил одну любопытную вещь, которая, на первый взгляд, не имела прямого отношения к научным офтальмогеометрическим изысканиям. Я консультировал пятилетнюю девочку. Она сидела на коленях у двадцативосьмилетней матери. Мать нагнулась к лицу дочери и, нашептывая ей на ухо, помогала врачу осматривать ее глаза. Устав от осмотра глазного дна, я откинул голову и посмотрел на мать с дочерью вместе. В этот момент я обратил внимание на то, что размеры роговиц матери и дочери одинаковы, несмотря на многократную разницу в размерах их тел. «Почему размеры роговиц у них одинаковы? Ведь у маленькой девочки, по логике вещей, роговица должна быть меньшего размера, чем у матери!» — подумал я.

Превозмогая свое любопытство, я досмотрел девочку, поставил диагноз, написал заключение и назначил операцию. Очередной больной уже стоял на пороге моего кабинета. «Неужели и у этого взрослого пациента размер роговицы одинаков с размером роговицы той маленькой девочки?» — думал я, вспоминая глаза девочки и осматривая глаза пациента.

Размеры роговиц мне и в самом деле показались одинаковыми. Тогда я не удержался и попросил секретаршу пройти по нашей клинике и собрать человек двадцать людей разного возраста, роста и обоих полов. Когда люди были собраны, я взял офтальмоскоп и осмотрел их глаза в сравнении друг с другом. Мысль о том, что размеры роговицы одинаковы у всех людей независимо от их роста, веса и возраста, подтверждались.

«Странно, — думал я, — такое ощущение, что размер роговицы является константой человеческого организма — как бы абсолютной единицей измерения в организме!»

Рядом со мной сидела наш хирург Венера Галимова — миниатюрная красивая женщина. Я взглянул на ее ноги и спросил:

— Венера, а каков размер твоей ноги?

— Тридцать пятый. А что?

— А у меня сорок третий. Слушай, давай-ка подойдем к зеркалу!

Мы подошли к зеркалу: две пары глаз с одинаковым размером роговиц смотрели на нас.

«Интересно, — думал я, — в организме человека все размеры относительны: размеры рук — разные, размеры ног — разные, размеры лица — разные, размеры туловища — разные, живот у кого-то большой, а у кого-то плоский, и даже размеры мозга и внутренних органов (печени, желудка, легких и пр.) отличаются у разных людей. А вот размеры роговицы одинаковы! Неужели никто из ученых до сих пор этого не замечал?»

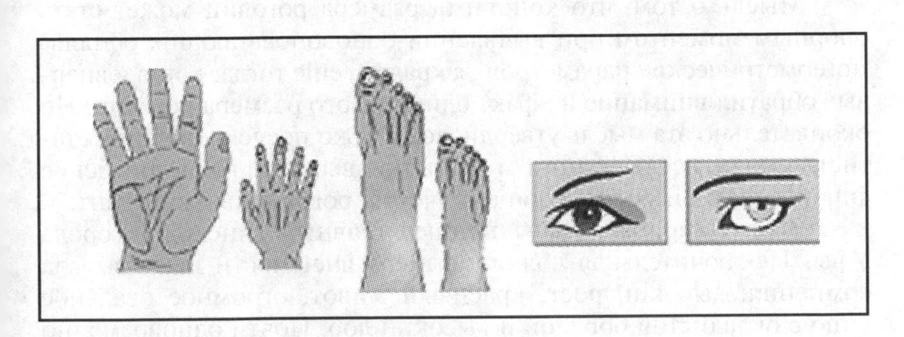

Я проанализировал специальную литературу, но никаких упоминаний на эту тему не нашел. Далее я организовал массовый замер диаметра роговиц с помощью специального хирургического циркуля под операционным микроскопом в сравнении с замерами ширины и длины ладоней рук и ступней ног. Мы составили вариационные ряды, подвергли их статистической обработке и нашли, что диаметр роговицы, в сравнении с размерами ладоней и ступней ног, является почти абсолютной константой и составляет 10±0,56 мм.

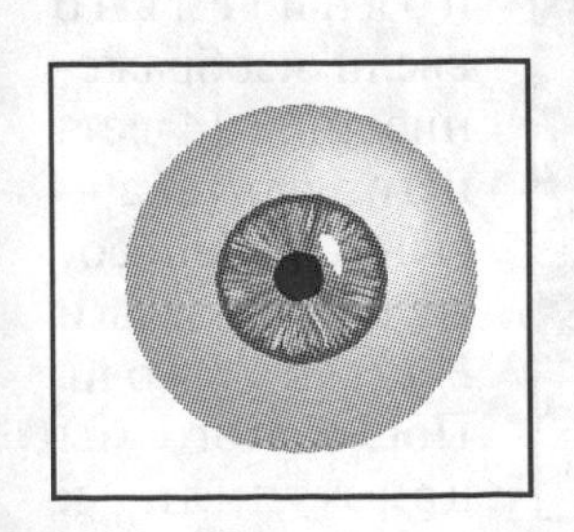

Размеры глазного яблока (продольная ось глаза), замеренные ультразвуком, как выяснилось, постепенно увеличиваются с момента рождения и только в 14—18 лет достигают своей средней величины — 24 мм. Диаметр же роговицы очень немного увеличивается с момента рождения до 4 лет и с этого возраста является константой. То есть рост размеров глазного яблока опережает возрастное изменение диаметра роговицы. Поэтому у маленьких детей глаза кажутся больше, чем у взрослых.

Почему диаметр роговицы является константой? Мне трудно ответить на этот вопрос. Но эта абсолютная величина в организме человека может быть использована как единица измерения, в частности, при офтальмогеометрических изысканиях.

Мысль о том, что константа размера роговиц может стать опорным моментом при выявлении основополагающих офтальмогеометрических параметров, закралась еще тогда, когда я впервые обратил внимание на факт одинакового размера роговиц. Но окончательно эта мысль утвердилась только после окончания статистических исследований и попытки вывести геометрические фигуры глазной области лица с учетом роговичных констант.

В этот период ко мне пришел главный гинеколог города Уфы. Исключительная солидность его внешности не вызывала сомнения: высокий рост, красивый живот, огромное овальное лицо с окладистой бородой и высокий лоб. Почти одновременно с ним в кабинет вошла моя операционная сестра — Лена Воронина, красивая, миловидная, миниатюрная девушка. Лица главного гинеколога и Лены Ворониной столь разительно отличались друг от друга, что я, обратив на это внимание, предложил им выступить в качестве подопытных экспонатов для офтальмогеометрической компьютерной съемки. «Если лица их столь различны, — думал я, — чем же отличаются их глаза?»

Диаметр роговицы не зависит от размера лица

Мы ввели изображения лиц главного гинеколога и Лены Ворониной в память компьютера, а также дополнительно ввели изображение лица 14-летнего мальчика — сына нашей сотрудницы Ольги Ишмитовой. После этого мы приступили к анализу геометрических фигур, получаемых при проведении касательных нижних и верхних век. У нас получилось два четырехугольника — большой (соединение касательных, проведенных по наружной кривизне век) и малый (соединение касательных, проведенных по внутренней кривизне век). Форма и размеры этих двух четырехугольников у всех трех исследуемых индивидуумов оказались совершенно разными, но размеры двух роговиц, находящихся на схеме внутри большого четырехугольника, совершенно одинаковыми. Отсюда возникла мысль использовать диаметр роговицы в качестве единицы измерения при математическом анализе большого и малого четырехугольников, а также их взаимоотношений. Это, в конечном итоге, позволяло выразить математические характеристики этих четырехугольников в виде уравнения, решение которого давало цифру, характеризующую офтальмогеометрию исследуемого индивидуума.

Сопоставление указанной «офтальмогеометрической цифры» у главного гинеколога, Лены Ворониной и четырнадцатилетнего мальчика показало значительные различия у каждого из них. Главный гинеколог имел цифру 3474, Лена Воронина — 2015, мальчик — 2776.

Можно ли индивидуальные характеристики большого и малого четырехугольников сопоставить с чертами лица каждого человека? Мы расчертили лицо главного гинеколога, представив его в виде комбинации геометрических фигур. То же самое сделали с лицами Лены Ворониной и мальчика. Далее мы постарались найти математические зависимости комбинации геометрических фигур, описывающих черты лица, с геометрическими характеристиками двух четырехугольников. Эти зависимости довольно четко выявлялись, в связи с чем нам удалось, взяв четырехугольники главного гинеколога, реконструировать основные черты его лица, которые в принципе были близки к оригиналу. То же самое удалось сделать с лицами Лены Ворониной и мальчика.

В общем, мы поняли, что нам удалось найти в общих чертах принцип реконструкции лица по геометрическим характеристикам глаз.

В дальнейшем, на материале 1500 индивидуумов, принципы реконструкции лица по геометрическим характеристикам двух четырехугольников были уточнены. Но добиться очень большой точности не удалось. Почему? Дело в том, что всего мы

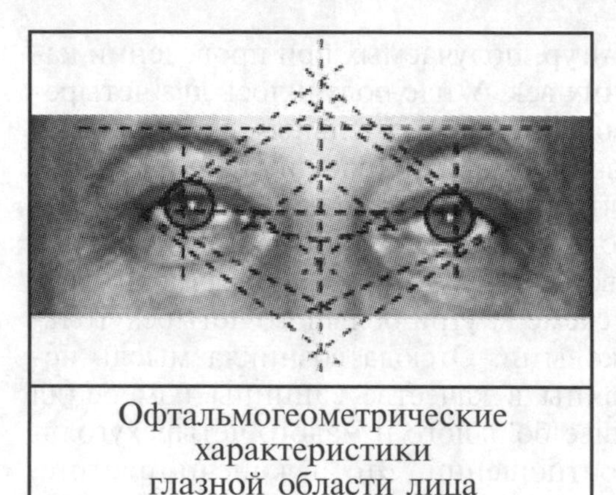

Офтальмогеометрические характеристики глазной области лица

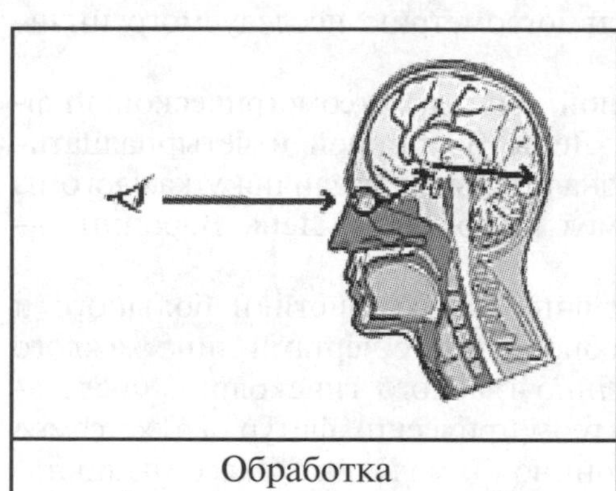

Обработка офтальмогеометрической информации мозгом человека

выявили 22 офтальмогеометрические характеристики, в то время как указанные четырехугольники представляли всего лишь две из них. Однако одновременный математический анализ всех 22 параметров оказался столь сложным, что мы с ним не справились.

Более того, все эти 22 параметра постоянно меняются в зависимости от эмоций, состояния человека, болезней и тому подобных факторов.

Какой же вычислительной мощью должны обладать небольшие подкорковые узлы мозга человека, перерабатывающие офтальмогеометрическую информацию! Ведь они способны перерабатывать эту сложнейшую информацию мгновенно и передавать ее в кору головного мозга в виде образов, ощущений и прочих чувств, несмотря на то, что размеры этих узлов мозга (около 1 см) несопоставимы с размерами современного компьютера. Воистину велик Бог, создавший такое компьютерное совершенство мозга!

А мы смогли математически обработать только два параметра из 22 существующих! Но даже это небольшое математическое достижение позволило нам уже достаточно уверенно говорить о том, что офтальмогеометрические параметры каждого человека строго индивидуальны и являются чем-то вроде родимого пятна. Это офтальмогеометрическое «родимое пятно» постоянно меняется от смены эмоций и тому подобных факторов, но сохраняет в общих чертах свою врожденную индивидуальность.

В то же время индивидуальные офтальмогеометрические параметры сопряжены с геометрическими характеристиками черт лица и даже некоторых частей тела, поэтому имеется возможность реконструкции облика человека в ориентировочных пределах по геометрическим характеристикам глазной области лица. Именно в связи с этим мы, глядя в глаза человека, можем судить больше, чем только о глазах.

И наконец, единственная константа человеческого организма — диаметр роговицы — располагается в пределах офтальмогеометрических схем, как бы подсказывая, что это и есть единица измерения в офтальмогеометрии.

В глазах отражается почти все, что творится в организме и в мозге, и это «все» можно видеть по изменениям указанных 22 (а может быть, и больше!) параметров глазной области лица. В будущем офтальмогеометрия, конечно же, будет хорошо изучена и приведет к решению многих вопросов медицины и психологии. Сама природа наталкивает на это.

Математическое изображение чувств и ощущений — так можно образно охарактеризовать офтальмогеометрию.

Взгляд, работающий как сканирующий луч, снимает информацию с глазной области лица, в которой за счет мельчайших движений век, бровей, глазных яблок и кожи отражаются наши чувства и ощущения, а также видна индивидуальность каждого человека. Мы смотрим друг другу в глаза потому, что из глаз (вернее, из глазной области лица) мы получаем дополнительную информацию о человеческой индивидуальности и ее изменениях в результате чувств и ощущений.

Пути использования офтальмогеометрии

Конечно, может быть, смотря друг другу в глаза, мы получаем также информацию телепатического характера. Но если даже это так, передачу геометрической информации с глазной области лица исключить нельзя.

Можно выделить несколько путей практического использования офтальмогеометрии: идентификация личности, реконструкция облика человека, определение ментальных характеристик личности, объективный анализ чувств и ощущений человека, диагностика психических заболеваний, диагностика соматических заболеваний, определение национальности и... изучение происхождения человечества.

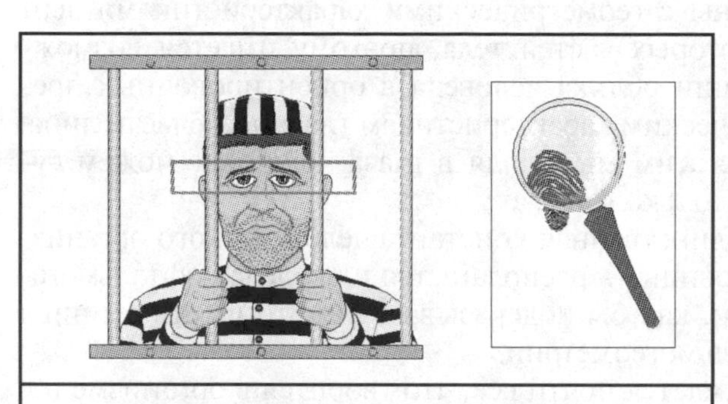

Возможность идентификации личности по данным офтальмогеометрии

1. Что касается идентификации личности, то здесь мы уже получили достаточно убедительные данные, что даже при изучении двух (из двадцати двух) офтальмогеометрических параметров личность человека описывается четкой цифрой, характерной только для него. Статистические исследования показали, что эта индивидуальная цифра имеет довольно точную повторяемость при повторных компьютерных офтальмогеометрических съемках, т. е. она характерна для данного человека. Точность «индивидуальной офтальмогеометрической цифры», я думаю, будет увеличиваться при введении в расчет большего числа офтальмогеометрических параметров.

Очень важно при компьютерной офтальмогеометрической съемке с целью идентификации личности добиться спокойного, уравновешенного состояния исследуемого человека, чтобы максимально исключить влияние эмоционального фона.

Известно два основных способа идентификации личности — фотографирование лица и дактилоскопия. Офтальмогеометрическая идентификация личности может явиться дополнительным способом в этом отношении и оказаться полезной в тех случаях, когда человек меняет внешность и калечит свои пальцы. Милиция, военное дело, банковское дело и другие подобные области, наверное, будут местом будущего применения офтальмогеометрической идентификации личности.

2. Реконструкция облика человека по данным офтальмогеометрии была применена нами всего-навсего на примерах несколь-

ких человек. Тем не менее принципы реконструкции определились достаточно четко и было достигнуто примерное сходство реконструированного и исследуемого обликов.

Почему мы не продолжаем эти исследования дальше? Дело в том, что, занявшись реконструкцией облика человека, глаза которого изображены на тибетских храмах, мы получили столь интересный облик, что все наши усилия переключились на изучение происхождения человечества. Но об этом позже.

3. Офтальмогеометрическое определение ментальных характеристик личности может оказаться целесообразным, например, для объективного тестирования при профессиональном подборе летчиков, космонавтов, хирургов и др. На практике тестирование применяется, но оно субъективно (т.е. зависит от тестирующего), а не объективно.

Для изучения этого вопроса мы подобрали людей с ярко выраженными следующими качествами: воля, трусость, доброта, злость. В каждую группу вошло по 6 человек. Например, в группу «воля» вошли люди, о которых мы хорошо знали, что они действительно обладают этим качеством. То же самое можно было сказать о группах «трусость», «доброта» и «злость». Офтальмогеометрическая оценка производилась по указанным двум четырехугольникам — большому и малому. Выяснилось в итоге следующее.

У волевых людей большой и малый четырехугольники имели равнобедренный характер, по угловым градусам были очень похожи друг на друга, а малый четырехугольник довольно равномерно входил внутрь большого четырехугольника.

У людей, составляющих группу «трусость», большой четырехугольник приближался к треугольнику основанием вниз, а малый четырехугольник тоже приближался по форме к треугольнику, но повернутому основанием вверх. Отличие групп «трусость» и «воля» было столь разительно, что даже не требовало статистического подтверждения.

Люди группы «доброта» имели большой четырехугольник, похожий на ромб, поставленный на угол. Малый четырехугольник тоже имел форму ромба, поставленного на угол, и довольно ровно входил в состав большого четырехугольника.

В группе «злость» можно было наблюдать, что большой четырех-угольник умеренно расплющивался и был сравнительно узким, а малый четырехугольник приобрел черты треугольника основанием вверх. Отличие групп «доброта» и «злость» было также очень разительным.

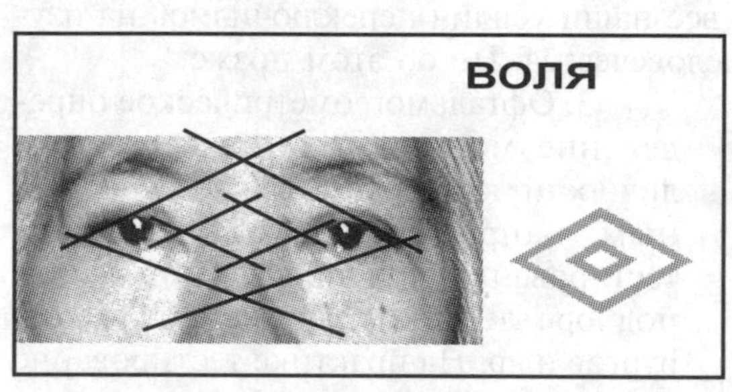

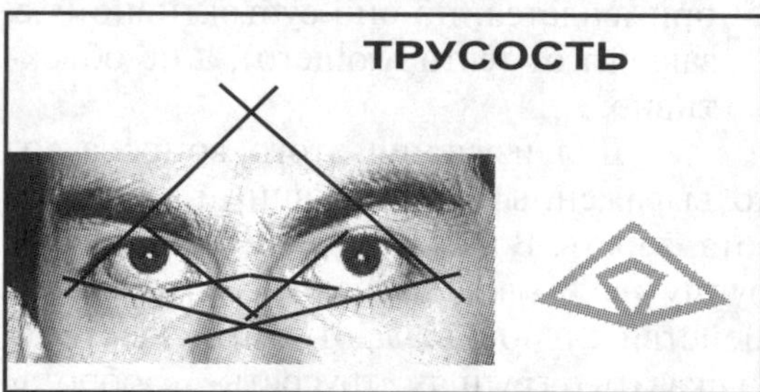

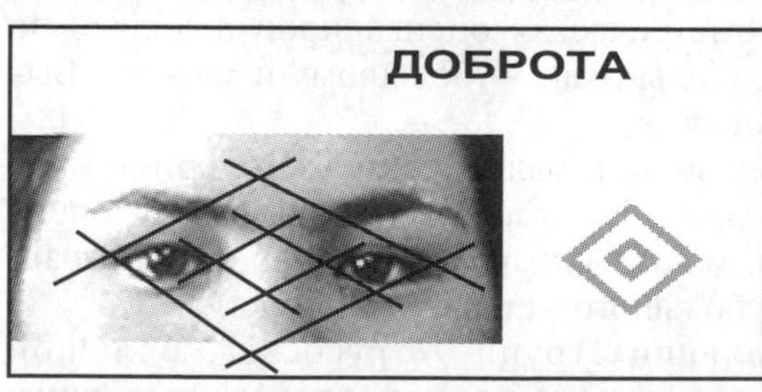

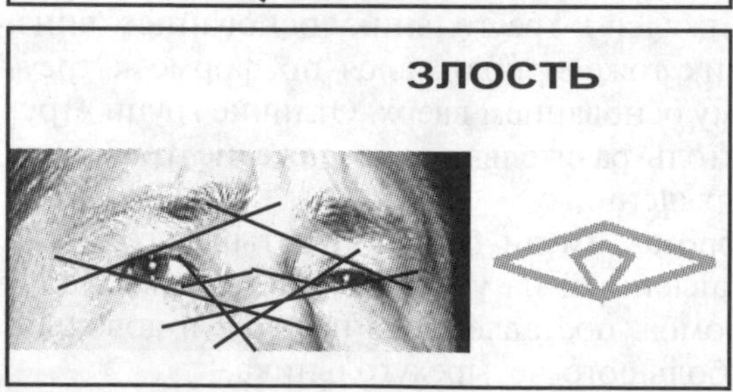

Проведенные исследования, конечно же, не могут считаться завершенными и не блистают большой точностью ввиду небольшого числа обследованных людей. Но даже эти данные весьма любопытны по следующим причинам. Во-первых, складывается впечатление, что волевые люди бывают чаще всего добрыми. Во-вторых, трусливые люди имеют склонность к злости (одинаковые малые четырехугольники), и наоборот: злые люди часто трусливы.

Естественно, существует множество промежуточных форм между волей, трусостью, добротой и злостью, которые могут быть замерены офтальмогеометрически. Можно также измерить другие ментальные характеристики человека.

4. Объективный анализ чувств и ощущений человека нами проводился пока еще поверхностно. Но даже первые полученные сведения показались нам весьма любопытными.

Что такое чувства? Это любовь, негодование, озлобление, удовлетворение и многое другое. Поэты и писатели описывают чувства человека. Но врачи редко обращают свое внимание на чувства при лечении болезней, хотя чувственный элемент присутствует в страдающем организме всегда. В народе говорят, что мать способна вылечить ребенка своей любовью.

Неужели можно офтальмогеометрически замерить, например, степень влюбленности или степень возмущения человека? Я думаю, что вскоре это будет возможно по мере включения в компьютерный анализ большего числа офтальмогеометрических параметров. А пока, когда мы в состоянии подвергнуть анализу лишь 2 параметра из 22, такие исследования грешат большой неточностью.

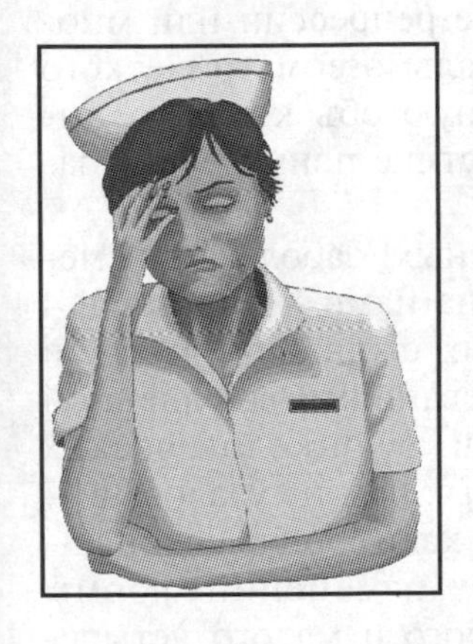

Ощущения (боль, недомогание, прилив энергии и т. п.) замеряются более точно даже на основании только двух указанных параметров. Но провести конкретные исследования со статистическим анализом у нас не хватало инициативы: все же наш центр — хирургическая клиника, и главные силы уходят на разработку и проведение операций.

Тем не менее можно сказать, что офтальмогеометрический анализ чувств и ощущений может открыть новые перспективы не только в медицине, но и в других областях науки. Особую пользу это может принести психологии; наверное, психология будущего будет владеть математическими офтальмогеометрическими методами.

5. Диагностика психических заболеваний была проведена нами у нескольких больных с диагнозом «шизофрения». Что касается параметров большого четырехугольника, то мы не нашли каких-либо типичных аналогий. Но малый четырехугольник у всех обследованных шизофреников имел склонность приближаться к форме треугольника, повернутого основанием кверху.

Но, конечно же, ставить диагноз «шизофрения» только на основании изменений малого четырехугольника нельзя. Нужно

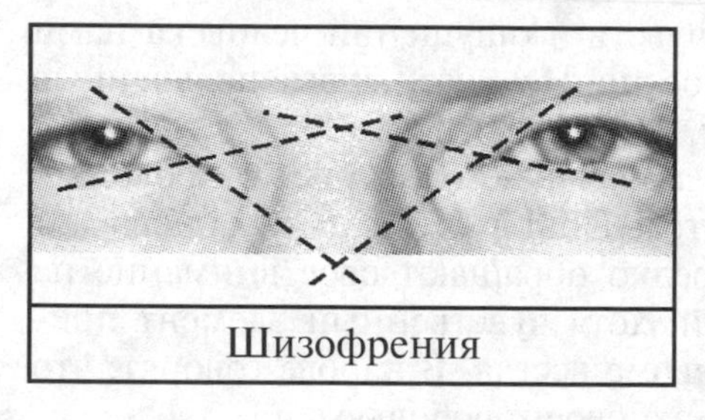

Шизофрения

изучить большее число офтальмогеометрических параметров, в которых, даже при приблизительном осмотре, видно немало специфических изменений, требующих сложной математической обработки.

Перспектива диагностики психических заболеваний по офтальмогеометрии, на мой взгляд, довольно велика. Дело в том, что современные психиатры пользуются сугубо субъективными методами диагностики, основанными на субъективном восприятии врачом ответов на поставленные диагностические вопросы. Субъективизм в этом деле привел к тому, что во всем мире идет спекуляция по поводу истинности или неистинности наличия психического заболевания (вспомните сталинские репрессии или многие криминальные дела). Внедрение офтальмогеометрического метода позволит получить дополнительную объективную информацию, способную помочь в диагностике психических заболеваний.

6. Диагностика соматических (телесных) заболеваний методом офтальмогеометрии была проведена нами на примере 4 больных с циррозом печени и 4 больных с онкологическими заболеваниями запущенной стадии. У онкологических больных нам не удалось выявить каких-либо специфических изменений формы большого и малого четырехугольников, поэтому говорить о диагностике рака, тем более раннего, пока не приходится.

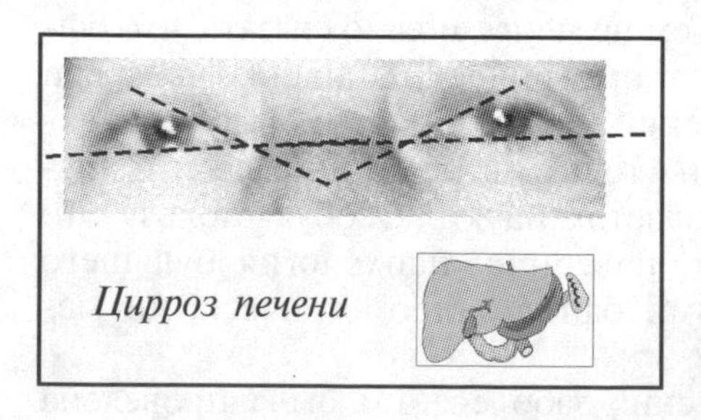

Цирроз печени

Зато у больных с циррозом печени нам удалось найти переход малого четырехугольника в треугольник, повернутый основанием кверху. Диагностический ли это признак цирроза печени? Конечно же нет. Приближение малого четырехугольника к треугольнику нами было обнаружено также у больных шизофренией, у людей со злобным характером (вспомните группу «злость») и у трусливых людей (группа «трусость»). Давайте подумаем об этом! Общим у этих людей является наличие негативного (отрицательного) момента: болезнь соматическая (цирроз печени), болезнь душевная (шизофрения) или негативные ментальные характеристики (злость, трусость). Из этого можно предположить, что малый четырехугольник является индикатором негативной психической энергии.

В то время, когда я занимался этим, я не знал, что в основе древних восточных методов лечения (лечение «внутренней энергией») лежит освобождение организма от негативной психической энергии. Тогда я даже не мог предположить, что любовь и сострадание, пропагандируемые на Востоке, являются противоядием не только для злости и трусости, но и для возникновения болезней. И конечно же, в то время я не мог даже в фантастическом сне представить, что освобождение организма от негативной психической энергии может привести к такому чуду, как сомати — консервирование живого человеческого тела с сохранением жизнеспособности на тысячи и миллионы лет.

А что касается диагностики соматических заболеваний по офтальмогеометрии, по этому вопросу ответа у меня пока нет. Надо продолжать исследования.

7. Определение национальности человека с применением офтальмогеометрии показало, что эти критерии выявляются достаточно четко. По характеру большого и малого четырехугольников можно отличить не только китайца от европейца или негра от индонезийца, но и выявить более тонкие национальные черты.

Этот вопрос мы изучили подробно при анализе различных рас людей, существующих на земле. А необходимость в таком анализе возникла в связи с тем, что мы решили с точки зрения офтальмогеометрии подойти к изучению происхождения человечества на земле. Но об этом будет подробно написано в следующей главе.

Завершая главу по офтальмогеометрии, я бы хотел сказать, что мы смотрим друг другу в глаза не из праздного любопытства — из глаз собеседника мы получаем информацию о его чувствах и ощущениях, которые отражаются на глазной области лица в виде изменений сложной конфигурации геометрических параметров. Мы подсознательно способны анализировать эти геометрические фигуры и составлять свое впечатление о мыслях, здоровье, чувствах и ощущениях человека, независимо от его слов. Поэтому, если вы хотите быть открытым человеком без потайных мыслей, то смотрите всегда своему собеседнику прямо в глаза и не носите черных очков. Тогда вы произведете впечатление сильного и честного человека.

Единомышленники

Глава 2

«Среднестатистические глаза». Пути миграции человечества по земному шару

В предыдущей главе я остановился на том, что с помощью офтальмогеометрии можно изучать человеческие расы.

Вопрос о возникновении человеческих рас весьма интересен. И в самом деле, почему люди, живущие в разных уголках нашей планеты, отличаются друг от друга? Существуют ли закономерности изменчивости внешности людей в зависимости от того, в каком районе земного шара они проживают? Где находится центр происхождения человечества? От кого мы произошли?

Ответы на эти вопросы старались найти многие ученые. Одни из них доказывали божественное происхождение человека (идеалисты), другие — происхождение от обезьяны (материалисты-дарвинисты). Среди второй группы ученых были и такие, которые говорили, что разные расы людей произошли от разных видов обезьян.

Существует множество классификаций человеческих рас. Французский ученый Кювье выделял, в частности, 3 расы — белую, черную и желтую. Деникер (1902) считал, что на земле существует 29 человеческих рас. В Британской энциклопедии (1986) описывается 16 человеческих рас. Но наиболее полную и фундаментальную классификацию составил, на мой взгляд, наш

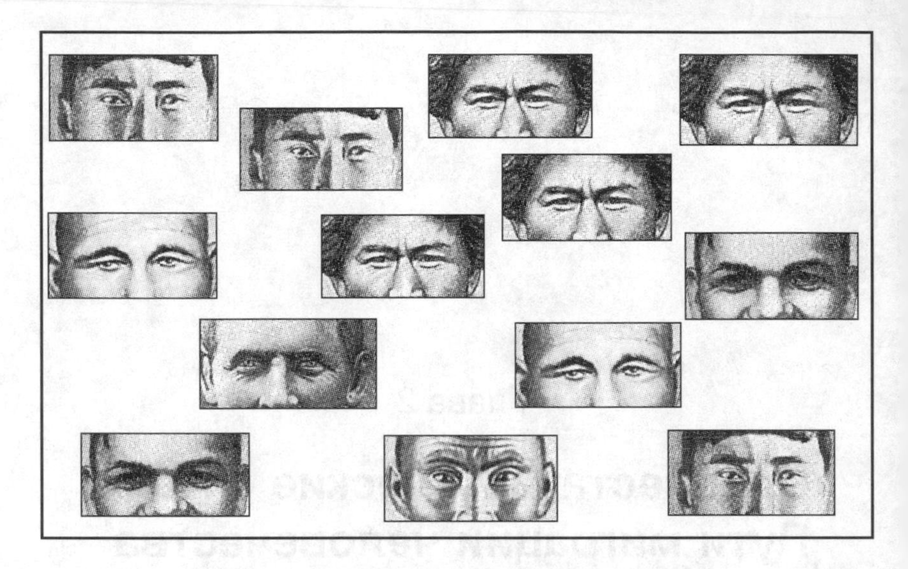

советский ученый А. Ярхо (1935,1936), описавший 35 человеческих рас, а также сопроводивший свой труд прекрасными фотографиями и рисунками представителей разных рас.

Приступив к исследованию человеческих рас, мы сделали качественные фотокопии представителей всех 35 рас из книги А. Ярхо и вырезали из этих копий глазную область лица. Далее с помощью сканера мы ввели эти изображения в компьютер и провели их офтальмогеометрический анализ. Офтальмогеометрические различия разных человеческих рас прослеживались достаточно четко. Но можно ли найти какие-либо математические закономерности среди них?

«Среднестатистические глаза»

Стараясь ответить на поставленный вопрос, мы высчитали среди всех человеческих рас «среднестатистические глаза». Благо, что роговичная константа позволяла нам подсчитывать офтальмогеометрические параметры в абсолютных цифрах.

Когда мы закончили подсчеты, то были поражены. «Среднестатистические глаза» совершенно четко принадлежали тибетской расе!

— Неужели прав Николай Рерих?! — воскликнул я.

Я с детства почитал Н. Рериха и считал его кумиром российской науки. Он в 1925—1935 годах совершил несколько тибетских и гималайских экспедиций, результатом которых явилось предположение, что человечество возникло на Тибете и оттуда распространилось по земному шару. Н. Рерих показал это, анализируя исторические и религиозные факты.

Н. К. Рерих

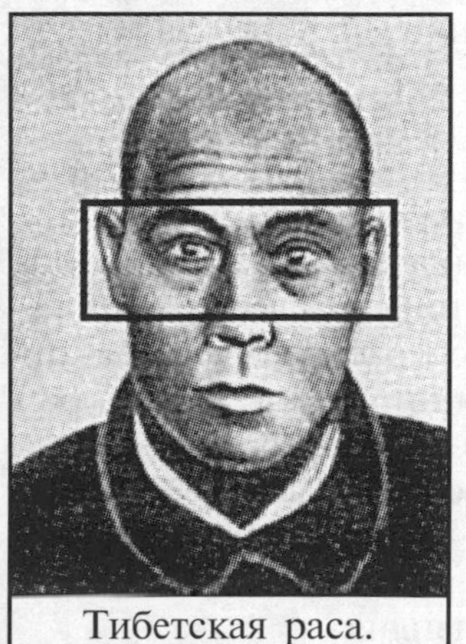

Тибетская раса. «Среднестатистические глаза»

У нас при математическом анализе глаз различных рас мира среднестатистические офтальмогеометрические показатели пришлись опять-таки на тибетскую расу. Случайно ли это? Нет ли здесь прямых аналогий?

Рассуждая на эту тему, мы постарались распределить глаза различных рас мира по степени математического приближения к «среднестатистическим глазам». Вначале нам это не удавалось: офтальмогеометрические параметры различных рас мира никак не выстраивались в одну стройную линию. Нам это удалось только тогда, когда мы стали распределять глаза разных рас по четырем корням от «среднестатистических глаз» тибетской расы.

Говоря иными словами, 4 расы имели примерно одинаковую степень математического приближения к глазам тибетской расы: палеосибирская, южноазиатская, памирская и арменоидная расы.

В отличие от первых трех рас, арменоидная раса имела меньшую степень математического приближения к тибетской расе, но без размещения ее рядом с тибетской расой не удавалась система распределения рас мира по степени математического приближения глаз к «среднестатистическим глазам».

Итак, выделив 4 корня, нам удалось распределить человеческие расы

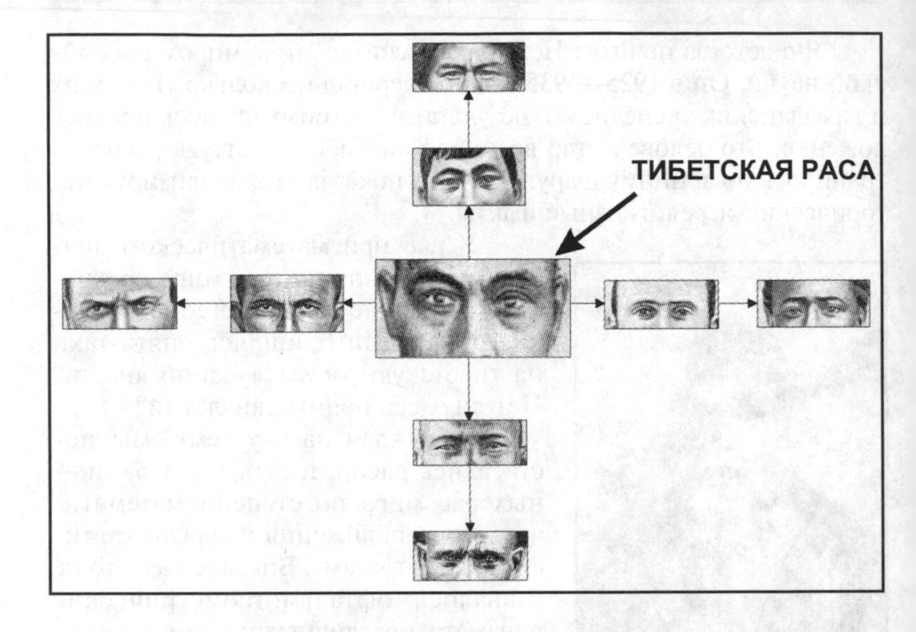

во всех этих корнях по степени математического приближения к «среднестатистическим глазам». Сложилась стройная система.

Далее мы поместили фотографии человеческих рас на карте мира в тех местах, где они исторически проживают, и соединили их линиями в соответствии с математическим приближением глаз по четырем вышеуказанным корням. Так была получена офтальмогеометрическая схема миграции человечества по земному шару.

Пути миграции человечества по земному шару

Таким образом, по данным офтальмогеометрии (а это сухой математический анализ рас мира!) у нас получилось, что человечество возникло на Тибете и распространилось оттуда по земному шару по четырем основным направлениям:

— путь А: Сибирь — Америка — Новая Зеландия;
— путь В: Таиланд — Индонезия — Австралия;
— путь С: Памир — Африка;
— путь D: Кавказ — Европа — Исландия.

В каждом из этих путей миграции человечества из Тибета прослеживалась четкая динамика изменчивости офтальмогеомет-

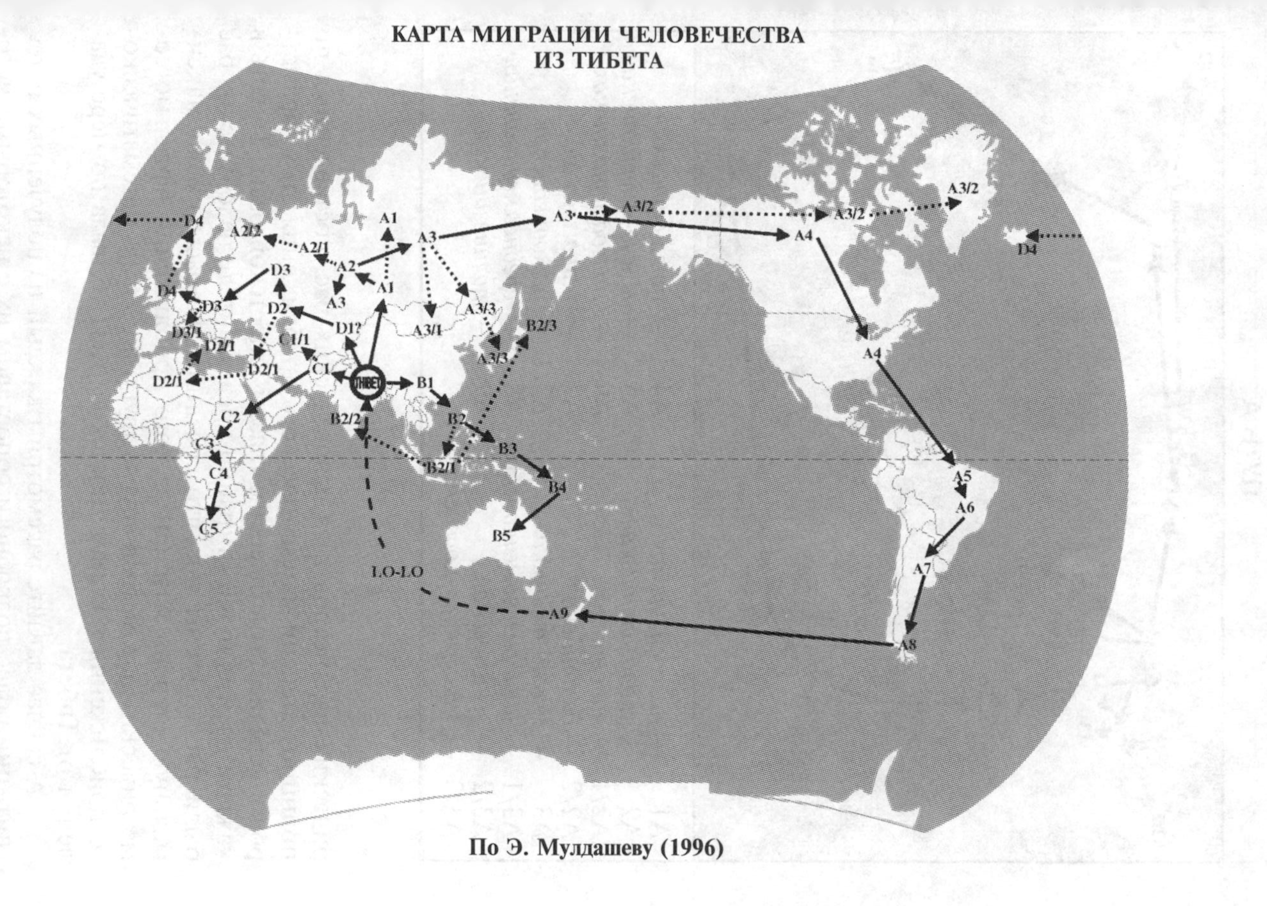
КАРТА МИГРАЦИИ ЧЕЛОВЕЧЕСТВА
ИЗ ТИБЕТА
TIBET
LO-LO
По Э. Мулдашеву (1996)

ПУТЬ А

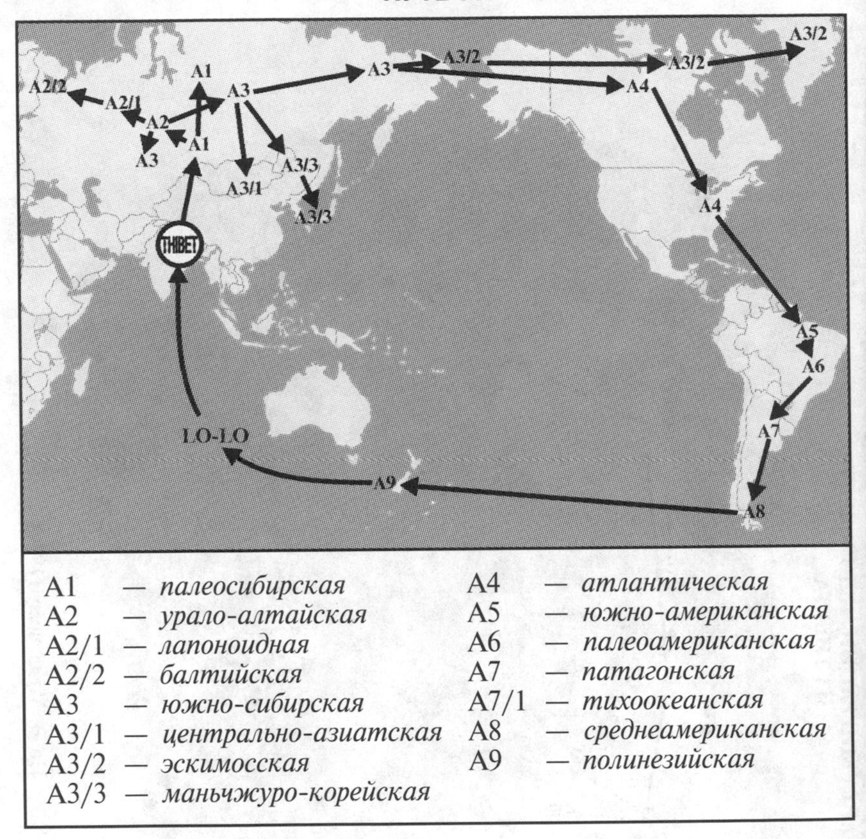

рических параметров глаз человеческих рас, составленных по принципу степени математического приближения этих параметров к «среднестатистическим глазам» тибетской расы. То есть в каждом из этих путей миграции представители человеческих рас были расположены так, что соседние две расы имели максимальную степень математического приближения офтальмогеометрических параметров друг к другу, а степень математического приближения к глазам тибетской расы убывала по мере удаления от Тибета.

А сейчас давайте рассмотрим каждый из полученных путей миграции более подробно и сопоставим их с некоторыми историческими фактами.

Путь миграции А

У нас получилось, что в этот самый большой путь (Сибирь, Америка, Новая Зеландия) вошли после тибетской следующие расы: палеосибирская, урало-алтайская, лапоноидная, балтийская, южно-сибирская, центрально-азиатская, эскимосская, маньчжуро-корейская, атлантическая, южно-америаканская, палеоамериканская, патагонская, тихоокеанская, среднеамериканская и полинезийская.

Причем от основной линии изменчивости глаз отходят несколько ответвлений: от урало-алтайской расы — лапоноидная и балтийская расы (одна за другой по принципу изменчивости глаз), от южно-сибирской расы — центрально-азиатская, эскимосская и маньчжуро-корейская расы (отдельно друг от друга) и от патагонской расы — тихоокеанская раса.

Я не историк, и мне трудно точно судить, какие современные нации и национальности входят в состав той или иной человеческой расы. Я всего-навсего профессор глазной хирургии и лишь волей научной логики был вынужден коснуться столь неспецифической для меня области. Тем не менее я позволю себе вкратце описать этот и другие пути миграции человечества из Тибета, полученные офтальмогеометрическим путем. Пусть ученые-историки не сочтут за великий грех те погрешности, которые я, наверное, допущу.

В пределах обозначенного пути А человечество мигрировало с Тибета на север. Новые условия обитания наложили отпечаток на внешность и, в частности, на глазную область лица (палеосибирская раса). Из палеосибирской расы выделилась урало-алтайская раса, представленная в современности, как я думаю, алтайцами и башкирами.

Урало-алтайская раса стала родоначальницей слепой западной ветви, в которую последовательно вошли лапоноидная (лопари) и балтийская расы. Представителями последней являются, на мой взгляд, финны. Я также не исключаю, что балтийская раса (возможно, вместе с лапоноидной) стала прародительницей современных татар, глаза которых я изучал. К этой же слепой ветви могут иметь отношение эстонцы и венгры.

Следующим этапом в системе последовательной офтальмогеометрической изменчивости стала южно-сибирская раса, которая широко распространилась по территории Сибири и Казахстана. К этой расе относятся, по моему мнению, современные казахи и многие народы Севера (ненцы, якуты, чукчи и др.).

ПУТЬ А

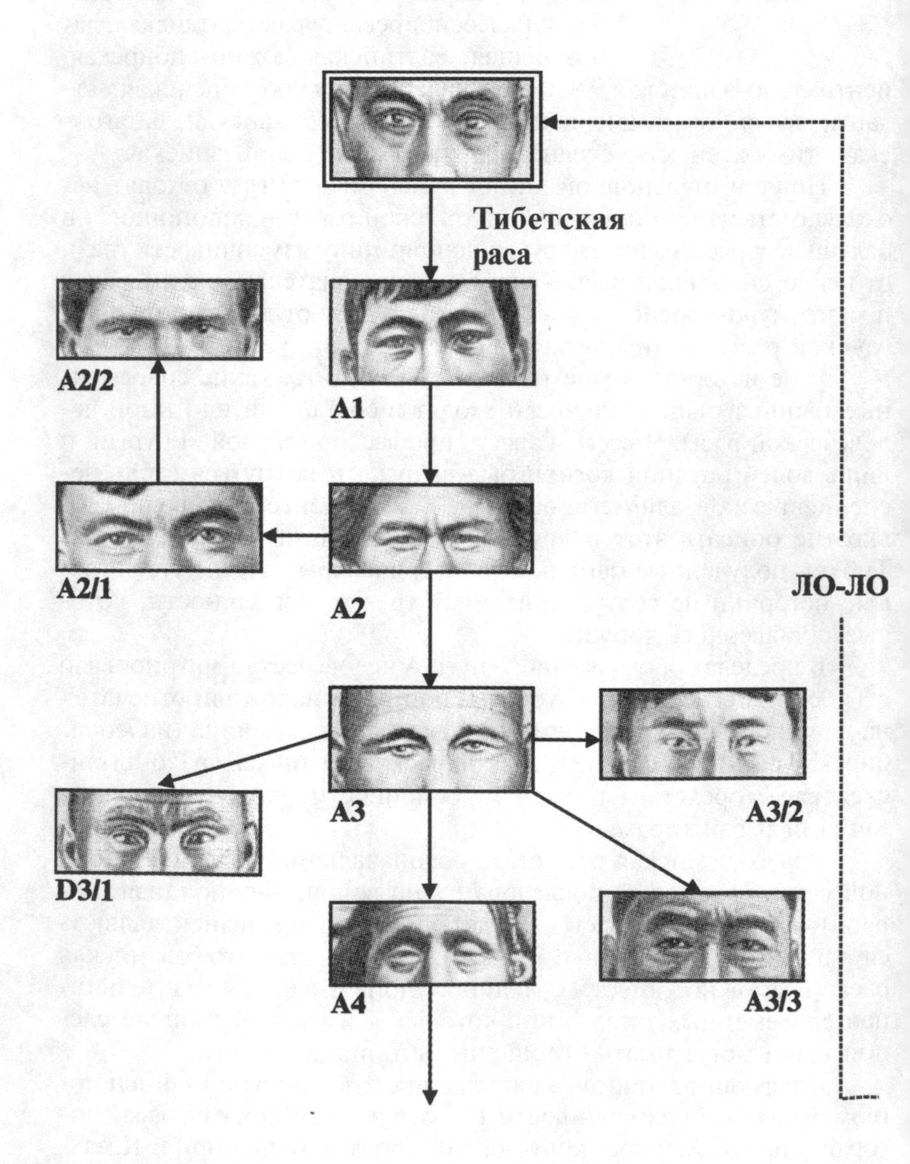

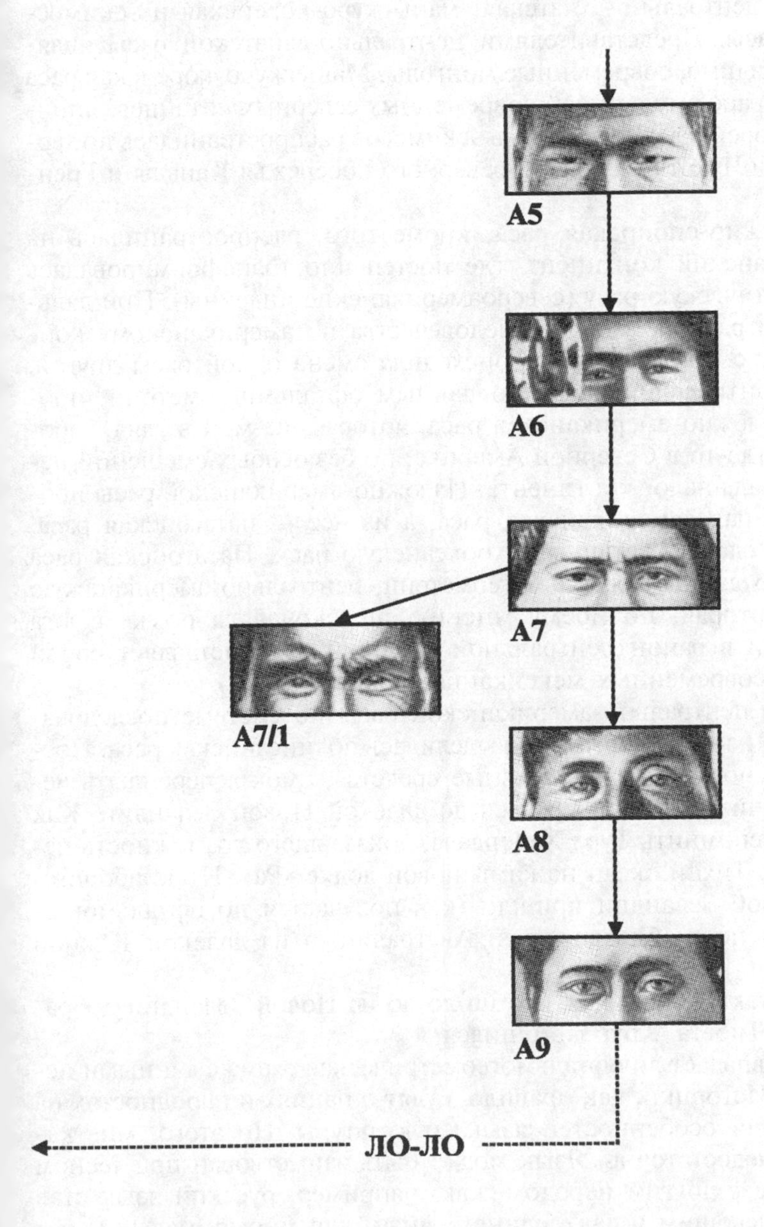
ПУТЬ А (продолжение)
А5
А6
А7
А7/1
А8
А9
ЛО-ЛО

Южно-сибирская раса дала три самостоятельных слепых ответвления: центрально-азиатская, маньчжуро-корейская и эскимосская расы. Представителями центрально-азиатской расы являются, видимо, современные монголы. Маньчжуро-корейская раса стала прародительницей современных северных китайцев, японцев и корейцев. Слепая ветвь эскимосов распространилась по территории Чукотки, Аляски, северного побережья Канады и Гренландии.

Южно-сибирская раса, кроме того, распространилась на американский континент, где постепенно трансформировалась в атлантическую расу (североамериканские индейцы). При дальнейшем распространении человечества по американскому континенту с севера на юг происходила смена одной расы другой. Из атлантической расы, по данным офтальмогеометрии, произошла южно-американская раса, которая, на мой взгляд, зародилась где-то в Северной Америке, но без особых смешений перекочевала на юг континента. Из южно-американской расы произошла палеоамериканская раса, а из нее — патагонская раса, давшая слепую ветвь — тихоокеанскую расу. Патагонская раса дала, по данным офтальмогеометрии, центрально-американскую расу, которая, по моему мнению, перекочевала позже с юга Америки в район центральной Америки и представляет собой сейчас современных мексиканцев (майя, ацтеки).

Из центрально-американской расы по системе последовательной изменчивости глаз выделилась полинезийская раса. Последняя, построив плавательные средства, смогла переплыть через Тихий океан и добраться до далекой Новой Зеландии. Как тут не вспомнить Тура Хейердала, доказавшего возможность переплыть Тихий океан на камышовой лодке «Ра». Итак, аборигены Новой Зеландии пришли (как получается по офтальмогеометрии) не из близлежащей Австралии, а из далекой Южной Америки.

Я также читал, что племя ло-ло из Новой Зеландии добралось до Тибета. Круг завершился.

Совпадает ли офтальмогеометрическая схема с данными истории? Историки, как правило, судят о нациях и народностях на основании особенностей языка и культуры. Но этого, мне кажется, недостаточно. Язык может быть заимствован при тесном контакте с другим народом, как, например, русский язык стал преобладающим и даже единственным для многих малых народов России (сейчас можно встретить представителей чувашей, мордвы, коми и других народов, которые говорят только по-русски и считают русский язык родным). Культура народов тоже меняется при тесном контакте с другим народом. Вопрос о расах, народах и нациях весьма сложен и запутан. Тем не менее мы постараемся провести некоторые параллели.

В Москве я нашел одного финна и одного японца и пригласил их вместе поучаствовать в дискуссии о происхождении народов. Высокий белокурый финн и маленький темноволосый японец сидели в креслах и с интересом разглядывали друг друга, думая, наверное, о том, от кого каждый из них произошел.

— Господа, — сказал я, начиная встречу, — при тщательном математическом исследовании глаз различных рас мира мне удалось прийти к заключению, что вы, финн и японец, имеете единый корень происхождения. Посмотрите, пожалуйста, друг на друга и постарайтесь выяснить, есть ли между вами что-то общее.

Финн и японец пристально посмотрели друг на друга, стараясь, видимо, найти общие черты, и дружно расхохотались.

— Между нами нет ничего общего, может быть, только то, что мы оба люди, — сказал японец.

— Не торопитесь, господа, — продолжал я, — существовало 4 корня происхождения различных рас мира. Вы оба имеете единый (первый) корень происхождения. Посмотрите на офтальмогеометрическую карту миграции человечества из Тибета: единый первый корень имеет несколько ветвей миграции человечества, одна ветвь заканчивается на вас, финнах (балтийская раса), другая — на вас, японцах (маньчжуро-корейская раса). Но корень происхождения у вас един. Вот, посмотрите! Поэтому у вас должны найтись общие признаки, но очень глубинные, потому что они очень древние. Называйте, пожалуйста, простые бытовые слова (огонь, вода, небо, земля, дом, женщина и т. п.) по-японски и по-фински — возможно, в них вы найдете схожесть или общий корень. В соответствии с этим постарайтесь также провести параллели между древними (очень древними) обычаями японцев и финнов.

Между финном и японцем завязалась увлеченная беседа на плохом русском языке, которая продолжалась часа два. Я пытался вначале записывать финские и японские слова, которые имели общий корень, а также уловить смысл общности их древних обычаев, но потом бросил это дело, потому что оба собеседника, возбужденные беседой, не обращали на меня достойного внимания и редко останавливались, когда я просил их записать то или иное слово. Поэтому мне сейчас, по прошествии нескольких лет, трудно воспроизвести их беседу.

— Смотри-ка, — сказал более бойкий японец, — и в самом деле у нас с финном есть общее. Мы с ним братья по древней крови.

— Между прочим, — сказал финн, — вам надо более широко пропагандировать ваши исследования. Они будут служить делу мира на Земле. А то все считают, что арийская раса является передовой. Вот мы с японцем нашли, что между нашими языками есть сходство, есть сходство и в обычаях. Я посмотрел на японца как на своего кровного брата, хотя он совсем не похож на меня.

— Скажите, а можно найти сходство между мной и негром? — спросил японец.

— Вряд ли, а вот между негром и памирцем — можно, — ответил я.

Конечно, я не могу ручаться за научную строгость беседы между финном и японцем. Однако тот факт, что они и в самом деле нашли много общего между собой, весьма любопытен. Контрольных исследований (например, встречу японца и негра, которые имеют разные корни происхождения) провести, к сожалению, не удалось.

Другими историческими параллелями, подтверждающими описанный путь миграции человечества, могут быть гипотеза об азиатском происхождении американских индейцев, гипотеза об американском происхождении новозеландских аборигенов и факт тесных контактов аборигенов Чукотки и Аляски.

Естественно, предмет нашего исследования, уходящий своими корнями в глубокую древность, является спорным. Здесь, как ни в какой другой области, трудно найти прямые доказательства. Но, несмотря на это, я продолжу описание других путей миграции человечества, полученных при офтальмогеометрических исследованиях.

У нас получилось, что в этот юго-восточный путь миграции вошли после тибетской расы последовательно следующие расы: южноазиатская, папуасская, меланезийская, веддо-индонезийская и австралийская. От основной линии изменчивости глаз отходит одно ответвление: папуасская раса дала азиатско-пигмейскую расу, которая в свою очередь породила дравидскую и айнскую расы.

Путь миграции В

В пределах обозначенного пути В человечество в глубокой древности мигрировало из Тибета на юго-восток. Естественные условия обитания повлияли на внешность людей, в результате чего появилась южно-азиатская раса, представленная в настоящее время, на мой взгляд, таиландцами, вьетнамцами, кампучийцами и южными китайцами.

Распространение на южные острова (Филиппины, Индонезия) привело к появлению папуасской расы, которая породила азиатско-пигмейскую расу в пределах той же Индонезии.

По нашим представлениям, папуасы и пигмеи — это верх человеческого дикарства. В Индонезии я был, но с чистокровными пигмеями и папуасами не общался, поэтому не могу судить об их умственных способностях. Никто не знает, какими были пигмеи и папуасы в глубокой древности. Может быть, они были вполне развиты по тем временам, а регресс и одичание у этих людей наступили позже.

По данным офтальмогеометрии, ветвь азиатско-пигмейской расы дала два независимых ответвления и породила дравидскую и айнскую расы. Дравидская раса представлена, по моему мнению, южными индийцами. Будучи в Индии, я в самом деле заметил, что южные индийцы по внешности заметно отличаются от северных: они темнее, волосы курчавые, глаза совсем другие, чем у северных индийцев. Мне думается, что прародителем северных индийцев явилась тибетская раса, а южные индийцы, как я уже говорил, являются представителями дравидской расы.

На одной из конференций в Индии я спросил индийского врача, имевшего все признаки дравидской расы:

— Скажите, вы не знаете, откуда в древности пришли южно-индийские племена?

— Говорят, что мои предки пришли в Индию с островов Полинезии, — ответил врач.

ПУТЬ В

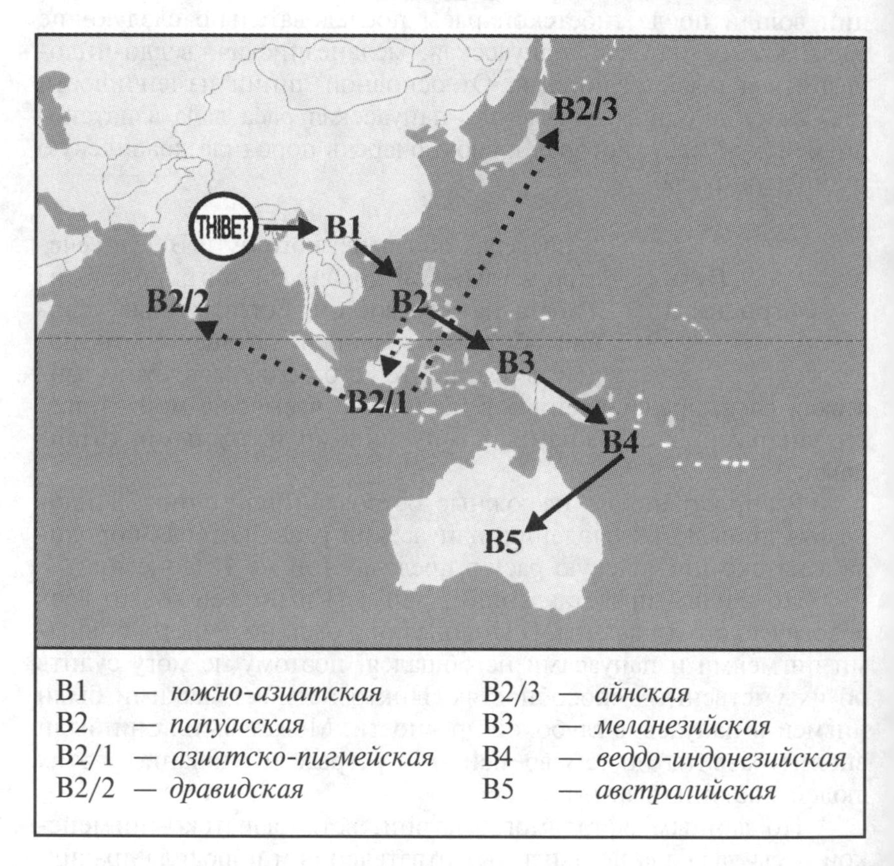

— Совпало, — констатировал я.

На той же конференции я нашел индийского врача, имевшего все признаки тибетской расы.

— Извините, — обратился я к нему, — северные индийцы по внешности отличаются от южных индийцев. Как вы думаете, южные индийцы пришли на территорию Индии или они жили здесь всегда?

— Я не знаю точно, но южные индийцы вроде бы давным-давно пришли на территорию Индии откуда-то, — сказал врач, имевший признаки тибетской расы.

— Вот вы, — продолжал я, — являетесь по внешности коренным представителем северных индийцев. Ваши предки тоже пришли на территорию Индии откуда-нибудь?

ПУТЬ В

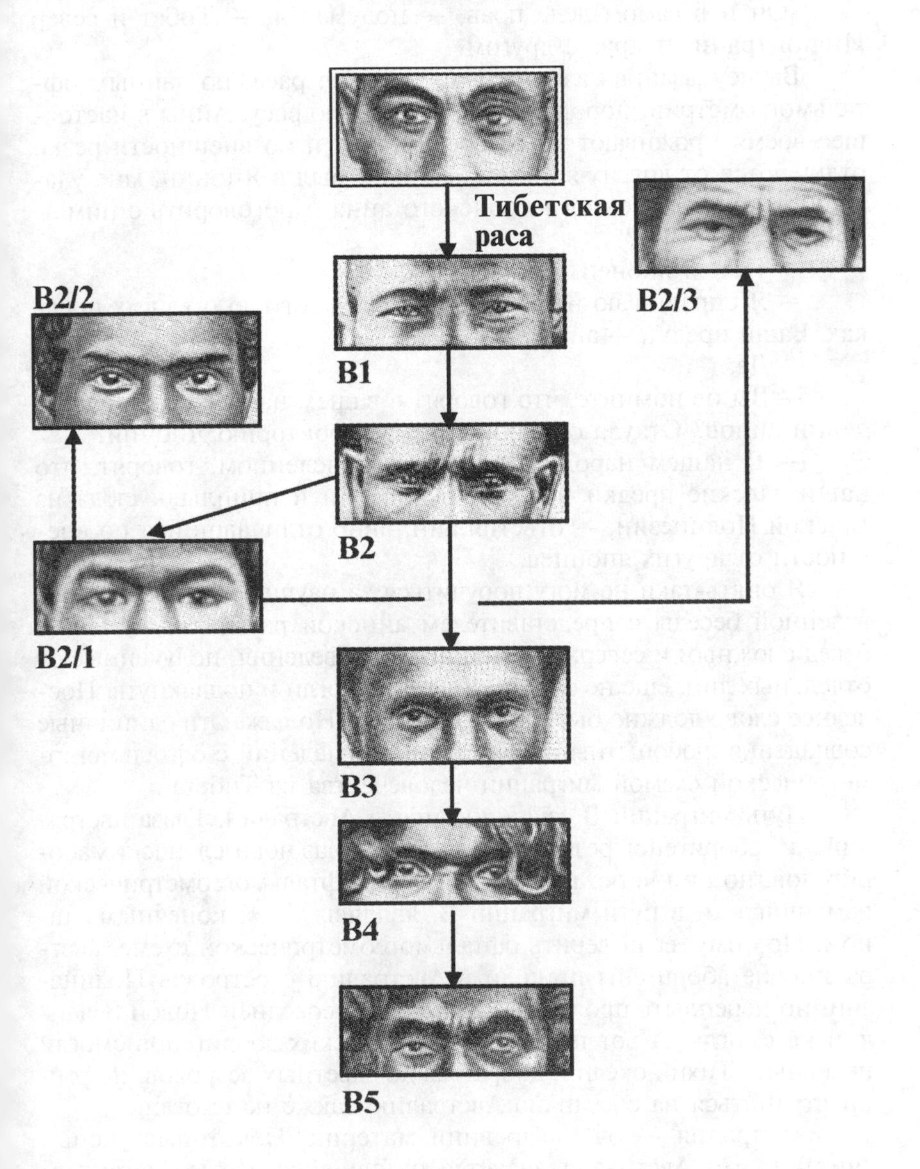

— Мы жили здесь всегда, — ответил врач.

«Он и в самом деле прав, — подумал я, — Тибет и север Индии граничат друг с другом».

Вышеуказанная азиатско-пигмейская раса, по данным офтальмогеометрии, породила еще и айнскую расу. Айны в настоящее время проживают на севере Японии и по внешности резко отличаются от других японцев. Когда я был в Японии, мне удалось отыскать коренного японского айна и поговорить с ним.

— Вы — айн?

— Нет, я японец.

— Я спрашиваю не о гражданстве, а говорю о ваших предках. Ваши предки — айны?

— Да.

— Вы не помните, что говорят в вашем народе о происхождении айнов? Откуда они пришли на территорию Японии?

— В нашем народе, уже немногочисленном, говорят, что наши далекие предки построили корабли и приплыли сюда из далекой Полинезии, — ответил айн, явно отличавшийся по внешности от других японцев.

Я опять-таки не могу поручиться за научную строгость проведенной беседы с представителем айнской расы, так же как и бесед с южным и северным индийцами. Сведения, полученные от отдельных лиц, еще не есть истина; они могли и поддакнуть. Последнее слово должно быть за историками. Но даже эти единичные совпадения любопытны в отношении совпадений с офтальмогеометрической схемой миграции человечества из Тибета.

Путь миграции В заканчивается в Австралии. Глаза австралийских аборигенов резко отличаются от глаз новозеландских аборигенов, но они четко входят в систему офтальмогеометрической изменчивости в пути миграции В, являясь в ней конечным этапом. Поэтому, если верить офтальмогеометрической схеме, австралийские аборигены пришли в Австралию с островов Полинезии, но переплыть пролив и добраться до соседней Новой Зеландии не смогли. А вот предки новозеландских аборигенов смогли переплыть Тихий океан и добраться до заветных островов, но распространиться на соседнюю Австралию также не смогли.

Австралия — очень древний материк. Некоторые ученые считают, что Австралия является оставшейся частью легендарной Атлантиды, а ее уникальная флора и фауна сохранилась со времен Атлантиды. В Австралии много коренных племен. Возможно, часть из них пришла из района Полинезии (по офтальмогеометрической схеме), а часть осталась со времен древнего материка Атлантиды. Но об этом речь пойдет позже.

Путь миграции С

По степени математического приближения глаз в этот путь после тибетской расы вошли следующие расы: памирская, эфиопская, негрская, африкано-пигмеоидная и бушменская. От памирской расы имеется одно ответвление — северокавказская раса.

Это черная ветвь миграции человечества из Тибета. У нас получилось, что прародителем черных рас (эфиопская, негрская, африкано-пигмеоидная и бушменская) является памирская раса, которая в настоящее время представлена, как мне думается, таджиками и другими народами Памира. От той же памирской расы произошла северокавказская раса, представленная в современности многочисленными кавказскими народами.

Почему в этом пути миграции человечества произошло почернение кожи людей? Здесь нельзя исключить влияние климатического фактора, поскольку в других путях миграции тоже имело место изменение цвета кожи. Например, в пути миграции В цвет кожи изменился от желтого (тибетская раса) до коричневого (австралийская раса), а в ответвлении, отходящем от папуасской расы, дошла почти до черного цвета (дравидская раса).

Однако явно черный цвет кожи людей африканского континента мог иметь и иной генез, связанный с тем, что, по одной из гипотез, человечество произошло параллельно и в Африке, где оно было изначально черным. Возможно, произошло смешение тибетского и африканского истоков происхождения человечества.

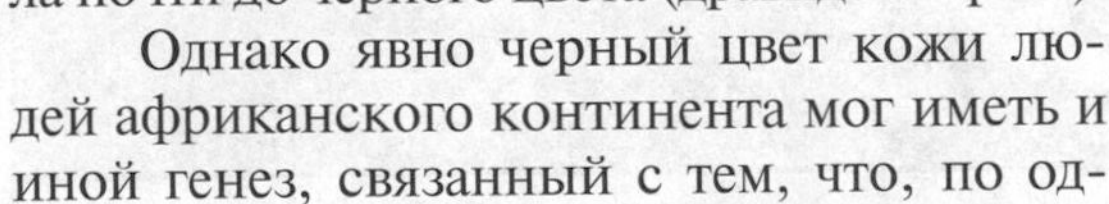

Кроме того, некоторые литературные источники свидетельствуют о том, что предыдущая цивилизация атлантов делилась на желтых и черных людей. Не являются ли африканские негры потомками некогда могущественных черных атлантов? Нам трудно ответить на этот вопрос, но в последующих главах, когда я буду подробно останавливаться на загадочной цивилизации атлантов, читатель найдет много интересных рассуждений и фактов на эту тему.

ПУТЬ С

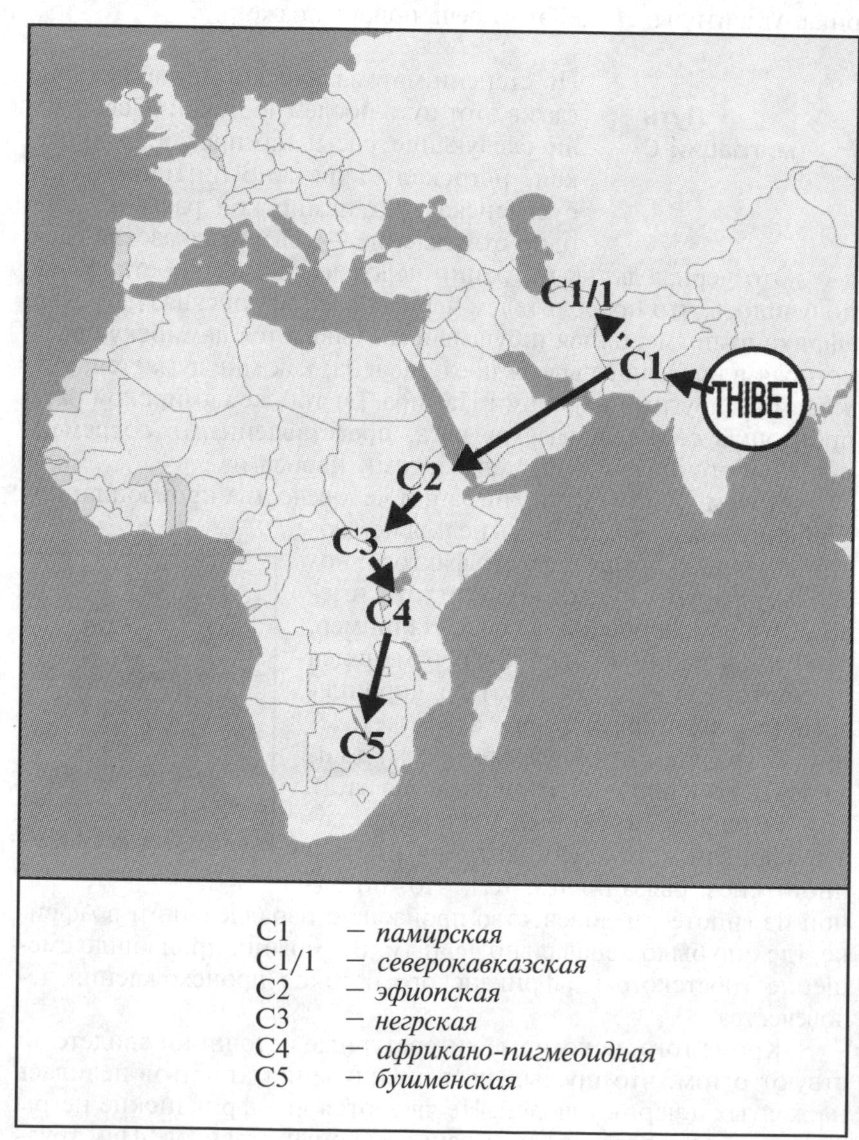

C1 — *памирская*
C1/1 — *северокавказская*
C2 — *эфиопская*
C3 — *негрская*
C4 — *африкано-пигмеоидная*
C5 — *бушменская*

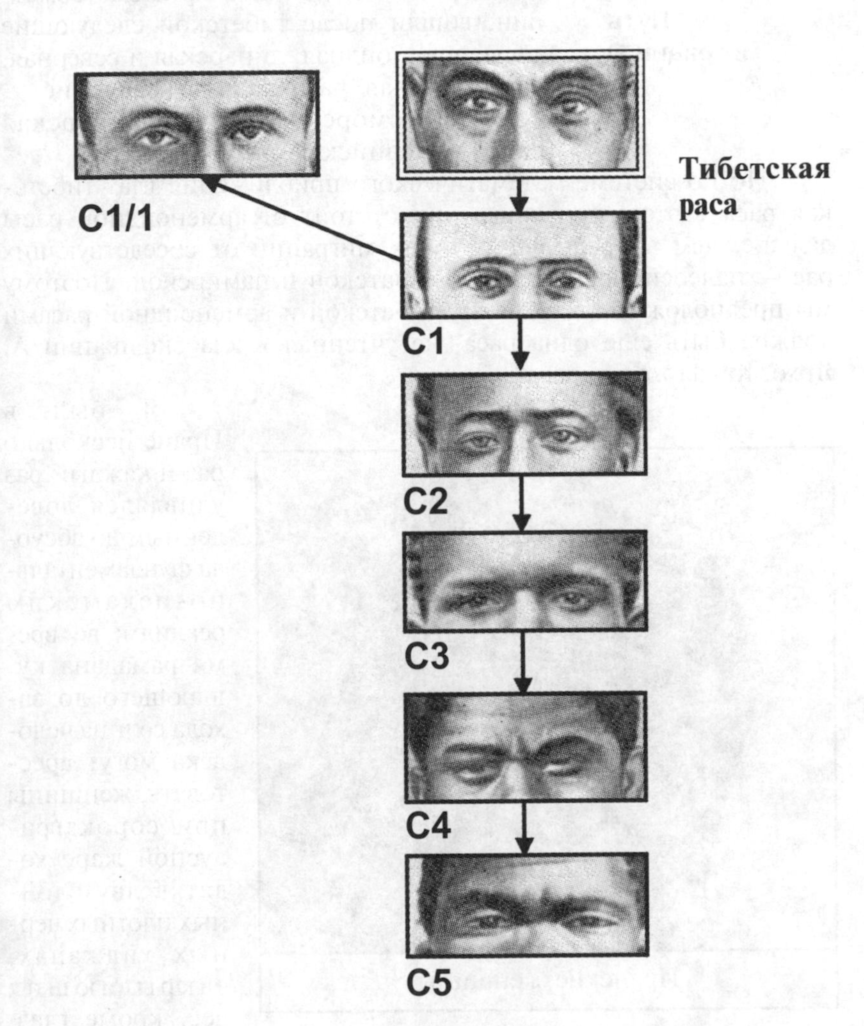
ПУТЬ С
Тибетская раса
C1/1
C1
C2
C3
C4
C5

Путь миграции D

В этот путь, по данным офтальмогеометрии, вошли после тибетской следующие расы: арменоидная, динарская и северная. Арменоидная раса дала ответвление — средиземноморскую расу, а динарская раса — альпийскую расу.

Но по системе математического приближения глаз тибетская раса в этом пути миграции отстоит от арменоидной расы дальше, чем в предыдущих путях миграции от соседствующих рас — палеосибирской, южно-азиатской и памирской. Поэтому мы предположили, что между тибетской и арменоидной расами должна быть еще одна раса, не учтенная в классификации А. Ярхо. Какая же это раса?

Иранские женщины

Я был в Иране несколько раз и каждый раз удивлялся доведенным до абсурда фундаментально-исламским реалиям: во время рамадана кушающего до захода солнца человека могут арестовать, женщины при сорокаградусной жаре ходят в двухслойных плотных черных хиджапах, закрывающих все, кроме глаз. Иранцы черноволосые и смуглые, они похожи больше всего на азербайджанцев. Но среди них иногда встречаются светло- или рыжеволосые субъекты с довольно светлой кожей.

— Кто эти светловолосые люди? — спросил я иранского офтальмолога.

— Это персы, — ответил он.

— А разве персы не черноволосые и смуглые?

— В Иране около 40% населения составляют азербайджанцы, большой процент курдов, белуджи и других народов; они все темноволосые и смуглые. А вот коренные персы — светлые. Правда, они во многом перемешались с другими народами, но истинные персы отличаются от других народов Ирана.

Я вспомнил какую-то (какую не помню) литературу о том, что Гитлер считал кровными братьями арийской расы (имеются в виду немцы*) именно персов и, ради обновления немецкой крови, организовал браки между немцами и персами. А может быть, Гитлер был прав, что немцы и персы имеют единый корень происхождения?

В Иране, консультируя больных, я встретил одну рыжеволосую персиянку — мать ребенка-пациента.

— Вы чистокровная персиянка? — спросил я.

— Да, а что?

— Как вам удалось сохранить чистоту вашей крови?

— Мы, персы, как и другие народы, все же стараемся сохранить свою кровь.

— Можно я сфотографирую ваши глаза?

— А зачем это надо?

— Для того, чтобы выявить родственные моменты, сопоставив их с глазами вашего ребенка, — соврал я, понимая, что в исламской стране факт фотографирования глаз может быть воспринят неадекватно.

Я сфотографировал ее глаза, а по приезде в Россию провел их офтальмогеометрический анализ. Глаза эти имели ориентировочно такие офтальмогеометрические параметры, что в пути миграции D по степени математического приближения они вставали между тибетской и арменоидной расами.

Глаза случайной женщины не есть выверенные фотографии типичных представителей рас в классификации А. Ярхо, тем не менее это позволило нам предположить, что существовала и существует персидская раса, родившая по офтальмогеометрической схеме арменоидную расу. В случае такого предположения путь миграции D выстраивается в четкую линию по степени математического приближения глаз друг к другу.

---

* Называть арийской расой только немцев неправомерно, так как во многих серьезных источниках (Е. Блаватская, Е. Рерих и др.) арийцами называют всех людей современной человеческой цивилизации на Земле.

ПУТЬ D

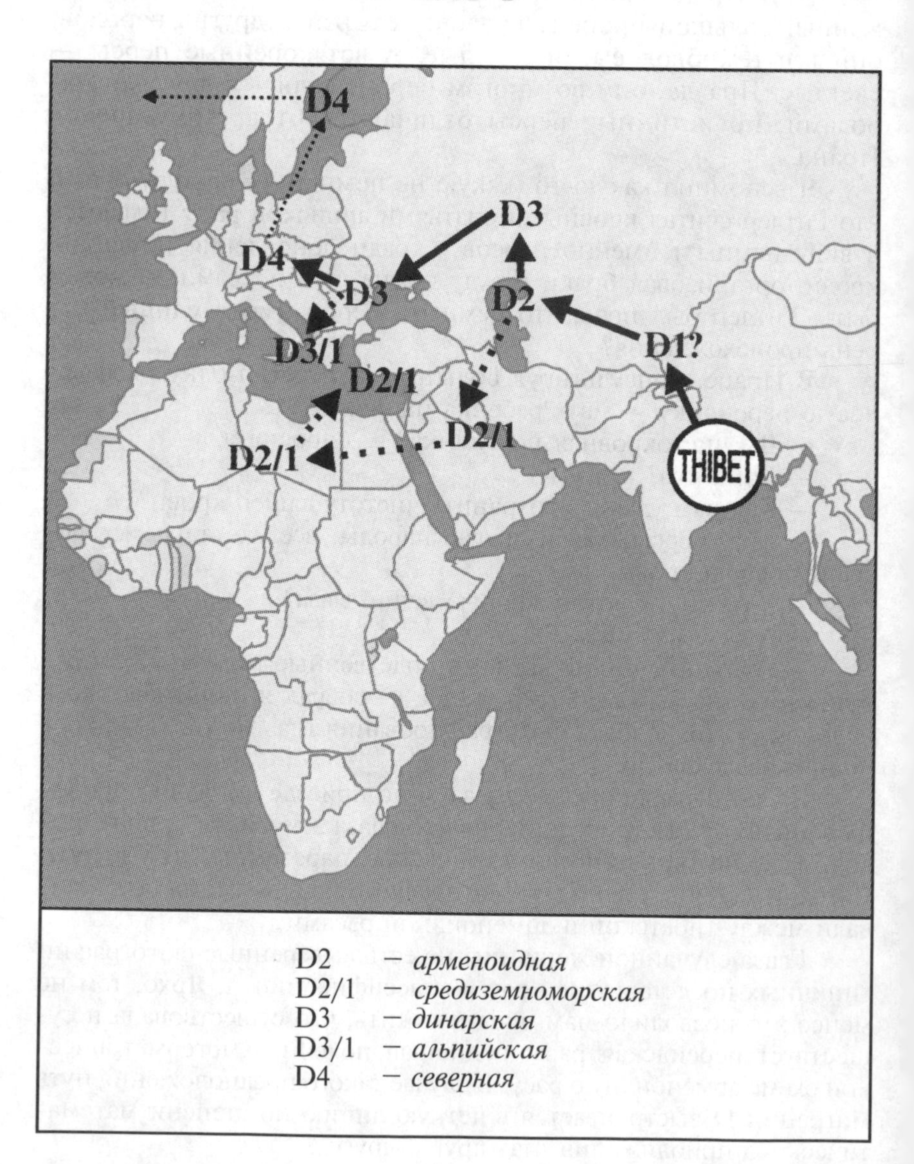

D2 — *арменоидная*
D2/1 — *средиземноморская*
D3 — *динарская*
D3/1 — *альпийская*
D4 — *северная*

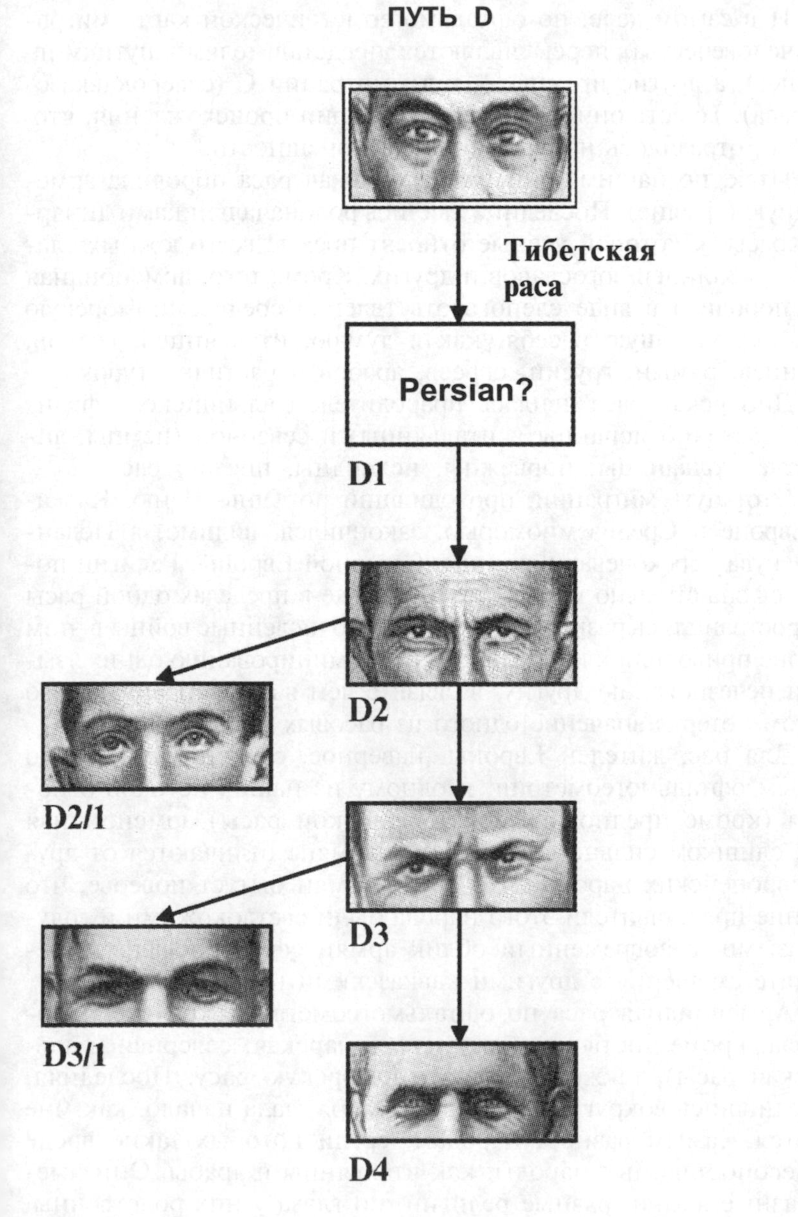
ПУТЬ D
Тибетская
раса
Persian?
D1
D2
D2/1
D3
D3/1
D4

И в самом деле, по офтальмогеометрической карте миграции человечества, персы являются представителями пути миграции D, а другие иранцы — пути миграции C (северокавказская раса). То есть они имеют разные корни происхождения, что, видимо, отразилось на различиях в их внешности.

Итак, по нашим данным, персидская раса породила арменоидную (армяне). Последние явились родоначальниками динарской расы, к которой ученые относят прежде всего южных славян — украинцев, югославов и других. Кроме того, арменоидная раса породила в виде слепого ответвления средиземноморскую расу, включающую в себя, как я думаю, итальянцев, греков, испанцев, румын, грузин, евреев, арабов и частично турок.

Динарская раса явилась прародителем альпийской (французы, частично испанцы и итальянцы) и северной (немцы, англичане, голландцы, норвежцы, исландцы, шведы) рас.

Этот путь миграции, проходивший по Тянь-Шаню, Кавказу, Европе и Средиземноморью, закончился, видимо, в Исландии*, куда перекочевали викинги Северной Европы. Религии появились значительно позже, поэтому даже в пределах одной расы распространились разные религии. Многочисленные войны в этом регионе приводили к периодическому доминированию одних языков и исчезновению других, в связи с чем языковой признак во многом потерял значение одного из расовых признаков.

Для нас, жителей Европы, наверное, странно то, что, по данным офтальмогеометрии, к одному из наших истоков относится (кроме предполагаемой персидской расы) арменоидная раса; слишком сильно современные армяне отличаются от других европейских народов. Но среди армян бытует поверье, что древние представители этого народа были светлокожими и голубоглазыми, а современный облик армян сформировался в результате смешения с другими кавказскими народами.

Арменоидная раса по офтальмогеометрической схеме породила, кроме чистых европейцев (динарская, северная и альпийская расы), также и средиземноморскую расу. Последняя, расселившись вокруг Средиземного моря, дала начало, как мне кажется, самым разным народам, среди которых такие вроде бы несопоставимые народы, как итальянцы и арабы. Они имеют разные языки, разные религии, но глаза у них родственны.

---

* Здесь не берется в расчет колонизация континентов с формированием таких стран, как США, Австралия и т. п., проходившая значительно позже.

Я не могу ничего утверждать, но, по моему мнению, биологически они едины, а языковые и религиозные моменты наложились позже.

Кстати говоря, северные итальянцы отличаются от южных. Южные итальянцы являются, на мой взгляд, чистыми представителями средиземноморской расы, в то время как северные итальянцы являются продуктом смешения средиземноморской расы с северной и альпийской расами.

Динарская раса, произошедшая тоже из арменоидной расы, представлена в настоящее время, по мнению ученых, южными славянами (украинцы, болгары, югославы и другие). Но самый многочисленный славянский народ — русские — отличаются по внешности и глазам от типичных представителей динарской расы, например югославов.

Кто же они, русские? Я изучал глаза русских и по офтальмогеометрическим признакам могу сказать, что русские, скорее всего, являются продуктом смешения динарской расы с лапенианской и балтийской расами (татарами, коми, финнами, эстонцами и т.п.), то есть с расами, произошедшими из совершенно другого истока человечества — пути миграции А.

Динарская раса породила, по нашей схеме, альпийскую (французы, северные испанцы и др.) и северную (немцы, англичане, шведы и др.) расы. Так что французы, немцы и англичане самыми близкими «братьями по крови» имеют нас — славян. В этой связи Гитлер был не прав, считая славян неполноценной ветвью развития человечества, подлежащей уничтожению, а персов — кровными братьями; и персы и славяне находятся в едином расово-генетическом корне — пути миграции D.

Еврейский феномен

Евреи, исходя из того, что истоки их находятся на Синайском полуострове (земля обетованная), относятся к средиземноморской расе. Поэтому их наиболее «кровными братьями» являются арабы, греки, южные итальянцы, испанцы.

Однако известно, что этот народ имеет чрезвычайное разнообразие внешности: от белокурых европейских евреев до почти черных эфиопских евреев. В чем же причина этого?

В сравнительно недавнем историческом периоде еврейский народ потерял свою землю и расселился по разным уголкам земного шара, сохраняя при этом свою нацию путем религиозного запрета на смешанные браки. Конечно же, этот запрет не выполнялся на сто процентов, тем не менее мы не можем отрицать его воздействие. Поэтому непонятно, почему при сохранении нации и присущих ей особенностей (культура, обычаи и др.) внешность евреев столь резко различается по географическому принципу. Бухарские евреи похожи на узбеков, кавказские евреи — на кавказцев, германские евреи — на немцев, марокканские евреи — на марокканцев, эфиопские — на эфиопов и т. д. Смешанные браки, которые частично имели место, не могли столь сильно повлиять на внешность евреев, в противном случае еврейская нация бы ассимилировалась.

Ответ на поставленный вопрос мне видится в биополевом контакте людей разных наций со взаимным воздействием на внешностные признаки друг друга. Эта мысль появилась у меня тогда, когда я прочитал работы доктора А. В. Цзяна (г. Хабаровск) по экспериментам с биополями эмбрионов животных, птиц и семян растений. Так, доктор Цзян, облучая куриное яйцо биополями утенка, добился рождения цыпленка с утиными лапками. Таким же путем он добился получения дыне-огурца, грушеяблока и тому подобных генетически смешанных видов.

Исходя из сказанного, можно думать, что, например, бухарские евреи постепенно приобрели черты узбеков не только потому, что иногда имели место смешанные браки, но и потому, что имело место биополевое воздействие узбеков на евреев, и наоборот, во время эмбрионального периода развития. По такому же принципу, наверное, происходило воздействие темнокожих эфиопов, белокурых немцев, смуглых кавказцев и т. д.

Естественно, биополевая передача генетической информации не может охватывать все области функционирования организма человека (работа мозга, сердца, печени и т. п.), но на внешностные признаки может вполне реально воздействовать. Эта гипотеза, вполне понятно, нуждается в научно-экспериментальном подтверждении и в будущем, когда наука достигнет более серьезного уровня в изучении биополевых эффектов, видимо, будет проверена.

Расизм или единство народов

Для обычных людей слово «раса» имеет чаще всего негативный оттенок, так как наводит на воспоминания о германском расизме и войне, развязанной фашистами в угоду этой идее. Я еще раз повторяю, что понятие «арийская раса» неправомерно по причине того, что вся наша человеческая цивилизация называется арийской (до нас существовали цивилизации атлантов и лемурийцев), а Гитлер или его ранние идеологи присвоили название всей нашей нынешней цивилизации одному народу (немцам), как бы подчеркивая исключительную роль германцев.

Но слово «раса» является антропобиологическим, а не политическим понятием. Здесь нет аналогии между видом расы и степенью умственных или предпринимательских способностей людей. Более того, офтальмогеометрические расчеты показали строгую зависимость в изменчивости глаз по четырем путям миграции человечества из Тибета, что не оставляет места для особого выделения какой-либо одной расы. Нельзя также считать, что конечные расы в каждом из путей миграции являются наиболее развитыми; сравните хотя бы пути миграции D и B — высокоразвитая конечная северная раса пути D и полудикая конечная австралийская раса пути B.

Степень развитости разных рас зависит, на мой взгляд, не от антропобиологического признака, а от сложившихся обстоятельств по выдвижению умных, добрых и инициативных лидеров, которые способны направить свой народ по пути прогресса и создать условия (такие, как демократия) для сохранения прогрессивного начала в будущем.

Надо признать, что развитость северной расы (немцы, англичане, американцы и другие) выше, чем динарской расы (славяне) в настоящий момент истории. Но давайте вспомним времена Петра I: Россия претерпела великий бум развития, который продолжался долгое время после смерти Петра, и только Октябрьский переворот прервал возможность России стать ведущей страной мира. То же самое можно сказать о Японии, когда третьеразрядная страна в результате умной политики лидеров выдвинулась в число ведущих стран мира.

Конечно же, трудно ожидать экономического чуда от, например, австралийских аборигенов или папуасов Индонезии, так как отсутствие прогресса в какой-то период истории привело к постепенному одичанию людей, которое уже сказалось на умственных способностях представителей этих рас.

Итак, по моему мнению, степень развитости той или иной расы определяется характером ее исторического развития: чем дольше раса шла по пути прогресса, тем она больше развита, и наоборот. Стабильного состояния в течение долгого времени не бывает. Стабильность постепенно оборачивается регрессом. Человек заложен Богом как постоянно прогрессирующее начало, поэтому он обречен прогрессировать. В противном случае наступает регресс и одичание.

Тем не менее офтальмогеометрические исследования показали в числе других изысканий и гипотез этого рода, что человечество возникло из единого источника, в конечном счете от генов одной праматери и одного праотца. Возникнув на Тибете, человечество распространилось по Земному шару. В связи с этим человечество едино биологически и генетически, каждый человек — брат или сестра другому.

Естественно, деградировавшие и одичавшие народы вытеснились, вытесняются и будут вытесняться более развитыми народами. Их не надо особенно жалеть, в этом они сами виноваты. Но человечество, очевидно, скоро придет к созданию единого планетарного государства и единого языка. Это продиктовано не только здравым смыслом, но и определено генетико-биологической сущностью человека.

Глава 3

Чьи глаза изображены на тибетских храмах?

Итак, анализируя глаза человеческих рас, мы пришли к заключению, что современное человечество возникло из единого тибетского корня. При этом правомерен вопрос: а кто же изначально породил человечество на Тибете? Кто же является праматерью и праотцом современного человека?

Существует множество гипотез происхождения человечества на Земле. Большинство ученых материалистического толка сходятся на том, что человек на Земле произошел от обезьяны. Доказательства этому они видят в археологических находках первобытных людей и их примитивных орудий труда (каменные топоры и т. п.). Прослеживается четкая динамика развития от человекоподобных обезьян до вполне современного человека. Не верить этому вроде бы нельзя.

Но весь этот динамический процесс формирования человека из обезьяны можно представить с той же четкостью наоборот — формирование обезьяны из человека. Доказательств тому нисколько не меньше, чем в отмеченной дарвинистской гипотезе: на Земле существует немало диких племен, степень одичания которых такова, что эти люди значительно ближе к обезьяне, чем к человеку. Поэтому обезьяний вариант происхождения человека далеко не так убедителен, каким кажется на первый взгляд.

Некоторые ученые считают, что истоком человечества является снежный человек. Наверное, все же «дыма без огня не бывает» и снежный человек на самом деле существует — у многих народов имеются легенды о снежном человеке (на Тибете — йети, в Якутии — чучуна и т. п.). Но провести убедительные аналогии между снежным человеком и человеком (homo sapiens) в научном отношении пока невозможно.

Есть мнение, что человеческое семя было занесено на Землю инопланетянами, но пока мы не имеем никаких серьезных доводов в пользу этого.

Каждый образованный человек слышал легенды о могущественных атлантах, которые жили на Земле в незапамятные времена. В специальной литературе (Е. П. Блаватская, восточные религии и др.) говорится, что до нас на Земле существовало несколько цивилизаций, уровень развития которых был значительно выше нашего. Может быть, именно атланты, погибшие от глобального катаклизма, дали росток современному человечеству? Может быть, к тибетскому истоку человечества причастна загадочная Шамбала, расположенная, в соответствии с легендами, тоже на Тибете? Может быть, права религия, утверждающая, что человек на Земле был создан Богом путем уплотнения Духа и, исторически развиваясь в виде многоступенчатых цивилизаций, дошел до нынешних времен?

Думая над этими вопросами, я тем не менее старался сохранить научный тип подхода к проблеме, даже несмотря на то, что в подобного рода исследованиях не приходится надеяться на получение прямых неопровержимых доказательств.

Если уж мы начали исследовать данную проблему с анализа глаз, думал я, надо продолжать эту линию и дальше. Значит, «среднестатистические глаза» человечества локализуются, образно говоря, на Тибете. Этот факт, может быть, является случайной анатомической вариацией глаз тибетской расы, но, может быть, имеет более глубинный и даже таинственный смысл. Может быть, древние люди знали офтальмогеометрию и оставили какие-то свидетельства в виде изображения своих глаз на Тибете, по которым можно было бы воспроизвести их облик? Может быть, именно «среднестатистические глаза» являются ключом к разгадке главного вопроса человечества — от кого мы произошли?

Однако многочисленные «может быть» никак не могли удовлетворить научное любопытство. Нужно было искать факты.

Визитная карточка тибетских храмов

Мой друг и соратник по офтальмогеометрическим исследованиям Валерий Лобанков* направлялся на Тибет, чтобы совершить восхождение на одну из гималайских вершин. Перед отправлением я ему сказал:

— Слушай, Валера! Посмотри там, на Тибете, — может быть, в храмах или пагодах будут какие-нибудь изображения глаз. Сам понимаешь, дыма без огня не бывает: все же «среднестатистические глаза» человечества приходятся на Тибет...

Необычные глаза на тибетском храме

Через месяц Валерий Лобанков приехал из Тибета, тут же позвонил мне и сказал:

— Вот это да, Эрнст! Ты был прав!

— А что?

— Ты слышал когда-нибудь о «визитной карточке» тибетских храмов?

— Нет, что это? Я ведь никогда не был на Тибете...

— Каждый тибетский храм, — говорил Лобанков, — имеет как «визитную карточку» изображение огромных, необычных глаз. Огромных! Необычных! Они смотрят на тебя так, что будто бы весь храм смотрит на тебя...

* Не путать с Юрием Лобановым, который упомянут в начале книги.

Буддийский храм (г. Катманду)

— Какие это глаза?

— Необычные! Не как у людей! Причем, знаешь, отображена как раз та часть лица, которую мы изучаем при офтальмогеометрических исследованиях. Невероятно, совпадение какое-то! Я был в шоке, когда их увидел, — абсолютно то же самое, что мы изучали у людей, все наши офтальмогеометрические параметры там присутствуют, но глаза совсем другие.

— Ничего себе! — я присвистнул.

— Причем каждый, каждый тибетский храм имеет изображения таких глаз. Они огромны — на полстены! Воистину кто-то оставил изображения этих глаз как святыню, — продолжал Лобанков. — Слушай, а ведь здорово получилось; высчитали «среднестатистические глаза», предположили, что это неспроста, и вот...

— Да уж, «среднестатистические глаза» не зря имели оттенок таинственности! Научная логика оказалась верна...

— Ведь нигде в мире этого нет. Ни один храм мира не имеет изображения глаз. Только здесь, на Тибете, где «среднестатистические глаза»...

— Ты спрашивал у лам, чьи это глаза? — спросил я.

— Конечно! Одни ламы, в основном низкого ранга, говорят, что это глаза Будды, а другие ламы (высокого ранга) молчат, ничего не говорят.

— Ты расспрашивал лам высокого ранга настоятельно? Чьи это глаза?

— Расспрашивал очень настоятельно. Но... ничего не говорят, уводят разговор в сторону, чувствуется, что тайна этих глаз для них очень важна. Этот символ говорит о чем-то очень принципиальном, — сказал Лобанков.

— Ты сфотографировал эти глаза?

— Естественно! Заснял еще на видеокамеру.

В тот же день мы встретились с Лобанковым. Вместе с ним и Валентиной Яковлевой мы ввели изображение необычных глаз в компьютер, схематизировали их по узловым офтальмогеометрическим критериям и приступили к анализу. Выше в этой книге я уже писал, что, пользуясь офтальмогеометрическими принципами, можно с той или иной точностью воссоздать облик человека по глазам. Мы постарались сделать то же самое — воссоздать облик человека, глаза которого изображены на тибетских храмах.

О чем говорят глаза, изображенные на тибетских храмах

Я не буду останавливаться на деталях методики реконструкции облика человека, глаза которого изображены на тибетских храмах, чтобы не заморочить повествование сухим математическим анализом. Отмечу лишь следующее.

Во-первых, бросается в глаза отсутствие переносицы, которая всегда присутствует в изображении обычных глаз. О чем говорит отсутствие переносицы? Известно, что у современных людей переносица закрывает часть поля зрения с внутренней стороны: снаружи поле зрения составляет 80—90 градусов, внутри — 35—45 градусов. Поэтому современные люди имеют бинокулярное зрение (зрение двумя глазами, позволяющее видеть объем предмета и расстояние до него) лишь в пределах 35—45 градусов, а не 80—90 со всех сторон. Такое неудобство, которое доставляет переносица, почти незаметно при дневном свете, более заметно при искусственном, но при свете красного фонаря это уже значительно мешает, затрудняя ориентацию в пространстве. В случае отсутствия переносицы люди будут иметь бинокулярное зрение в пределах 80—90 градусов со всех сторон, что будет облегчать ориентацию в пространстве при красном свете.

Может быть, обладатель необычных тибетских глаз жил в условиях красного света? Такое предположение могло иметь силу, так как ввиду важности зрительной функции должны существовать адаптационные механизмы, позволяющие максимально улучшить зрение. Адаптационный механизм в виде отсутствия переносицы не так важен для обычного дневного света, а в условиях красного света — важен.

Тогда я взял книгу великого ясновидца Нострадамуса (1555 год) и там прочитал, что предыдущая цивилизация атлантов жила в багрово-красных тонах: небо было красным, деревья багряными и т. д. Отсюда можно было сделать вывод, что на тибетских храмах изображены глаза человека предыдущей цивилизации — легендарного атланта.

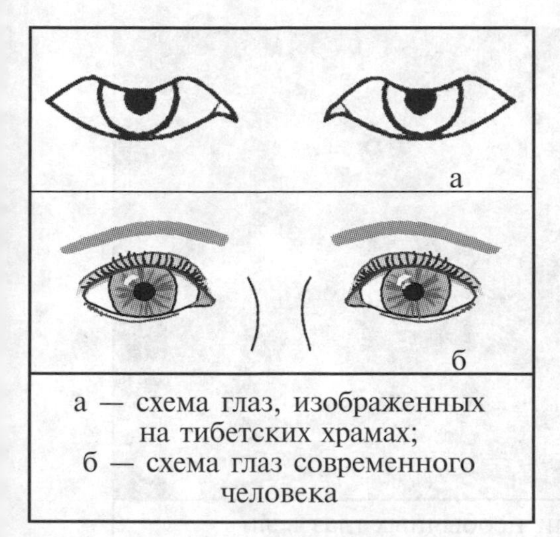

а — схема глаз, изображенных на тибетских храмах;
б — схема глаз современного человека

А сейчас небо голубое, и наши глаза адаптированы к этому. Мне кажется, что при изменении оси вращения Земли цвет неба должен меняться. У того же Нострадамуса я прочитал, что в результате глобальной катастрофы, погубившей атлантов, изменилась ось вращения Земли и сместились полюса.

Во-вторых, обращает на себя внимание необычный изгиб верхних век глаз, изображенных на тибетских храмах. Если верхние веки глаз современного человека имеют форму четкой дуги, то указанные глаза имеют на верхних веках центральное выпячивание вниз, как бы нависающее над роговицей.

О чем это может свидетельствовать? Прежде всего о том, что глазная щель при смыкании глаз будет закрываться не полностью, так как этому будет препятствовать выпячивание верхнего века. В этом случае глаза способны сохранять периферическое зрение через боковые части роговицы. А поскольку переносица отсутствует и зрение носит бинокулярный характер во всем поле зрения, включая и периферические части, то обладатель необычных тибетских глаз будет способен видеть и при прикрытых глазах. Такое зрение, конечно, будет не очень хорошим, но вполне достаточным для ориентации в пространстве.

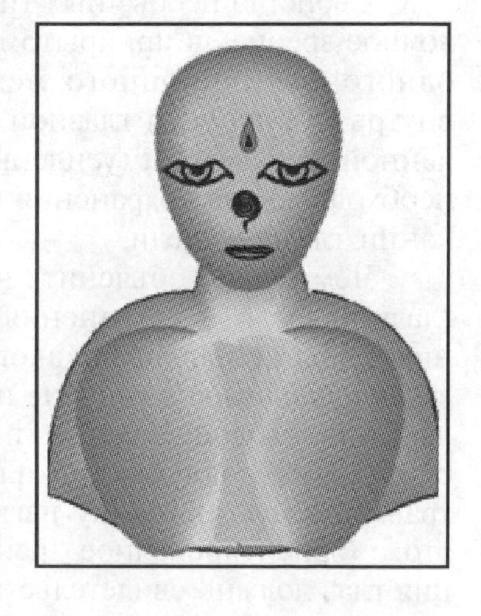

Глаза современного человека не могут иметь подобное «ориентировочное зрение» в прикрытом состоянии, так как отсут-

Обладатели необычных глаз вели полуводный образ жизни

ствует крайнее периферическое бинокулярное зрение (из-за переносицы), и верхнее веко не имеет способности закрыть основную площадь поверхности роговицы, оставляя полуприкрытой остальную часть глазной щели.

Свойство необычных тибетских глаз сохранять «ориентировочное зрение» в прикрытом состоянии вызвало появление еще одного адаптационного механизма — длинные и вытянутые внутрь и вниз углы глазной щели. Это свидетельствует об усиленной лакримации (усиленном выделении и оттоке слезы), что необходимо для сохранения влажности глаз при неполном смыкании глазной щели.

Чем можно объяснить необходимость неполного смыкания глазной щели и сохранения при этом «ориентировочного зрения»? Мы не нашли никакого другого объяснения этому, кроме как необходимость защиты нежной роговицы при быстром плавании под водой. Человек, глаза которого изображены на тибетских храмах, мог быстро плавать под водой, прикрывая легко травмируемую роговицу изгибом верхнего века и сохраняя при этом «ориентировочное зрение». Наличие такого приспособления глаз должно свидетельствовать о том, что эти люди вели полуводный образ жизни.

В книге Нострадамуса я прочитал, что атланты жили на многочисленных в то время островах и имели подводные плантации, где выращивали свои морские продукты питания. Значит, используя подводный вариант сельского хозяйства, атланты должны были вести полуводный образ жизни.

Из этого заключения нами было сделано еще одно дополнение к облику гипотетического атланта. Эти люди должны были иметь большую грудную клетку и развитые легкие, чтобы во время ныряния иметь больший запас воздуха.

К сожалению, в период этих расчетов мы не могли догадаться до еще одного отличительного признака атлантов — перепонок между пальцами рук и ног, хотя это логически вытекало из данного умозаключения. Сведения о наличии перепонок у атлантов мы получили только во время тибетской экспедиции.

В-третьих, изображения на тибетских храмах имеют на месте носа спиралевидный завиток. Что это? Принимая во внимание предположение, что атланты вели полуводный образ жизни, можно думать о том, что завиток выполняет роль клапановидного дыхательного отверстия. Подобную клапановидную анатомию дыхательного отверстия имеют морские животные (дельфины, киты и др.), поскольку это способствует, в отличие от обычного носа, надежному перекрытию доступа воды в дыхательные пути во время пребывания под водой.

Нам не удалось подыскать какое-либо иное объяснение предназначению «завитка», кроме того, что это было приспособление для полуводного образа жизни. Непонятными в «завитке» оставались два момента: почему клапановидное отверстие завернуто в виде спирали и почему имеется щелевидное продолжение дыхательного отверстия вниз? Тогда мы еще не встретили Ананту Кришну и не знали о звуковоспроизводящей функции этого «завитка». Тогда еще Венер

Гафаров не провел эмбриоанатомических изысканий и не пришел к выводу о возможном существовании жаберных элементов у этих полуводных людей. Но об этом позже.

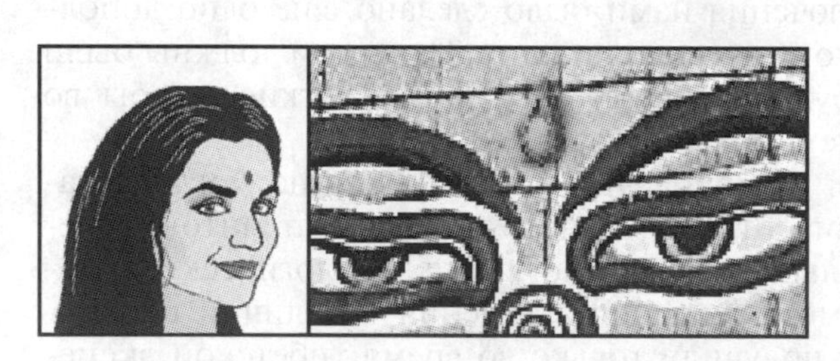

В-четвертых, в изображениях на тибетских храмах несколько выше глаз по центру нарисовано каплевидное пятно. Оно располагается примерно в том месте, где индийские женщины рисуют косметическое пятно. Что это? Можно предположить, что каплевидное пятно отображает гипотетический «третий глаз».

Известно, что «третий глаз» когда-то в древности существовал у людей (об этом говорят данные эмбриологии). А сейчас, у современных людей, он остался в виде рудимента — шишковидной железы (эпифиза), запрятанного глубоко в недрах мозга. «Третий глаз» считался органом человеческой биоэнергии (телепатии и др.) и, как повествуют легенды, мог творить чудеса — передавать мысли на расстоянии, воздействовать на гравитацию, лечить болезни и т. п. А индийские женщины, возможно, носят указанное пятно на лбу как символ памяти о чудодейственном органе.

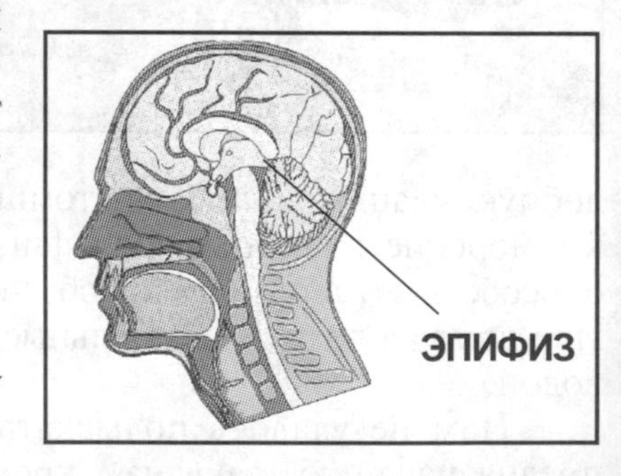

Я открыл книгу Нострадамуса и там нашел, что легендарные атланты за счет внутренней человеческой энергии, передаваемой через «третий глаз», могли легко передвигать огромные тяжести как бы взглядом и строить монументальные сооружения (пирамиды и т. п.).

Трудно сказать, кто построил пирамиды. Но нельзя исключить, что они были построены атлантами еще до наступления эры современных людей. Пусть не обижаются египтяне и мексиканцы, но вполне возможно, что не они построили пирамиды — их предки всего-навсего пришли на землю пирамид и стали жить рядом с каменными колоссами.

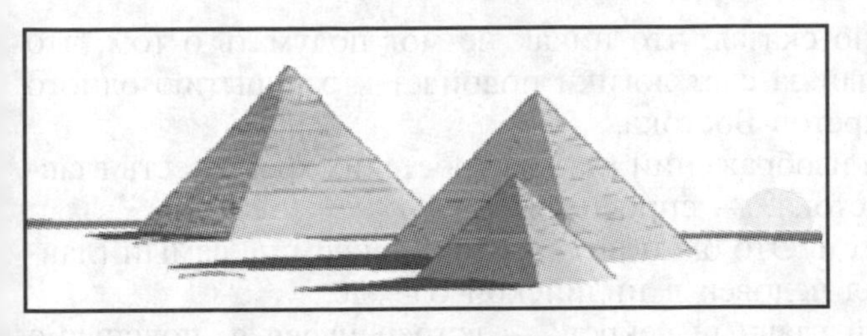

На основании всего этого нами была выдвинута гипотеза, что на тибетских храмах изображены глаза человека предыдущей цивилизации — атланта. Анализ этих глаз показал, что предполагаемые атланты были мощного телосложения, скорее всего огромного роста, вели полуводный образ жизни и в своей хозяйственной деятельности пользовались силой «третьего глаза».

Нас еще и еще раз поражало удивительное совпадение — «среднестатистические глаза» современного человечества «локализуются» на Тибете и именно здесь гипотетические атланты оставили память о себе в виде изображений их глаз, по которым можно в принципе судить об их внешности и образе жизни.

Ананта Кришна

В полученные умозаключения мы верили и не верили. Но вскоре некоторую уверенность в нашей правоте внес человек по имени Ананта Кришна.

Это случилось на конференции в сентябре 1995 года в Крыму. Эта конференция носила очень мудреное название: «Фундаментальные основы экологии и человеческого духовного здоровья», но суть ее сводилась к тому, что здесь собрались люди, занимающиеся так называемой паранаукой. В основном это были колдуны, маги, экстрасенсы, ведьмы и прочие люди с особыми способностями, но также было много серьезных ученых из многих стран (Индия, Швейцария, Германия, США и др.), область интересов которых распространялась на подобные проблемы.

На этой конференции мне дали сделать пленарный доклад. На слайдах я изложил описанные научные исследования, сделав упор на логическом подходе к проблеме, начиная с вопроса: «Почему мы смотрим друг другу в глаза?» — и заканчивая описанием внешности гипотетического атланта. Я говорил по-английски, переводя каждую фразу на русский язык, поэтому весь зал хорошо меня понял.

Доклад вызвал большой интерес, задавали много вопросов, обсуждали. В кулуарах ко мне подошел человек в индийской одежде и четко, ясно сказал, что никак не мог подумать о том, что западный ученый за счет логики подойдет к раскрытию одного из главных секретов Востока.

— Загадка изображений глаз на тибетских храмах есть главный секрет Востока? — спросил я.

— Не совсем. Это один из секретов, причем не самый главный, — ответил человек в индийской одежде.

— А какой главный секрет? — встрепенулся я, подспудно понимая, что этот человек вряд ли вот здесь, в коридоре, скажет мне сокровенное.

— Вы слышали про секреты тибетских лам? — в ответ переспросил он.

— Да, я слышал, что такие существуют. А больше я ничего не знаю.

— Секрет — на то и секрет, чтобы никто о нем ничего не знал, — многозначительно произнес индиец.

— Вас как зовут?

— Я мастер Ананта Кришна.

Мы обменялись визитными карточками и договорились встретиться через несколько часов в гостинице.

Ананта Кришна

— Как понять слово «мастер»? — спросил я его уже в гостинице.

— Мастера — это особая категория восточных религиозных деятелей, которые посвящены в некоторые секреты, — ответил Ананта Кришна.

— Какие секреты?

— ...

— А все-таки?

— В секреты древних...

— Вы можете сказать что-нибудь об этом?

— Прочитайте «Тайную доктрину» Елены Блаватской. Вы ее, как я понял, не читали.

— Нет.

— Вы счастливые, русские. В вашей стране родилась величайшая Посвященная мира — Блаватская. В этой книге вы можете найти многие секреты древних. Правда, то, что написано в этой книге, трудно понять, потому что там особая божественная логика. Но если вы познакомитесь с восточной логикой и восточными знаниями о древности, вы сможете понять Блаватскую.

— Может быть, попытаемся вести откровенный диалог? — напирал я.

— Попытаемся. Но у вас не хватит знаний Востока. Вы — западный ученый, — парировал Ананта Кришна.

— Вы бы могли вкратце охарактеризовать суть восточных знаний о древности?

— Да, конечно...

Тут Ананта Кришна произнес речь, густо приправленную словами «добро», «любовь», «сострадание», «страдание», «зло», из которой я ровным счетом ничего не понял. Я деликатно кивал головой, пытаясь уловить логику, но у меня ничего не получалось. Я верил Ананте Кришне, что он говорит дельное, однако бытовое понимание таких постулатов, как любовь, добро и зло, не позволяло мне вникнуть в суть.

Отчаявшись, я перевел разговор на более понятный мне западно-научный стиль:

— Скажите, господин Кришна, мой анализ глаз, изображенных на тибетских храмах, верен?

— Да, он верен.

— Эти глаза — глаза атланта?

— Мы называем древних людей по-другому.

— Чьи это глаза? — допытывался я.

— Это глаза Его.

— Кто это Он?

— Он — это Сын Бога. Он воссоздал человечество, живущее сейчас на земле, передал им знания, научил прогрессу и не дал погибнуть. Именно это воссозданное человечество расселилось по миру.

— Откуда появился Сын Бога?

— ...

— А все-таки?

— На земле жило и живет великое племя Сынов Богов.

— Живет? Где? В Шамбале?

— ...

— Кстати, завиток на месте носа у этих Великих людей выполнял роль не только дыхательного отверстия, но и звуковоспроизводящего аппарата, — перевел разговор на новую тему Ананта Кришна.

— Они говорили носом, а не горлом? — спросил я.

— Да. Причем они могли говорить в очень широком диапазоне — от ультразвука до инфракрасных волн. Поэтому их речь была значительно насыщеннее и богаче нашей. Они пользовались также телепатическим языком. Голова была у них больше. Пищу они употребляли только мягкую. Они четко и свято сохраняли два главных звука — «So» и «Hm» — и жили по законам «SoHm».

— Что такое «SoHm»? Почему эти звуки являлись самыми главными?

— Вы, наверное, не сможете понять, что такое «SoHm». Это целая философия, — ответил Ананта Кришна.

Я еще порасспрашивал Ананту Кришну, но понял, что многого он недоговаривает, да и мне было трудно многое понять. В то время я еще не знал, что мне предстоит сделать огромные усилия, чтобы вникнуть хоть в какой-то степени в философию древности. Я еще не понимал роль Великого последнего послания «SoHm», не осознавал его многогранности и судьбоносности для нашей цивилизации, а все мои мысли вертелись вокруг необычности этих звуков.

В то время я даже не мог представить, что глаза, изображенные на тибетских храмах, являются не глазами атланта, а принадлежат представителю еще более древней и загадочной земной цивилизации, той, которую Ананта Кришна назвал Сынами Богов. К этому выводу я пришел в процессе написания книги довольно поздно, поэтому в значительной части этой книги я буду называть глаза, изображенные на тибетских храмах, глазами атланта.

При всем этом, еще тогда, когда я только заканчивал анализ глаз, изображенных на тибетских храмах, меня мучил вопрос: откуда появились представители древней земной цивилизации в сравнительно позднем историческом периоде? Ведь они давно вымерли?

Сохранились ли люди древних цивилизаций на земле?

Наверное, все же верно, что на земле и до нас существовали человеческие цивилизации. Они достигали высокого технократического уровня, при котором использование силы в угоду злым помыслам становилось роковым — цивилизации самоуничтожались. Далее на руинах старой цивилизации возрождалась новая, и так далее.

Если, предположим, сейчас, уже на нынешнем технократическом уровне нашей Арийской земной цивилизации, кто-нибудь из глав супердержав (США, Россия) нажмет на кнопку ядерной войны, то человечество уничтожится — холодная (настанет ядерная зима) и облученная планета станет непригодной для жизни.

Сила злых помыслов огромна. Злые помыслы направляют техногенную силу на разрушение, уничтожение и могут привести к самоуничтожению цивилизации. Пока еще мы плохо понимаем природу добра и зла, но, несомненно, в них заложена огромная мощь. Не зря культ добра приводит к прогрессу, а культ зла и власти — к разрушению и войнам. Поэтому духовное развитие человеческого общества в добром смысле имеет принципиально важное значение и даже имеет материальное воплощение.

Мне кажется, что Япония является одной из наиболее высоких в духовном отношении стран (я был там три раза и могу судить об этом), а США — одной из наиболее бедных в духовном отношении стран (я был там много раз и тоже могу судить об этом). Япония имеет в настоящее время доход на душу населения, составляющий 35 тысяч долларов в год, а США — 19 тысяч долларов в год. И это при том, что во время последней мировой войны Япония была разрушена и оккупирована, а США накопили в своих банках основной мировой капитал. Роль духовного потенциала нации оказалась выше.

Неужели человечество на земле столь зыбко колышется на весах злых или добрых помыслов? Неужели не существует какого-либо всепланетарного механизма, дающего гарантию продолжения жизни на земле после глобальных катастроф? Неужели духовные и материальные ценности земных цивилизаций безвозвратно утрачиваются после их гибели?

По логике, такого не должно быть: на земле должен существовать механизм, обеспечивающий гарантию продолжения жизни в случае глобальных катаклизмов.

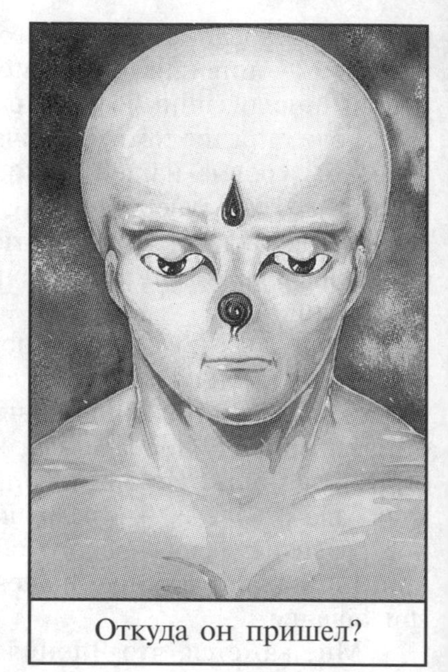
Откуда он пришел?

Откуда появился Сын Бога среди людей нашей цивилизации на Тибете? Он ведь не мог «упасть с неба».

Если глаза Сына Бога изображены на тибетских храмах, то, значит, люди нашей цивилизации реально видели его и общались с ним. Откуда он пришел?

Невольно возникает мысль о существовании своеобразного хранилища людей предыдущих цивилизаций на земле, откуда эти древние люди могут выходить и появляться среди нас. Что это за хранилище? Шамбала?

Все эти вопросы будоражили меня и моих друзей. Чтобы постараться ответить на них, мы отправились в трансгималайскую экспедицию.

В то время мы еще не понимали, что главную роль в успехе экспедиции сыграет рисунок гипотетического атланта (или Сына Бога?), сделанный нами на основании анализа глаз, изображенных на тибетских храмах.

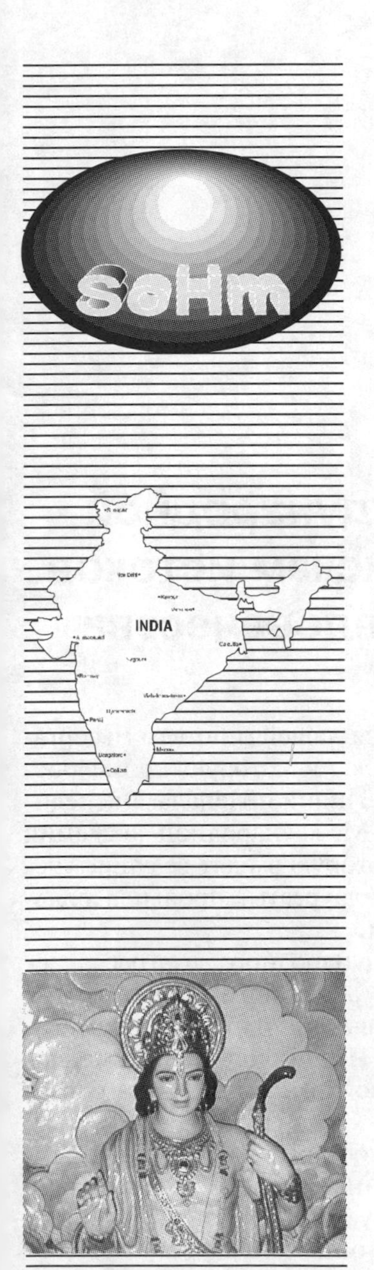

Часть II

«SoHm» – ПОСЛЕДНЕЕ ПОСЛАНИЕ ЧЕЛОВЕЧЕСТВУ (индийские откровения)

Глава 1
Организация международной экспедиции по поискам истоков происхождения человечества

Глава 2
Что знают простые люди о происхождении человечества

Глава 3
В храме Гиты

Глава 4
Встреча с Мастером

Глава 5
Загадочное сомати

Глава 1

Организация международной экспедиции по поискам истоков происхождения человечества

Для подтверждения или отрицания нашей гипотезы мы организовали международную экспедицию, в которую кроме российских членов вошли представители Индии и Непала. Экспедиция была организована под эгидой Международной академии наук при ООН. Эта организация, в которую входят ведущие ученые мира, в том числе нобелевские лауреаты, проявила большой интерес к нашим исследованиям.

Еще во время Крымского международного конгресса несколько академиков Международной академии наук из разных стран прослушали наш доклад, чрезвычайно им заинтересовались и много дискутировали со мной. Именно они порекомендовали мне, тоже члену Международной академии наук, совершить экспедицию под ее эгидой.

Честно говоря, для меня оказалось весьма неожиданным, что маститые западные и отечественные ученые сравнительно легко восприняли столь трудно доказуемую тематику. Я привык к консерватизму науки, к тому, что оппоненты требуют абсолютных доказательств, которых в природе почти не бывает, поскольку в мире все относительно, к тому, что современная наука плохо воспринимает логический путь исследования на основе интуитивного подхода и считает современный уровень науки догмой, отходить от которой путем логики является признаком плохого тона.

Тогда я еще не понимал того, что логика, основанная на интуитивном чувстве, является определяющим моментом религиозного познания, что для религиозных мастеров, с которыми мы будем встречаться, наш логический путь будет основным доверительным моментом, позволяющим им приоткрыть нам некоторые секретные знания лам и свами. В то время я еще не знал, что логика является одной из 5 наук, выделенных Буддой для позитивного развития человечества. Мне казалось, что принадлежность экспедиции к Международной академии наук будет играть большую роль.

Самое главное, чего мы боялись, — это отсутствия доверия к нам. Нельзя было недооценивать некоторых противоречий между религиозными познаниями и современной наукой, которые могли быть особенно значимыми в Индии и Непале, где медитация, йога и тому подобные состояния, трудно объяснимые с точки зрения современной науки, тесно переплетены с религией и считаются одним из главных путей человеческого совершенствования. Нас могли счесть за неразумных учеников и говорить с нами примитивным языком, какой бы глубокий компьютерный анализ глаз мы не представляли.

На офтальмологической конференции в Индии

Поэтому мы связались с офтальмологическими обществами Индии и Непала и через них запланировали в разных городах конференции и показательные операции для местных глазных врачей. Наши новые операции с трансплантационным материалом «аллоплант», основанные как бы на «выращивании» собственных тканей пациента (кровеносных сосудов, прозрачной роговицы, склеры, кожи и т. п.), вот уже более десяти лет вызывают большой интерес в офтальмологическом мире, поскольку

На офтальмологической конференции в Индии

могут помочь тому контингенту больных, который считается безнадежным. Из опыта мы знали, что многие глазные врачи пользуются в своих городах неукоснительно высокой репутацией, которую нельзя сравнить даже с самой высокой административной репутацией.

Представление нас религиозным мастерам, сделанное ведущими врачами-офтальмологами страны, могло сыграть большую роль, тем более, что глаза, которым мы возвращаем зрение, на разных языках называются «зеркалом души».

Маршрут, который мы выбрали, пролегал по многим городам и населенным пунктам Индии и Непала, где были сконцентрированы наиболее интересные в научном отношении храмы индуистского и буддийского толка. В этих же городах мы планировали встретиться с учеными, изучающими историю религии. Планировалось также добраться до маленьких пагод Непала, расположенных далеко в горах, и поговорить с монахами-отшельниками. В Индию отправились втроем: Сергей Селиверстов, Венер Гафаров и я. Из Индии мы должны были перелететь в Непал, куда заранее вылетели Валерий Лобанков и Валентина Яковлева, чтобы провести предварительные изыскания. В Индии и Непале к нам присоединились индийский (доктор Пасрича) и непальские (Шесканд Ариэль и Кирам Буддаачарайя) участники экспедиции. К счастью, все мы говорили по-английски, кто хорошо, кто хуже, но все могли общаться на этом языке, который стал языком международного общения. Непальский и индийский члены экспедиции владели еще и местными языками — непали и хинди.

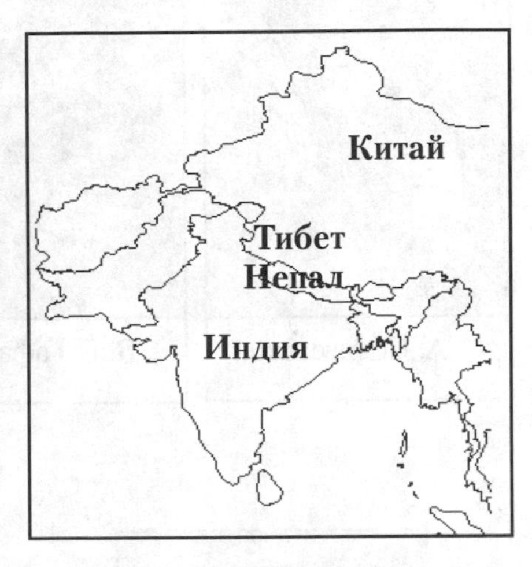

Э. Р. Мулдашев — руководитель экспедиции

В. М. Лобанков — зам. руководителя

В. Г. Яковлсва

С. А. Селиверстов

В. Г. Гафаров

Д-р Пасрича (Индия)

Ш. Ариэль (Непал)

К. Буддаачарайя (Непал)

Глава 2

Что знают простые люди о происхождении человечества

Если в России, США, Германии и других подобных странах задать этот вопрос обычным людям, то кто-то из них сразу ответит, что человек произошел от обезьяны, кто-то скажет,

Нереспектабельные сородичи?

Простой человек искренне верит в божественное происхождение человечества

что пришельцы из космоса занесли семя человечества на Землю, а большинство людей посмотрят на тебя как на чудака и вымолвят: «Не знаю», всем своим видом показывая, что это им не нужно, когда в жизни и так много проблем, таких, как вскопать огород, сходить в магазин, расплатиться с долгами и т. п. На провокационный вопрос о том, что по одной из дарвинистских теорий разные люди произошли от разных видов обезьян, люди в большинстве своем начинают отрицать Дарвина, мучительно выбирая, очевидно, между макакой и шимпанзе и все более склоняясь к нереспектабельности такого сородича.

В Индии и Непале никто даже не заикнется об обезьяне, а указанный провокационный вопрос у них вызовет только смех. Обезьяны, которые здесь прыгают по крышам домов и являются завсегдатаями помоек, вызывают, очевидно, у них такие же чувства, как у нас голуби или вороны, и ни у кого не возникает чувства сыновнего преклонения перед ними. Другое дело коровы — это священные животные.

В этих странах население убеждено в божественном происхождении человечества. Простой человек, конечно же, не может объяснить того, что это значит. Он всего-навсего с детства зазубрил азы буддистской религии и, не поняв многих глубоко научных положений великого учения Будды, тем не менее знает такие термины, как медитация, «третий глаз», сострадание. Простой человек в

этих странах прежде всего искренне верит в величие религиозного познания мира и убежден в необходимости духовного развития, а на вопрос о сущности религиозного учения, он, вследствие неразвитости и скудости своей речи, скорее всего, ответит: «Сложно это».

Буддийская религия, на мой взгляд, является наиболее глубоко научной религией мира, понять которую нелегко не только простому человеку, но и ученому по причине излишней материализованности его представлений. Современный ученый обычно со смехом воспринимает разъяснения простого индийца или тайца о движущей силе страдания, когда простодушно тебе объяснят, что если ты приехал из Москвы в Бомбей, то ты страдаешь от того, что ты сейчас не в Москве, а когда возвратишься в Москву, то страдаешь от того, что уехал из Бомбея и так далее, т. е. ты постоянно находишься в состоянии страдания.

Тем не менее, несмотря на примитивизм подобных разъяснений, акцентирование внимания на роли душевной силы дает свои плоды. Например, в почти миллиардной Индии около 40% населения находится за такой чертой бедности, которая нашему самому бедному бедняку и не снилась. При всем этом преступность, особенно грубая, с убийствами и насилием, не распространена. Я представляю, что было бы с Соединенными Штатами Америки, где и сейчас в Нью-Йорке небезопасно ходить даже днем, если бы 40% населения переехало из роскошных особняков в строения типа шалашей, покрытых обрывками картонных коробок и грязными тряпками, или в мазанки, сцементированные коровьим пометом. О посткоммунистических странах, где процветал атеизм, и говорить не приходится.

Почти во всех вариантах буддийской религии есть колесо, которое символизирует круговорот жизни и смерти. Простые люди приходят и крутят эти колеса, установленные в монастырях, ассоциируя вечность души с цикличностью жизни и смерти. Поэтому восточные люди не боятся смерти, поскольку за ней придет новая жизнь. Это, в частности, выражается в стиле вождения автомобиля индийскими и непальскими водителями. Дороги здесь плохие и очень узкие, ограничений в скорости нет. Все машины, включая огромные грузовые «Таты» и величиной с консервную банку «Марути», мчатся на огромной скорости, делая тройные и четверные обгоны. Начинаешь хорошим словом вспоминать наших гаишников. Такое ощущение, что идешь в лобовую атаку. Водитель на твои замечания о том, что мы можем погибнуть, покачивает головой, всем видом давая понять, что это так. Тысячи километров Индии и Непала нам дались ой-ой как. Все-таки мы не привыкли так легко расставаться с жизнью.

Колесо, символизирующее вечность души и цикличность жизни и смерти

В мире мне удалось видеть много проявлений религиозного фундаментализма. Особенно это выражено в мусульманских странах. Бывая в Иране, Йемене, Иордании, Арабских Эмиратах, Бахрейне, я всегда испытывал чувство жалости к женщинам, которые в испепеляющую жару вынуждены ходить в черных хиджапах, закрыв все, что только можно закрыть на теле, вплоть до лица. Наверное, им тоже хочется покрасить губы, подвести гла-

Учитель медитации

за, надеть новое платье, а не ходить всю жизнь в этом опостылевшем хиджапе. Мужчины, видимо, тоже не в восторге от безалкогольных свадеб и тому подобных мероприятий. Во многом в этих странах религиозный фанатизм возведен в ранг государственной политики, помогая, вероятно, удерживать власть.

Буддийская религия очень мягкая и мало ограничивает человека во всех его жизненных проявлениях. Рычаги воздействия на общество здесь совсем иные. В отличие от культа жизненных ограничений, когда всегда можно наказать человека, в буддийских странах существует культ души с такими понятиями, как совесть, сострадание, медитация. Существует разветвленная сеть школ, которые учат углубляться в свою душу и анализировать ее. Сила такого воздействия на общество, на мой взгляд, нисколько не меньше. Только один раз мы видели, как на северо-западе Индии в храме сикхов толпа верующих истово целовала ступеньки святилища, что, по понятным причинам, небезопасно в отношении распространения инфекций.

Буддийский культ души, как мы поняли в ходе экспедиции, явился причиной хорошего и легкого восприятия любым мало-мальски образованным человеком нашей гипотезы о происхождении человечества. Многочисленные вечеринки и приглашения в различные клубы, особенно в Индии, как правило, сопровождались дискуссиями на эту тему, потому что всем это было интересно. Почти всегда слушатели возбуждались, а потом наперебой начинали рассказывать то, что они знают по этому поводу. Мы для приличия записывали, но серьезного значения этим данным не придавали. Но примечательно было то, что логический путь познания того, чего на современном уровне материалистической науки пока нельзя замерить или пощупать, не вызывал никаких сомнений, так как каждый убежден в существовании высших сил, в сравнении с которыми объем знаний человека ничтожен, и только логическим путем можно внедриться в неизведанное и уже сейчас получить новые данные, нужные людям и науке.

Практически каждый человек в этих странах убежден в наличии «третьего глаза» с главной его функцией — looking inside (смотреть внутрь). Некоторые люди говорят о главной точке носа, которая находится на пересечении касательных нижних век, но сказать о функции этой точки затрудняются. Большинство людей считают вполне вероятным то, что Будда мог нести знания предыдущей цивилизации и т. д.

Российский человек имеет значительно более приземленные представления об окружающем мире. Дух его как-то мало интересует, хотя происхождение человечества и всевозможные феномены типа лежания на гвоздях, демонстрируемые порой по телевидению, ему весьма любопытны. Конечно же, нашего человека нельзя назвать «Фомой неверующим», но общественно полезным он считает то, что непосредственно делается руками. К примеру, когда наш участник Сергей Селиверстов встретил в Катманду группу российских альпинистов, то один из них, держа в руках газету «Аргументы и факты» с публикацией о нашей экспедиции, спросил:

— Что, вашему руководителю делать нечего? Лучше бы глаза оперировал...

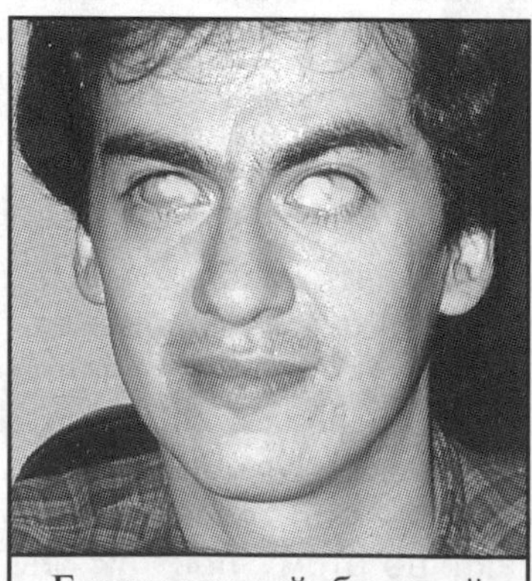

Безнадежный больной хочет иметь здоровье и зрение уже сегодня

Вообще-то это мне было обидно, т. к. в год я делаю 300—400 сложнейших операций. Естественно, этому человеку не объяснишь, что изобретенный нами «аллоплант», который уже помог более чем миллиону безнадежных больных, при последних исследованиях выявил особые биоэнергетические свойства; что только широкое осмысление понятий «биологическая и душевная энергия» может привести к конкретным медицинским исследованиям, имеющим целью разработать принципиально новые методы лечения тех больных, которым мы еще не можем помочь. Причем безнадежный больной хочет иметь здоровье и зрение сегодня, ему некогда ждать, когда уровень науки, пробиваясь через ряды приземленных ортодоксов, дойдет до изобретения способов его спасения. Консервативный человек вряд ли поймет, что, наверное, не зря более половины человечества верит в истинность религиозных буддийских знаний, что эти древние знания могут быть отголосками знаний предыдущей, более развитой цивилизации и что можно попытаться увязать их с современной наукой ради получения новых возможностей приоткрыть хотя бы одну из многочисленных тайн медицины.

Но по большому счету российский человек, несмотря на сугубо атеистическое воспитание в коммунистические годы, на мой взгляд, более романтичен и восприимчив к новому, чем, положим, американец. Многолетний культ доллара сделал американца восприимчивым только к тем новшествам, на которых можно заработать деньги, хотя и здесь есть исключения.

Люди различны, и различны их воззрения на роль материального и духовного компонентов в жизни. Тем не менее люди одинаковы хотя бы в том смысле, что они имеют единый корень происхождения. Простые люди об этом, естественно, не задумываются, вращаясь в ходе своей жизни в кругу бытовых проблем. Но любому, даже самому малообразованному человеку интересно, от кого же он произошел.

Глава 3

В храме Гиты

Этот храм, расположенный в одном из небольших городов Индии (г. Карнал), был очень красив: множество статуй обрамляли фасад здания, внутри здания статуи воссоздавали какие-то сцены жизни, а многочисленные картины делали законченным этот ансамбль.

Храм Гиты

Нас встретил старик, который, как потом выяснилось, был мужем матери-настоятельницы этого храма. Он рассказал, что учение Гиты — это учение о человеческой мудрости, одним из узловых моментов которого являются рекомендации о том, как не начать воевать тогда, когда начинает теряться власть и есть желание ее сохранить.

Мать Дейял в храме Гиты

Разговор с матерью Дейял мы повели вначале о косметическом пятне, которое индийские женщины ставят у себя на лбу. Мать объяснила, что это отнюдь не признак касты или социального положения. Иногда индийские женщины ставят это пятно как символ замужества. Но издревле считается, что люди (будь то женщины или мужчины) ставят это пятно как символ понимания своего внутреннего состояния.

— Скажите, индийское пятно на лбу — не является ли оно памятью о существовавшем когда-то у людей «третьем глазе»? — спросил я.

— Я не могу точно... В религиозных писаниях нет конкретного... Но я знаю, что «третий глаз» был и есть у людей, — ответила мать.

— Какие функции выполняет «третий глаз»?

— Наша религия выделяет три функции «третьего глаза». Первая — это inside vision (внутреннее зрение), т. е. способность заглянуть внутрь организма, рассмотреть внутренние органы и т. п. Вторая — это meditation vision (зрение, связанное с медитацией, т. е. способность рассмотреть свою душу). Третья функция — это intellectual vision (интеллектуальное зрение), т. е. умение почувствовать умственные способности свои или своего собеседника.

В тот момент я вполне хорошо осознавал первую функцию «третьего глаза» и, будучи врачом, представлял ее чем-то наподобие работы рентгеновского аппарата, просвечивающего человеческий организм. Третья функция тоже была понятна, потому что любой человек способен каким-то третьим чувством отличить умного человека от глупого, не обращая внимание даже на богатый или скудный набор слов. Но вторая функция, связанная с медитацией, была для меня тогда трудно осознаваемой. Я и не предполагал, что за этим кроется самая волнующая загадка, воплощенная, в отличие от медитации, в материальном состоянии — сомати.

Память о «третьем глазе»?

Далее мы перевели разговор на роль носа, памятуя «особый нос» гипотетического атланта. Мать ответила, что нос человека выполняет функции дыхания, ощущения запахов и является признаком уважения. Последнее она пояснила тем, что если человека схватить за нос, то это будет оскорбительным фактором для него.

— Индийский мастер Ананта Кришна говорил, что у людей предыдущей цивилизации нос выполнял более важную роль, поскольку одновременно являлся звуковоспроизводящим аппа-

Внутреннее убранство храма Гиты

ратом, работавшим к тому же еще в ультразвуковом и инфракрасном диапазонах. Может быть, поэтому издревле нос считается признаком уважения? — спросил я.

— Наверное, Ананта Кришна прав, — ответила мать.

— Что вы знаете о людях предыдущей цивилизации?

— Много сведений...

— Поделитесь, пожалуйста, с нами.

— Это секретная информация, — ответила мать.

Мы поняли, что больше нам ничего не скажут. Я взглянул на Венера Гафарова: он покачал головой, всем видом показывая, что дальнейшие расспросы бесполезны. Почему нам не доверяют? В чем ошибка преподнесения нашего научного материала? Тогда я еще не понимал, что религиозные мастера имеют иной характер мышления и мое изложение материала с упором на компьютерный анализ в той или иной степени раздражает их, что логический путь исследования, о котором я скромно умалчивал, исходя из опыта общения с западными научными мужами, будет главной доверительной картой.

— У нас есть сведения, что люди предыдущей цивилизации говорили носом, в основном в диапазоне звуков So (соу) и Hm (хм). Так ли это? — уже отчаявшись, спросил я.

— «So» и «Hm» — это великие слова, — вдруг сказала мать.

— Что это? — робко спросил я.

— «SoHm» — это последнее послание.

— Последнее?

— Last message (последнее послание), — четко проговорила мать.

— Кого?

— Высшего Разума.

— Кому?

— Человечеству.

— Почему послание последнее?

— Помощи больше не будет...

— Какой помощи?

— Это секрет.

Мы поблагодарили мать, сфотографировались и уехали в гостиницу, строя всевозможные предположения по поводу состоявшегося разговора.

Меня начинало охватывать разочарование: если и дальше в самых основных местах религиозные индийские деятели будут говорить: «Это секрет!» — то мы ничего не узнаем. Как же заставить их хоть немного раскрыть этот секрет?

Глава 4

Встреча с Мастером

Следующий город Индии (г. Чандигар) встретил нас сильной жарой. Мы провели такую же, как и в других городах, конференцию для глазных врачей с показательными операциями, а в конце конференции также изложили на слайдах суть нашей гипотезы о происхождении человечества и собрали мнения о том, с кем из религиозных лидеров нам целесообразнее всего встретиться.

Называлось много имен, но каждый особо выделял одного человека — мастера по имени свами Сабва Манаям. Говорили, что он владеет секретными знаниями свами, что он в разговоре может применить дистанционный гипноз, что ашрам Рамы Кришны, которым он руководит, является одним из наиболее ведущих в Индии и что этому мастеру переданы особые знания.

Встречу с этим человеком организовал отец ведущего офтальмолога города, который знал его лично. По пути в этот ашрам мы выяснили у него, что означают слова «мастер» и «свами». Мастер — это учитель, который обладает глубокими религиозными знаниями и который сам решает, в какой степени и кому передавать эти знания. Считается, что высший разум оказывает влияние на людей через мастеров. А свами — это высший религиозный титул, который может быть присвоен мастеру индуистского толка.

— Имейте в виду, — сказал отец офтальмолога, — что мастер уже знает о цели вашего визита. Постарайтесь, чтобы он побыстрее закончил свою проповедь, во время которой он будет гипнотически воздействовать на вас. Постарайтесь выдержать его взгляд. Если не выдержите, он посчитает вас слабыми людьми и вряд ли что-либо раскроет. Мастер сам определяет, кому и какие знания передать.

Ашрам Рамы Кришны

Ашрам Рамы Кришны отличался спартанским духом. Ничего лишнего: обычные стены, пол, потолок. На стенах картины, изображающие религиозных лидеров. Все выдержано в оранжевых тонах.

Мастер был также одет во все оранжевое. Его сопровождала свита из пяти человек. Мы сели за стол: с одной стороны — мы, с другой — мастер со свитой. Получилось так, что прямо напротив мастера сел Венер Гафаров, слева от него — Сергей Селиверстов, справа — я. В тот момент Венер еще не понимал, на какие испытания обречет его позиция прямо напротив мастера.

— Я слышал, что вы пришли ко мне за глубокими знаниями? — спросил мастер.

— Мы пришли сопоставить наши знания с вашими знаниями, — ответил я.

— Ваши знания? Какие? — спросил мастер, взглянув на меня. — Вообще-то, — продолжал он, — люди начинают коечто понимать...

— Вот основной результат наших исследований, — сказал я и протянул ему изображение гипотетического атланта.

Мастер протянул руку за рисунком, но, увидев его, вдруг опустил руку. Я, неудобно вытягиваясь наискосок, положил перед ним рисунок. Он искоса взглянул на него еще раз, но брать в руки не стал. Наступило молчание.

— Откуда вы это узнали? — прервав молчание, спросил мастер.

— Это результат исследований глаз различных рас мира. Позвольте мне вкратце рассказать...

— Вы были на Тибете?

— Нет, не были.

— Встречались с тибетскими ламами?

— Нет.

— Об этом лучше знают тибетские ламы. Расскажите мне подробнее.

Я достал наши научные материалы и подробно рассказал мастеру суть наших исследований, сделав упор опять-таки на объективном компьютерном анализе глаз.

Мастер внимательно выслушал и вдруг сказал:

— У компьютера нет души. Вы, русские, рассуждаете как американцы. Америка ненавидит Индию за ее духовное развитие. Бездушный американец приведет к разрушению мира.

— Я бы хотел сопоставить полученные результаты с...

— Разум не есть только мозг, — как бы не слыша меня, продолжал мастер, — тело менее значимо, чем душа. Важно понимать, что такое восприятие. Главное — оценивать то, что мы видим, и усиливать силу своего восприятия, потому что только сильное восприятие может быть правильным. Религия — это восприятие не частного, а общего. Надо отличать индивидуальный разум от вселенского разума. Раджа йога дает возможность заглянуть во вселенский разум. Мое восприятие идет от вселенского разума...

Я понял, что мастер начал свою знаменитую проповедь. Он взглянул на Сергея, который снимал на видеокамеру, потом на меня (я, опустив голову, все подробно записывал) и остановил глаза на Венере Гафарове, который, сидя напротив, смотрел ему в глаза. Тут же мы с Сергеем ощутили тяжесть этого взгляда, направленного, к счастью, не на нас. Мы ощутили какое-то чувство тяжести, смешанное с тревогой: казалось, что у нас копаются в мозгах, вынимают их и перебирают по крупицам. Я все ниже опускал голову, делая записи, Сергей непрерывно смотрел в видеокамеру.

— Роль духовного развития, — продолжал мастер, — очень велика. Духовное развитие, по Раме Кришне, имеет физические признаки и выражается в форме глаз, носа и других органов. Особую роль играют желтые глаза...

Венер Гафаров под этим взглядом периодически закрывал глаза, потом усилием воли открывал их и продолжал смотреть на мастера. Лицо его покраснело, веки набухли, пальцы рук иногда сжимались, лоб покрылся испариной. Мы с Сергеем понимали, что Венер боролся с гипнотическим воздействием мастера. Нам было легче.

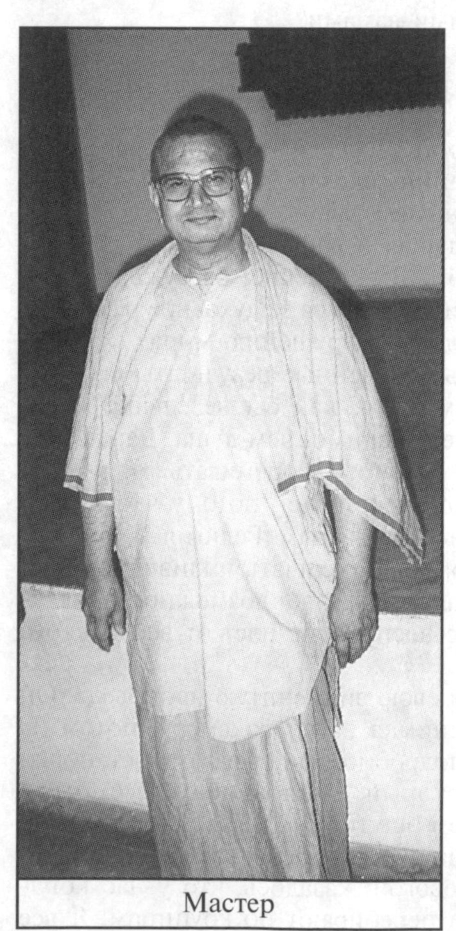
Мастер

Наконец мастер закончил свою речь. Он посмотрел на нас уже нормальным и, как мне показалось, теплым взглядом.

— Можно задать вопросы? — спросил я.

— Да.

— Сейчас только ваш взгляд оказывал особо сильное воздей-ствие. Это было воздействие «третьего глаза»?

— Пожалуй, да.

— Что такое Шамбала, которую искал великий русский ученый Николай Рерих?

— Шамбала — это духовное, а не физическое понятие. Не ищите ее — не найдете. Это обитель высших существ, а высшие существа отличаются прежде всего высшей духовностью, которая для вас недоступна.

— Скажите, мастер, — сказал я, — а ведь существует принцип «все гениальное — просто», который, мне кажется, идет от Бога, потому что законы природы гениально просты. К сожалению, мы не всегда можем осознать гениальность простоты и скрываем это под общими фразами типа: «Высшая духовность, которая для вас недоступна...» В связи с этим я хотел бы спросить: вы знаете что-либо конкретное и простое про Шамбалу или не знаете?

— Я знаю...

— Что?

— Шамбала — это не совсем верное название, оно распространилось по миру от нескольких тибетских лам и стало популярным после выхода книг Рериха. Точного названия того, что вы называете Шамбалой, нет, но есть четкое состояние души и тела, которое приводит к осознанию высшей духовности. Это состояние мы хорошо понимаем, мы учим его достижению, — ответил мастер.

— Какое это состояние?

— Это такое состояние тела, при котором за счет духовной энергии обмен веществ снижается до нуля.

— А при чем тут высшая духовность?

— Потому что в этом состоянии человек посвящает себя не самому себе, а всему человечеству, жизни на земле.

— Разъясните, пожалуйста!

— ...

— Как это понять?

— ...

Я понял, что мы опять уткнулись в какую-то большую тайну и, несмотря на то, что мастер уже был явно расположен к нам, он нам ничего не скажет.

— По нашим исследованиям, — спросил я, решив зайти с другого бока, — человечество произошло на Гималаях и оттуда распространилось по земному шару. Не является ли тибетская раса высшей в духовном отношении?

— Очень давно гималайские люди являлись высшими на земле, район Гималаев был сверхдуховным регионом. Сейчас время ушло, и сказать это про современных тибетцев нельзя, — ответил мастер.

— Древние тибетцы могли снижать свой обмен веществ до нуля и посвящать себя человечеству вообще?

— Могли.

— Как?

— ...

— Какова роль в этом «третьего глаза»?

— ...

— Какова роль носа?

— Никакая.

Я почувствовал сильную усталость. Посмотрел на Венера и Сергея: они тоже выглядели измотанными после двухчасовой беседы. Я попросил разрешения выйти покурить. Множество вопросов вертелось в голове. Как дальше вести беседу? Как опять не уткнуться в молчание или злополучное слово «секрет»? Скажу только заранее, что тогда мы не понимали того, какое значение далее будет играть указанное состояние, при котором обмен веществ снижается до нуля.

Венер Гафаров рассказал про свои ощущения во время гипнотического воздействия мастера на него.

— Мне казалось, — говорил он, — что мозги мои закипят. Сначала мне сильно захотелось спать, я еле терпел, чтобы не уснуть, даже щипал себя. Потом ощущения изменились: лицо мое как бы надулось, я чувствовал, что глаза мои вдавливаются, а в области затылка появилась сильная боль, будто бы кто-то выдавливает мозги и они скоро брызнут из затылка.

— Молодец, Венер, выдержал!

— Зачем это ему было нужно, проверял, что ли?

Фотографии последователей Кришны

— Кстати, — заметил Сергей, — вы видели, что во время проповеди он постоянно посматривал на наш рисунок атланта? Рисунок произвел на него впечатление, он знает про атлантов всё.

Мы вернулись за стол переговоров. И тут, неожиданно для самого себя, я рассказал мастеру о том, что в науке мы очень широко пользуемся логическим путем на основе интуиции, а потом полученную логическую цепочку стараемся доказать иными путями (компьютерный анализ и проч.).

— Дело в том, — говорил я, — что логический путь в науке плохо воспринимается современными учеными, компьютерному анализу больше верят.

— Математика — слабая наука, — резко сказал мастер, — так как не учитывает духовного. Логика построена на основе интуиции, а интуиция является проявлением функционирования «третьего глаза». С помощью логики можно постигнуть то, чего нельзя доказать на современном уровне науки. Например, электрон нельзя пощупать, но можно зафиксировать проявления его наличия. Религия одобряет логический путь познания. Скажите, вы в самом деле пользовались логическим путем для получения этого? — Мастер глазами показал на рисунок гипотетического атланта.

— Конечно. А компьютерный анализ подтвердил это.

— Интересно...

Мы все почувствовали, что мастер расположился к нам, взгляд его потеплел. Смотри-ка, думали мы, в логику верит, а в компьютер — нет.

— Скажите, — спросил я, решив перейти к более прямым вопросам, — косметическое пятно на лбу у индийских женщин является памятью о «третьем глазе», существовавшем у людей предыдущей цивилизации?

— Да, у них «третий глаз» был очень развит и играл большую роль в их жизни. Но и современные люди имеют «третий глаз», правда, значительно менее развитый. Подойдите к тем картинам, — мастер указал на фотографии последователей Кришны, — и постарайтесь увидеть «третий глаз». При этом смотрите как бы насквозь.

Мы подошли к фотографиям и стали вглядываться. Первым «третий глаз» увидел Сергей, далее и мы с Вснером. На лбу в области переносицы стали вырисовываться яйцеобразные контуры, очерченные двойной линией и с точкой в центре. Все мы видели одно и то же.

Мы нарисовали на бумаге то, что видели, и спросили мастера о правильности увиденного. Он ответил, что мы видим верно. При этом мастер добавил, что не надо думать, будто «третий глаз» является глазом, как таковым, это не анатомическое понятие. У людей предыдущей цивилизации «третий глаз» имел определенные анатомические характеристики, но как глаз не смотрелся. Функция «третьего глаза» зависит во многом от эпифиза.

— Великий французский ясновидец Нострадамус писал, что люди предыдущей цивилизации, которых он называл атлантами, владели за счет «третьего глаза» биоэнергетическим воздействием на гравитацию. Поэтому они могли легко переносить в пространстве огромные каменные блоки, строить из них пирамиды и другие каменные монументы. Что вы думаете по этому поводу? — спросил я.

— Я согласен с этим. У нас есть такие же сведения, — ответил мастер. — Кроме того, — продолжал он, — такая сила будет развиваться у людей и будет идти параллельно развитию человечества. Психическая сила есть физическая сила тоже. Сила, с помощью которой были построены пирамиды, — это направленная сила, но ненаправленная сила — это разрушающая сила.

— Так, может быть, цивилизация атлантов погибла оттого, что они не смогли удержать психическую энергию в позитивно направленном состоянии? — спросил я.

— Они погибли, оттого что психическая энергия из состояния центростремительного перешла в состояние центробежное.

— Как это понять?

— В медицине, которой вы занимаетесь, есть понятия «регенерация» и «дегенерация». Регенерация, — продолжал Мастер, — это направленная метаболическая энергия, которая приводит к росту тканей и является основой жизни тела. Дегенерация — это ненаправленная метаболическая энергия, которая приводит к разрушению тканей и смерти. В физике направленная энергия может двигать самолеты, поезда, а ненаправленная приводит к взрыву. Психическая энергия тоже может иметь два состояния — центростремительная психическая энергия и центробежная психическая энергия.

Законы, которым подчиняется психическая энергия, во многом схожи с законами в отношении метаболической и физической энергии. Психическая энергия даже мощнее метаболической и физической энергии и может оказывать большее воздействие на человечество. Но есть один главный закон в отношении психической энергии — она должна быть центростремительной, она должна быть направлена внутрь. Все пророки, будь то Будда, Иисус, Мухаммед и другие, учили одному главному — психическая энергия должна быть направлена внутрь. Это главное в их учении.

— Поясните, пожалуйста.

— Возьмите, например, Сталина или Гитлера. Сталин в Советском Союзе заменил Бога (культ личности), Гитлер заменил Бога в Германии. Естественно, ни Сталин, ни Гитлер, не обладая религиозными знаниями, не направляли мышление своих народов внутрь, то есть на стремление каждого человека прежде всего анализировать свою душу и заглядывать в нее. Напротив, будучи одержимыми идеей мирового господства, они старались направить психическую энергию народов центробежно, то есть на разрушение, на войну. Поймите правильно, вроде бы незаметный ежедневный самоанализ души каждым человеком и углубление в собственную душу обладают колоссальной силой; эта сила, вырвавшаяся из душ людей и принявшая центробежный характер, обязательно приведет к катастрофе, вплоть до глобальной. На нынешнем этапе я больше всего опасаюсь американцев: у них один бог — зеленый доллар. Если Америка будет беднеть, то психическая энергия людей примет центробежный характер.

Рядом с Мастером

— Я представляю, что творилось на земле, — вставил Сергей, — когда психическая энергия атлантов, способная воздействовать даже на гравитацию, вырвалась наружу из душ и приняла центробежный характер.

— Психическая энергия способна воздействовать даже на космические объекты, — сказал мастер.

— А Бог может помочь? — спросил я.

— Бог вне силы, Бог не касается сил, — ответил мастер.

— Бог воздействует только через пророков?

— Через пророков, через религию. Главное — чтобы направить психическую энергию центростремительно — в душу. Об этом, в частности, и последнее послание — «SoHm».

— Расскажите подробнее о последнем послании.

— «SoHm» — это великие слова, — начал рассказывать мастер. — Правильно читается не So (соу), а Sa (са) и не Hm (хм), а OuHm (ыхм). «So» означает «Я тот», «Hm» означает «Я есть сам». А общий смысл «SoHm» означает, — мастер поднял палец, — «РЕАЛИЗУЙТЕСЬ САМИ»!

— Реализуйтесь сами? Кто?

— Люди. Причем каждый человек должен реализоваться самостоятельно. Последнее послание «SoHm» пришло на Землю одновременно ко всем пророкам и через них распространилось по миру. Последнее послание «SoHm» входит через душу каждого человека. Кто сможет реализовать принцип «SoHm», тот будет счастлив. Если человечество реализует «SoHm», оно выживет на Земле. Я всю свою жизнь реализую «SoHm».

— Почему послание — последнее?

— Правильнее сказать — окончательное послание.

— Почему послание окончательное? — спросил я.

— Потому что Высший Разум уже много помогал человечеству на Земле. А цивилизации на Земле все самоуничтожались. Пророки тоже научили нашу цивилизацию жить так, чтобы психическая энергия носила центростремительный характер, а не переходила в центробежную. Достаточно ли будет такой помощи Высшего Разума и на этот раз, в случае нашей цивилизации? Если недостаточно, то... Запомните, что Бог вне сил, Бог не использует силу. Хватит! Сейчас наша цивилизация должна реализоваться самостоятельно, только самостоятельно, — ответил мастер.

— Означает ли это, что если наша цивилизация самоуничтожится, например, в результате третьей мировой войны, то это будет последняя цивилизация на Земле?

— Может быть. Сейчас мы должны реализоваться сами, только сами.

Наступило молчание. Каждый обдумывал сказанное. Какое-то фатальное чувство давило на сознание.

— Текущее состояние в правом глазу есть выдающееся состояние, чтобы узнавать, — вдруг сказал мастер.

— Что?

— Это знаем только мы, мастера.

— Посмотрите, пожалуйста, на изображение гипотетического атланта, которое мы сделали, — сказал я, переводя разговор, — атланты имели такие же глаза?

— По моим знаниям — такие. Глаза у них были лучше наших, они были больше и реже болели.

— У них был такой нос, как на нашем рисунке? — спросил я.

— У них был маленький нос, такой и немного другой, — ответил мастер, — у них был плохой нос, он часто болел.

— Как насчет «третьего глаза»?

— У них он был развит очень хорошо, но отверстия на лбу не было — это неправильно.

— Откуда вы все это знаете?

— Сомати...

— Сомати? Что это?

— ... — Мастер всем своим видом показал, что пора заканчивать разговор.

— Последний вопрос, извините. Пророки были людьми предыдущей цивилизации?

— Не все. Например, Рама был сыном Кришны от обычной женщины. А вообще, — сказал мастер, подытоживая разговор, — мне было интересно с вами общаться. Страну Шамбалу искало много исследователей. Пожелаю и вам успеха. Если вы разгадаете, то это должно попасть в добрые руки. Страна Шамбала может защищаться, злые люди будут уничтожены особыми силами.

Мастер взял в руки наш рисунок, еще раз внимательно посмотрел на него, потом перевел взгляд на нас и удалился.

Глава 5

Загадочное сомати

В следующий город Индии (г. Амритсар) мы приехали с конкретной целью — встретиться с мастером свами Дарамом Радже Бхарти. Про него мы узнали еще в Делийском университете, многие ученые-историки и религиозные деятели рекомендовали встретиться с ним. Дело в том, что этот человек, имеющий высокий религиозный титул свами, не являлся настоятелем какого-либо храма, а посвятил свою жизнь научному изучению религии Востока. Это редчайшее явление, чтобы столь высокий религиозный титул получил ученый, а не религиозный лидер. Мастер свами Дарам изучил более 700 древних книг, говорит на нескольких языках, в том числе и на санскрите, написал много своих книг, очень известен в религиозных и научных кругах, является почетным гражданином своего города.

Свами Дарам

Нашу встречу с мастером свами Дарамом

организовал главный офтальмолог Индии. Встреча состоялась не в храме, а в больнице, в одной из больничных комнат.

Мастер свами Дарам был маленького роста и имел какую-то неказистую внешность, которую ну никак нельзя было назвать красивой. Из-под приспущенных век на нас смотрели большие глубокие глаза. Обращало на себя внимание несоответствие: как его большая мощная душа, о которой так много говорили люди, вселилась в это неказистое тело.

Но как только он заговорил, рассказывая о роли религиозной науки, лицо его преобразилось: глаза заблестели, излучая тепло и доброту, мимика стала живой и лаконично подчеркивала слова, улыбка стала широкой и открытой. Перед нами сидел тот представитель мужского пола, в которого, несмотря на незавидную внешность, как правило, влюбляются женщины и ради которого уходят от «аленделоноподобных» мужчин. Этот человек излучал ум, силу и доброту. Мы сразу поняли, что, в отличие от предыдущей встречи, разговор пойдет откровенно и легко.

— Роль религиозной науки недооценивается в мире, — говорил свами Дарам. — Религия — это знания предыдущих, более развитых цивилизаций. Неразвитость нашей цивилизации не дает возможности полностью осознать религиозные знания, поэтому религия заставляет в буквальном смысле слова заучивать религиозные постулаты и следовать им во имя позитивного развития общества. Если тело на современном уровне науки может быть довольно хорошо исследовано, то способов изучения души пока еще нет. Пока нет способов измерения психической энергии, в огромной мощности которой не приходится сомневаться. Я в своих трудах стараюсь соединить религиозные и современные знания, стараюсь, чтобы религия стала объектом исследования, а не слепой веры. Здесь столько животрепещущих загадок...

После вступительной речи свами Дарам приготовился слушать. Я изложил суть нашей гипотезы, сделав упор на логическом пути исследований на основе интуиции, подкрепленной математическим компьютерным анализом. Приняв во внимание ошибки изложения нашего научного материала в предыдущей встрече, я не стал акцентировать внимание на компьютерном анализе глаз.

— Интуиция — это цветок ума. Логический путь — это главный путь в науке. Но и математика в сочетании с логикой может позволить заглянуть глубоко внутрь, даже в душу, — перебил свами Дарам.

Закончив изложение материала, я протянул свами Дараму рисунок гипотетического атланта.

Он посмотрел на рисунок, потом поднял глаза на нас и громко сказал:

— Сомати!

— Что это?

— Вы нашли его тело в горах? — как бы не слыша меня, спросил свами Дарам.

— Нет.

— В море?

— Нет.

— А где?

— Мы не находили никакого тела. Этот рисунок — результат офтальмоматематического анализа глаз, изображенных на тибетских храмах, — ответил я.

— Не все здесь верно, — промолвил свами Дарам.

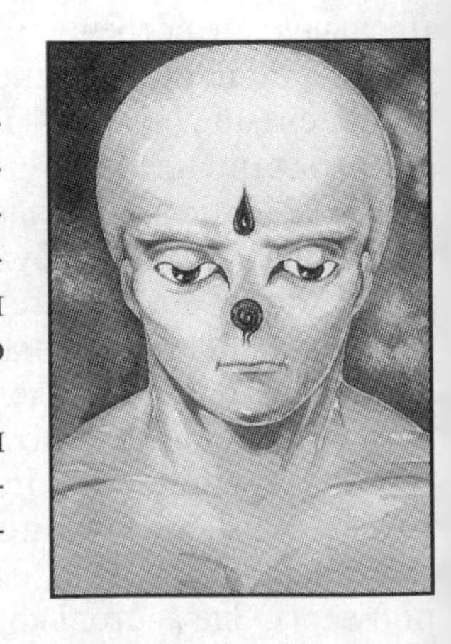

— Так что означает сомати?

— Посмотрите на свой рисунок. Глаза у него (атланта. — *Э. М.*) полуприкрыты, он как бы полумертвый-полуживой. Сомати — это когда мое тело неподвижно, как камень, как мертвое, но я живой. Каменно-неподвижное тело, но оно живое.

— Что, тибетские ламы изобразили на храмах глаза представителя предыдущей цивилизации, находящегося в состоянии сомати? — спросил я.

— Да, — ответил свами Дарам.

— Откуда у тибетских лам информация о характере глаз людей предыдущей цивилизации?

— Они видели их.

— Где?

— В горах.

— Когда?

— Сравнительно недавно!

— Расскажите подробнее о сомати*, — совсем растерявшись, попросил я.

— Приведу одну историческую справку. Мастер Рама Кришна в 1893 году в Бенгалии создал школу йоги, с помощью которой удавалось входить в состояние сомати. Однажды сам Рама Кришна вошел в состояние сомати, пригласив при этом врача. Врач осмотрел тело Рамы Кришны, нашел его мертвым и выдал медицинское заключение о смерти. После этого Рама Кришна ожил. В более позднем периоде неоднократно медицински обследовали тела людей в состоянии сомати; при этом пульс, электрокардиограмма и электроэнцефалограмма не регистрировались, температура тела падала. Описано очень много случаев, когда люди, пробыв в состоянии сомати несколько лет, возвращались к жизни. Появление этих людей удивляло и пугало окружающих.

— Сомати — это не летаргический сон?

— Нет. При летаргическом сне работают сердце, мозг, идут обменные процессы. При сомати тело переходит в каменно-неподвижное состояние.

— Как понять каменно-неподвижное состояние? — спросил я.

— Тело становится неестественно твердым и холодным. Тело умершего человека тоже тверже живого тела, но при сомати тело многократно тверже. Образно говоря, тело — как камень.

— Объясните, пожалуйста.

— Каменно-неподвижное состояние (stone-still stale) — это общепринятый термин среди религиозных ученых, изучающих сомати. Конечно же, речь не идет о превращении человеческой плоти в натуральный камень, просто тело становится очень и очень твердым, — ответил свами Дарам.

— Чем достигается отвердение тела при сомати?

---

* По-английски это слово пишется «somadhy», а произносится в Индии как «сомати» (буква «h» не читается). В русскоязычной литературе принято слово «сомадхи» как буквальное прочтение английского правописания, хотя это не совсем правильно (в Индии не поймут слова «сомадхи»).

Сомати

— Это достигается за счет снижения обмена веществ в организме до нуля.

— Я понимаю, что после смерти обменные процессы в организме продолжаются некоторое время; на этом основана пересадка органов и тканей. Кроме того, после смерти активизируются литические ферменты, приводящие к разрушению тканей. Каков же механизм снижения обмена веществ до нуля при сомати, приводящий к отвердению тела и его своеобразной консервации? — спросил я.

— Это особый механизм, и осуществляется он через воду организма, — ответил свами Дарам.

— Подвергается ли тело в состоянии сомати воздействию микробов?

— Почти не подвергается. Но лучше выбирать чистые места.

— Как воздействует температура на тело в состоянии сомати?

— Лучше холодная температура.

— А как можно воздействовать на воду организма, чтобы снизить обмен веществ до нуля?

— Через биополе, путем медитации, — ответил свами Дарам. — Биополе и вода в организме сопряжены. Но человек должен научиться столь эффективно медитировать, чтобы биополе начало воздействовать на воду организма и через нее на обменные процессы. Сомати — это высшая форма медитации. Не каждый человек путем медитации может достигнуть состояния сомати и не каждый, кто научился входить в состояние сомати, может достигнуть глубокого сомати, когда тело может сохраняться многие годы.

— А что происходит с душой в состоянии сомати?

— В учении о сомати есть термин — «OBE» («Out of Body Experience»), что означает «опыт вне тела», когда ты можешь наблюдать свое тело со стороны. При сомати душа находится вне тела, как бы рядом с телом. Человек может продолжать жизнь, оставив свое тело как бы в законсервированном состоянии, а потом возвратиться туда. С помощью сомати можно понять жизнь души; человек наяву видит свое тело, которое бездействует и как будто мертвое, но ты ощущаешь, что ты живешь. Во время сомати человек понимает, что можно жить и без тела.

— Значит, роль сомати состоит, с одной стороны, в показе возможности жизни без тела, с другой — в возможности законсервировать свое тело на многие годы. Тело, образно говоря, еще пригодится, — сказал я.

— Тело может быть законсервировано на сотни, тысячи и даже миллионы лет, — ответил свами Дарам.

— Удивительно, — воскликнул я, — ведь сомати может быть спасительным состоянием, чтобы человек пережил катаклизмы и катастрофы, вплоть до глобальных. Сохранение человеческого тела в состоянии сомати может быть посулом к созданию *Генофонда человечества*. Так ли это?

— ...

— Надо ли сохранять человеческие тела на случай глобальных катастроф?

— Роль тела тоже нельзя умалять, как делают это некоторые религии. Тело человека создавалось путем длительной эволюции. Зачем проходить этот путь заново, легче сохранить тело в состоянии сомати, — ответил свами Дарам.

— Я думаю, в природе тоже еще существуют прецеденты сомати. Например, зимняя спячка животных. На Севере бурый медведь находится в спячке 7–8 месяцев в году, причем берлогу вряд ли можно назвать теплой. Вероятно, медведь по подобию сомати снижает свой обмен веществ. Медведь-шатун — это медведь, который не смог войти в состояние сомати. К тому же можно вспомнить зимнюю спячку сусликов, сурков, хомяков, змей, лягушек, насекомых и других живых существ. Очевидно, сомати-подобное состояние есть способ адаптации к условиям Севера.

— Я представитель теплой страны. Мне трудно утверждать это, но сказанное вами логично, — ответил свами Дарам.

— А где находится душа? — допытывался я.

— Душу в народе называют сердцем. Но сердце — это лишь насос. А «сердце-душа» находится в области пупка.

— В медицине есть такое понятие, как «человек-растение», то есть работает сердце, текут обменные процессы, а человек вне сознания. Означает ли это, что душа не хочет возвращаться в данное тело, может, оно не нравится душе, может, оно слишком разрушено? — спросил я.

— Да, тело в принципе может жить без души, но это будет «человек-растение». Если душа возвратится в тело, это будет снова человек.

— А каковы взаимоотношения тела и души в состоянии сомати?

— Если душа находится вне тела в состоянии сомати, то тело так и остается в законсервированном состоянии. Если душа возвращается в тело, то человек выходит из состояния сомати и оживает через пять, десять, сто, тысячу, много тысяч лет и миллионы лет, — ответил свами Дарам.

— Кто посылает душу в тело?

— Высший Разум. В состоянии сомати быть очень полезно, так как человек узнает другую жизнь — жизнь души, осознает роль Высшего Разума и, возвратившись в тело, становится более духовным, не воинственным. Если бы люди чаще бывали в состоянии сомати, на свете бы сохранялся мир.

— Что такое душа?

— Душа — это часть энергии Вселенной, и находится она в специально очерченном пространстве. Энергия души — это энергия вне электрона и вне протона. Но энергия души очень сильна, она способна воздействовать на гравитацию. Энергия многих душ обладает колоссальной мощью. Бывают позитивная и негативная энергии души, которые сопряжены. Душевная энергия может созидать и может разрушать. Ленин, Сталин, Гитлер аккумулировали отрицательную душевную энергию, и она вылилась в уничтожение людей, в войну. Зло и добро идут рядом друг с другом. Негативная душевная энергия может притягивать разрушающие космические объекты, воздействовать на природу. Поэтому довольно часто конфликты и войны сопровождаются падением метеоритов, землетрясениями...

— Притягивание негативной душевной энергией космических объектов происходит, образно говоря, как шаровая молния притягивается к электричеству? — спросил Венер Гафаров.

— Образно говоря, да. Но здесь действуют другие физические законы, — ответил свами Дарам.

— Интересно...

— Вы начали свои исследования с изучения глаз, — продолжал свами Дарам, — и вам, конечно же, известно, что глаза — это зеркало души. Мы говорим друг с другом не только языком, но и глазами, поскольку глаза — это окно в душу.

Зрение попадает прямо в душу, и это понятно, поскольку зрение является главным нашим чувством. Сравните, пожалуйста: дистанция зрения — много километров, дистанция слуха — метры, язык и пальцы действуют через контакт. Слепые люди много теряют не только в физической жизни, но и в душевной.

— Это означает, что энергия души воздействует через глаза? — спросил я.

— Да. Кроме того, я заметил в ваших исследованиях глаз один чрезвычайно важный момент — это то, что размер роговицы глаза является константой для всех людей. Это совпадает с религиозными знаниями и свидетельствует о том, что Бог дал одинаковые возможности самореализации каждому человеку.

— Интересная мысль...

— Именно роговица является окном, через которое может самореализоваться душа. Я бы мог вам рекомендовать более подробно изучить психическую энергию, например, замерять ее при выходе из глаз. Используйте последние достижения физики, — сказал свами Дарам.

Здесь позвольте сделать отступление и привести логическую выжимку из современных представлений физики о душе и психической энергии, которую подготовил участник нашей экспедиции (заместитель руководителя) Валерий Лобанков — крупный российский физик, специалист по физике поля.

Существуют физический и тонкий миры. Физический мир включает в себя материю (планеты, звезды и проч.) и электромагнитное и гравитационное поля. Тонкий мир включает в себя психофизические явления (психическая энергия, биоэнергия и т. п.). Тонкий мир основывается на сверхвысоких частотах.

Существуют также торсионные поля, т. е. поля кручения. Проявлением торсионных полей в физическом мире является инерция. Проявлением торсионных полей в тонком мире является душа — энергетический сгусток в виде полей кручения. В пределах этого закрученного пространства (души) содержится информация о функционировании человеческого тела (астральное тело) и о процессе мышления (ментальное тело). Процесс мышления вызывает закручивание пространства: добрые мысли закручивают пространство в одном направлении, злые мысли — в противоположном направлении.

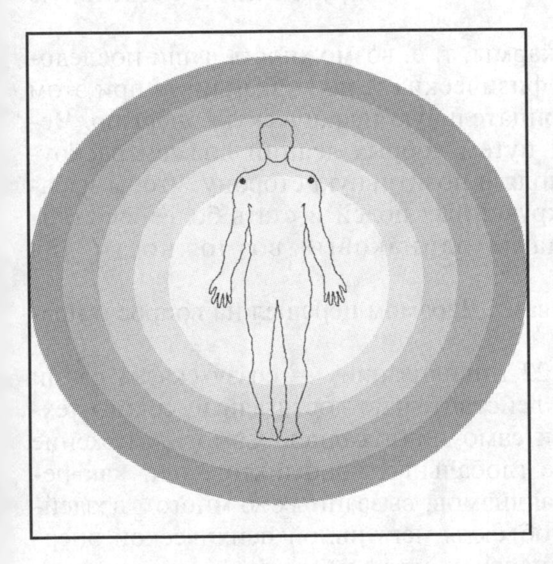

Все души являются частью Всеобщего информационного поля, которое в народе считается Высшим Разумом. Некоторые люди, такие, как Е. Блаватская и Е. Рерих, могут подключаться к Всеобщему информационному полю и получать оттуда знания, которые кажутся нам удивительными. В этом информационном поле собраны знания не только нашей, но и предыдущих цивилизаций. Пространство в нашей Вселенной замкнуто, поэтому, подключившись ко Всеобщему информационному полю, можно видеть прошлое и будущее.

Изначально существовало только пространство и Абсолют (Абсолютное ничто), т. е. план будущих созданий. Пространство есть нейтрализованные материя и антиматерия, где постоянно происходит создание материи и антиматерии, постоянно нейтрализующихся друг другом. Абсолют нарушает процесс нейтрализации. Появляются материя и антиматерия, но они не нейтрализуют друг друга.

Вначале возник тонкий мир, потом физический мир. В физическом мире материя уплотнялась, в связи с чем возникали звезды, планеты и проч. Уплотнение тонкого мира привело к созданию душ.

Души на земле постепенно уплотнялись и начали обретать физическое тело. Вначале тело было не плотным, оно могло проходить через предметы. Потом оно уплотнилось и приобрело современные черты. Так появились человек, животные, растения. Вначале сознание было постоянно подключено ко Всеобщему информационному полю, потом эта способность была утрачена по причине того, что предыдущая цивилизация (атланты) накопила слишком много отрицательной психической энергии, т. е. торсионных полей, закрученных в негативную сторону.

Существует закон кармы, т. е. возможность души последовательно жить в разных физических телах, накапливая при этом положительную или отрицательную психическую энергию. Человек с плохой кармой путем добрых деяний должен раскрутить свои торсионные поля в позитивную сторону, чтобы избавиться от негативно закрученных полей и стать более счастливым. Каждой душе даны одинаковые возможности для самореализации.

Далее разговор со свами Дарамом перешел на вопрос о предыдущих цивилизациях.

— На земле было 22 цивилизации, — сразу сказал свами Дарам. — Цивилизации действительно достигали высокого технократического уровня и самоуничтожались. Самоуничтожение происходило или в виде глобальных конфликтов, или как результат космических катаклизмов, вызванных во многом воздействием на космические объекты негативной психической энергии. В результате глобальных катастроф на земле менялся климат. И как только климат земли становился благоприятным для жизни, человечество вновь возникало в виде новой цивилизации, развивалось, достигало высокого технократического уровня и вновь самоуничтожалось.

— Обидно, что знания, накопленные предыдущими цивилизациями, уничтожались вместе с ними, — пожалел я.

— Нет, знания не уничтожались. Положительные из этих знаний (т. е. торсионные поля, закрученные в позитивную сторону. — *Э. М.*) вошли в Высший Разум (т. е. во Всеобщее информационное поле. — *Э. М.*). Люди, которые могут общаться с Высшим Разумом, например, мастера или ваша Блаватская (о ней знают все в Индии. — *Э. М.*), имеют возможность входить в

эти знания. Знания предыдущих цивилизаций резко отличаются от наших современных знаний. Наши знания предельно материализованы.

— А вы можете входить в Высшие знания?

— Да, могу, — четко ответил свами Дарам.

— Расскажите о последней, предыдущей цивилизации атлантов, — попросил я.

— Эта цивилизация была очень развитой. Она утонула в море. Климат в то время был очень теплый и влажный. Земля была в виде островов. Растительность была другая. Много растений росло под водой. Атланты имели подводные плантации, много плавали в воде. Небо было красное. Они могли воздействовать на гравитацию, имели удивительные летательные аппараты. Они владели направленной психической энергией. К сожалению, эта цивилизация накопила много негативной психической энергии, которая выливалась в конфликты. Это была одна из развитых цивилизаций на земле. Но и она не убереглась от накопления негативной психической энергии. В итоге произошел космический катаклизм. Земля изменила свою ось, огромная морская волна обошла земной шар, смыв города и потопив человечество.

— Мы произошли от атлантов?

— Да, мы произошли от атлантов, — ответил свами Дарам. — Атланты смогли сохранить свои тела в состоянии сомати на Гималаях — самой высокой части мира, куда не дошла волна во время всемирного потопа. Позже, когда вода отступила и условия на земле снова стали достаточно благоприятными для жизни, души возвратились в тела атлантов, и они снова начали жить, дав росток современной цивилизации. У них были трудные условия жизни. Внешность их постепенно изменилась согласно изменившимся условиям жизни на земле и приобрела черты человека нашей цивилизации.

— Не кажется ли вам это невероятным?

— Невероятного здесь ничего нет. Когда астронавты были на Луне и взяли пробы лунной почвы, то в ней были обнаружены законсервированные микробы. Если бы на Луне возникла атмосфера, эти микробы могли бы ожить. Так же человек в состоянии сомати является человеком в законсервированном состоянии. Для религиозных мастеров Востока сомати столь же естественно и понятно, как для вас закон Ньютона. Сомати является единственным спасительным моментом при самоуничтожении цивилизаций. Те люди, которые вошли в состояние сомати и находятся в нем тысячи и миллионы лет, посвящают себя самым высоким целям, главная из которых — выживание человечества в случае самоуничтожения цивилизации.

— Где сохраняются тела в состоянии сомати?

— Они могут сохраняться в трех местах, — ответил свами Дарам. — Первое — в воде. Вода — это особая субстанция, роль которой в возникновении жизни на земле исключительна. Вода — это среднее между воздухом и землей (имеется в виду плотность. — *Э. М.*). Человек на 66% состоит из воды. Солевой состав морской воды и воды человеческого организма примерно одинаков. Поэтому тело человека в состоянии сомати может быть законсервировано в воде на долгое время. Механизм снижения обмена веществ при сомати заключается в изменении свойств воды человеческого организма.

— Извините, — не удержался я, — несколько лет мы в нашем институте изучаем воду человеческого организма. Мы нашли, что эта вода является носителем информации, роль которой очень велика при регенерации тканей.

— Информация, которую несет вода организма, связана с душой, — сказал свами Дарам.

— Скажите, — спросил Венер Гафаров, — не являются ли дельфины потомками атлантов, вышедших из состояния сомати в море, которые в процессе эволюции приспособились к морскому образу жизни? Подтверждением этого, — продолжал он, — могут быть высокие ментальные способности дельфинов, способность общаться в ультразвуковом диапазоне (как и атланты), форма дыхательного отверстия и другие общие признаки.

— Не знаю. Может быть, — ответил свами Дарам. — Я думаю, человек вышел из моря.

— Что за второе и третье места, где могут сохраняться тела людей в состоянии сомати?

— Это ледники и пещеры. В Гималаях, например, нашли рыбу, которая пролежала в леднике миллионы лет. Когда она оттаяла, она поплыла. Подобное может произойти и с человеком в состоянии сомати. А в пещерах стабильная холодная температура, также благоприятствующая сохранению тела в состоянии сомати.

— Я читал, — сказал Сергей, — что кто-то из русских исследователей, то ли Цибиков, то ли Рерих, видели в одной из пещер Тибета очень большой череп человека с отверстием на лбу, напоминающим орбиту глаза.

— «Третий глаз» не выглядел как глаз. Отверстие могло быть травматического характера, — ответил свами Дарам. —

Кстати, я не рекомендую вам искать в пещерах атлантов в состоянии сомати.

— Почему?

— Это опасно для вас.

— Чем?

— Пещеры, где находятся тела атлантов в состоянии сомати, чрезвычайно труднодоступны и скрыты от человеческого взора. Это сделано специально, чтобы не погибали люди. В этих пещерах действуют особые, неведомые нам силы, смертельные для человека. Силы эти призваны сохранять покой атлантов в состоянии сомати. Силы эти наводятся душами атлантов, находящихся в состоянии сомати. Эти силы имеют биоэнергетический характер и являются силами такого же рода, как те, которыми владели атланты, воздействуя на гравитацию и передвигая огромные каменные блоки, строя пирамиды. Противодействия таким силам человек нашей цивилизации не знает. Не надо забывать о том, что цивилизация атлантов была значительно более развитой, чем наша.

— А нельзя войти в контакт с душами атлантов, находящихся в сомати?

— Вряд ли. Уровень развития душ атлантов значительно выше нашего. Вряд ли они поверят в доброту ваших намерений. Запомните, никто — ни король, ни президент, ни самый великий ученый — не сможет дать разрешения побеспокоить атлантов в состоянии сомати. Это решают только они — те, кто находится в сомати. Вход без разрешения означает смерть.

— Такая же ситуация прослеживается при сохранении тел атлантов в ледниках и в воде?

— Да, — твердо ответил свами Дарам.

Наступило молчание. Завеса тайны приоткрылась, но было ясно, что открыть ее полностью нельзя.

— Кто были пророки? — прервав молчание, спросил я.

— Пророками были люди, которые владели добрыми знаниями предыдущих цивилизаций и передавали их людям. В большинстве случаев это были обычные люди... — ответил свами Дарам.

— А мог быть пророком человек предыдущей цивилизации, отличающийся по внешности от обычных людей?

— Да, мог — если он вышел из состояния сомати тогда, когда новая цивилизация уже развилась и люди уже изменили свой облик сообразно новым условиям.

— Я понимаю, что вы уже устали, — сказал я, — тем не менее расскажите про «SoHm».

— Вам уже рассказывали об этом?

— Да. — Я вкратце изложил суть полученных нами сведений о последнем послании.

— К сказанному могу добавить, — начал рассказывать свами Дарам, — что «SoHm» — это разговор носом: вдох — «So», выдох — «Hm». Это пришло от предыдущей цивилизации, они на самом деле разговаривали носом. Но роль «SoHm» очень велика: «SoHm» — это звук носа, это звук жизни и смерти. Когда рождается ребенок, он является «человеком-растением», при первом вдохе душа влетает в тело ребенка, то есть вдох («So») — это жизнь. Когда человек умирает, то душа вылетает из тела вместе с последним выдохом, то есть выдох («Hm») — это смерть. Вдох означает жизнь, выдох — смерть. Принцип «SoHm» символизирует бесконечность и единство жизни и смерти, а также то, что главное находится там — за пределами земной жизни. «Аминь» и тому подобные слова в разных религиях — все они являются отражением «SoHm».

— Почему «SoHm» называют последним посланием?

— Потому что это — предупреждение о необходимости самореализации каждого человека в пределах его жизни на земле в добром направлении. Предыдущая цивилизация атлантов, к сожалению, реализовалась не только в добром, но и в злом направлении. Атланты легко могли входить в Высший Разум (т. е. во Всеобщее информационное поле. — *Э. М.*) и использовали знания, полученные оттуда, не только для добрых, но и для злых целей. Послание «SoHm» означает, что следующая циви-

лизация, то есть наша, не будет допущена к «вселенскому банку знаний», потому что нет веры в то, что эти знания будут использованы только для добрых целей. «SoHm» означает «реализуйтесь сами» в периоде между первым вдохом и последним выдохом, то есть в периоде жизни на Земле.

— Слишком опасно допускать людей к «Вселенскому банку знаний», поскольку овладение знаниями, например о новых видах энергии, может стать фатальным для нашей цивилизации, — сказал я. — Принцип «SoHm» свидетельствует о том, что Высший Разум решил прекратить легкий доступ людей к Всеобщим знаниям, — пусть люди реализуются сами, сами накапливают знания.

— Да, это так, — ответил свами Дарам.

— Но ведь, — продолжал я, — некоторые люди допускаются ко Всеобщему информационному полю. Я понимаю, что это те люди, в добрых намерениях которых не возникает сомнений, то есть торсионные поля этих людей закручены явно в позитивную сторону. Эти люди, видимо, и становятся пророками, крупными учеными, но у них трудная жизнь, поскольку они борются с негативно закрученными полями многих людей.

— Такие люди — мастера, — сказал свами Дарам.

— Хочу вам рассказать один случай, — не умолкал я. — Мне довелось посмотреть документальный фильм о конструировании и строительстве летающих тарелок гитлеровскими заводами на основании знаний, полученных из Вселенского информационного поля. Эти знания получили две женщины-«контактеры» и передали их гитреловцам. Гитлеровцы к концу войны построили летающие тарелки, они летали, но воспользоваться ими они не успели. Созданные летающие тарелки неведомым образом исчезли. Передача информации о летательных аппаратах, видимо предыдущей цивилизации, гитлеровцам явилась, как я понимаю, прямым нарушением принципа «SoHm» — «реализуйтесь сами». Тогда почему же состоялась передача этой информации? Может быть, в противовес Сталину, злые намерения которого не вызывали сомнений?

— Может быть, — промолвил свами Дарам. — Но не забывайте, что существует и Великий дух зла. Позитивная и негативная психическая энергия сопряжены, а Добро и Зло идут рядом. Нельзя умалять роли негативной психической энергии.

— А может Вселенское информационное поле исправить свою ошибку? Может быть, именно это явилось причиной таинственного исчезновения гитлеровских летающих тарелок?

— При нарушении принципа «SoHm» Высший Разум не может повлиять силой, поскольку он вне сил, но он может повлиять на души людей. В частности, он мог повлиять на души создателей летающих тарелок, убеждая их разрушить результаты своих трудов. Добро должно побеждать, в противном случае мир будет разрушен.

— Обидно, что из-за зла и властолюбиво настроенных атлантов наша цивилизация отрезана от «вселенского банка знаний», — в сердцах сказал я.

— Конечно, не все атланты были злыми, но злая энергия в их цивилизации победила. Посмотрим, что будет с нашей цивилизацией, победит ли Добро, я не знаю. Поэтому все религии учат одному — постоянно повторять «аминь» (или подобные слова), что означает «SoHm», то есть я реализуюсь сам в добром направлении, — сказал свами Дарам.

— «SoHm» может оказаться и последним предупреждением человечеству. Высший Разум может отказаться послать души обратно в тела в состоянии сомати, если и наша цивилизация самоуничтожится.

— Может быть...

— И последний вопрос, извините, — сказал я. — В начале нашей беседы, когда мы показали вам изображение гипотетического атланта, вы спросили, видели ли мы их. Что, их можно в настоящее время увидеть?

— Да. Они до сих пор должны находиться в состоянии сомати. И не только они...

— А кто еще?

— ...

Мы проводили мастера свами Дарама до дома. Долго и тепло прощались. Этот человек излучал душевную доброту и силу. Не хотелось уходить. Сергей и Венер жали по очереди его руку, я фотографировал. Свами Дарам широко улыбался.

— Используйте эти знания для добрых целей, — напоследок сказал он.

Итак, в индийской части экспедиции нам удалось найти подтверждение основных положений нашей гипотезы. Такие логические выводы, как тибетское происхождение нашей цивилизации, облик атланта, возникновение и самоуничтожение цивилизаций на Земле и другие, казались нам в доэкспедиционный период зыбкими и неубедительными. После бесед с индийскими свами мы поняли, что для них это является естественным и понятным, поскольку так учит их религиозная наука.

Может быть, мы «изобрели велосипед»? В какой-то степени, возможно, это и так. Но это тот случай в науке, когда независимо полученные данные совпадают с историко-религиозными знаниями. Религия, которую многие люди воспринимают как сказку или благочестивый наказ, тем не менее является глубинным знанием, пришедшим, как сказал свами Дарам, от предыдущих цивилизаций.

Мы поняли, что наиболее глубинные религиозные знания не придаются широкой огласке, т. е. являются секретными, только по той причине, что они могут попасть в руки злых сил.

Не передадим ли мы эти знания злым силам? Ведь нам открыли много секретов! Нет. В описании мы упустили некоторые моменты, которые могут иметь значение для негативного использования. Мы их не откроем никогда. Доверие мы заслужили не только за счет того, что «угадали» облик людей предыдущей цивилизации, но прежде всего за счет добронаправленной логики исследований. Очевидно также, что наступило время приоткрыть завесу над тайнами мироздания.

Наиболее волнующими оказались новые для нас данные о последнем послании «SoHm» и сомати. Особое состояние души и тела — сомати — будоражило воображение как возможный способ сохранения человечества на Земле.

Мы отправлялись в Непал и в Тибет. Теперь мы имели более очерченный круг вопросов. Что скажут об этом тибетские ламы?

Часть III
ЧТО СКАЗАЛИ НЕПАЛЬСКИЕ И ТИБЕТСКИЕ ЛАМЫ

Глава 1

Как войти в состояние сомати?

Из Дели мы прилетели в Катманду — столицу Непала. В аэропорту нас встретили Валерий Лобанков и Валентина Яковлева — участники нашей экспедиции, которые уже более недели проработали в этой стране. Вместе с ними был Шесканд Ариэль — один из непальских участников экспедиции, известный в Непале физик, преподаватель Непальского университета. Его рекомендовал нам Непальский исследовательский совет как человека, хорошо знающего тибетскую религию и способного проанализировать религиозные данные с точки

В городе Катманду

зрения современной физической науки. Он хорошо говорил по-английски.

Валерий, Шесканд и Валентина подготовили несколько встреч с интересными для нас людьми. При этом они сказали, что тибетских лам будет, видимо, очень трудно вызвать на откровенный разговор. Дело в том, что большинство титулованных лам эмигрировало в Непал из Тибета, который в 1949 году был присоединен к Китаю. Репрессии со стороны китайских коммунистов в отношении религиозных деятелей Тибета остались в памяти лам, вызывая естественное недоверие к тем, кто интересуется их знаниями, поскольку эти знания в любом случае связаны с их трагическим прошлым. Если в этом смысле вспомнить наших дедов и отцов, то можно отметить их необычайную подозрительность ко всему, что мало-мальски выбивается из обычной жизненной колеи. У них до сих пор сидит страх, смертельный страх перед ложью, когда под личиной красивых лозунгов о всеобщем равенстве прячутся разрушение и смерть.

Первая наша встреча была с выдающимся учителем медитации Шамбу Тхапой, возглавляющим Центр медитации в Кат-

Учитель медитации Шамбу Тхапа
с Валерием Лобанковым

манду. По словам Шесканда, этот человек не обладает глубинными древними знаниями, которые есть у лам, но ежедневно проводит сеансы медитации, может вводить людей в состояние сомати и знает эти области практически.

Господин Шамбу Тхапа назначил встречу в своем доме. С первых минут встречи он начал относиться к нам как к обучающимся медитации. Все наши попытки перевести разговор на рассудочно-научный стиль никак не могли увенчаться успехом. Учитель медитации с ходу начал читать лекцию о роли медитации, используя сложные и трудно воспринимаемые фразы типа: «Глаза мудрости — это глаза, которые могут объяснять и видят качество во всем, чтобы узнать себя изнутри глубоко и определить цель жизни, в миролюбивом характере которой не должно быть сомнений».

Я вначале записывал это, потом бросил, поскольку не мог проследить за ходом мысли учителя медитации. При этом учитель медитации постоянно приговаривал: «Do you follow my mind?» — что означает: «Ты следишь за ходом моих мыслей?» Причем, спросив: «Do you follow my mind?» — он делал паузу и пристально смотрел тебе в глаза, требуя ответа. Вначале каждый раз я отвечал: «Yes» — и тоже смотрел ему в глаза. Потом я перестал это делать, поскольку паразитическая фраза повторялась два-три раза в предложении. Я понимаю, что у людей довольно часто в речи встречаются паразитические слова, как, например, в русском языке слово «значит», но столь длинную паразитическую фразу, да еще с требованием ответа на нее, я встречал впервые.

Только позже я осознал, что надоевшее «Do you follow my mind?» является не паразитической фразой, а служит способом введения человека в состояние медитации, заставляя его не отвлекаться и четко следить за ходом мыслей учителя. Но я не хотел входить в состояние медитации, мне хотелось разобраться в медитации как в способе входа в сомати. Тогда, стараясь изменить характер разговора, я применил метод самого учителя. Улучив момент, я громко и четко задал вопрос учителю медитации и немедленно спросил: «Do you follow my mind?» — тоже пристально посмотрев ему в глаза. Учитель медитации был вынужден ответить: «Yes». Повторив это несколько раз, я понял, что наконец удалось прервать ход обучающей проповеди и перевести разговор на нормальное собеседование в научном русле.

Урок медитации

Учитель медитации рассказал, что через медитацию можно достигнуть сомати. Учение о медитации возникло на Тибете и отсюда распространилось по миру. Медитация достигается путем концентрации внимания на каком-либо объекте или без использования объекта. Самому начать медитировать трудно, нужно пройти обучение в специальной школе.

Медитируя, человек входит внутрь своей души. При этом человек способен ощущать каждую часть своего тела, может ощутить даже все тело одновременно, может проследить за всеми изменениями, происходящими в организме в течение долей секунды. В состоянии медитации человек начинает понимать жизнь более глубоко, может найти свой путь в жизни, осознает, что тело — всего лишь инструмент нашей души. После медитации человек приходит к убеждению, что не стоит ломать копья по поводу многих материальных моментов жизни, например денег, в результате чего становится миролюбивым. Обучение миролюбию — главное назначение медитации.

В этом месте позвольте сделать отступление и привести дополнительные сведения о медитации, полученные от господина Сингха, который работает в школе Ошо в городе Пуна (Индия).

Существует 112 видов медитации. Для каждого человека подходит свой вид медитации. Медитация — это переход из одного пространства в другое.

В медитации важным моментом является «молчание», или «провал». Если во время разговора замолчать и слушать, концентрируя внимание на своем молчании, то можно ощутить «провал». Если длительность «провала» достигает 4—5 секунд, то можно ощутить интуицию. Интуиция — это на 100% верно, это не процесс «думанья», это как бы подсказка. Если длительность «провала» достигает 28 секунд, то человек приближается к состоянию сомати, т. е. он начинает видеть свое тело со стороны и воспринимает его как красивый механизм.

В медитацию обычно входят в позе Будды. Существуют различные приемы для облегчения медитации.

Далее учитель выделил три стадии медитации:

1. *Селла*, когда достигается глубокая мораль.

2. *Сомати*, когда достигается выход души из тела, а тело переходит в каменно-неподвижное состояние.

3. *Пражна*, когда достигается истинная мудрость в познании жизни и мироздания.

— Каковы особенности медитации при вхождении в состояние сомати? Do you follow my mind? — спросил я.

— Yes, — ответил учитель медитации. — Для того чтобы войти в сомати, нужно освободиться от отрицательной душевной энергии. Это очень важно, чтобы душа и тело были освобождены от всего негативного. В Америке ведутся исследования по возможности консервации тела на многие годы, чтобы потом человек мог ожить. Но они не учитывают того, что консервация тела по типу сомати возможна только после освобождения от негативной энергии.

— А каков механизм освобождения от отрицательной душевной энергии?

— Этот механизм связан с концентрацией ума во время вдоха и выдоха. Респирация, то есть дыхание, есть движение внутрь и наружу, на чем нужно сконцентрироваться, убеждая себя в том, что вдох — это жизнь, выдох — смерть, а ты находишься в кругообороте жизни и смерти...

— Это по типу принципа «SoHm» — великого принципа, связанного с дыханием носом? — перебил я.

— Я плохо знаю «SoHm». Об этом лучше знают в Индии, — ответил учитель.

— Главный смысл «SoHm», — не унимался я, — состоит в послании «реализуйтесь сами», как индивидуально, так и сообща. Может быть, в процессе медитации с целью войти в сомати идет концентрация ума на самореализации человека, как при жизни на земле (вдох), так и после смерти (выдох). Иными словами, человек концентрируется на мысли: «Я реализуюсь сам, я реализуюсь сам при жизни и после смерти, чтобы достигнуть высшей цели — мудрости». При этом жизнь ассоциируется со вдохом, а смерть — с выдохом...

— Да, это так, — сказал учитель, — на самом деле мы ассоциируем вдох с жизнью на земле, выдох — со смертью. На самом деле мы стараемся заставить себя самореализоваться, поскольку высшая форма самореализации человека — это мудрость. А прийти к мудрости (в смысле умения анализировать душу) можно только через сомати.

— Трудно ли войти в глубокое сомати, когда пульс останавливается, метаболическая энергия снижается до нуля, а тело приобретает каменно-неподвижное состояние?

— Очень трудно, — ответил учитель, — далеко не каждый человек может это сделать. Это могут сделать очень редкие избранные люди.

— Почему? Кем они избраны?

— Обычно в школах медитации люди входят в состояние сомати 3 раза в день и пребывают в этом состоянии не более часа. Сомати само тебе скажет, как долго ты можешь пребывать в этом состоянии...

— Как понять, что сомати само тебе скажет о продолжительности его? — спросил я.

— Душа, освобожденная от тела, может иметь контакт с другими душами и с Высшим Разумом. Там и решается — как долго может человек пребывать в состоянии сомати, — ответил учитель.

— Какую роль играет состояние здоровья тела человека для пролонгирования (увеличения продолжительности) сомати?

— Здоровье тела играет некоторую роль, но важно, чтобы была низкая температура, при которой тело в сомати сохраняется лучше. Тело должно быть освобождено от негативизма, так же как душа должна быть освобождена от отрицательной энергии. Только человек, свободный от всего негативного, может рассчитывать на пролонгирование сомати. А вообще роль тела невелика, поскольку это всего лишь инструмент души. Do you follow

my mind? — спросил учитель.

— Yes. Но то, что вы сейчас сказали, — очень важно. Я понимаю это так, — начал с напором говорить я. — Пролонгирование сомати на тысячи и миллионы лет, скорее всего, можно считать Генофондом человечества на случай глобальной катастрофы. Люди, вошедшие в глубокое и длительное сомати, обрекают себя в случае глобальной катастрофы стать праматерями и праотцами новой цивилизации, обрекают себя на процесс выживания в изменившихся условиях земли. Do you follow my mind?

— Yes, — ответил учитель.

— Естественно, — продолжал я, — к наиболее долгому сомати с целью стать праотцом или праматерью новой цивилизации допускается не каждый человек. Быть представителем Генофонда человечества слишком ответственно! Это должны быть избранные люди. Душа этих людей должна быть свободна от отрицательной душевной энергии, то есть не должна содержать негативно закрученных торсионных полей. Тело этих людей должно быть здоровым, не иметь болезней. Ведь любая болезнь закручивает торсионные поля души в негативную сторону; подтверждение этому мы нашли в единых офтальмогеометрических параметрах («злой малый треугольник») проявлений злобы и болезней. Вполне понятно, что Высший Разум, то есть Всеобщее информационное поле, анализируя данную душу вместе с проявлениями в ней состояния его тела как претендента на глубокое сомати, дает или не дает допуск. Войти в глубокое сомати и стать представителем Генофонда человечества есть высшее духовное предназначение человека. Здесь должны быть только достойные люди.

— Да, — ответил учитель. — К этому я хотел бы добавить, что при пражне как высшей стадии медитации осуществляется осознание твоего предназначения в мире, осознание целевых характеристик при взгляде внутрь. Do you follow my mind?

После этого учитель произнес такую речь, из которой я ровным счетом ничего не понял: настолько она была нафарширована полностью абстрагированными фразами, уловить смысл которых мне, с моими европейскими мозгами, было трудно.

— Состояние клинической смерти, — напоследок спросил я, — не является ли подобием сомати?

— Душа в состоянии клинической смерти на самом деле уходит из тела, но тело, в отличие от сомати, не подготовлено к тому, чтобы долгое время быть в законсервированном виде, — ответил учитель.

После этого я рассказал учителю один любопытный случай, произошедший на моей работе. Ко мне как к директору института подошла сотрудница, работавшая у нас швеей. Она рассказала, что неделю назад была в состоянии клинической смерти, вызванной анафилактическим шоком. Во время клинической смерти она видела прошлое и будущее. В связи с этим она попросила разрешения пойти на курсы ясновидцев. Я разрешил ей. После этого я в шутку написал приказ: «Перевести сотрудницу Иванову Л. с должности швеи на должность ясновидицы института с сохранением той же заработной платы. Согласовать с главным бухгалтером и заместителем директора по науке».

Отправив приказ в отдел кадров, я стал ждать, как будут развиваться события. Заведующая отделом кадров, умная женщина с высшим образованием, отпечатала приказ и принесла его мне на подпись, спросив лишь:

— В какой отдел института оформлять ясновидицей Иванову Л.?

— Согласуйте это с бухгалтерией и заместителем директора по науке, — ответил я.

Через несколько минут позвонила главный бухгалтер с вопросом:

— По какой тарифной сетке начислять зарплату ясновидцу института? Ни в одном тарификаторе такой должности не значится...

Я сказал, чтобы она решила этот вопрос с заместителем директора по науке.

Через полчаса ко мне зашел заместитель директора по науке и сказал:

— Я чувствую, что вы хотите распределить швею-ясновидицу ко мне в отдел. Доложу сразу, что я сомневаюсь в ее способностях ясновидицы. К тому же ее, так сказать, ясновидение может помешать научному процессу анализа зрительной системы...

Только после этого я «раскололся» и признался, что это была шутка. Все мы дружно хохотали. Удивительно было то, что в нашей европейского порядка чиновничьей стране слово шефа, тем более облаченное в приказ, воспринимается беспрекословно. Никто даже не задумался: а для чего это глазному институту нужна ясновидица? Что она там будет «ясновидеть» — окажется операция удачной или нет, что ли?

С другой стороны, обратила на себя внимание плохая образованность наших людей в вопросах религиозной и оккультной науки, когда вообще-то простое слово «ясновидец» нередко ассоциируется с чем-то вроде «координатор». Сомнение вызывало только то, почему же именно швея удостаивается этой должности.

— Ясновидцем работать нельзя, им надо быть, — сказал на это учитель медитации.

Чувствовалось, что юмор изложенной истории для него был плохо понятен. Религиозный деятель Востока тоже порой плохо понимал нас, как и мы иногда его.

— Вы не могли бы продемонстрировать медитацию с переходом в сомати? — попросил я.

— Это невозможно по заказу, — ответил учитель.

Теперь мы его хоть в какой-то степени понимали.

Итак, в результате этой встречи удалось уточнить пути входа в сомати и выяснить, что только сильные и чистые люди могут войти в глубокое сомати. Прочертились также различия между сомати и клинической смертью.

Вполне понятно, что нас как медиков весьма интересовал вопрос о путях воздействия на душу и тело человека с целью возвращения жизни в тело, т. е. оживления человека.

Глава 2

Возможно ли оживление человека?

Наверное, многие из нас видели фильм про Иисуса Христа и обратили внимание на то, как он мановением руки оживлял или излечивал людей. Как это понять в свете тех знаний, которые мы уже получили в ходе экспедиции и в свете современных достижений науки?

Логически можно представить, что Иисус Христос (пророк), обладавший, возможно, душой человека предыдущей цивилизации и имевший значительно более высокий психоэнергетический потенциал, с помощью своих мощных позитивных торсионных полей раскручивал в позитивную сторону негативно закрученные торсионные поля, характерные для болезни или смерти. Говоря словами буддистской религии, он освобождал душу и тело человека от негативной психической энергии. Освобождение астрального тела души от негативно закрученных торсионных полей должно тут же воздействовать на метаболизм тканей и через него привести к выздоровлению организма. Дух, покинувший тело в результате смерти, может возвратиться в организм и оживить его, если степень его деструктивных (разрушительных) изменений не столь велика. Видимо, экстрасенсы и тому подобные целители используют такой же принцип.

Какую силу использовал Иисус Христос, чтобы бороться с негативной психической энергией? Чем отличается оживление от выхода из состояния сомати? Каковы посулы и механизм возвращения духа в тело?

Непальский участник экспедиции Шесканд Ариэль порекомендовал для получения ответов на эти вопросы встретиться с господином Мином Бахадуром Шакьей. Он считается самым крупным специалистом в области сострадания. В то время я даже не мог предположить, что такое банальное с бытовой точки зрения понятие, как сострадание, играет огромную роль не только в лечении болезней, но даже в вопросах жизни и смерти.

Мин Бахадур Шакья

— При чем тут сострадание? — спросили мы Шесканда.

— Сострадание — это большая наука на Востоке. Она имеет много аспектов. Встретитесь с ним — увидите, — ответил Шесканд.

Господин Мин был небольшого роста, очень приветлив, хорошо и отчетливо говорил по-английски. Мы не ставили целью изучить науку под названием «сострадание», поэтому задавали конкретные и четкие вопросы. Господин Мин четко и ясно отвечал на них.

Когда мы изложили суть нашей гипотезы и показали рисунок гипотетического атланта, господин Мин сразу воскликнул:

— Страдающие глаза. У него страдающие глаза...

— Почему?

— У меня большой опыт. Я сразу могу отличить страдающие глаза. Да что вам говорить, вы специалисты по анализу глаз. Вы, наверное, понимаете, как я чувствую это — глаза призакрыты, они становятся злыми... Кстати, вы говорили о «злом треугольнике», я его вроде бы вижу... Но злость здесь условная. Вернее, это — негодование, вызванное страданием.

— Это глаза, которые изображены на храмах вашей страны. Взяв эти глаза за основу, мы, используя научный анализ, восстановили облик обладателя этих глаз. Кто это? Будда? — спросил я.

— Нет, это не Будда, — ответил господин Мин. — Это древний, очень древний человек.

— Тогда почему он страдает? Отчего он страдает? Может, он вышел из состояния сомати через много тысяч лет, увидел изменившиеся условия планеты, изменившихся людей?.. Может, это был один из наиболее ранних пророков?

— Сомати — это и страдание тоже, — как бы не слыша череду моих вопросов, сказал господин Мин.

Он снова взял изображение гипотетического атланта в руки, пристально посмотрел на него и промолвил:

— Это не совсем страдающие, это *сострадающие* глаза. Этот человек находится в сомати или только что вышел из сомати. Это очень сильный человек, колоссально сильный человек. Он имеет огромную силу сострадания.

— Что такое сила сострадания?

— Сострадание — это самая мощная добрая душевная сила. Роль этой силы огромна в жизни человека, в его добрых делах, — ответил господин Мин.

— Можно ли считать, что, когда, например, Иисус Христос оживлял или исцелял человека, он использовал силу сострадания?— спросил я.

— Да, это так, поскольку только с помощью силы сострадания можно изгнать из человека негативные душевные силы. Воспитание сострадания у людей в глобальном масштабе играет величайшую роль в сохранении человечества на земле, — ответил господин Мин.

— Раскройте основные положения учения о сострадании.

— Можно выделить два аспекта сострадания: сострадание с мудростью и сострадание без мудрости, — начал рассказывать господин Мин. — Второй аспект приводит к ревности, зависти, злобе. А силу, например, ревности вы знаете — было много войн из-за ревности...

— А какова связь сострадания с сомати?

— В сомати входят путем медитации, изгоняя из души и тела все негативные силы. Негативные силы можно изгнать с помощью силы сострадания. Это очень важно — сила сострадания способна изгнать негативные силы и очистить душу и тело.

— К кому сострадание?

— Есть два вида сострадания: сострадание к определенному субъекту и сострадание вообще. Первый вид сострадания способен излечить человека, оживить его или ввести в сравнительно кратковременное сомати. Второй вид сострадания — это сострадание к человечеству вообще, забота о его судьбе; этот вид сострадания способен ввести в глубокое сомати, когда тело твое будет сохраняться тысячи и миллионы лет.

— Таким образом, — сказал я, — добрая сила сострадания имеет универсальный характер: она может быть лечебным фактором, может возвратить дух в тело — оживить его, а также ввести в состояние сомати вплоть до глубокого сомати, имеющего целью войти в Генофонд человечества. Видимо, сила сострадания раскручивает торсионные поля души в позитивную сторону, перекручивая в позитивную сторону негативные торсионные поля. Как бы усилить силу сострадания, чтобы она оказывала более сильный лечебный эффект?

— Здесь важно уметь отличать истинное сострадание от неистинного, — заметил господин Мин. — Многие делают вид, что они сострадают, но на самом деле это всего лишь игра, видимость — психической и лечебной силы такое сострадание не имеет. Истинное сострадание обладает большой доброй силой. В моей школе я учу сострадать. Мои ученики, научившиеся истинно сострадать, оказывают положительное и лечебное воздействие на окружающих людей, с ними приятно находиться рядом.

— Вы правы, — сказал я, — любой человек замечал в жизни проявления воздействия силы сострадания (истинного, конечно). По своему хирургическому опыту знаю, что у того пациента, родственники которого сострадают и ухаживают за ним, операционная рана заживает быстрее, и достигается лучший эффект операции. Добрая сила сострадания, очевидно, перекручивает в позитивную сторону негативные торсионные поля болезни.

— Моя мама, — сказала Валентина Яковлева, — никогда не лечила меня в детстве таблетками. Она садилась рядом, смотрела добрыми глазами и говорила: «Доченька, я буду лечить тебя своей любовью».

— Все верно, это и есть проявление силы истинного сострадания,— ответил господин Мин.

— Нас, как медиков, — продолжал я, — особо интересует возможность оживления человека. Насколько я понял из нашего разговора, сила истинного сострадания способна изгнать даже из мертвого тела негативную психическую энергию, после чего дух может возвратиться в тело. Мой знакомый экстрасенс Олег Адамов, известный в нашем городе как искусный целитель, говорил, что мертвое человеческое тело имеет биополе, которое ощущает экстрасенс. Но биополе мертвого человека, как он говорил, излучает абсолютную патологию. Отсюда следует, что не все элементы души, без которых функционирование тела невозможно (астральное тело), сразу покидают его после смерти. Скажите, можно ли с помощью силы сострадания исправить патологическое биополе умершего человека и возвратить после этого дух в тело, то есть оживить его?

— Чтобы вы поверили в то, что оживление человека действительно возможно, я приведу пример, — сказал господин Мин.

— Извините, — перебил я, — вы имеете в виду оживление после клинической смерти, которая длится 3—5 минут, или оживление в значительно более поздний срок после смерти?

— Я имею в виду оживление не в период клинической смерти — оно хорошо известно медицине, а оживление в более поздние сроки, вплоть до четырех суток после смерти.

— Какой пример вы хотели привести?

— Пример, который хорошо известен в Индии, Непале и Тибете, поведанный индийским мастером Пабмасанбута. Как он пишет, в Катманду приехала одна женщина, чтобы изучить характер духовных школ Непала. Эта женщина была йогом. Ей сказали, что почти день назад сын известного в городе человека умер от побоев, нанесенных ему полицейским. Она подошла к телу умершего, которое, к счастью, находилось в прохладном месте — глубоком подвале дома, — и провела сеанс воздействия на мертвое тело с помощью силы йоги. Я думаю, она использовала силу сострадания, которая у нее была очень мощной. Молодой человек после этого сеанса ожил. Он потом долго болел, заживляя следы побоев. Об этом случае знало много людей.

— Наверное, у него был болевой травматический шок, в результате которого он умер, — сказал я. — Наверное, у него не было тяжелых органических поражений, таких, как разрыв крупных кровеносных сосудов, разрушение головного мозга и т. п. В противном случае дух бы не возвратился в не способное к функционированию тело.

Если тело слишком повреждено, то дух никогда не возвратится в тело: слишком много будет страданий

— Если тело слишком сильно повреждено в результате травмы или болезни и не сможет функционировать, дух никогда не возвратится в тело. Что такое тело? Тело — это «инструмент души». Если этот «инструмент», образно говоря, удалось наладить, то дух может возвратиться в тело; если «инструмент» пришел в полную негодность, то дух никогда не возвратится в тело: слишком много будет страданий. Освобожденный от тела дух не так-то легко вернуть обратно. Дух свободен, он не слишком дорожит телом, потому что дух бессмертен и имеет бесчисленное множество жизней, то есть перевоплощений. Вы, европейцы, не понимаете того, что человек есть прежде всего дух, а не тело... — сказал господин Мин.

— Но нельзя умалять роль тела! Оно создавалось природой в процессе длительной эволюции и, выражаясь вашим языком, является весьма сложным и дорогостоящим «инструментом»...

— Роль тела нельзя умалять при сомати, — перебил господин Мин.

— Понятно, что в сомати уходят здоровые люди — лучшие «инструменты души», очищенные от негативной психической энергии. Кроме того, человеческие тела в состоянии сомати выполняют великую роль, создавая Генофонд человечества, — промолвил я.

— Отличие состоит в том, что при сомати дух не стремится перевоплотиться в другое тело, а ждет своего возвращения в свое тело. Дух сохраняет связь именно с этим телом сотни, тысячи и миллионы лет. Когда решается, что дух должен вернуться в тело, то тело оживает, — ответил господин Мин.

— Кто решает, когда дух должен вернуться в тело?

— Высший Разум. При этом учитываются многие факторы: условия для жизни на земле, состояние тела и другие. Дух при этом принимает активное участие.

— В оккультной литературе, в частности у Посвященной Елены Блаватской, есть понятие «серебряная нить», которая соединяет дух с умершим телом в течение определенного времени. Если «серебряная нить» рвется, то дух не может найти тело. Может ли «серебряная нить» сохраняться тысячи и миллионы лет при сомати? — спросил Валерий Лобанков.

— Да, при сомати дух постоянно связан со своим телом, сколько бы ни длилось состояние сомати, — ответил господин Мин.

— А сколько времени дух связан с телом после его физической смерти? — спросил я.

— Мне трудно ответить на этот вопрос, — ответил господин Мин. — Но я знаю, что оживить человека можно только в течение четырех дней после смерти. Причем мертвое тело не должно быть заморожено, как обычно делают в моргах, и не должно находиться в тепле. Процесс замораживания мертвого тела приводит к разрушению клеток организма кристалликами льда, а в тепле тело быстро подвергается процессу разложения. В обоих случаях думать об оживлении не приходится.

— Какая температура оптимальна для сохранения умершего тела в течение четырех дней при надежде на оживление? — спросил Валерий Лобанков.

— Температура, близкая к нулю...

— Великий русский офтальмолог Владимир Петрович Филатов использовал при удалении бельм глаза пересадку трупной человеческой роговицы, сохраненной в течение 3—4 дней при температуре +4 °С. Интересно, не брал ли он за основу тот же принцип, о котором вы рассказали? Кстати, В. П. Филатов был в высшей степени религиозно образованным человеком.

— Может быть, — ответил господин Мин. — Имейте в виду, что температура, близкая к нулю, является обязательным условием для сохранения тела в состоянии сомати.

— Знал ли Филатов про сомати? — задумался я. — Может быть, роговица глаза, помещенная в эти условия, входит в своеобразное тканевое сомати и поэтому лучше выживает при пересадке в чужой глаз...

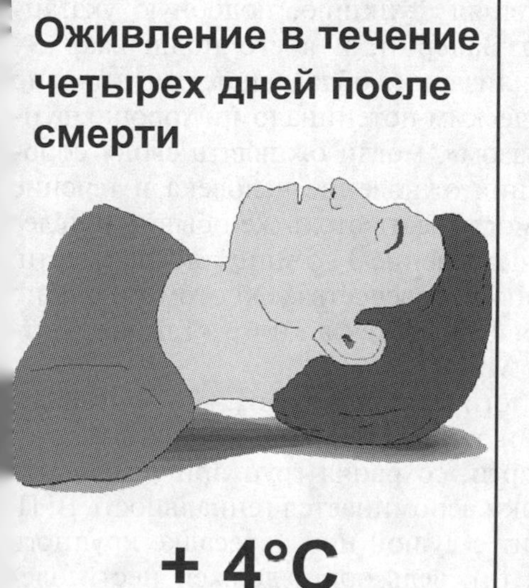

— Я не силен в глазной хирургии, — сказал господин Мин.

— А все-таки, — продолжал я, — прослеживается некоторая связь между оживлением и сомати. При сомати тело очищено от негативной энергии, то есть торсионные поля раскручены в позитивную сторону. При смерти тело «нафаршировано» негативной энергией (как говорил экстрасенс Олег Адамов). Стоит с помощью доброй психической энергии раскрутить посмертные негативные торсионные поля в позитивную сторону, как мертвое тело перейдет в соматиподобное состояние и к нему может возвратиться дух. Ведь не каждый человек умирает от грубых органических поражений, таких, как рак с метастазами, разрушение мозга и прочее. Очень часто человек умирает, например, от анафилактического, болевого, токсического шока, когда изменения, происходящие в организме, обратимы. Или остановка сердца, вызванная электрошоком... Кстати, не во всех случаях инфаркта миокарда на вскрытии находят признаки омертвения сердечной мышцы. В таких случаях было бы логичным предпринимать оживление человека в течение четырех дней после смерти, сохраняя его тело при +4 °С. Но с помощью каких сил можно раскрутить торсионные поля умершего человека в позитивную сторону?

— С помощью силы сострадания, — ответил господин Мин.

— А хватит ли мощи силы сострадания? — парировал я.

— Ее можно усилить путем медитации.

— Тем не менее в практике восточной медицины описано не так уж много случаев оживления...

— Да, это так.

— Может быть, стоит создать усилитель сверхвысоких частот для увеличения эффекта доброй энергии сострадания. К сожалению, наша цивилизация утратила функцию «третьего глаза», который, видимо, выполнял функцию, подобную указанному генератору, — сказал Валерий, и я его поддержал. — Наверное, предыдущие цивилизации, обладавшие значительно более развитым биоэнергетическим потенциалом и хорошо функционирующим «третьим глазом», могли оживлять своих сородичей более успешно. Для них оживление человека в течение четырех дней после смерти могло быть столь же обычным явлением, как для нас реанимация в течение 3—5 минут после смерти.

— Я плохо знаю историю человечества. Об этом подробно написала ваша Посвященная Блаватская в книге «Тайная доктрина», — ответил господин Мин.

— Из сказанного вами логически вытекает, — не унимался я, — что пересадку органов и тканей можно совершать в течение четырех дней после смерти, сохраняя труп при температуре, близкой к нулю. Опять-таки вспоминается гениальность В. П. Филатова. Но что происходит с душой при пересадке крупного органа (печени, сердца и т. п.), ведь орган должен нести элементы биополя?

— Все зависит от силы души, — начал рассказывать господин Мин. — Если душа того человека, кому пересадили орган, слабая, то биополе пересаженного органа может оказать сильное влияние. В нашем учении существует понятие «переселение душ». Приведу пример, описанный в литературе. Известный тибетский йог Минерапа видел, как в автомобильной катастрофе погиб сын его учителя Марпы. Тело сына Марпы было сильно повреждено и не было пригодным для жизни. Тогда Марпа, применив силу йоги, переселил душу сына в тело крестьянина, проходившего мимо. Крестьянин стал как бы сыном Марпы. Предыдущая душа крестьянина была, образно говоря, «изгнана» из тела, потому что была более слабой. Сын Марпы, явившийся в другом обличье, чувствовал себя не крестьянином, а сыном учителя-йога.

— Получается, что Марпа убил крестьянина, освободив его тело для души сына?

— Марпа отправил душу крестьянина наверх, потому что роль крестьянина в жизни на земле была меньшей, чем его сына, — ответил господин Мин.

— Есть такие сведения, — сказала Валентина Яковлева, — что Сталин и Ленин имели одну и ту же душу. Злая душа Ленина, когда его тело пришло в негодность, перешла в тело Сталина, «выгнав» его более слабую душу. Кстати, здесь прослеживается проявление Великого духа зла, так как время рождения Ленина и Сталина отличается на 9 лет, 9 месяцев и 9 дней (по Нострадамусу), а это три перевернутые шестерки.

— Может быть, — ответил Мин.

Здесь позвольте сделать отступление и привести дополнительные научные сведения, собранные специалистом по физике поля Валерием Лобанковым, а также Валентиной Яковлевой и мной.

Рождение, смерть и сомати имеют много общих принципов и в то же время диаметрально противоположны.

При рождении ребенку передаются от матери некоторые составные части души (астральное тело, эфирное тело и др.), т. е. наиболее низкочастотные поля, которые обеспечивают функционирование физического тела по типу «человека-растения».

При первом вдохе в тело новорожденного влетает дух, который включает в работу ментальное тело (способность мыслить), кармическую часть души (память о прошлых жизнях) и другие. Мозг начинает работать и раскручивать торсионные поля

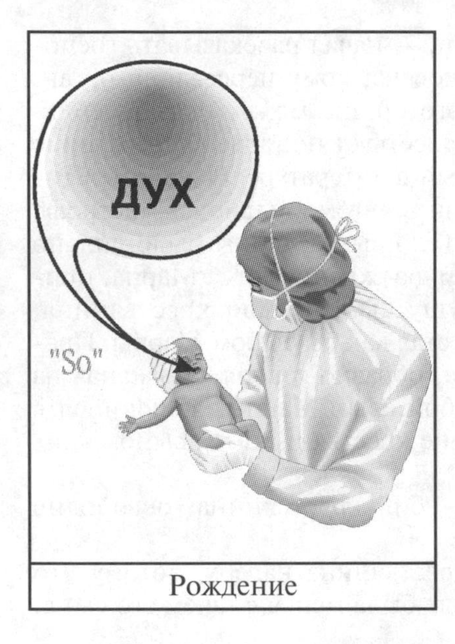

Рождение

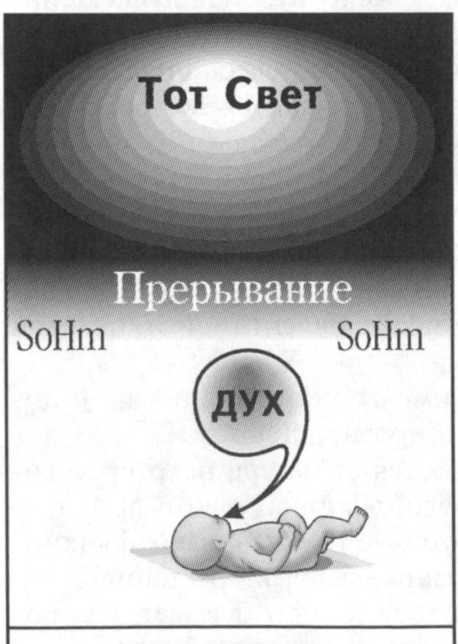

Наша цивилизация. Отделение духа от знаний Того Света

души. Человек становится человеком. Твой ребенок еще не твой ребенок: все зависит от того, какой дух в него влетит.

Человек нашей цивилизации начинает свое духовное развитие с нуля. Почему? Предыдущая цивилизация атлантов стала использовать знания, получаемые как результат подключения ко Всеобщему информационному полю (Тому Свету) не только для добра, но и для зла (Е. П. Блаватская. «Тайная доктрина», 1937, т. 2, с. 378). Поэтому дух, войдя в тело ребенка нашей цивилизации, отделяется от Всеобщего информационного поля. Это и есть проявление принципа «SoHm» — реализуйся сам. Дух современного человека имеет только способности, т.е. изначальный потенциал, который определяется предыдущими воплощениями (карма). Рождение гениальных детей — это вход в тело современного ребенка духа с неполностью потерянным контактом со Всеобщим информационным полем, т. е. в той или иной степени нарушение принципа «SoHm».

При смерти первым покидает тело дух, не утрачивая связи с телом, видимо, в течение 40 дней. Эта связь, по которой дух может найти тело, называется «серебряная нить». «Серебряная нить» — это принцип Высшего Разума, позволяющий

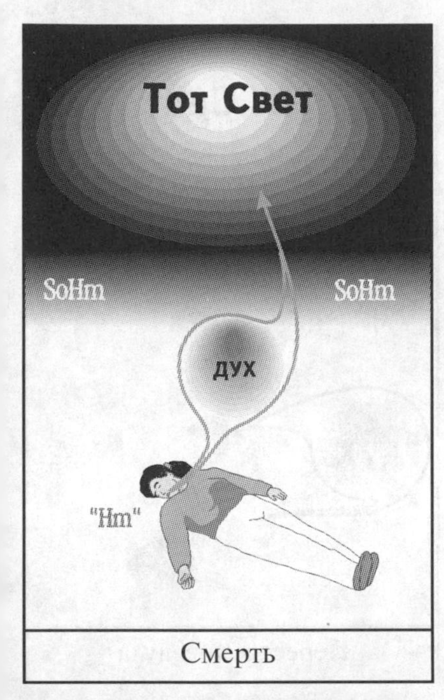

Смерть

Сомати

до конца иметь надежду на возвращение в свое тело. В глубоком сне дух «гуляет», но сохраняет «серебряную нить», по которой находит тело. Поэтому резко будить человека не рекомендуется, т. к. дух может не успеть найти свое тело. И поэтому же будить детей считается грехом.

Через 3 дня после смерти уходит эфирное тело души, через 9 дней — астральное тело. Тело может быть оживлено, если дух возвратится в него. Мозг, который раскручивает торсионные поля души, не может работать без духа. Сохранение тела, прежде всего мозга, возможно при температуре, равной +4 °С. Температура +4 °С наблюдается обычно в пещерах. При этой температуре вода становится наиболее плотной.

При сомати «серебряная нить», связующая дух с телом, сохраняется сколь угодно долго — тысячи, миллионы лет. Пролонгирование (увеличение продолжительности) сомати зависит не только от состояния «законсервированного» тела, но и от решения Высшего Разума сохранять или прервать «серебряную нить» духа с телом.

В длительное сомати можно войти при температуре +4 °С, которая встречается в пещерах и под водой. Видимо, каменно-неподвижное состояние тела (т. е. отвердение тела) достигается за счет изменения состояния внутритканевой воды. Здесь играет роль не только то, что при температуре +4 °С вода имеет наибольшую плотность, но и переход воды в особое состояние. Известно три состояния воды: жидкое, газообразное и твердое. Скорее всего, при сомати, как считает Валентина Яковлева, вода переходит в четвертое, неизвестное науке состояние. Именно это четвертое состояние внутритканевой воды позволяет остановить все обменные процессы и перевести ткани человека в более твердое состояние без их разрушения. В такое состояние воду организма способны перевести позитивно закрученные торсионные поля души, которые под воздействием медитации могут передать информацию об изменении состояния воды и связанной с этим остановкой метаболизма.

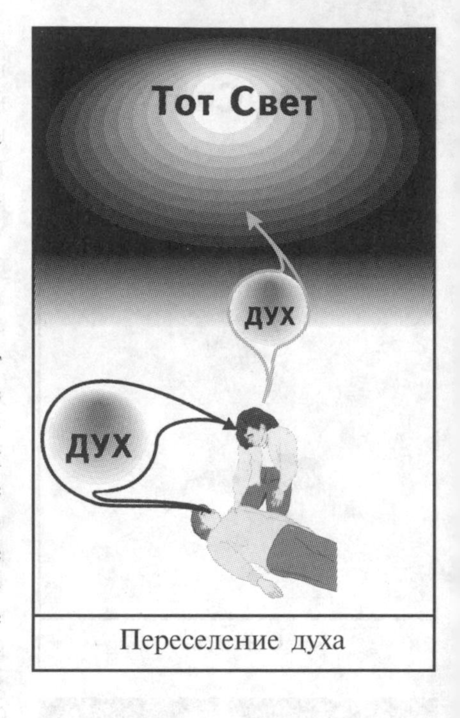

Переселение духа

Как вода переносит информацию? По этому поводу существует много предположений. Но здесь, очевидно, действует очень глубокий принцип передачи информации. Известно, что Вселенная состоит в основном из водорода. Всеобщее информационное поле, носящее преимущественно волновой характер, видимо, также связано с водородом. Можно предположить, что передача водой информации осуществляется через водород воды. Торсионные поля души, вероятно, тоже могут воздействовать на водород воды.

При переселении духа более слабый дух «изгоняется» из тела, и на его место вселяется более сильный дух.

— Я бы хотел вас спросить, господин Мин, — сказал я, — могут ли животные входить в состояние сомати? Я думаю, сомати должно быть единым принципом природы, позволяющим выживать не только человеку, но и животным. Как по-другому объяснить спячку животных, например бурого медведя, кото-

Н. К. Рерих. «И мы не боимся»

рый в Сибири спит 7—8 месяцев в году? Наверняка медведь способен снижать свой метаболизм путем входа в соматиподобное состояние. То же самое может происходить с другими животными — сусликами, змеями, лягушками...

— Дело в том, — ответил господин Мин, — что с наступлением холодов животные начинают страдать. Страдание, как я уже говорил, может очистить тело от негативной психической энергии, что, как мы знаем, является главным моментом входа в соматиподобное состояние. Но не только страдание здесь играет роль. У животных тоже есть «третий глаз», с помощью которого они способны перед наступлением холодов сконцентрироваться по типу медитации и войти в сомати, то есть залечь в спячку с пониженным обменом веществ. Если, например, взять змею летом и поместить ее в холод, то она погибнет, потому что не успеет сконцентрироваться и перевести свое тело в каменно-неподвижное состояние. При естественном наступлении холодов змея вползает в убежище, долго концентрируется и входит в соматиподобное состояние, в котором пребывает всю зиму.

— Как развит «третий глаз» у животных?

— Он достаточно хорошо развит, и проявлением его является язык животных и растений. Например, растения обладают способностью чувствовать опасность. Дерево, в частности, реагирует на приближение человека с топором. Владея медитацией, человек может научиться понимать язык животных и растений. В этом случае человек будет чувствовать себя в безопасности среди хищных животных. Об этом свидетельствует картина Николая Рериха «И мы не боимся», на которой изображены два монаха вместе с медведем.

— Как по-вашему, — спросил я, — чего не хватает современному человеку?

— «Третьего глаза»...

Глава 3

Еще раз про «третий глаз»

Однажды вечером мы — Валерий Лобанков, Валентина Яковлева, Венер Гафаров, Сергей Селиверстов и я — пошли прогуляться по Катманду. Вместе с нами пошел один из «новых русских», отдыхавший в Непале. «Нового русского», изрядно подвыпившего, постоянно интересовал вопрос психологии наших поисков.

— Я понимаю, ребята, — говорил он, — вам нужна реклама, поэтому-то через пару недель вы и собираетесь уйти далеко в горы в поисках какой-то пещеры, где сидят атланты. Ну и пусть они сидят там... Вам-то что... Снаряжения вон сколько накупили, импортное все. Кто спонсировал-то? Свои кровные вложили, что ли? Ну и что даст вам эта реклама? Ну, скажут пару раз — Мул-да-шев, Ло-бан-ков... Ну и что? Жить надо, ребята, сегодня, се-год-ня... Вот я — приехал в Непал отдохнуть, заработал это, ребята, за-ра-бо-тал... Что, скажете, не интересуетесь бизнесом, здешними дешевыми камнями? Не свистите! Я прямо скажу — я этим бизнесом интересуюсь! Что, думаете, я просто так отдохнуть приехал сюда, а Канары, Испания... э-э...?

— Ты не понимаешь того, — терпеливо объяснял Валера Лобанков, — что наука — это очень интересно. Мы — ученые, понимаешь, ученые... Найти научную истину очень трудно, порой этому отдаешь не только все свои деньги, но и всю жизнь... Здесь мы нашли подтверждение, что существует Генофонд человечества на случай его самоуничтожения или глобальной катастрофы...

— Вы хотите сказать, что вы — альтруисты, — парировал «новый русский», — жить надо, ребята, сегодня, се-год-ня... О детях надо думать, о де-тях, базис им нужен, ба-зис. Вот ты, Валера...

Мне изрядно надоел этот треп, и я шел чуть поодаль, мотая головой по сторонам. Впереди появились три девушки европейской внешности, и я машинально посмотрел на них. Ба! У каждой из них на лбу был нарисован «третий глаз», причем в натуральном виде, с веками и ресницами.

— Хелло, вы забыли подкрасить ресницы «третьего глаза», — бросил я им.

Израильтянки

Девушки остановились. Завязался разговор. Выяснилось, что они из Израиля: все трое отслужили в Израильской армии (в которой, как известно, служат и женщины), а сейчас, получив путевки на отдых, приехали в Непал. Они неплохо говорили по-английски.

— А ничо чувы, — сказал «новый русский», предполагая, что они не понимают по-русски. — Эрнст, спроси, никто из них не эмигрировал из России?

Я спросил. Оказалось, что две из них являются уроженками Западной Европы, а одна — коренная израильтянка.

— Жаль, а то бы я прихлестнул за ними, — сказал «новый русский», который умудрялся делать международный бизнес при знании английского языка на уровне «Yes» и «No».

— Скажите, девушки, — спросил я, — а рисунок «третьего глаза» у вас на лбу — это шутка или что-либо означает?

Девушки рассказали, что недалеко отсюда есть ресторан под названием «Третий глаз», входить туда полагается, только нарисовав «третий глаз» на лбу. Нам стало интересно, а поскольку рисовать «третий глаз» было нечем, мы пошли в этот ресторан без рисунков на лбу.

В ресторане нас усадили за большой стол всех вместе, не особенно обратив внимание на наши лбы. За столом уже, смущенно улыбаясь, сидела девушка из Ирландии, и нам пришлось делить общество, поскольку мест больше не было.

— Давайте познакомимся, — предложил Сергей Селиверстов и представил каждого из нас, сделав упор на целях экспедиции. «Нового русского» Сергей представил как крупного российского бизнесмена.

— О, — воскликнула ирландка, — вы изучаете предыдущие цивилизации! В моей стране очень много людей интересуются этим вопросом. Многие люди у нас стараются развить «третий глаз», ходят в специальные школы медитации. А я накопила денег и приехала учиться медитации сюда, откуда она распространилась по миру. Я стараюсь развить свой «третий глаз». Даже в ресторан под этим названием хожу. Расскажите более подробно о вашей экспедиции.

— Расскажите, пожалуйста, — попросили также и израильтянки.

Вперемежку с едой и выпивкой мы перечислили основные пункты нашей экспедиции.

— Очень интересно, — сказала ирландка. — А вы, наверное, спонсор экспедиции? — спросила она, посмотрев на «нового русского».

— Да, — был вынужден солгать «новый русский».

— Как ваши успехи по развитию «третьего глаза»? — спросил я ирландку.

— О, они весьма скромные, — ответила она.

— А вообще, вы знаете, что такое «третий глаз»? — спросил Венер Гафаров.

— Я знаю, — ответила одна из израильтянок и показала на лоб своей подруги, где этот глаз был нарисован.

— Буддийская религия, — начал рассказывать я, — выделяет 5 типов глаз:

1. ***Глаза плоти*** (fleshly eye), т. е. обычные наши два глаза.

2. ***Пророческий глаз*** (divine eye), т. е. глаз, который может видеть далеко в пространстве и во времени. Говоря иными словами, это глаз, с помощью которого можно заглянуть во Всеобщее информационное поле и в результате этого предсказать что-либо.

3. ***Глаз мудрости*** (wisdom eye), т. е. глаз, позволяющий заглянуть в свою собственную душу и проанализировать ее, чтобы понять главную истину: жизнь — это прежде всего твоя душа, а не твое тело.

4. ***Глаза Дхаммы*** (Dhamma eye), т. е. глаза, которые помогают реализовать учение Будды. Понять это, я думаю, можно как способность осмысливать учение Будды, которое весьма сложно.

5. ***Глаза Будды*** (Buddha eye), т. е. глаза учителя. Я думаю, это можно понять как глаза человека, посвященного в знания предыдущих цивилизаций.

— Что, человек может иметь сразу пять глаз? — спросила израильтянка.

— На мой взгляд, в буддийской религии под словом «глаз» понимаются способности человека ощущать и анализировать душевные моменты жизни, — ответил я.

— А какие глаза были у Будды? — не унималась израильтянка.

— Как нам рассказал крупный тибетский ученый (господин Мин), — объяснил я, — только Будда имел «третий глаз», у людей же он плохо развит. Но «третий глаз» никогда не выглядел как глаз, даже у Будды. Но о нем люди знали, потому что из области лба Будды периодически исходил луч света. С помощью этого луча Будда зазывал крестьян на свои проповеди. Луч со лба Будды мог иметь пять цветов: белый, голубой, зеленый, желтый, красный.

— О, это было, наверное, очень экзотично, — сказала израильтянка.

«Новый русский», внимательно слушавший перевод Валентины Яковлевой, спросил:

— У Будды на лбу был источник света, что ли?

— Я думаю, — ответил Валерий Лобанков, — это был эффект преобразования психической энергии в световую. Наверное, вы слышали про телекинез, когда с помощью психической энергии можно двигать, например, стакан на столе. Это есть преобразование психической энергии в механическую. По этому подобию психическая энергия может дать световой эффект.

— Расскажите подробнее про «третий глаз». Я все-таки приехала сюда, чтобы его развить, — настаивала ирландка.

— «Третий глаз» является частью мозга, — начал рассказывать Валерий Лобанков. — Если мозг раскручивает торсионные поля души, то «третий глаз» является органом настройки на ча-

Преобразование психической энергии в световую (Будда)

стоту торсионных полей разных составных частей души. Можно говорить о трех основных функциях «третьего глаза»:

— *функция интеллекта*, т. е. это настройка на частоты связи с Высшим Разумом. Видимо, Посвященные (как, например, Елена Блаватская), используют свой развитый «третий глаз» и могут настроиться на частоты Всеобщего информационного поля;

— *функция медитации*, т. е. это настройка на частоты торсионных полей собственной души разного уровня. Как известно, существует 112 видов медитации, что означает индивидуальную настройку на подходящую для него частоту;

— *функция внутреннего зрения*, т. е. это настройка на частоты торсионных полей различных органов, в результате чего можно видеть орган и его болезни.

— У детей, — продолжал Валерий, — «третий глаз» существует как рудимент, это память о «третьем глазе», который был развит у людей предыдущих цивилизаций. Вспомните данные античной литературы о том, что атланты могли взглядом перемещать огромные каменные блоки. Как это понять? Они могли с помощью своего «третьего глаза» настроиться на частоту полей камня и раскрутить его торсионные поля так, чтобы они противодействовали гравитации. При этом камень становился как бы легким, а изменив направление раскрутки торсионных полей камня, можно было его перемещать.

— Слышь, Эрнст, скажи израильтянкам, чтобы они переместили стакан взглядом. У них-то «третий глаз» есть, — с юмором сказал «новый русский».

— Я, конечно, не могу двигать камни взглядом, — сказала ирландка, — но мне кажется, я после уроков медитации начала лучше ощущать свою душу. Я сейчас ощущаю, что наш материализованный мир — не самое главное, главное — это душа. Мне интересно, а почему «третий глаз» у нашей цивилизации начал деградировать?

— Вы читали Елену Блаватскую? — спросил я ирландку.

— Нет, но на уроках медитации здесь в Непале нам говорили о ней как о выдающейся Посвященной.

— Чтобы ответить на вопрос, как развивался и как деградировал «третий глаз», надо знать историю развития человеческих рас. Литературные сведения об этом в основном одни и те же, но наиболее подробно этот вопрос освещен у Елены Блаватской в книге «Тайная доктрина». Под понятием «человеческая раса» Е. Блаватская понимает не нации, а цивилизации. Например, первая раса — это цивилизация первых людей на земле. Блаватская в своей книге пишет также об источнике получения этих знаний, когда как бы голос диктовал ей научные сведения. Она полностью убеждена, что Высший Разум через нее передал современным людям данные об истории развития человечества на земле. Не верить ей у меня нет оснований, поскольку то, что она написала в своей книге, совпадает с другими религиозными и научными сведениями. Это фундаментальнейший в мире труд. Так вот, Блаватская писала, что на земле до нас было четыре расы людей. Наша раса — пятая...

— Извините, ресторан закрывается, — сказал подошедший официант.

— Как некстати, — промолвила ирландка.

— Нет проблем, — сказал «новый русский» и протянул официанту 20 долларов. — Валя, скажи, что это для него за то, что мы будем сидеть здесь столько, сколько захотим. Кстати, закажи еще женщинам вина. Мне тоже интересно, от кого мы произошли. Я тоже своим друзьям доказываю, что не от обезьяны...

Официант с радостью взял 20 долларов и учтиво встал в конце зала, ловя каждый наш взгляд.

— Непал — бедная страна, для них 20 долларов — целое состояние, — сказал Сергей Селиверстов.

— Смотри-ка, — не унимался «новый русский», — за 20 долларов откупить целый ресторан! В Москве за эти деньги чашки кофе не подадут. В Москве бы официант за подобную услугу потребовал минимум 300 баксов. А здесь, смотри — стоит... Эх, в России бы такой сервис!

— Итак, — продолжал я, — на земле, по Е. Блаватской, было 5 рас людей, наша раса — пятая. Жизнь на земле возникла путем уплотнения материи несколько миллионов лет назад. Человек, животные и растения возникали одновременно. Каждая раса возникала от предыдущей.

Первая раса людей, которая называлась «саморожденные», возникла на земле в виде эфирообразных существ путем уплотнения тонкого мира, т.е. мира психической энергии. Это были ангелоподобные люди, которые могли свободно проходить через стены и другие твердые предметы. Они выглядели как светящиеся бесплотные формы лунного света и имели рост до 40—50 метров. Протопластическое тело людей первой расы было построено не из той материи, из которой сделаны наши смертные оболочки, оно больше носило волновой характер. Они были циклопами, т. е. одноглазыми; причем функцию глаза выполняло подобие «третьего глаза», осуществлявшего телепатического типа связь с окружающим миром и Высшим Разумом. Люди первой расы размножались путем деления и почкования. Языка у них не было, они общались при помощи того, что называется «передачей мыслей». Жить они могли при любой температуре.

Вторая раса людей, называемая «потом рожденные» или «бескостные», появилась на земле взамен первой. Эти люди были также призракообразными, но плотнее, чем первая раса. Рост их был меньше, но достигал 30—40 метров. Они также были циклопами и общались друг с другом путем передачи мыслей. Люди второй расы были золотисто-желтого цвета. Размножались они посредством почкования и спорообразования, но в конце периода жизни второй расы появились промежуточные гермафродиты, т. е. мужчина и женщина в одном теле.

Третья раса людей, называемая «лемурийцы» и пришедшая на смену второй расе, делится на ранних и поздних лемурийцев.

Ранние лемурийцы были ростом до 20 метров и имели значительно более плотное тело, которое уже нельзя было назвать призракообразным. У них появились кости. Двуполый гермафродит стал накапливать в одном случае мужские признаки, в другом — женские, в результате чего произошло разделение полов и появилось половое размножение. Ранние лемурийцы были двуликие и четверорукие. Два глаза были спереди, «третий глаз» — сзади, т. е. они имели как бы два лица. Две руки «обслуживали» переднюю часть тела, две руки — заднюю. Передние глаза выполняли функцию физического зрения, задний — в основном духовного зрения. Они были золотистого цвета. Общение друг с другом производилось путем передачи мыслей.

Одно из изображений четырехрукого и двуликого человека

Поздние лемурийцы, или лемуро-атланты, были наиболее высокоразвитыми людьми на земле, с высочайшим уровнем технологий. В частности, к их достижениям можно отнести строительство египетского Сфинкса, огромные развалины Солюсбери (Великобритания), некоторые монументы Южной Америки и другие. Рост поздних лемурийцев достигал 7—8 метров. Они были двуглазыми и двурукими. «Третий глаз» ушел внутрь черепа. Цвет кожи был желтым или красным. У них появилась односложная речь, которая до сих пор сохранилась в употреблении среди современных людей Юго-Восточного региона земли. Потомками поздних лемурийцев Е. Блаватская считает плоскоголовых аборигенов Австралии, которые выжили и эволюционировали в сторону одичания на изолированном с древних времен австралийском материке.

Четвертая раса людей называлась атлантами. Атланты имели два физических глаза спереди, а «третий глаз» был глубоко запрятан внутрь черепа, но хорошо функционировал. У них было две руки. Рост их достигал 3—4 метров, но в конце своего периода жизни атланты начали мельчать. Часть атлантов была желтого цвета, часть — черного, часть — коричневого и часть — красного цвета. В поздние сроки своего существования Атлантида была заселена преимущественно желтыми и черными атлантами, которые воевали между собой. Вначале атланты пользовались аглютинативной речью, которая сейчас осталась у некоторых туземных племен Южной Америки. Но в дальнейшем развилась инфлекционная речь, т. е. высокоразвитая речь, являющаяся основой современных языков. Инфлекционная речь атлантов служит корнем санскрита, который сейчас является тайным языком Посвященных.

Цивилизация атлантов также была достаточно высокоразвитой. Они получали знания путем подключения ко Всеобщему информационному полю, владели дистанционным гипнозом, передачей мыслей на расстоянии, могли воздействовать на гравитацию, имели свои летательные аппараты (вимана), построили каменных истуканов на острове Пасхи, египетские пирамиды и многие другие загадочные монументы древности.

Пятая раса людей, т. е. наша раса, называемая в эзотерической литературе арийской расой, возникла при поздних атлантах. Большая часть людей пятой расы одичала и не смогла использовать знания атлантов для своего развития. Вначале люди пятой расы были большого роста (до 2—3 метров), потом стали постепенно мельчать. Функция «третьего глаза» почти полностью исчезла, в связи с чем прервалась постоянная связь со Всеобщим информационным полем и стало невозможным использовать знания, получаемые оттуда. Постепенно внешность человека пятой расы приобрела черты современного человека.

— Интересно, но сложно это, — сказал «новый русский». — «Третьим глазом» чую, что надо заказать еще. Валь, позови...

— Таким образом, первые две расы (циклопы), — продолжал я, — имели только то, что мы называем «третьим глазом», и пользовались только им для жизни. Третья раса (двуликие) стала иметь кроме «третьего глаза», расположенного на затылке, еще и два физических глаза спереди, которые использовались для зрения в физическом мире и помогали «третьему глазу». У четвертой расы (атлантов) «третий глаз» ушел внутрь черепа, но своей функции не потерял. У пятой расы (нашей) «третий глаз» остался в виде рудимента, который называется эпифизом. Но (на что намекает Е. Блаватская) у нашей расы появится тенденция к повторному развитию «третьего глаза».

Кстати, и атланты, ощутив регресс «третьего глаза», предпринимали попытку искусственно стимулировать его работу. Вот и у нас сейчас появились школы медитации, которые, как мы знаем, развивают функцию «третьего глаза». И вы, например, приехали сюда усилить функцию своего «третьего глаза», — сказал я, посмотрев на ирландку.

Велорикша

— О, я горда тем, что иду, если так можно сказать, впереди планеты всей, — ответила ирландка.

— А девушки заскучали, — сказал «новый русский», кивнув на одну из трех израильтянок. — Позвольте, я расскажу что-либо из другой оперы, для развлечения, так сказать... Вот недавно наши русские ребята здесь в Катманду устроили гонку рикш. Эрнст, переведи... Представляете, мы, здоровые ребята, сели в кареты, а рикши, маленькие такие непальцы, крутят колеса велосипеда на всю катушку, напрягаются. Ох и интересно было! Витя, знакомый мой, победил. Жалко, правда, рикш, но мы каждому отвалили столько, сколько им и не снилось.

— Жалко рикш, — сказала израильтянка.

— Не надо жалеть, — ответил Венер Гафаров, — им надо заработать на кусок хлеба. Им не до гордости.

— Кстати, о гордости, — сказал я. — Елена Блаватская пишет, что, когда люди возгордились, считая себя чуть ли не богами, «третий глаз» перестал действовать, отключив людей от Высшего Разума.

— Почему «третий глаз» называется глазом, если он запрятан внутри черепа? — спросила ирландка.

— Анатомы нашли, что в процессе эмбриогенеза «третий глаз» закладывается по типу именно глаза. Это и понятно, так как первые две расы имели единственный глаз — тот, который мы называем «третьим». На это же указывает Е. Блаватская. Чем выше духовное развитие человека, тем более развит эпифиз — бывший «третий глаз».

— Спасибо за чудесный вечер. В ресторане «Третий глаз» я узнала много про «третий глаз», — сказала ирландка.

«Новый русский» решительным жестом остановил всех, полезших в карман за деньгами, и расплатился за всех, не забыв о чаевых для официанта.

— Ну что, интересно было? — спросил «нового русского» Сергей Селиверстов. — Понимаешь, надо после себя что-то оставить в жизни. Не только деньги, не только дом и машину, а что-то духовное. У детей, если ты помнишь, эпифиз больше развит, поэтому они чувствуют духовное лучше. Поэтому духовное состояние родителей...

— Я понимаю это, — ответил «новый русский». — На самом деле детям надо оставить не только дом и машину, но и сделать так, чтобы они гордились духовным уровнем своих родителей. Кстати, слышь, Сергей, и в самом деле смешно, что за 20 долларов полночи держали ресторан...

Глава 4

В следующий раз будет серьезнее

Конечно же, «новые русские» — это неудачное порождение неудачного перехода к рынку, когда политические романтики с тем же тоталитарно-коммунистическим мышлением смогли создать всего лишь самое неудачное творение капитализма — «дикий рынок», при котором лицом нации стали далеко не лучшие ее представители с низким уровнем культуры и криминальным менталитетом, как более приспособленные к условиям действия диких законов общества. Например, высококультурному человеку трудно дать или взять взятку, без которой сейчас, извините, весьма нелегко что-либо решить, а «новый русский» делает это как само собой разумеющееся, поскольку это не противоречит его менталитету. В этом случае, естественно, в выигрыше окажется «новый русский», а высококультурный человек будет ходить по инстанциям в поисках «правды» до скончания дней своих.

«Новые русские»

Если действие диких законов в обществе с главенствующим положением людей, не обремененных такими понятиями, как честь, совесть, добро и любовь, будет продолжаться слишком долго, это неуклонно приведет к снижению интеллекта нации вообще, т. е. начнется одичание людей. Я никогда не задумывался ранее над историко-политическим подтекстом понятия «одичание». Но в результате исследований мы пришли к выводу, что одичание, являющееся противоположностью прогресса, неоднократно имело место в истории не только нашей, но и предыдущих цивилизаций. Но на этом мы остановимся подробнее в последней части книги. А сейчас мне бы хотелось лишь выразить надежду на то, что «новые русские» не являются первыми дикарями нашей будущей (не дай бог!) дикой страны.

Авторитет России за границей сейчас резко упал не только из-за потери былой военной мощи и несимпатичных физиономий наших лидеров, но и из-за того, что за рубежом нашу страну начали представлять в основном указанные «новые русские». Как-то не вяжутся эти «новые» с тем, что мы первые преодолели сверхзвуковой барьер, покорили космос, создали лучшее образование в мире и так далее. Но человек склонен делать обобщающие умозаключения о стране, исходя всего-навсего из сиюминутной встречи с ее представителем, а не вспоминать исторические достижения этого государства.

Мы, члены экспедиции, никак не предполагали, что описанные «славные представители Родины» окажут влияние на работу экспедиции в далеком Непале. Дело в том, что некоторые из них, ускоренно разбогатев, решили ускоренно поднять свой духовный уровень. Эти ребята стали ходить в храмы Катманду и всеми правдами и неправдами добиваться встреч с высокопоставленными ламами, громко разговаривая и фотографируясь с ними в обнимку на память. Экзотично-то как! С самим ламой стою! Вот мужики обзавидуются!

В принципе любопытство по отношению к непонятным духовным моментам жизни похвально, а фотографирование, конечно же, не возбраняется, но форма общения, когда исполненный уверенности в себе иностранец похлопывает ламу по плечу как кореша-приятеля, приговаривая: «Щупленький-то какой...», для лам, мягко говоря, непонятна и, я думаю, неприятна.

Вышесказанное и явилось, видимо, причиной наших научных неудач при встречах с двумя высокопоставленными ламами.

Оба этих ламы возглавляли наиболее крупные буддийские храмы в Катманду, в которых уж наверняка побывала наша «братва». И хотя наша экспедиция носила международный характер, костяк ее составляли представители России. Мы никогда не скрывали этого. А успех в разговорах с ламами был нам чрезвычайно нужен! Только ламы имели право решать, открывать «секретные знания лам» или не открывать. Только ламы могли быть посвященными в тайные знания древности. Только ламы могли указать на материальные доказательства существования Генофонда человечества в виде долгого сомати. Только ламы могли знать людей, которые могут иметь доступ к телам атлантов в состоянии сомати и которые могут уточнить черты облика людей предыдущей цивилизации.

По большому счету мы имели все основания, чтобы ламы нам поверили; рассчитанный нами облик атланта в основном совпадал с представлениями индийских свами о людях предыдущей цивилизации; от свами и ученых мы узнали много новых сведений, которые вязались в стройную логическую цепочку, и т. д. Трудно было предположить, что панибратское поведение наших сограждан окажется тем камнем преткновения, которого мы боялись.

Ринпоче-лама с учениками

Ринпоче-лама, о встрече с которым договорился Шесканд Ариэль через ректора Непальского университета, заранее представив нас и передав некоторые научные материалы, принял нас в назначенное время в окружении свиты своих учеников. Немцы, датчане, американцы и другие нации были представлены в этой свите, которая насчитывала 20–30 человек. Все сидели на полу: кто-то закрыл глаза, кто-то шептал губами, кто-то непрерывно и молча смотрел на ламу, кто-то с интересом разглядывал нас. Эти люди посвятили свою жизнь освоению духовной науки Востока и много лет уже жили в Непале. Все они говорили на непальском языке.

Нас усадили на низкие мягкие кушетки перед ламой. Рядом со мной сел светловолосый датчанин и представился как переводчик ламы. Чувствовалось, что лама хорошо говорит по-английски, но почему-то он предпочел говорить с нами через переводчика. Я хоть и не знал непальского языка, но ощущал, что датчанин, владевший достаточно примитивным английским языком, говорит на непали еще хуже.

Датчанин

Начав рассказ о нашей гипотезе о происхождении человечества и пытаясь говорить понятно, я свел свой английский до последней стадии упрощения, отчего ощущал крайнее неудобство и смятение. Лама слушал мой рассказ вполуха, а перевод датчанина вообще не слушал; к нему постоянно подходили какие-то люди, которым он между делом навязывал на шею священные шарфы и давал кусочек священной пищи. Датчанин постоянно бубнил над ухом на непали и поминутно трогал меня за плечо, прося повторить предложение, где я волей-неволей употреблял более сложное английское слово.

В конце концов мне это надоело, и я прямо спросил ламу, показав рисунок гипотетического атланта:

— Вы видели когда-нибудь человека, имеющего такую внешность?

— Внешность человека является физическим проявлением его духовности, — сказал лама, неожиданно перейдя на хороший английский, — главной чертой во внешности человека являются глаза, в которых должна отображаться мудрость человека. Понятие «глаз мудрости» в буддизме имеет два аспекта: поддержание чувствительности и связь с чувствительными органами, при анализе которых надо учитывать объект видения, сознание и органы чувств...

— Позвольте, — перебил я, понимая, что нашему вниманию предлагают, по сути дела, набор слов, и теша свое самолюбие только тем, что у левого уха замолк датчанин, — но ведь этот рисунок есть репродукция лица человека, глаза которого изображены на стенах вашего храма — храма Сваямбунатх. Валерий Лобанков сделал снимок этих глаз со стен именно этого храма, после чего мы провели офтальмоматематический анализ их и воссоздали облик обладателя этих глаз. Ответьте, пожалуйста, чьи это глаза?

— Это глаза мудрости, — снова начал говорить лама, — которые отображают цели, твердое желание и то, что глаза должны отображать. Будда учил, что надо видеть качество во всем, внешней формой чего является мудрость.

Необычные глаза на ступе Сваямбунатх, сфотографированные В. Лобанковым

Я чуть было не спросил: «Что такое глаза мудрости?» — но вовремя осекся, поняв, что за этим последует каскад слов, из которых мы ровным счетом ничего не поймем.

— Это глаза Будды? — настырно спросил я.

— Будда имел 32 измерения и 60 качеств, одним из которых были его глаза. Специальные художники изобразили эти глаза на стенах храма, чтобы отобразить их мудрость. Мудрость идет не только от глаз, но и от сердца... — витиевато проговорил лама.

— Что вы можете сказать о таком носе? — спросил я, показав его на рисунке гипотетического атланта.

— Необычный нос есть проявление необычной силы, — ответил лама.

— Что такое необычная сила?

— Это сила души.

— Насколько я знаю, сила души исходит из глаз...

— Из носа тоже.

— Сила души может иметь физические проявления, например, перемещать предметы?

— Может.

— Какую роль в этом может играть нос?

— Большую.

— Что вы можете сказать о «третьем глазе»? — спросил я, показав его на рисунке.

— Это пучок волос, сделанный из бровей, — ухмыльнувшись, ответил лама.

Я почувствовал, что лама начал насмехаться надо мной. Датчанин тоже с усмешкой смотрел на меня.

— Чьи знания принес Будда на Землю? — собрав свое терпение, спросил я.

— Будда есть свобода. Если ты будешь свободен от ощущения своего тела, то ты познаешь мир. Важно чувствовать себя вне своего тела...

— Так чьи же знания принес Будда?

— Все знания были в уме Будды.

— Извините, лама! Последние два вопроса. Первый из них — напоминает ли вам этот атлант человека, вошедшего в состояние сомати?

— Откуда вы знаете про сомати? — спросил лама и пристально посмотрел на меня.

— Об этом нам рассказывали индийские свами. Мы с достаточно большой степенью вероятности предполагаем, что здесь, на Тибете, в пещерах, в условиях стабильной температуры должны храниться тела людей в каменно-неподвижном состоянии, причем не только нашей, но и предыдущих цивилизаций. Это своеобразный Генофонд человечества, сохранять который и есть ваше высочайшее призвание, дорогой лама.

Но с другой стороны, было последнее послание «SoHm». Почему оно последнее? Это можно интерпретировать как предупреждение человечеству: в случае самоуничтожения и этой, последней на Земле цивилизации, Генофонд человечества больше не будет востребован, т. е. «законсервированные» люди не выйдут из состояния долгого сомати и не дадут росток новой цивилизации. Поэтому, дорогой лама, я думаю, наступило время разъяснять человечеству то, что наша цивилизация может оказаться последней на Земле. Посмотрите, сколько накоплено в мире оружия! Посмотрите, ведь духовное развитие общества все больше подменяется на материально-обывательское, где главной целью жизни является желание разбогатеть. Люди ради денег готовы на все... Лишь небольшая кучка людей из развитых стран, — сказал я, показав на учеников ламы — иностранцев, сидевших в зале, — занимается своим духовным развитием. Но они это делают только для себя лично и не более. А людям, чтобы истинно и искренне верить в правдивость и мощь религиозного учения, нужны новые факты, новые знания. Ведь, положа руку на сердце, можно сказать, что во многом люди воспринимают религию как красивую сказку...

На балконе храма

Наступило молчание. Лама постукивал пальцами по колену. Датчанин сверлящим взглядом смотрел мне прямо в глаза.

— Сомати защищено, — вдруг сказал лама. — Там есть силы. Каждый камень... Это не только мое призвание... Кстати, какой ваш второй вопрос?

— Я хотел спросить: что вы знаете о последнем послании «SoHm»?

— То же, что и вы, — ответил лама.

Я позвал ламу на балкон, с которого открывался вид на ступу, — овальную башню с изображением огромных необычных глаз. Именно эти глаза мы подвергли научному анализу, именно они послужили источником реконструкции облика человека с необычной внешностью, которого мы предположительно посчитали атлантом. Почему главным символом непальских и тибетских храмов являются эти глаза? Что они символизируют? Расхожее определение, что это есть глаза мудрости, никак не удовлетворяло нас. Возможно, древние знания тоже имели аспект, подобный нашей офтальмогеометрии, чтобы через изображение глаз закодировать облик их обладателя. Может быть, это есть изображение глаз человека, явившегося праотцом или праматерью нашей цивилизации. Может быть, это есть глаза человека из Генофонда человечества, имеющего предназначение быть «спасителем» человечества в случае его самоуничтожения. Глаза будущего спасителя... Может быть... Но лама нам ничего так и не сказал. Тешило самолюбие только невероятное совпадение того, что вычисленные «среднестатистические глаза» имеет тибетская раса и именно здесь, на Тибете, все храмы имеют изображения необычных глаз.

Мы сфотографировались с ламой. Датчанин тоже стоял рядом.

— Вы, конечно же, знаете загадку этих глаз, — сказал я и показал на ступу.

— Посмотри на мой подбородок — ты не видишь лба, посмотри на лоб — ты не видишь подбородка, посмотри на один глаз — ты не видишь второго, посмотри на второй — ты не видишь первого, — проговорил лама.

— Но глаз работает как сканирующий луч!

Маленького роста лама поднял на меня глаза, подошел ко мне и, подтянувшись, сильно похлопал меня по плечу.

— Не расстраивайтесь, — сказал он, еще раз хлопнул по плечу и громко расхохотался.

Мне стало неприятно. Датчанин исподлобья продолжал смотреть на меня.

— А почему вы не хлопаете меня по плечу и не хохочете? — спросил лама.

— ...

— Тут ваши русские приходят, не обращают внимания на людей, которые находятся передо мной, громко разговаривают, хохочут, хлопают меня по плечу, фотографируясь. Почему, скажите, почему они, — лама показал на иностранцев, сидящих в зале на полу, — почему эти немцы, голландцы, американцы, англичане сидят передо мной на коленях, а ваши русские... Ведь я олицетворяю древнюю мудрость и знание, поклонение перед предками. Вот он, — лама показал на датчанина, — уже 22 года живет в Непале, учится медитации и древним знаниям.

Датчанин кивнул.

— Я не могу отвечать за тех русских, которые были у вас, — ответил я.

— Я вижу, что вы серьезные ученые, что вы не такие, как они, — сказал лама. — Но как я могу доверить древние знания вам, представителям страны, где есть богатые люди, которые в нас видят не более чем туземную экзотику, у которых нет ни грамма уважения и интереса к нашему древнему учению, которые считают, что если у них есть много денег, то им открыт весь мир. Россия — богатая страна, Непал — очень бедная страна. Но здесь, в Непале и Тибете, есть те знания, которых нет нигде в мире. Мы уважаем ваше образование, вашу науку, но уважайте и вы нашу религию. Один ваш, русский, пытался сунуть лично мне 100 долларов после фотографирования, а хорошие люди вносят пожертвования.

— Я могу лишь извиниться за них, — проговорил я.

— Да на что мне ваши извинения. Вы лучше в своей стране поговорите с ними, скажите по телевидению. Если наши древние знания попадут в руки таких людей, то они могут быть обращены во зло. Если такие люди найдут что-либо, например человека в сомати, они его выставят напоказ, как зверя в зоопарке, и будут собирать деньги за показ. Китайские коммунисты разрушили храмы и пагоды в Тибете, поубивали лам, издевались над древними ценностями. К счастью, есть силы, защищающие сомати. Эти силы мощны, им нет противодействия. Ваша страна обладает огромной военной мощью, но даже ядерное оружие не может противодействовать этим силам. Вы ведь тоже коммунистическая страна, забывшая Бога и воздвигшая своих лидеров в качестве богов!

— Мы — бывшая коммунистическая страна...

— Все равно. Если в вашей стране есть богатые люди, такие, какие приходят сюда, то вам нельзя доверять. Миром правят деньги. Они купят науку и религию за бесценок и, не сделав ничего путного, погубят их.

— Но ведь такие люди есть в каждой стране...

— Есть, конечно.

— Позвольте, лама, объяснить вам кое-что. Россия сейчас находится в трудном положении. Развитые наука и образование неожиданно, после перехода к политике свободного рынка, оказались на задворках, ученые с мировым именем стали одной из малоимущих категорий общества. Малообразованные люди, которые могут всего лишь высчитать процент своей прибыли от процедуры купли-продажи, разбогатели и стали думать, что им подвластно все. Этих богатых, но малообразованных людей в нашей стране стали называть «новыми русскими». Именно они сейчас наводнили разные страны, именно по ним сейчас судят о России. Но не все русские есть «новые русские».

— Но ведь во главе вашей страны сейчас стоят именно такие люди, — парировал лама.

— К сожалению, это так. Я надеюсь, что ненадолго. Политика — непредсказуемая вещь.

Датчанин, вновь оказавшийся рядом со мной, почему-то снова начал переводить мои слова на непальский язык и даже, толкнув меня под локоть, переспросил непонятное для него английское слово.

— Наука имеет международный характер, — продолжал я, всем своим видом показывая датчанину, что его перевод не нужен. — Мы, ученые России, не виноваты, что наша страна в последние годы имеет столь нелицеприятный вид из-за «новых русских». Я, ученый-хирург, объездил 40 стран мира, во многих странах был по многу раз. Спрашивается, а почему я езжу в разные страны, читаю лекции, демонстрирую свои новые операции? Географический интерес я удовлетворил давно. Было бы значительно проще реализовать свои медицинские изобретения в большие деньги путем продажи их какой-либо богатой фирме или путем создания собственной частной клиники, где основная доля дохода от операций будет идти в твой карман. Дело в том, дорогой лама, что наука идет от Бога. Если Бог дал тебе способности изобрести что-либо стоящее, то посчитай это за Божий дар, давший тебе личное удовлетворение. Но дальше ты становишься рабом своих изобретений, потому что начинаешь ощущать призыв распространять их шире и шире: вначале в пределах твоего города, далее — страны, далее — мира. И поверьте, далеко не каждый ученый в это время думает о получении прибыли или о славе. Чаще всего никакой прибыли не бывает, а слава твоя растворяется в том, что твои изобретения подхватываются другими учеными, модернизируются, а первоначальный податель идеи постепенно уходит в тень. Было бы, на первый взгляд, логичнее как можно дольше сохранять свою уникальность, демонстрируя великолепные результаты операций, но никому не показывая их технику. Но редко кто из настоящих ученых поступает так, потому что есть глубинный призыв, идущий из твоей души, что твое изобретение не есть твое лично, что оно предназначено для всех людей, а ты есть лишь раб своих способностей, инструмент своего изобретения и его распространения. Ведь твое изобретение пришло из Всеобщего информационного поля и одновременно дополнило его. Поэтому, дорогой лама, страна тут ни при чем, тем более не лучшие ее представители — «новые русские».

— А почему вы не уехали в Америку? — спросил лама. — Америка скупает умы со всего мира, в том числе и из вашей страны. Она создает условия для науки.

— Я хорошо знаю Америку, был там много раз, — ответил я. — Мне тоже предлагалось быть купленным. Но здесь есть две причины. Первая причина — совесть. Великий русский режиссер Тарковский поставил фильм «Сталкер», главный смысл которого сводится к тому, что в особой зоне выпячивается самое сильное чувство человека. Этим чувством оказалась совесть. Люди в этой зоне умирали, совесть у них была запятнана. Наука никогда не делается в одиночку, у тебя всегда есть друзья-соратники. У меня тоже есть друзья-соратники, которые вместе со мной прошли тяжелый научный путь. Я никогда их не оставлю, потому что меня будет мучить совесть.

Вторая причина — это то, что, как я заметил, в Америке многие эмигрировавшие ученые начинают «затухать». Я не могу сказать точно почему, но, мне кажется, влияние американского общества, насквозь пропитанного погоней за долларом, оказывает свое тлетворное воздействие. Наука имеет прежде всего духовное начало.

— Вы правы, наука — это прежде всего духовное, чем она и сродни религии, — сказал лама.

— Именно поэтому, дорогой лама, я и задавал вам много научных вопросов, на которые вы отвечали, извините, заученными словами из проповеди для уличного мальчика, — сказал я.

— В следующий раз будет серьезнее, — сказал лама и искренне расхохотался. — Вы меня тоже должны понять.

— Позвольте задать вам вопрос философского характера, лама, — сказал я. — Почему наука плохо развита в вашей стране, ведь духовное лидерство этого региона мира не вызывает сомнений?

— Мы — бедная страна. А наука требует больших денег.

— А почему ваша страна бедная? Ведь даже вашим ученикам, — я показал на иностранцев в зале, — было бы приятнее жить в богатой стране, где нет нищих.

Замолкший датчанин кивнул.

— У нас очень много нищих и большая рождаемость. Люди привыкли к очень скромному питанию и очень скромным условиям жизни. Они плохо представляют, что можно жить лучше. Сложилась психология бедняков.

— Я думаю, — вставил я, — причина не только в этом. Большую роль в бедности вашей страны играет религия.

— Религия?

— Религиозное учение буддийского и индуистского толка, насколько я знаю, — продолжал я, — проповедует явный приоритет духовного перед материальным. Этому вы учите в школах медитации и других религиозных школах. Я ни в коей мере не подвергаю сомнению главенствующую роль духовного в сравнении с материальным, поскольку по религии материальное начало было создано из духовного начала путем его постепенного уплотнения. Но слишком сильное выпячивание главенствующей роли духовного для верующего человека приводит к тому, что обычный человек в вашей стране начинает относиться к жизни на земле как к чему-то малозначащему и не прилагает больших усилий для ее улучшения. Тело есть всего лишь красивый инструмент души, и расстаться с ним не жалко. Поэтому, я считаю, должна быть «золотая середина» при доведении религиозных знаний до большого количества людей.

— Но мы же не можем отступить от святых религиозных писаний! — возразил лама.

— Религиозные писания, пришедшие в наш мир через пророков, предназначены, на мой взгляд, для людей высокообразованных и высококультурных. Кроме того, вы знаете, что религиозное учение есть гибкое учение, и оно может в той или иной степени видоизменяться сообразно условиям жизни. Например, дорогой лама, возьмите и начните пропагандировать то, что каждый человек одновременно с духовным развитием должен усиленно работать, получить образование и создать для себя и своей семьи условия жизни, достойные человека. Результат скажется довольно быстро, поскольку вы — религиозные деятели — в вашей стране имеете огромный вес и популярность.

— М-м... да...

— По вашей религии, Будда имел два состояния — миролюбивое и гневное. Невозможно всего добиться только миролюбивым путем, иногда надо быть и гневным, чтобы заставить людей лучше работать и сделать свою страну богатой. Тогда и появятся условия для развития науки. Роль науки очень велика. Что такое религия? Религия есть знания предыдущих цивилизаций, полученные ими в результате научных исследований. Поэтому развитие науки и пополнение за счет нее Всеобщего информационного поля является святым делом. Именно наука может развить, скорректировать и дополнить религию. Нельзя же все время как догму использовать знания, полученные из Всеобщего информационного поля, надо дополнять их и корректировать сообразно условиям.

— Наверное, вы правы, — промолвил лама.

— Нельзя же в настоящее время до такой степени умалять роль материального, ведь это тормозит развитие науки, святость которой мы не можем отрицать, — продолжал я. — Возьмите хотя бы сомати. При нем, как известно, дух покидает тело, но сохраняет с ним связь. Тело за счет снижения обмена веществ до нуля может сохраняться в законсервированном состоянии миллионы лет. Спрашивается, зачем нужно сохранять тело, если дух имеет главенствующее положение? Ответ прост — тело создавалось путем длительной эволюции, и нет никакого смысла пренебрегать им, лучше его сохранить, чем создавать заново.

— Но люди сейчас все более хотят освоить именно духовное, — сказал лама.

— Посмотрите на своих учеников. У многих из них взгляд не от мира сего. Эти отрешенные от бытия люди вряд ли могут воздействовать на общество с целью подъема его духовного уровня. В лучшем случае они способны на личное духовное удовлетворение.

Датчанин толкнул за локоть и что-то спросил меня почему-то по-непальски.

— Говорите по-английски.

— ...

— Мы, — сказал лама, — делая особый упор на духовном развитии, противостоим остальному миру, где материальное гипертрофировано.

— Наверное, в этом вы правы. В мире должен существовать баланс. В подтверждение ваших слов приведу пример. Вы знаете Посвященную Елену Блаватскую?

— Да, у меня есть ее книги.

— Из книг Блаватской можно понять, что пирамиды в мире были созданы с многочисленными целями, одной из которых является сохранение в них тел людей в состоянии сомати. Так, тело египетского фараона было извлечено из пирамиды Хеопса и помещено в Британский музей. Кто знает, а может быть, египетский фараон был жив, а все рассказы относительно египетского секрета консервации человеческих тел являются сказкой. Может быть, египетский фараон был в состоянии глубокого сомати. А сейчас его тело выставлено напоказ, и, конечно же, не соблюдаются необходимые для сомати температурные условия. Теперь душа вряд ли возвратится в тело фараона. Ответьте, лама, почему необычные силы не защитили фараона?

— Я думаю, в пирамидах их нет.

— Почему?

— Не знаю.

— Возвращаясь к роли религии для общества, — сказал я, — давайте проанализируем разные виды религий на Земле. Мне кажется, наиболее удачным вариантом религии явилась католическая религия. В ней взвешенно присутствуют и жесткая дисциплина, и свобода человека. Поэтому страны с католической религией оказались наиболее развитыми на Земле. Сравним католическую религию с мусульманской. Жесткости и ограничений в мусульманской религии хоть отбавляй, а свободы явно не хватает. Результат известен: мусульманские страны уступают в развитии католическим. Сравните католическую религию с православной. Свободы в православной религии больше, а результат таков: страны с православной религией все-таки уступают католическим странам. Сравните с буддийской и индуистской религией Индии, Непала, Бутана и других близлежащих стран: человек акцентирован, прежде всего, на духовном развитии и часто пренебрегает материальной стороной жизни. Результат известен: при высоком духовном развитии эти страны имеют далеко не завидное экономическое положение. Особняком стоит японский вариант буддизма, где духовное развитие сочетается с жесткой дисциплиной в материальной жизни. Результат известен: прогресс Японии неоспорим.

— Да, вы, наверное, правы.

— Все мы знаем, что Бог един, — продолжал я. — Так почему же вам не видоизменить свою религию, подкорректировать ее, принимая во внимание хотя бы исторические аспекты воздействия разных религий на общество. На Земле было много пророков, которые создали много вариантов религии. Жизнь уже показала, кто из пророков был более прав. Я думаю, наступило время взаимоотношений между представителями разных религий для попытки сформировать единое религиозное учение, основанное на том, что Бог един. Исторически это будет справедливо; вспомните хотя бы множество религиозных войн, которые продолжаются до сих пор (Югославия, Израиль и др.).

— Интересный получился разговор. Спасибо, — сказал лама.

— Дорогой лама, когда бы вы могли нас принять, чтобы у нас с вами получился серьезный научный разговор? Вчера Валерий Лобанков встречался с Тэнго-ламой и, к сожалению, с отрицательным результатом: Тэнго-лама повел себя так же, как и вы вначале. Мы ведь ученые...

— Обещаю, в следующий раз будет серьезнее, — сказал лама. — Хотя подождите! Вам лучше встретиться с самим Бонпо-ламой. Религия Бонпо является самой древней религией мира, а Бонпо-лама обладает значительно большими знаниями, чем я. Это великий человек. Он эмигрировал в Непал из Тибета, где его преследовали китайские коммунисты. У него пока нет своего большого храма, но знания его колоссальны. Бонпо-лама — ста

«В следующий раз будет серьезнее...»

рый человек. Я завтра же позвоню ему, расскажу ему о вас. Я обещаю: он вас примет и будет с вами откровенен. Подойдите ко мне завтра около семи часов вечера.

— Спасибо.

Лама бросил взгляд на своих учеников, сидящих в зале на коленях, и, обойдя их, проводил нас.

Я оглянулся. Датчанин угрюмо продолжал смотреть нам вслед.

Глава 5

Откровения Бонпо-ламы

Лама сдержал свое обещание: он и в самом деле позвонил Бонпо-ламе и договорился с ним о нашем визите. В конце разговора Ринпоче-лама, дав нам рекомендательное письмо, сказал, что Бонпо-лама готов говорить с нами серьезно.

Бонпо-лама жил в небольшом городке на западе Непала. Добраться до этого городка можно было на автомобиле или самолетом. Вначале мы чуть было не арендовали автомобиль, но Шесканд успел предупредить, что дороги в Непале очень плохие и путешествие на автомобиле может занять почти неделю времени. Оказалось, что причиной этому являются оползни, перекрывающие дороги, расчистка которых весьма затруднительна.

Рейсовые самолеты в этот городок летали один раз в неделю. Чтобы сэкономить время, мы были вынуждены арендовать небольшой самолет. Весь полет самолетик болтало, как щепку в море, а перед посадкой мы попали в грозовое облако, облететь которое в ущелье, видимо, не было возможности. После того как мы все-таки приземлились и вышли из самолета, бледные лица непальских летчиков свидетельствовали о перенесенной опасности. Сергей Селиверстов, бывший военный летчик, пояснил, что погода в горах непредсказуема, и нам здорово повезло, что корпус самолета выдержал сильнейшую турбулентность, а град не повредил моторы. Он также сказал, что российские самолеты прочнее, хоть и менее экономичны.

Из гостиницы мы позвонили Бонпо-ламе. Встречу он назначил на утро следующего дня.

Утром на окраине городка по крутым земляным ступенькам мы поднялись на высокий склон горы, где на маленькой ровной площадке теснился небольшой храм, также имевший изображение необычных глаз. Монахи в традиционной темно-красной одежде проводили нас к Бонпо-ламе.

Бонпо-лама выглядел лет на 70 и был также одет в темно-красную одежду. Он заговорил на вполне хорошем английском языке с типичным восточным акцентом. Обращали на себя внимание теплые добрые глаза и спокойный тихий голос. Мы представились.

Бонпо-лама

В это время из задней двери появились три человека европейской наружности: две женщины и один мужчина.

— Это мои друзья — ученые, — сказал лама.

— Вы все же ученики ламы или ученые?

— Мы — ученые-историки, специалисты по восточной религии. Мы уже более месяца живем здесь и изучаем историю возникновения наиболее древней религии мира — Бонпо. Господин Бонпо-лама обладает очень большими знаниями, многое помнит наизусть. К сожалению, все его книги остались в Тибете, откуда он был вынужден эмигрировать. Господин Бонпо-лама является одним из немногих оставшихся в живых представителей древнейшей религии мира. Мы боимся, что история этой религии может исчезнуть навсегда, — сказал мужчина.

— Вы, насколько я понимаю, из Соединенных Штатов Америки? — спросил я, обратив внимание на типичный американский выговор.

— Да. Мы представляем университетскую науку.

— А мы представляем офтальмологию, науку о глазных болезнях...

— Глазных болезнях? А нам говорили, что вы являетесь международной научной экспедицией по поискам истоков происхождения человечества! — воскликнул американец.

— Ну, у нас так получилось, что изучение глаз у представителей различных рас мира привело к необходимости продолжить эти исследования в историческом аспекте, — ответил я.

— Вы, как мне говорили, из России? — спросил американец.

— Да.

— О! Для русских характерно проведение таких необычных научных параллелей. В России сильная наука.

— Одной из таких параллелей является хотя бы то, что на стенах храма, в котором мы сейчас находимся, изображены необычные глаза, — сказал я.

— Очень интересно. А вы, как я понимаю по вашему американскому произношению, долго работали в Америке? — спросил меня американец.

— Мне много приходилось общаться с американцами.

— Вы позволите присутствовать во время вашей беседы с Бонпо-ламой? — спросил меня американец.

Я прекрасно понимал, что не я в храме хозяин, да и американцы производили впечатление серьезных ученых.

— Пожалуйста, если Бонпо-лама не против, — ответил я.

— Нет, я не против. Пожалуйста, садитесь, — сказал Бонпо-лама и пригласил всех за большой стол.

Беседа с Бонпо-ламой

— Дорогой Бонпо-лама, позвольте мне иногда кое-что из вашей речи переспрашивать у моего американского коллеги, потому что американский вариант английского языка мне более понятен, чем восточный. Для моего американского коллеги, как для носителя языка, я надеюсь, не составит труда понимание восточного диалекта английского, — попросил я.

— Да, да, конечно, — ответили оба.

Памятуя об опыте предыдущих разговоров с религиозными лидерами Востока, на этот раз мы решили вначале задать ряд вопросов и лишь потом изложить суть нашей гипотезы.

— Господин Бонпо-лама, — начал я, — насколько нам стало известно, вы эмигрировали в Непал из Тибета. Скажите, существуют ли различия между ламами Непала и Тибета?

— Таких различий нет, — ответил Бонпо-лама. — Существует только определенная иерархия: Далай-лама (Высший лама), Панчен-лама, Ринпоче-лама и монахи. В Тибете, у себя дома, я был Панчен-ламой.

— Приставка «Бонпо» означает принадлежность к виду буддийской религии?

— Да.

— А каковы наиболее древние виды буддийской религии?

— Наиболее древних видов буддийской религии четыре: Бонпо, Гилупэ, Нингмапа и Мантра.

Религия Бонпо, распространенная, в основном, в западной части Тибета, анализирует как позитивную, так и негативную психическую энергию. Этот вид религии имеет наибольшее число тайн.

Религия Гилупэ, распространенная в центральной части Тибета, анализирует преимущественно позитивную психическую энергию. Из этой религии вышел нынешний Далай-лама.

Религия Нингмапа, распространенная в восточной части Тибета, является очень жестким вариантом религии и имеет наибольшее число ограничений. Одна из разновидностей религии индийских сигхов — Гурунана, отличающаяся особой непримиримостью, имеет свои духовные корни в тибетской религии Нингмапа.

Религия Мантра местами распространена на Тибете и большого влияния на другие виды религии не имеет.

— Расскажите более подробно про религию Бонпо, — попросил я.

— Как я уже говорил, религия Бонпо является самой древней религией мира, — начал рассказывать Бонпо-лама. — Бонпо-Будда пришел на Землю 18 013 лет назад, в то время как последний Будда пришел 2044 года назад. Религия Бонпо верит в колесо «смерть — жизнь — смерть — жизнь», то есть в то, что каждая душа содержит в себе много жизней. Главной целью религии Бонпо является развитие «третьего глаза» у человека нашей цивилизации.

— Почему это так важно?

— У людей нашей цивилизации «третий глаз» был постепенно утерян и остался лишь в виде рудимента (эпифиза). Наша цивилизация постепенно развилась в материалистическом направлении. Посмотрите, человечество освоило много видов физической энергии: тепловую, ядерную, электрическую и другие, смогло покорить космос, создать эффективные методы лечения человеческого тела и так далее. Но в том, что касается психической энергии и изучения духовного, современное общество не ушло дальше литературных произведений, анализирующих разное поведение людей с разным состоянием души. Современная наука считает религию чем-то оторванным от реальной жизни и не принимает во внимание религиозные методы воздействия на людей и общество, хотя в этом кроется очень большой потенциал, позволяющий открыть новые виды энергии, разгадать многие секреты химии и физики, а также направлять психическую энергию людей в нужное русло. А для всего этого у людей нужно в большой степени развить «третий глаз».

— Я вас понимаю так, — сказал я, — что с помощью «третьего глаза», как органа настройки на волновые элементы различного характера, можно использовать психическую энергию человека для воздействия на многие явления природы, включая физические и химические процессы. В настоящее же время психическая энергия человека используется крайне недо-

статочно и нередко носит центробежный характер, расходуясь не только не по назначению, но и во вред, создавая негативную ауру, отрицательно воздействующую на людей. Я думаю, психическая энергия обладает огромной силой, особенно если она исходит от большой массы людей. Например, если в обществе накапливается отрицательный потенциал, то людям становится трудно думать о хорошем и добром, а смакование всего негативного становится само собой разумеющимся. Это, как правило, приводит к регрессу общества. Если же в обществе накапливается положительный психический потенциал, это, несомненно, приводит к прогрессу.

— Вы совершенно правы, — сказал Бонпо-лама, — психическая энергия обладает огромной силой. К сожалению, у людей она и в самом деле часто носит центробежный характер, т. е. может распространяться по типу взрыва, приводя к войнам и катаклизмам, которыми переполнена вся наша история. Необходимо направлять психическую энергию людей центростремительно, направлять ее для прогресса. Именно с помощью «третьего глаза» можно направлять и регулировать психическую энергию. Важно лишь то, чтобы психическая энергия направлялась в позитивную сторону — в сторону добрых мыслей.

— А как вы стимулируете развитие «третьего глаза»?

— С помощью обучения людей медитации, за счет которой можно обрести способность «чистого видения», когда человек ощущает внутреннюю свободу. Мы выделяем несколько стадий развития «третьего глаза», при самой высокой из которых можно войти в состояние сомати. Конечно же, изображение «третьего глаза» на лбу является символичным, на самом деле он находится глубоко в черепе, являясь эпифизом.

— Каковы успехи развития «третьего глаза» в вашей религии?

— К сожалению, они довольно скромны. В этом виновны не только мы, религиозные деятели, прилагающие, видимо, недостаточно усилий, но и то, что в настоящее время человечество, развивающееся циклично, находится в периоде пика материального развития при снижении роли духовного. Но тем не менее мы должны постоянно прилагать усилия для развития «третьего глаза» и связанного с ним духовного элемента, в противном случае регресс духовной стороны жизни будет продолжаться.

— Вы хотите сказать, что современному человеку невозможно добиться такого развития «третьего глаза», которого достаточно, чтобы войти в глубокое сомати? — спросил я.

Ученики лам — духовное будущее Гималаев

— В настоящее время — нет. Исторически шел регресс «третьего глаза». Лишь отдельные йоги могут входить в сомати на несколько лет, но не более. Но не исключено, что вскоре это станет возможным, — ответил Бонпо-лама.

— Вы сказали, что долгое сомати в будущем, может быть, станет реальностью?

— Да.

— А почему именно в вашем регионе мира религия имеет столь явный уклон в сторону духовного, что идет даже в ущерб материальному?

— О! Это очень важно! Народ стран нашего региона мира является как бы спасителем человечества вообще. Дело в том, что в Европе, Америке и даже в Африке имеется ярко выраженная тенденция преувеличивать роль материального и умалять роль духовного. Большинство ученых Европы, например, не воспринимают понятий «психическая энергия», «дух», «душа» и т. п. Поэтому для достижения баланса духовного и материального на земном шаре во благо всего человечества восточные страны, и в особенности страны района Тибета и Гималаев, вынуждены преувеличивать роль духовного, умаляя значение материального. По этой причине наши страны являются материально очень бедными, зато духовно выше других стран. Баланс должен быть во всем: между добром и злом, духовным и материальным...

— Уважаемый Бонпо-лама! Вы назвали народы стран Гималаев и Тибета спасителями человечества на земле. С одной стороны, это можно понять так, что народы Востока являются как бы заложниками материалистических тенденций Запада, вынужденными жить в бедноте ради усиления роли духовного на земле, для достижения баланса. С другой стороны, это можно понять так, что только при исключительно высоком духовном развитии можно надеяться на вход в состояние долгого сомати с целью обновления Генофонда человечества, без существования которого гарантии выживания человечества на земле явно уменьшаются.

Бонпо-лама пристально посмотрел на меня и сказал:

— Вы, наверное, правы. Роль сомати для человечества огромна. Ради этого можно идти на жертвы.

— Кроме этого, вы, уважаемый Бонпо-лама, сказали, что в будущем роль духовного должна возрасти у всех народов земного шара. Означает ли это, что с развитием технологий, связанных с психической энергией, страны Востока окажутся впереди?

— Естественно. Посмотрите, мы упорно стараемся не растерять древних путей воздействия на духовные элементы человечества. Я думаю, упорство в будущем приведет к успеху. С помощью направленной психической энергии будет возможно воздействовать на гравитацию, что позволит совершить переворот в строительстве. С помощью энергии, подобной психической, будет возможно освоить новые принципы воздухоплавания. Возникнут новые пути лечения человека, связанные с воздействием на биополе человеческого тела, и через него — на биохимические процессы и т. д.

— Российский ученый доктор Цзян разработал аппарат «биотрон», позволяющий усиливать биополе растущих растений и животных, и с его помощью начал лечить больных. Результаты лечения оказались вполне обнадеживающими. Не является ли такой подход к лечению медициной будущего, к которой вы стремитесь? — спросил я.

— Медицина, связанная с воздействием на человека через его душу, будет медициной будущего, но является и медициной древности, — ответил Бонпо-лама. — В освещающих религию Бонпо книгах, которые, к сожалению, остались в Тибете, можно найти много сведений о чудодейственных методах лечения в далекой древности. Надо не растерять древних наставлений по развитию духовного в человеке, которые даже сейчас, в период расцвета сугубо материального, могут сослужить большую службу.

— Я вполне вас понимаю, уважаемый Бонпо-лама, — согласился с ним я. — Вы, я имею в виду религию Востока, несете высокую и благородную роль поддержания и развития духовной направленности в жизни человечества. Если бы не было усилий со стороны Востока, то консервативные настроения ученых Запада, плохо понимающих интуитивно-логический путь в науке и считающих себя чуть ли не богами на земле, привели бы к деградации всего духовного на нашей планете, нанеся непоправимый вред развитию науки. Несомненно, за технологиями, связанными с психической и биологической энергией, — большое будущее, и я уверен, страны Востока в этом смысле вскоре будут впереди.

— У нас, в Соединенных Штатах, — сказал американец, — любое исследование по изучению духовного подвергается сильной критике. Поэтому немногие ученые занимаются этим. Мы — одни из немногих.

— При развитии духовности человечества, — продолжал я, — может быть, дело дойдет до подключения ко Всеобщему информационному пространству, что сейчас имеет место лишь у редких Посвященных. Может быть, будет преодолен принцип «SoHm». Тогда и наша цивилизация сможет получать знания из Всеобщего информационного пространства. Кстати, что известно о принципе «SoHm» в религии Бонпо?

— Сведения о принципе «SoHm» в религии Бонпо имеются, но наиболее подробно это освещено в индуистской религии, — ответил Бонпо-лама. — А что касается акцента на роли духовного в жизни человека, то это эволюционно оправдано, так как человек на земле, по религии Бонпо, возник путем уплотнения духа, а материя все же является вторичной.

Это же мы находим у Е. П. Блаватской («Тайная доктрина», 1937, т. 2, с. 143): «...изначала человек эволюционировал как светящаяся бесплотная форма, поверх которой была построена физическая форма...»

— Господин Бонпо-лама! Существуют ли в дневней религии Бонпо сведения о предыдущих цивилизациях на земле? — спросил я.

— Сведений о предыдущих цивилизациях на земле в религии Бонпо очень много, — ответил Бонпо-лама. — Имеются целые тома с описанием жизни предыдущих цивилизаций, пришедшие из глубокой древности. Также подробно описано возникновение нашей цивилизации на Тибете. По этим книгам последняя из предыдущих цивилизаций, которую на Западе называют цивилизацией атлантов, была значительно более развита, чем наша, и владела удивительными технологиями, основанными на овладении психической энергией. Подробностей я, к сожалению, не помню.

— Извините, у вас есть эти книги?

— Нет. Они остались в Тибете. Боюсь, что они уничтожены, — с грустью ответил Бонпо-лама.

— Это огромная потеря, — добавил американец.

— Тем не менее скажите, от кого произошли люди нашей цивилизации? — спросил я.

— От людей предыдущей цивилизации — атлантов. Это я точно помню из книг Бонпо, — ответил Бонпо-лама.

— Если прочитать описание внешности Будды в религиозных книгах Востока, то можно найти много черт, не характерных для современного человека. Не является ли Будда человеком предыдущей цивилизации, вышедшим из состояния сомати? — спросил я.

— Будда, появившийся на Земле 2044 года назад, на самом деле выглядел не как обычный человек. Во всех религиозных книгах написано, что он имел 32 особенности, т. е. 32 черты, отличающие его от современного человека. Причем известно, что каждая отличительная черта Будды пришла не от матери, а от его духовной практики, — ответил Бонпо-лама.

— Объясните, пожалуйста.

— Это собирательное понятие, бытующее на Востоке.

— Я понимаю, что на Востоке под такими понятиями скрыты Великие тайные истины. Одной из таких тайн, конечно же, является сомати как фактор выживания человечества на земле. Сохраняясь тысячи и миллионы лет в пещерах, лучшие индивидуумы древних людей способны снова появиться и зародить на земле человечество. Кроме того, люди в сомати могут ожить и действовать в виде пророков, чтобы откорректировать направление развития существующей цивилизации в сторону прогресса. Поэтому можно предположить, что Будда, имевший необычную внешность, которая, кстати, во многом совпадает с нашими представлениями о внешности атлантов, мог быть одним из поздних атлантов, вышедшим из сомати для пророчества в этом регионе мира. Знания предыдущей цивилизации по воздействию на психическую энергию помогали ему оказывать влияние на людей. Такое заключение можно сделать логически, а логика на основании интуиции, как учат здесь на Востоке, всегда является верной, — сказал я.

— У вас правильная логика, — подумав некоторое время, ответил Бонпо-лама. — Религия Бонпо описывает многие моменты, совпадающие с вашей логикой. Религия Бонпо зародилась от первого Будды на земле, который также имел необычную внешность в сравнении с современным человеком.

— Расскажите более подробно о первом Будде.

— Первого Будду, т. е. Бонпо-Будду, звали Тонпа Щенраб. На земле он появился 18 013 лет назад. Он появился в районе Тибета в стране Шамбала. На земле он прожил 82 года и оставил после себя Великое учение, которым пользовались все последующие Будды (пророки). Подробного описания его внешности я не помню, знаю лишь, что он выглядел не как обычный человек. Учение Бонпо-Будды продлится 30 000 лет, т. е. осталось 12 000 лет, если учесть, что 18 000 лет уже прошло.

— Почему учение Бонпо-Будды продлится именно 30 000 лет?

— Потому что это время, определенное Высшим Разумом как цикл (время) воздействия на людей Высшего учения определенного направления. Через 30 000 лет сила этого Учения ослабевает. Наша цивилизация возникла очень давно, и каждые 30 000 лет Великое учение обновляется. Кроме того, любая цивилизация людей не всегда идет по пути прогресса, но и претерпевает иногда периоды регресса вплоть до полного одичания. Поэтому в указанный период — 30 000 лет — появляется множество пророков, чтобы обновить Великое учение и научить людей правильно жить, — ответил Бонпо-лама.

Темный период

30 000 лет

Темный период

Такие же сведения мы находим у Е. П. Блаватской («Тайная доктрина», 1937, т. 2, с. 544): «...наша Пятая коренная раса уже существовала около 1 000 000 лет... каждая из четырех предшествующих субрас жила приблизительно 210 000 лет... каждая родственная раса имеет среднее существование около 30 000 лет и, таким образом, европейская родственная раса имеет достаточно тысячелетий впереди...»

— А что будет по истечении 30 000 лет?

— По истечении 30 000 лет наступит темный период, когда учение Будды не будет действовать. Но после этого возникнет новый тридцатитысячелетний цикл с другим Учением.

— А сколько пророков появлялось на Земле в течение прошедших лет текущего тридцатитысячелетия?

— Из древней религии Бонпо известно, что 1002 пророка возникнут на земле, — ответил Бонпо-лама.

— Каким по счету был Будда, появившийся на земле 2044 года назад? — спросил я.

— Я не могу точно сказать. Но известно, что он был учеником Бонпо-Будды. Следующий Будда, которого будут звать Майтрейя, тоже будет учеником Бонпо-Будды.

— Я знаю про Майтрейю. Об этом у Рериха даже есть картина. Но как возможно то, о чем вы говорите? Ведь вы сказали, что Бонпо-Будда, появившийся на земле 18 013 лет назад, прожил 82 года. Прошло около 16 000 лет после его смерти до появления последнего Будды. Как же Бонпо-Будда мог быть его учителем? — изумился я.

— Я могу вам сказать, — с напором начал говорить Бонпо-лама, — что и остальные пророки — Иисус Христос, Моисей, Мухаммед и другие — тоже были учениками Бонпо-Будды. До-

Н. К. Рерих. Майтрейя (1932)

подлинно известно, что все они перед началом своих пророчеств проходили обучение в Тибете.

— У кого они могли учиться?

— Все они учились в стране Шамбала, которую создал Бонпо-Будда. По религии Бонпо страна Шамбала называется по-другому — Олмо-Лунг-Ринг. Через страну Шамбалу и передается учение великого Бонпо-Будды.

— Как учились пророки?

— Телесная смерть Бонпо-Будды не имеет никакого значения. Дух, как вы знаете, бессмертен. Также бессмертен дух великого Бонпо-Будды, ученье которого будет действовать 30 000 лет. Поэтому в духовном отношении все пророки, побывавшие в стране Шамбала, являются учениками бессмертного Бонпо-Будды.

— Легенды о стране Шамбала широко известны в европейских странах, — проговорил я. — Из сказанного вами можно вывести много логических умозаключений, таких, как обучение в состоянии сомати, когда дух освобождается от тела и способен свободно контактировать с другими духами, а после обучения (в стране Шамбала) и достижения истинной мудрости, называемой у вас «пражна», возвращается в тело, чтобы учить людей идти по пути прогресса. Но сейчас я не хотел бы подробно обсуждать вопрос Шамбалы, а хотел бы попросить вашего разрешения возвратиться к этому несколько позже.

— Да, конечно.

— Из ваших познаний о пророках, — продолжал я, — у меня стало складываться впечатление, что периодическое появление их на земле объясняется необходимостью предупредить регресс в развитии человечества и одичание людей. Пророки имели различную внешность; например, если Будда имел необычную для современного человека внешность, то Иисус Христос выглядел как обычный человек. В связи с этим можно предположить, что Будда мог быть атлантом, вышедшим из сомати, а Иисус Христос являлся вышедшим из сомати древним человеком нашей цивилизации. Оба они имели высочайшую духовность, без которой войти в состояние сомати, как известно, нельзя, а также обладали огромными знаниями, необходимыми для пророчества. Понятно, что разные пророки создали разные виды религии. Но ведь все они обучались в одном месте, в стране Шамбала, и все являются учениками Бонпо-Будды. Почему же возникло много видов религии? Ведь это не всегда целесообразно, учитывая, что история человечества переполнена религиозными войнами.

— Каждый из пророков был не только прилежным учеником Бонпо-Будды, но и был индивидуумом, действовавшим сообразно своему мнению в зависимости от условий жизни людей, среди которых он оказался, — ответил Бонпо-лама.

— Я думаю, было бы целесообразно создать единую религию для всего человечества, ведь Бог един, — сказал я. — Я понимаю, что это чрезвычайно трудно, но религия на научной основе могла бы на современном этапе более сильно воздействовать на людей. Даже в Соединенных Штатах Америки, где религии отводится не последняя роль в жизни общества, — я посмотрел на американцев, — реально в качестве Бога выступает доллар. Естественно, рыночная экономика является прогрессивным явлением, заставляя людей работать, но, когда для достижения материального благополучия используются любые средства и забываются понятия чести, совести и морали, общество теряет гораздо больше. Общество, потерявшее духовность, неизбежно погибнет. Но возможно ли в современном технократическом обществе добиться действительно искренней веры в существование души и Бога? В сказку современный образованный человек вряд ли поверит. Научное обоснование любого утверждения ближе современному че-

«...Наступило время осмыслить религию с позиции современных научных достижений...»

ловеку. Поэтому, мне кажется, наступило время осмыслить религию с позиций современных научных достижений, несмотря на то, что современный уровень науки является лишь каплей в океане знаний Высшего Разума. Та же религия подсказывает путь для такого исследования — логически-интуитивный подход, который пока еще трудно воспринимается учеными-экспериментаторами, но уже имеет место в современной науке (теория относительности Эйнштейна, теория физического вакуума Шипова и др.). Такое осмысление религии могло бы дополнить и усилить доверие к разным религиозным направлениям, а также привести к созданию единой религии. Тогда эксплуатация какого-либо религиозного направления в корыстных целях удержания власти или религиозных войн станет невозможной.

— Вы абсолютно правы, — воскликнул американец и хлопнул ладонью по столу. — Мы, ученые-историки, изучающие религию, пришли к подобным же выводам и испытываем тревогу в отношении будущего человечества. Но очень трудно доказать людям нашу правоту, очень трудно! Если мы публикуем что-либо в широкой печати, то тут же появляются комментарии какого-либо маститого ученого, обвиняющего нас в слабой доказательности религиозных утверждений. Консерватизм шагает широкой поступью по Америке и уже добился резкого снижения количества смелых и принципиально новых исследований. Деньги, которые вкладываются в науку, не оправдывают себя. Пока еще американская наука держится за счет скупки умов со всего мира. Но и эти ученые чахнут в условиях прогрессирующего консерватизма. Консерватизм измельчает науку, приводит к «жеванию» уже известных фактов.

— Ох и попортил консерватизм мне кровь в моей научной карьере! — воскликнул я. — В России консерваторов от науки не меньше. К сожалению, всевозможные маги, волшебники, колдуны и просто шизофреники чрезвычайно интересуются исследованиями в области религии и оккультных наук, стараются найти поддержку у безнадежно больных людей и, спекулируя таким образом, дают оружие в руки консерваторов. Ученый, изучающий религию, должен постоянно доказывать, что он не относится к числу людей с ненормальной психикой.

— У нас в США известны случаи, когда ученые, изучающие религию, должны были через суд доказывать свою непринадлежность к спекулянтам-волшебникам, — сказал американец.

— Послушав вас, — сказал Бонпо-лама, — я думаю, что идея создания единой религии на основе научного подхода вполне правомерна. Вот вы, ученые из двух великих стран, понимаете друг друга очень хорошо, у вас нет противоречий. Так и единая религия, по большому счету, не должна иметь противоречий с существующими видами религиозных течений. Бог един.

— Мне это приятно слышать, — сказал американец.

— Спасибо за поддержку, — сказал я. — А теперь позвольте продолжить наш разговор. Как вы думаете, каков возраст нашей цивилизации?

— Это очень сложный вопрос, — ответил Бонпо-лама. — Наша цивилизация возникла очень давно, это есть в книгах Бонпо. Знаю, что люди нашей цивилизации возникли в то время, когда на земле процветала предыдущая цивилизация. Это было до всемирного потопа. В результате всемирного потопа погибли почти все люди предыдущей и нашей цивилизаций. Потом несколько раз наша цивилизация зарождалась, но погибала или превращалась в дикие племена, которые не могли обеспечить прогресс. Окончательно наша цивилизация зародилась по крайней мере 18 000 лет тому назад.

Подобные данные мы находим и у Е. П. Блаватской («Тайная доктрина», 1937, т. 2, с. 495).

«...Арийцы (имеется в виду наша цивилизация. — Э. М.) существовали уже 200 000 лет, когда первый Великий «Остров», или Материк (имеется в виду Атлантида. — Э. М.) был

потоплен...»; «...Большинство из позднейших островитян — атлантов — погибло в промежуток между 850 000 и 700 000 лет тому назад...»

— Таким образом, видимо, было много неудачных попыток возродить нашу цивилизацию, погибшую во время всемирного потопа. Возрождение нашей цивилизации, наверное, происходило за счет людей, вышедших из сомати. Это были неудачные праотцы и праматери. И только 18 000 лет тому назад попытка увенчалась успехом, и человечество пошло по пути прогресса, в чем надо отдать должное мудрости Великого Бонпо-Будды и последующих пророков, не так ли? — сказал я.

— Очевидно, вы правы.

— А где на земле возникло человечество? Я имею в виду последнюю удачную попытку возрождения нашей цивилизации 18 000 лет тому назад, — спросил я.

— На Тибете, — уверенно ответил Бонпо-лама. — Более того, известно более точное место, называемое Джума-Тама, которое находится на северо-востоке Тибета.

— Почему именно это место?

— Там очень много пещер в горах. В этих пещерах живут люди...

— Живут?!

— Они не мертвые...

— Вы имеете в виду то, что человек в состоянии сомати является живым?

— Да.

— Я понимаю, что доступ к ним равносилен святотатству, — сказал я.

— Конечно. Более того, эти пещеры нельзя найти, они закрыты. О них знают только Особые люди. Они никому не скажут. А вошедшего в пещеру ждет испытание. Это смертельно опасно, — проговорил Бонпо-лама.

— Я понимаю... Так и должно быть...

— Так нужно.

— Тем не менее, — выйдя из какого-то оцепенения, сказал я, — я могу предположить, что в пещерах могут находиться как люди нашей цивилизации, так и атланты. Именно атланты! Кто же наводит силы, которые вы называете смертельной опасностью? Не атланты ли? Ведь именно они владели воздействием на психическую энергию, с помощью которой строили монументы древности, например пирамиды (я специально не стал продолжать разговор о пещерах и сомати, отложив его на то время, когда буду демонстрировать рисунок гипотетического атланта). Как по-вашему, кто построил египетские пирамиды?

— Египетские пирамиды? — Бонпо-лама задумался, видимо вспоминая книги Бонпо. — Египетские пирамиды были построены с помощью силы мозга. Мозг имеет огромную силу, которую мы не умеем использовать по назначению.

— Вы сказали, что мы не умеем использовать силу мозга. Тогда кто умел использовать силу мозга, люди предыдущей цивилизации — атланты? — спросил я.

— Из древних книг известно, что люди, предшествовавшие нашей цивилизации, могли с помощью развитого у них «третьего глаза» добиваться превращения психической энергии в механическую и другие виды. В этих книгах подробно описывается эта процедура, а также то, как они с помощью силы мозга (психической энергии) строили пирамиды. К сожалению, я точно не помню всего этого, но вроде бы эти люди собирались в большом количестве и направляли свою психическую энергию на огромные камни, делая их легкими или невесомыми, — сказал Бонпо-лама.

— Отсюда следует, что египетские пирамиды построили атланты?

— Да.

Подтверждение сказанному мы находим у Е. П. Блаватской («Тайная доктрина», 1937, т. 2, с. 536, 537): «...Цивилизация атлантов была даже выше, нежели цивилизация египтян. Именно их выродившиеся потомки, народ Атлантиды Платона, построили первые пирамиды в этой стране, и это, конечно, еще до пришествия «Восточных Эфиопов» (имеется в виду современный народ Египта. — Э. М.*), как Геродот называл Египтян».*

— Из современной научной литературы известно, что египетские пирамиды были построены ориентировочно 4000–5000 лет тому назад. Как по-вашему, каков возраст пирамид? — спросил я.

— Пирамиды были построены гораздо раньше, в глубокой древности, — ответил Бонпо-лама.

Уточнение этого мы находим у Е. П. Блаватской («Тайная доктрина», 1937, т. 2, с. 540, 541): «...Это было до Эпохи Великой Пирамиды, когда Египет едва лишь поднялся из вод... какая давность... Мы слышали о 4000, самое большее о 5000 лет до Рождества Христова... Великая Пирамида была построена 78 000 лет тому назад».

— Кем были древние египтяне? Вы знаете что-нибудь о них?

— Я плохо знаю это. Но, несомненно, они были людьми нашей цивилизации, — ответил Бонпо-лама.

Подтверждение этому мы находим у Е. П. Блаватской («Тайная доктрина», 1937, т. 2, с. 546): «Человеческая династия древнейших египтян, начавшаяся с Менеса, обладала всем знанием атлантов, хотя в их жилах не было больше крови атлантов...»

— Я думаю, что древние египтяне были одной из удачных попыток воссоздать человечество нашей цивилизации. Им, несомненно, повезло, т. к. недалеко от них находился в Атлантическом океане остров Платона, населенный самыми последними из атлантов. Контакты с высокоразвитыми атлантами способствовали прогрессу древних египтян и привели к созданию их развитой цивилизации. Почему же они погибли? Почему не они дали начало развитию нынешней цивилизации на земле? Я этого не знаю. Возможно, цивилизация древних египтян погибла вместе с последними из атлантов острова Платона, гибель которых, по Нострадамусу и другим литературным источникам, произошла в результате удара о Землю кометы Тифона. Возможно, произошло постепенное одичание как результат прекращения технологической помощи и руководства со стороны атлантов. А древние египтяне, на мой взгляд, не имеют ничего общего с нынешними египтянами, населяющими землю в районе пирамид, — сказал я.

— Возможно, вполне возможно...

— Могли ли древние египтяне использовать психическую энергию, как и атланты?

— Сейчас это трудно сказать.

— Как вы думаете, будет ли возможно в будущем ожидать разработки реальных способов использования психической энергии, чтобы можно было построить подобие великих пирамид? — спросил я.

— Это и является принципиальной целью нашей религии, — уверенно сказал Бонпо-лама. — Мы стремимся к овладению силой мозга, то есть психической энергией. За этим — будущее, за этим — главный прогресс человечества, за этим — духовное развитие человечества, так как духовное превратится в реальную силу, способную показать людям свою мощь.

— Как вы думаете, с какой целью были построены пирамиды?

— Эти невероятные по своему размаху и инженерной мысли монументы древности были построены с целью показать мощь психической энергии, мощь духа человека. До сих пор человечество не может создать что-либо подобное. Силу духа можно ощутить, потрогав великую пирамиду, воочию понять величие духа человека.

— Но я думаю, пирамиды были построены не только с целью показать людям мощь психической энергии, — сказал я. — Были ли другие цели строительства пирамид?

— Я не буду говорить об астрономических целях. Я это плохо знаю. Но известно, что пирамиды в разных уголках земли созданы как хранилища мудрости.

— Объясните, пожалуйста.

— Я имею в виду высочайшую духовную мудрость — пражну.

— Позвольте, позвольте! Служители религии Востока нам рассказывали, что достижение высочайшей духовной мудрости пражны возможно только в состоянии глубокого сомати. Только через сомати можно прийти к мудрости, — сказал я. — Явствует ли из этого, что пирамиды, как и пещеры, являются хранилищами людей в состоянии сомати?

— Вполне возможно.

— Я был внутри пирамиды Хеопса, был в том месте, где находится гробница царя Тутанхамона, которая, кстати, уже, увы, без тела Тутанхамона. Температура там такая же, как и в пещерах, — ориентировочно +4 °С, т. е. та температура, при которой должны сохраняться тела в состоянии сомати. Может быть, Тутанхамон был в состоянии сомати, а не мертв?

— Может быть, — ответил Бонпо-лама.

— Значит, и пирамиды могут являться хранилищами Генофонда человечества...

— Пирамиды построены для сохранения особо высокой мудрости, — проговорил Бонпо-лама.

— Особо высокая духовная мудрость, насколько я понимаю, была у атлантов, более того (как свидетельствуют литературные источники), у ранних атлантов. Отсюда вытекает, что в пирамидах могут находиться в сомати не только люди нашей цивилизации, но и атланты. Так ли это?

— Может быть. Я не знаю точно.

На это же указывает Е. П. Блаватская («Тайная доктрина», 1937, т. 2, с. 440): «Адепты, или «Мудрые» люди Третьей (имеются в виду лемурийцы. — Э. М.*), Четвертой (имеются в виду атланты.* — Э. М.*) рас обитали в подземных жилищах, обычно под сооружениями, нечто вроде пирамиды, если не под самою пирамидою. Ибо подобные пирамиды существовали на четырех углах мира».*

— Но почему в пирамидах не находили атлантов? Ведь нашли же мумию царя Тутанхамона!

— Я плохо знаю про пирамиды. Но знаю про пещеры Тибета. Самых древних людей земли в пещерах найти очень трудно, почти невозможно, — ответил Бонпо-лама.

— Почему?

— Они очень глубоко под землей...

— Может быть, они находятся не в пирамиде, а под ней, под землей?

— Может быть.

На это же указывает Е. П. Блаватская («Тайная доктрина», 1937, т. 2, с. 547): «...Говорить о пирамидах... что имеются также подземные ходы и извилистые убежища, которые были построены людьми, искусными в древних мистериях и, благодаря этому, узнавшими о надвигающемся наводнении; построены они были в разных местах, чтобы не исчезла память о всех их священных ритуалах».

— А почему вы сказали, что очень древних людей (надо понимать — атлантов) в состоянии сомати в пещерах найти очень трудно? Они закрыты камнями?

— Да.

— Предположим, пещерный грот, в котором находится атлант в состоянии сомати, наглухо закрыт каменной плитой. Как же он выйдет оттуда, когда «оживет»? — спросил я.

— Для них камень не преграда, — ответил Бонпо-лама.

— Очевидно, вы имеете в виду то, что атланты могли воздействовать на гравитацию с помощью психической энергии, по подобию того, как они строили пирамиды из огромных каменных блоков.

«Камень для них не преграда...»

— Камень для них не преграда...

— Сейчас мне понятно, — рассуждал я вслух, — почему в пирамидах никто не обнаружил атлантов. Они защищены каменными блоками, сдвинуть которые с помощью психической энергии, видимо, возможно. Позвольте еще один вопрос, — я посмотрел на Бонпо-ламу. — Кто строил египетского Сфинкса?

— Я не знаю. Думаю, это было в еще более древние времена.

Точного ответа мы не нашли и у Е. П. Блаватской («Тайная доктрина», 1937, т. 2, с. 158). Она упомянула лишь «...Египетского Сфинкса, загадку Веков!»

— Уважаемый Бонпо-лама! Я слишком долго расспрашивал вас про египетские пирамиды. Но мы сейчас находимся в Непале, а не в Египте. Мне бы хотелось ввести вас в курс наших исследований, кое-что продемонстрировать и расспросить вас подробнее про сомати. А сейчас, если вы не возражаете, сделаем небольшой перерыв, — предложил я.

Во время перерыва наши ребята живо беседовали с американцами. Я стоял на балконе и смотрел на панораму Гималайских гор. Загадка этих гор будоражила воображение. Где-то здесь есть пещеры, в которых скрыта величайшая из тайн земли, где-

Гималаи

то на другом конце света великие пирамиды тоже хранят свою тайну. Они связаны между собой единой целью. Цель эта — Генофонд человечества. Эта ясная мысль током пронзила мое сознание, делая понятным тот ореол святости, которым окружено все, касающееся этой великой тайны.

После перерыва я достал изображение гипотетического атланта, дал его в руки Бонпо-ламе и спросил: «Кто это?»

— Глаза мне знакомы, — проговорил Бонпо-лама, — но лицо... Вы что, были в Пещере?

Я промолчал.

— Вам рассказали или вы сами?..

— Это результат наших исследований.

— Каких?

Я подробно рассказал о разрабатываемом нами направлении под названием офтальмогеометрия и научном анализе изображений глаз на тибетских храмах с реконструкцией облика их обладателя.

«Вы что, были в Пещере?..»

— Это очень интересно, — сказал Бонпо-лама.

— А вы были в пещере? — спросил я Бонпо-ламу.

— Нет. Но я знаю.

— Это глаза и лицо Будды?

— Нет.

— А чьи?

— Более древнего человека. Человек, который имел высочайшую мудрость и был как бог, — ответил Бонпо-лама.

В книге Е. П. Блаватской («Тайная доктрина», 1937, т. 2, с. 278) мы находим слова: «...они рождались со способностью ясновидения, охватывающего все скрытые вещи и для которого не существовало ни расстояния, ни материальных препятствий. Короче говоря, они были людьми Четвертой Расы (т. е. атлантами. — Э. М.), упомянутой в Попол Вух; зрение*

* Эпос центрально-американских индейцев майя-киче. — *(Прим. ред.)*

их было не ограничено, и они познавали вещи мгновенно. Другими словами, они были лемуро-атлантами (лемурийцы — третья, предшествующая атлантам, раса. — Э. М.*) — первыми, которые имели Династию Духовных Царей... Сыны Богов...»*

— Вы слышали про Елену Блаватскую?

— Да. Это великая Посвященная. Ее книги широко известны на Востоке.

— Так вот, Елена Блаватская, приводя описание атлантов (четвертая раса) и лемурийцев (третья раса), особо выделяла лемуро-атлантов как наиболее развитых и мудрых людей на земле, называя их Сынами Богов. Мы, проанализировав литературные данные по описанию внешности лемурийцев, атлантов и лемуро-атлантов (прежде всего по Е. П. Блаватской), предположительно пришли к выводу, что облик человека, реконструированный по изображению глаз на тибетских храмах, — я показал на наш рисунок, — принадлежит лемуро-атланту. Если последние из атлантов погибли, по Е. П. Блаватской, около 850 000 лет тому назад, то лемуро-атланты жили намного раньше — ориентировочно 1—3 миллиона лет тому назад. Неужели они в состоянии сомати могли сохраняться столь долгое время?

— Глубокое сомати может длиться сколь угодно долго, — ответил Бонпо-лама.

— Неужели их, — я снова показал на наш рисунок, — предположительно лемуро-атлантов, и сейчас можно найти в пещерах или пирамидах?

Бонпо-лама внимательно посмотрел на меня и промолчал.

— Тогда позвольте задать вам вопрос, — не унимался я, — каков был источник, с которого были нарисованы необычные глаза, изображенные на всех тибетских и непальских храмах, вот эти? — Я вновь показал на рисунок. — Художник их просто придумал?

— Святые вещи не могут быть плодами простого воображения, — ответил Бонпо-лама.

— Это изображение глаз пришло из древних книг?

— Не совсем...

— Может, кто-то видел эти глаза и это лицо? В пещере, в состоянии сомати...

— Может быть.

— Один индийский свами, очень высокого уровня, увидев этот рисунок, сразу воскликнул: «Сомати!» — и пояснил, что люди в сомати выглядят подобным образом.

Бонпо-лама стал еще раз внимательно разглядывать наш рисунок и снова промолчал.

— Уважаемый Бонпо-лама! Пожалуйста, расскажите более подробно о сомати, — настаивал я.

— Насколько я понял, вы уже хорошо информированы про сомати, — сказал Бонпо-лама. — Наверное, вы уже знаете, что в сомати можно войти только путем очищения своей души от негативной психической энергии. При глубоком сомати обмен веществ снижается до нуля и тело переходит в так называемое каменно-неподвижное состояние, при котором оно может сохраняться тысячелетия и даже миллионы лет.

— Какова роль сомати в истории человечества?

— Сомати — это момент спасения человечества, потому что только через сомати можно сохранять тело тысячелетиями и, в случае надобности, за счет «оживления» тел дать росток новой цивилизации людей. Уже не одна цивилизация погибла, и каждый раз люди, вышедшие из сомати, давали новый росток человечеству, — ответил Бонпо-лама.

— Давайте порассуждаем, — предложил я. — Во всех религиях проповедуется главенствующая роль духовного, то, что способности и потенциал человека зависят прежде всего от его духа, а не от тела. В связи с этим было бы логично утверждать, что в сохранении тела в законсервированном состоянии, в состоянии сомати, нет необходимости. Например, если высочайшего уровня дух вселится в примитивное человеческое тело, скажем тело туземца, сможет ли этот дух сделать данного человека гениальным, способным стать праотцом новой цивилизации? Возможно ли такое?

— Нет, такое невозможно. Тело, и особенно мозг, тоже играют большую роль. Сомати — это древнейший способ выживания человечества, сомати дает возможность возродить человечество даже в том случае, если оно полностью погибло. У человека, вошедшего в сомати, тело, и особенно мозг, должны быть совершенны и соответствовать по своему уровню его духу, — ответил Бонпо-лама.

— И в самом деле, — сказал я, — встретить первобытного туземца, обладающего гениальными способностями, довольно трудно. Очевидно, дух, вселяющийся в тело, имеет в той или иной степени свободу выбора по принципу соответствия тела его уровню. Видимо, роль развитости мозга здесь играет особо важную роль, ведь известно, что именно мозг за счет своей работы закручивает торсионные поля души и духа, способствуя проявлению заложенного в них потенциала. Образно говоря, «слабые закручивающие способности мозга» первобытного туземца не будут соответствовать уровню духа с высоким потенциалом. Поэтому сохранение тела представителя высокоразвитой цивилизации в состоянии сомати имеет большое значение.

— Более того, — добавил Бонпо-лама, — Творец материального мира создавал тело человека путем уплотнения духа в течение длительного периода эволюции. Созданное совершенное тело должно быть сохранено (в сомати!), поскольку только такое тело способно выжить в трудных условиях зарождения новой цивилизации людей. Человек со слабым и больным телом не может войти в глубокое сомати, так как его тело ненадежно.

По этому вопросу у Е. П. Блаватской мы находим следующее («Тайная доктрина», 1937, т. 2, с. 364, 366): «...Ахура Мазда... о творец материального мира, ты, Пресвятой... прочтите приказ Ахура Мазды к Иама, Духу Земли, символизирующему Три Расы, после того, как ему было указано построить Вара — «огороженное место», Арчха, или Вместилище.

Туда (в Вара) ты принесешь семена мужей и жен, избранных из родов самых великих, лучших и самых прекрасных на этой Земле; туда ты снесешь семена всякого рода скота и т. д. Ты снесешь все эти семена по два от каждого вида, чтобы они сохранялись там и не исчерпывались до тех пор, пока люди эти пребудут в Вара».

— Скажите, а может ли человек, вышедший из глубокого сомати, быть отцом или матерью, то есть иметь потомство? — спросил я.

— Да, конечно. В Тибете известны случаи, когда люди (йоги) пребывавшие в пещерах по нескольку лет, после выхода из сомати имели детей, — ответил Бонпо-лама.

— Были ли известны в древности секреты консервирования семени человека и животных, а также способы оплодотворения и выращивания плода «в пробирке»? Это вполне логично, поскольку при зарождении человечества оно будет нуждаться и в животных. А представить, например, корову в состоянии сомати довольно трудно.

— Я не знаю этого, — ответил Бонпо-лама. — Я только могу сказать, что предыдущая цивилизация была более развита, чем наша

— Вы, уважаемый Бонпо-лама, сказали, что сомати является древним способом сохранения (спасения) человечества на земле. У Елены Блаватской мы нашли сведения, что сомати, которое она называет «Вара», было создано для сохранения трех последних рас человечества. То есть для сохранения лемурийцев, атлантов и людей нашей цивилизации. Самые древние из них — лемурийцы, а также лемуро-атланты — жили несколько миллионов лет назад. Как вы думаете, могут ли лемурийцы или лемуро-атланты сохраняться в пещерах до сих пор как часть Генофонда человечества?

— Думаю, могут.

— Отсюда вытекает, уважаемый Бонпо-лама, — продолжал я, — что глаза, изображенные на тибетских храмах и принадлежащие очень древнему человеку (возможно, лемуро-атланту), должен был кто-то видеть. Неужели древнейшего человека в состоянии сомати и сейчас возможно реально увидеть в пещере? Неужели не сработает система защиты Генофонда человечества?

— Для того чтобы увидеть его, надо иметь доступ.

— Какой доступ? Кто его дает?

— ...Те, кто в сомати.

— Как? Ведь эти люди законсервированы...

— Человек в сомати — живой человек.

— Человек в сомати может разговаривать?

— Для общения с человеком в сомати не обязательно разговаривать. Для этого есть медитация, для этого есть дух, — сказал Бонпо-лама.

— Если я вас правильно понял, — сказал я, — дух человека, высвобождающийся при медитации из «телесных оков», может общаться с духом человека в сомати.

— Вы правы.

— А есть сейчас люди, которые имеют доступ к людям в сомати?

— Есть.

Мне хотелось спросить, кто эти люди и можно ли с ними познакомиться. Но я остановил себя, понимая, что при довольно большом количестве людей из двух стран Бонпо-лама этого не скажет.

— Вы говорили, что человечество возникло на Тибете. Являются ли Гималаи и Тибет также центром Генофонда человечества? То есть люди в сомати локализованы преимущественно здесь или нет? — спросил я.

— Сомати — это общечеловеческое явление. Поэтому люди в сомати могут быть в любом уголке земного шара, включая океан. Но все же преимущественным местом локализации являются Гималаи и Тибет, — ответил Бонпо-лама.

— Почему именно Гималаи и Тибет? Это связано с тем, что Гималаи и Тибет являются наиболее возвышенными регионами земного шара, выступавшими над водой даже во время всемирного потопа?

— Да, Гималаи и Тибет — наиболее высокие горы; это одна из причин. Но не только это...

О локализации людей в сомати преимущественно в высоких горах в какой-то степени косвенно могут свидетельствовать слова Е. П. Блаватской («Тайная доктрина», 1937, т. 2, с. 556, 557): «...кто знает это, исключая Великих Учителей Мудрости, то они хранят молчание по этому вопросу [история человечества], подобно снежным вершинам, высящимся над ними...»

— А какая другая причина?

— По нашей религии считается, что Северный полюс является пристанищем богов. А в глубокой древности Гималаи и Тибет были полюсом Земли, — ответил Бонпо-лама.

По этому поводу мы находим у Е. П. Блаватской следующее («Тайная доктрина», 1937, т. 2, с. 365): «Существуют несозданные светочи и светочи созданные. Там [в Арьяне-Ваэджо, где строится «Вара»] звезды, луна и солнце подымаются и заходят лишь однажды [в году] и год кажется как один день [и ночь]. Это явный намек на «страну Богов» или на ныне Полярные области... по древнему учению ось Земли постепенно изменяет свой наклон по отношению к эклиптике».

— В популярной литературе я читал, что пустыня Гоби была местом происхождения человечества. Что вы знаете о пустыне Гоби? Может быть, и она является местом локализации людей в сомати? — спросил я.

— Я не знаю про пустыню Гоби. Может быть. Она ведь рядом с Тибетом, — ответил Бонпо-лама.

Тем не менее у Е. П. Блаватской мы находим некоторые сведения о том, что атланты могут пребывать в сомати районе пустыни Гоби («Тайная доктрина», 1937, т. 2, с. 446, 276): «...оставшиеся из числа бессмертных Людей [речь идет об атлантах] — спасшихся, когда Священный Остров стал черным от греха и погиб, — нашли пристанище в Великой Пустыне Гоби, где они пребывают посейчас, невидимые для всех и защищенные от доступа к ним целыми Воинствами Духов...»

«...Предания гласят и рекорды великой книги [Книги Дзиан] поясняют, что задолго до дней Adam'а и его любознательной жены He-va там, где сейчас встречаются соленые озера и безлюдные и бесплодные пустыни, находилось обширное внутреннее море, простиравшееся через Среднюю Азию к Северу от горделивой Гималайской гряды и ее западных отрогов. На нем остров, который в своей несравненной красоте не имел соперников во всем мире и был обитаем последними остатками Расы, предшествовавшей нашей... Остров этот, по преданию, существует и посейчас, как оазис, окруженный страшным безлюдьем пустыни Гоби, пески которой не были попраны ногой человека на памяти людей...»

— Таким образом, — сказал я, — мы можем с определенной степенью уверенности предположить, что Гималаи, Тибет и, возможно, пустыня Гоби являются основным центром хранения Генофонда человечества. А теперь давайте еще раз вернемся к вопросу о том, какие люди могут выполнять роль Генофонда человечества.

— Давайте.

— У нас все больше и больше накапливается сведений о том, — продолжал я, — что люди предыдущей цивилизации — атланты и даже лемуро-атланты могут до сих пор находиться в сомати, выполняя роль Генофонда человечества. Почему Генофонд не составляют только люди нашей цивилизации (расы), ведь по принципу преемственности цивилизаций (рас) эту роль должны выполнять именно современные представители человечества?

— У людей нашей цивилизации плохо развит «третий глаз», — ответил Бонпо-лама. — Поэтому вход в длительное сомати у людей нашей цивилизации затруднен. Люди древних цивилизаций имели развитый «третий глаз» и более легко входили в длительное сомати.

— Именно поэтому, — перебил я, — вы стараетесь, по вашей религии, развить «третий глаз» у людей нашей цивилизации. Если это не удастся, то в случае самоуничтожения нашей цивилизации истоком нового человечества опять станут атланты или лемурийцы?

— Да, это так. Но причина здесь не только в гипертрофированности материализма на современном этапе, но и в том, что человечество сейчас находится на материалистической фазе Божественного цикла.

Подобные сведения мы находим и у Е. П. Блаватской («Тайная доктрина», 1937, т. 2, с. 228, 376, 377): «...Эволюция протекает Циклами. Великий Манвантарный Цикл Семи Кругов, начав в Первом Круге с минералов, растений и животных, доводит свой эволюционный труд по нисходящей дуге до мертвой точки в середине четвертой расы при завершении первой половины четвертого круга... на нисходящей дуге именно духовное постепенно превращается в материальное. На серединной линии основания дух и материя уравновешиваются. На восходящей дуге дух снова начинает утверждаться... потому наша пятая раса, как коренная раса, уже перешла экваториальную линию и уже восходит на духовной стороне; но некоторые из наших суб-рас все еще находятся на теневой, нисходящей стороне...»

— Роль Божественного цикла, конечно, велика, — сказал я, — но умение людей входить в сомати зависит, наверное, не в меньшей степени от усилий человечества в этом направлении, в частности, от школ медитации.

— Конечно, конечно, — воскликнул Бонпо-лама. — Поэтому мы прилагаем много усилий в этом направлении. Исторически школы «медитация — сомати — пражна» постепенно ослабевали, и дело дошло до того, что из современных людей, вероятно, лишь единицы могут войти в глубокое сомати. Древние люди нашей цивилизации могли более легко входить в глубокое и длительное сомати, хотя по Божественному циклу шло нарастание материального на земле. Люди предыдущей цивилизации тоже имели нарастание материалистических тенденций, многого достигли в этом отношении, но свято сохраняли духовные школы медитации и сомати.

— Возможно ли искусственное сомати, т. е. консервирование тела путем применения, например, химических веществ с последующим оживлением?

— Я думаю, это невозможно, потому что в сомати главным действующим звеном выступает душа.

— Были ли в истории попытки искусственного сомати?

— Не помню точно. По-моему, были...

— Люди предыдущей цивилизации, атланты, болели?

— По нашей религии, — ответил Бонпо-лама, — известно, что за грехи Бог проклял людей нашей цивилизации и напустил много болезней. Люди предыдущих цивилизаций были счастливы и здоровы.

По этому поводу у Е. П. Блаватской мы находим следующее («Тайная доктрина»», 1937, т. 2, с. 514, 515): «...Потому Закон Кармы «раздавил пяту» Расы Атлантов, постепенно изменив физиологически, морально, физически и умственно всю природу Четвертой Расы, и человек, из здорового царя животного творения Третьей Расы, стал в Пятой, нашей Расе, жалким золотушным существом и оказался сейчас, на нашем земном шаре, богатейшим наследником болезней, телесных и наследственных».

— Почему я спрашиваю вас про болезни? — сказал я. — Известно, что в сомати могут входить люди с отличным душевным и телесным здоровьем. У людей нашей цивилизации найти полностью здорового человека довольно трудно, в то время как, по литературе и вашим словам, люди предыдущих цивилизаций были намного здоровее. Отсюда можно сделать логическое предположение, что если вдруг (пусть это фантастика!) мы будем допущены в пещеру с людьми в сомати, то мы увидим там в основном представителей предыдущих цивилизаций — атлантов и лемуро-атлантов. Так ли это?

— Не совсем так. В состоянии глубокого сомати есть люди и нашей цивилизации. Наша цивилизация тоже очень древняя, — ответил Бонпо-лама.

— Давно ли люди нашей цивилизации стали входить в глубокое сомати и как долго они там находятся?

— Они стали направляться Высшим Разумом в сомати во времена всемирного потопа, который уничтожил почти всех людей на земле.

По этому поводу у Е. П. Блаватской можно, правда с натяжкой, найти следующее («Тайная доктрина», 1937, т. 2, с. 158): «...под покровом этой тайны Пятая Раса была направлена к установлению или, вернее, восстановлению Религиозных Мистерий, в которых древние истины могли быть преподаны будущим поколениям в аллегориях и символах».

— Всемирный потоп, по Е. П. Блаватской, был 850 000 лет назад. Неужели и люди нашей цивилизации могут пребывать в сомати столь долгое время? — спросил я.

— А почему нет? — ответил Бонпо-лама.

— Были ли направлены в сомати представители древних египтян в период удара о Землю кометы Тифона 12 000 лет назад?

— Я не знаю этого.

— Много ли атлантов ушли в сомати в период всемирного потопа?

— Я думаю, не в массовом количестве, потому что в сомати могут войти только лучшие, божественные люди.

У Е. П. Блаватской по этому поводу в разделе, где она описывает войну различных групп атлантов, можно найти следующее («Тайная доктрина», 1937, т. 2, с. 439): «Лишь горстка этих Избранных, Божественные наставники которых удалились на «Священный Остров», откуда придет последний «спаситель», — удерживала теперь половину человечества от истребления ее другой».

— Таким образом, — заключил я, — можно прийти к предположительному заключению, что Генофонд человечества в виде сомати должен состоять из представителей трех цивилизаций (рас): лемурийцев (или лемуро-атлантов), атлантов и людей нашей цивилизации. Так сказать, тройной контроль. Как вы думаете, можно ли их найти в пещерах?

— Это... Большая тайна.

— Давайте поговорим о пещерах, — предложил я. — Люди в сомати должны сохраняться именно в пещерах?

— Не только в пещерах, но и в воде.

— В этом регионе мира, где мы находимся, можно ставить вопрос только о пещерах. Скажите, много ли пещер, где находятся люди в сомати?

— Много, — ответил Бонпо-лама.

— А почему до сих пор никто не видел в пещерах людей в сомати?

— Видели.

— Скажите, а трудно найти пещеры с людьми в сомати?

— Очень трудно. Эти пещеры, как правило, закрыты, а вход затаен. С другой стороны, здесь в горах столько пещер, а в них столько ответвлений, что вряд ли возможно что-либо отыскать там. Есть даже пещерные храмы, но о них никто, кроме Особых людей, не знает.

На эту тему у Е. П. Блаватской можно найти следующее («Тайная доктрина», 1937, т. 2, с. 272): «Конечно, мы намекаем не на пещеры, известные каждому европейцу, несмотря на их огромную древность; на факт, известный всем Посвященным браминам Индии и особенно Йогам, именно, что нет ни одного пещерного храма в этой стране, который не имел бы своих подземных проходов, расходящихся по всем направлениям, и что эти подземные пещеры, в свою очередь, имеют свои пещеры и коридоры. Кто может сказать, что погибшая Атлантида не существовала в те дни?»

— Что вы имеете в виду под пещерными храмами? Пещеры под буддийскими храмами или подземный храм? — спросил я.

— Подземный храм, — ответил Бонпо-лама.

— Что он собой представляет?

— ...

— Это и есть Шамбала?

— ...

— Кто эти Особые люди, знающие о пещерных храмах и пещерах с людьми в сомати?

— Не всегда религиозные служители...

— Эти люди хранят знание о месторасположении пещер с людьми в сомати и пещерных храмов?

— Они бывают там!

— Зачем?

— Берегут...

— Это монахи пагод?

— Может быть, — некоторые из них. Пагоды строятся обычно как памятник ламам или другим выдающимся людям, например правителям, — ответил Бонпо-лама.

— Можно ли познакомиться с этими Особыми людьми?

— Можно, но бесполезно. Все они ответят вам одинаково: «Я не скажу этого даже Богу!»

— Этих людей пытались подкупить?

— Наверное, пытались.

— Ну и как?

— Бесполезно! Наши люди, и прежде всего эти Особые люди, считают, что земная жизнь, не говоря уж о деньгах, это ничто в сравнении с Его величием! Они периодически видят Его! Они подвластны Ему! Они слуги Его! Взять деньги — для Особых людей является святотатством! Это несравнимо — деньги и... Он!

— Я понимаю, понимаю вас, — взволнованно проговорил я. — Американец или европеец считает, что за деньги можно купить все. Но это абсолютное ничто в сравнении с вечностью, жизнью и Генофондом человечества! Даже предложить деньги — святотатство!

— Да, это так, — ответил Бонпо-лама. — Особые люди хорошо это понимают. Что такое жизнь на земле? Это мгновение, миг. Разве можно ради денег?.. Это величайший грех!

— Скажите, уважаемый Бонпо-лама, а если среди Особых людей найдется человек низкого пошиба, который нарушит клятву? Если он пошлет кого-либо в пещеру?

— Он станет убийцей.

— Убийцей? Кого?

— Человека, которому покажут вход и который войдет туда, ждет смерть. Кто показал ему вход, тот послал его на смерть!

— Я понимаю, действие необычных сил... Доступ может дать только Он...

— Имейте в виду и запомните, — сказал Бонпо-лама, пристально посмотрев на меня, — Особые люди — это только слуги Его. Все решает Он! Доступ дает Он!

— А можно войти в контакт с Ним?

— ...

— А все-таки, — выйдя из какого-то оцепенения, спросил я, — история полна случайностей. Наверное, в истории были случаи, когда по тем или иным причинам «доступ» не срабатывал. Не может быть так, чтобы не было случайностей! Были ли такие случаи?

— Были, и не один.

— Расскажите об этом, если можно.

— На эту тему очень много легенд, — начал рассказывать Бонпо-лама. — Например, такая легенда. В XI веке в Индии была сильная засуха. Правитель Индии решил пойти в Священную пещеру, где находится Великий древний человек, и попросить у него помощи. В пещере его ждало много опасностей: змеи — мистические и реальные, было трудно дышать, на его тело и разум действовали какие-то силы*. Тогда правитель Индии вошел в состояние медитации и получил возможность общаться с духом Великого древнего человека. Когда Великий древний человек понял, что правитель Индии имеет только добрые намерения и хочет просить помощи для людей, последний получил допуск. Пещера была очень большая и состояла из 12 комнат.

В одной из пещерных комнат правитель Индии нашел Великого древнего человека в состоянии сомати, душа которого летала рядом. Тело его было высохшим, но живым. Этот человек пробыл в пещере 1 миллион 600 тысяч лет. Он приоткрыл глаза. Правитель Индии начал говорить с ним на санскрите, прося о помощи. Высохший человек понимал его, подавая сигналы глазами. Он показал глазами на предмет, висящий на стене. Это был мистический круг. Правитель Индии взял мистический круг и пошел к выходу. В другой пещерной комнате он встретил еще одного человека в сомати — правителя сикхов, который вошел в это состояние в V веке (известно, что он вышел из сомати в XVII веке, вернувшись к нормальной жизни). У выхода из пещеры правитель Индии встретил 8 змей. Одна из змей капнула сво-

---

* В то время я еще не знал, что вскоре и меня будет ждать нечто подобное.

ей кровью на мистический круг, капля эта поднялась в небо, и вскоре пошел дождь. В эту же пещеру в 1637 году вошел человек по имени Девендра Поундел, который пребывает там в состоянии сомати до сих пор. После этого никто в пещеру не входил.

— Любопытная легенда, — сказал я. — Она во многом соответствует тому, о чем мы с вами говорили.

— Подобных легенд много, — сказал Бонпо-лама.

— А есть ли еще сведения, кроме легенд? Видел ли кто-нибудь человека в сомати в пещере?

— Есть. Например, в Северном Тибете есть пещера, где уже несколько веков (я не помню точно — сколько веков) находится в сомати человек по имени Мозе Сал Дзянг. Служители религии этого региона Тибета периодически видят его. Это не Особые люди, а обычные служители. Получать доступ от этого человека в сомати не требуется. Вход безопасен. Нужно только иметь добрые намерения. Фотографировать и разговаривать нельзя — это святотатство!

— Я понимаю, ведь Мозе Сал Дзянг — один из представителей Генофонда человечества. Это свято!

— Да.

— А нельзя ли все же увидеть его?

— Можно! Если служители религии того региона Тибета вам разрешат и покажут пещеру. Но... вы же знаете, что сейчас в Тибете китайцы. Я не уверен, что указанные служители религии живы; скорее всего, их расстреляли. Если китайцы узнали про человека в сомати, то они его, я думаю, убили или посадили в тюрьму, — угрюмо ответил Бонпо-лама.

— Неужели китайцы не понимают святости человека в сомати...

— Они же — коммунисты!

— М... да. Я понимаю. Я сам из бывшей коммунистической страны. Мой прадед — тоже служитель религии — был расстрелян. Мой дед, как сын служителя религии, провел 13 лет в сталинских застенках. Мой отец, ушедший на войну добровольцем и воевавший под Сталинградом, несмотря на ордена и 16 осколков немецкой мины в теле, долгое время считался сыном врага народа, — сказал я.

— Со времени захвата Тибета китайцами в 1957 году страну были вынуждены покинуть более 100 000 человек, в основном служители религии. Вот и мне пришлось уехать, оставив храм, оставив книги, оставив все, — с горечью сказал Бонпо-

Н. К. Рерих. «Твердыня Тибета»

лама. — Сам Далай-лама был вынужден уехать в Индию в 1959 году, когда ему было 23 года. Но около 1 миллиона 200 тысяч человек были физически уничтожены. Монастыри разрушены, золотые статуи увезены в Китай. Людей подвешивали за ноги к потолку. Толпами сажали в тюрьму, где люди погибали. Это страшно! Ведь Тибет — место, откуда произошло человечество! Ведь люди Тибета знают (извините, знали) про великое сомати и свято его охраняли! Ведь предназначением людей Тибета является сохранение духовных ценностей древности, глубочайшей древности! Тибет важен для всего человечества, для его будущего!

— У меня нет слов...

— У меня тоже. Исторически тибетцы были очень воинственны, — продолжал Бонпо-лама, — завоевали много земель. Но более 800 лет назад пришло как бы озарение, после чего государственная политика резко изменилась и была направлена на максимальное усиление религии. На смену воинам пришли легионы монахов, начали строиться многочисленные храмы. Было построено более 6000 монастырей, до китайцев было около 6000 Верховных лам. Из каждой тибетской семьи один из сыновей уходил в монахи, давая обет быть холостым. Стержень тибетской религии — идеи альтруизма и просвещения: тибетец учился быть максимально (прежде всего духовно) образованным человеком, уделяя минимум внимания своим материальным потребностям. Около 75% тибетского бюджета уходило на строительство храмов, религиозное образование, просвещение и естественные науки. Около 800 лет Тибет не имел армии.

— Как же без армии?

— Защита государства происходила весьма оригинальным способом. Верховные ламы Тибета были столь авторитетны в мире и у них было так много учеников из разных стран, имеющих власть в своих странах, что ни у кого не возникало даже мысли о том, чтобы захватить страну, где были его учителя. Не забывайте, что Тибет — это цитадель всех религий мира, даже пророки проходили обучение здесь. Не забывайте, что Тибет — это единственное государство в мире, тратящее основную массу своих денег на религию. Только безбожники-коммунисты могли осквернить Тибет!

— Здесь приходится только сожалеть, только надеяться на ООН, мировую общественность... Хотя уже во многом поздно...

— Да уж...

— Китайцы знают про сомати?

— Многие образованные офицеры китайской армии стали понимать это. Дело в том, что старые офицеры-китайцы до революции в Китае изучали основы буддизма и, видимо, понимали значение сомати для человечества. Став коммунистами-безбожниками и, более того, как коммунисты являясь проповедниками Великого духа зла, они начали с особым рвением уничтожать то, что является божественным. С другой стороны, во время пыток многие служители религии Тибета перед смертью, по-детски примитивно надеясь на святость, говорили: «Моя смерть — ничто! Берегите тех, кто в пещерах! Они нужны человечеству!» Они верили все-таки в торжество добра, они не понимали того, что можно мыслить категориями зла, что дух зла направлен на разрушение всего созидаемого, прежде всего божественного, — сказал Бонпо-лама.

— И что, китайцы были в пещерах и уничтожали людей в сомати?

— Китайцы обыскали много пещер в поисках людей в сомати. Я думаю, что главным позывом здесь было веление Великого духа зла уничтожать все божественное. Китайские коммунисты объясняли это тем, что многие служители религии Тибета, владеющие йогой, уходили в пещеры и прятались там, войдя в сомати.

На самом деле, многие ламы вошли в состояние сомати в пещерах, скрываясь от коммунистов. Мой племянник рассказывал, что его знакомый лама вошел в состояние сомати в близлежащей пещере в 1960 году и пробыл там до 1964 года. Его друзья знали об этом и в течение указанных четырех лет несколько раз проведывали его, рассказывая о том, что он сидит в пещере в позе Будды в каменно-неподвижном состоянии. Китайские коммунисты все же нашли его в пещере и бросили в тюрьму. В тюрьме тело ламы стало постепенно размягчаться, и он ожил. В тюремных условиях строгого режима он пробыл с 1964 по 1987 год, после чего его выпустили. Жив ли он сейчас и какова его судьба, я не знаю, — сказал Бонпо-лама.

— Получается, что этот лама, спасавшийся от китайских коммунистов, не мог в состоянии сомати создать барьер духовных (необычных) сил, препятствующий доступу к нему, — сказал я. — Вот и вышеуказанный случай с человеком по имени Мозе Сал Дзянг, пребывающем в сомати несколько веков, также свидетельствует об отсутствии барьера духовных сил. Следует ли из этого, что люди нашей цивилизации в сомати не способны создать никакого защитного барьера и их, образно говоря, можно брать голыми руками, а только люди предыдущих, духовно более развитых цивилизаций, способны защитить себя в сомати барьером необычных сил?

— Это так, но с одной оговоркой, — ответил Бонпо-лама. — Все зависит от развитости «третьего глаза». Люди предыдущих цивилизаций имели высокоразвитый «третий глаз», с помощью которого они могут (слово «могут» произнесено в настоящем времени. — *Э. М.*) сфокусировать свою психическую энергию в определенном пространстве и направленно воздействовать ею. Люди нашей цивилизации в большинстве случаев имеют плохо развитый «третий глаз», поэтому сфокусировать свою психическую энергию на другом человеке не могут. Но некоторые из людей нашей цивилизации, особенно очень древние ее представители, имеют вполне хорошо развитый «третий глаз», в связи с чем могут создать вполне надежный защитный барьер духовных сил.

— Я понял вас так, — сказал я, — что суть защитного барьера состоит в дистанционно-гипнотическом воздействии на человека, входящего в сомати-пещеру. Давайте зададимся вопросом: «Откуда душа человека в сомати узнает о входящем человеке?» С точки зрения современной физики торсионные поля души (то есть поля кручения души) широко распространяются вокруг. В связи с этим аналогичные поля души человека, входящего в пещеру, имеют контакт с торсионными полями души человека в сомати. Вспомним также, что добрые мысли «раскручивают» торсионные поля в одну сторону, а злые — в противоположную. На основании этого душа человека в сомати способна проанализировать намерения человека, входящего в пещеру. Вспомните Николая Рериха, который говорил, что в страну Шамбалу можно войти только с добрыми мыслями! Вспомните, что в состояние глубокого сомати можно войти, только полностью очистившись от негативной психической энергии, то есть от негативно закрученных торсионных полей!

— Да, это так. Продолжайте, — сказал Бонпо-лама.

— Итак, душа человека в сомати, проанализировав намерения человека, входящего в пещеру, решает, пропускать его или нет, — продолжал я. — Мне кажется, простого любопытства без злых мыслей также недостаточно для получения «пропуска». Для этого, видимо, должны быть веские причины, такие, скажем, какие имел, согласно легенде, правитель Индии, просивший дождя для всей страны. Ведь нарушается покой Генофонда человечества! Для того чтобы получить «пропуск», нужно, я думаю, войти в медитацию и начать диалог с душой человека в сомати. Только при этом условии и при высочайшей необходимости посещения пещеры можно надеяться на пропуск.

— Вы правы, — сказал Бонпо-лама. — Даже Особые люди, охраняющие людей в сомати и бывающие в пещере 1–2 раза в месяц, перед посещением пещеры входят в медитацию и просят дать пропуск.

— Скажите, Бонпо-лама, а нам могли бы дать пропуск? Ведь наши намерения чисты и цель ой как немаловажна — изучение Генофонда человечества!

— Я скажу вам, — Бонпо-лама улыбнулся, — во-первых, надо научиться входить в медитацию. На это уйдет немало времени. А цель ваша на самом деле прекрасна — изучение Генофонда человечества. Может быть, вы и получите пропуск, но, я думаю, не сразу.

— Разрешите продолжить мысль, — сказал я. — Предположим, душа человека в сомати решает не пропускать данного человека и воздвигнуть защитный барьер. Что он будет собой представлять? Мощные поля души человека в сомати путем настройки на частоты волн души входящего человека начнут раскручивать в негативную сторону те элементы торсионных полей последне-

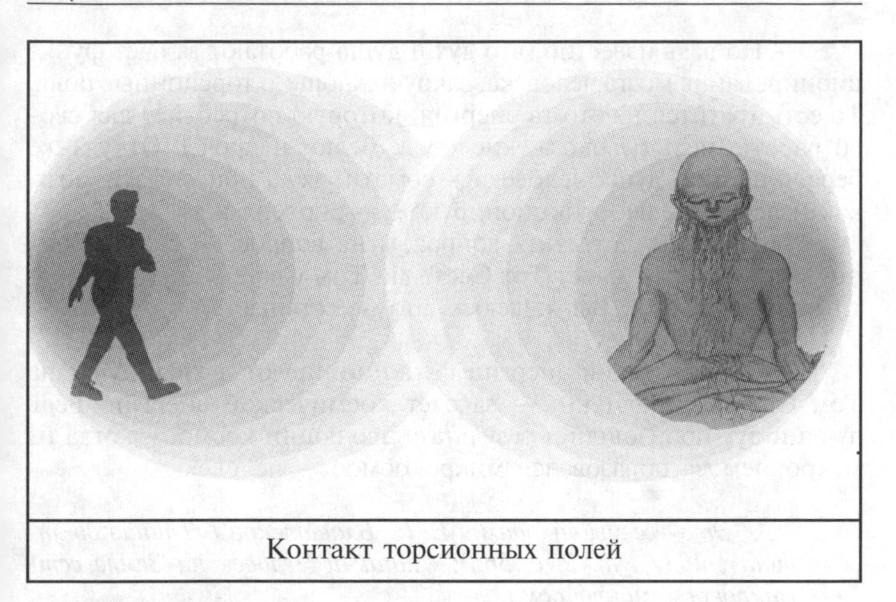

Контакт торсионных полей

го, которые, как я думаю, отвечают за такие чувства, как страх, тревога, негодование, чтобы у человека, входящего в пещеру, отпало желание туда идти. Вспомните также, что злые мысли и болезни действуют на душу одинаково: они раскручивают торсионные поля в негативную сторону. Поэтому человек, входящий в пещеру, если даже переборет чувство страха и тревогу, будет вскоре ощущать болезненные факторы, которые при больших усилиях души человека в сомати приведут его к смерти. Так, я думаю, работают защитные барьеры в пещерах. Прав ли я?

— Хотя мы говорим на разных в научном отношении языках, мне кажется, вы правы, — ответил Бонпо-лама.

— Скажите, а достаточно психической энергии человека в сомати для достижения всего этого?

— Конечно! Ведь в сомати могут войти только люди с очень сильной и очень чистой душой.

— Добавлю еще, — сказал я, — что один человек с помощью своей психической энергии при дистанционном гипнозе способен усыпить 100−500 человек. Я помню нашего преподавателя физиологии профессора Петровского, который на нашем курсе проводил сеанс дистанционного гипноза, усыпляя весь курс в 300 человек на лекции.

— Мощь психической энергии огромна, — сказал Бонпо-лама.

— Но ведь известно, что дух и душа работают за счет функционирования мозга человека, закручивающего торсионные поля. То есть тратится на это та энергия, которую потребляет для своей работы мозг (глюкоза, кислород, белки и проч.). Откуда же берет энергию душа человека в сомати, ведь при сомати мозг, как и все тело, не функционируют? — спросил я.

— Позвольте ответить вопросом на вопрос, — сказал Бонпо-лама. — А как живет Тот Свет? На Том Свете живут бессмертные души и духи. Вы, надеюсь, это не отрицаете?

— Конечно, нет.

— За счет какой энергии функционируют духи и души на Том Свете? Ответ один — за счет космической энергии. Ведь душа и дух произошли в результате эволюции космоса, когда из макрокосмоса образовался микрокосмос — человек.

Это же мы находим у Е. П. Блаватской («Тайная доктрина», 1937, т. 2, с. 363): «...так и Человек на Земле есть микрокосм макрокосма...»

— Итак, души людей в сомати подпитываются космической энергией, — промолвил я.

— Да.

— А какой биологический смысл ограничивать доступ людей к телам в сомати? Почему существует такая исключительная строгость даже по отношению к людям с добрыми намерениями?

— Чтобы не нарушать покой людей в сомати. Если покой будет нарушен за счет воздействия чужой души, то тело человека в сомати начнет размягчаться, — ответил Бонпо-лама.

— Я понимаю это так, — сказал я. — С физической точки зрения каменно-неподвижное состояние тела человека в сомати достигается, как мне кажется, за счет перехода воды организма в четвертое состояние, которое осуществимо только путем полного очищения души от негативной психической энергии, то есть за счет полного и стабильного закручивания торсионных полей души в позитивную сторону. Торсионные поля чужой души вносят дисбаланс в кручение торсионных полей души человека в сомати, даже в том случае, если они закручены в позитивную сторону, не говоря уж о негативно закрученных торсионных полях. Дисбаланс в торсионных полях человека в сомати может привести к неустойчивости четвертого (гипотетического!) состояния воды в организме и соответствующей потере каменно-неподвижного состояния тела, которое выражается в его размягчении. Отсюда можно предположить, что, наверное, даже Особые люди подбираются по совместимости их торсионных полей с полями людей в сомати. Так ли это?

— Да, далеко не каждый человек может стать Особым человеком, — сказал Бонпо-лама. — Особые люди у входа в пещеру медитируют, в результате чего узнают, допустят его в пещеру с людьми в сомати или нет.

— Как вы думаете, может ли толпа иступленно ненавидящих людей прорваться в пещеру через защитный барьер к человеку предыдущей цивилизации, например атланту, обладающему сильной духовной энергией? Ведь негативная психическая энергия, особенно толпы людей, тоже может победить позитивную! — спросил я.

— Маловероятно, если человек предыдущей цивилизации в сомати обладает сильным духом. Количество людей, желающих пройти в сомати-пещеру, не может сыграть решающей роли. Но если дух человека предыдущей цивилизации не очень сильный, то такое возможно. Люди нашей цивилизации обладают значительно более слабой духовной силой. А прорваться к людям нашей цивилизации в состоянии сомати не составляет труда, поскольку их дух не может создать сильный защитный барьер.

— Что будет с человеком предыдущей цивилизации в сомати, если охваченные ненавистью люди окружат его, прорвавшись через защитный барьер?

— Человек предыдущей цивилизации или умрет под воздействием негативной психической энергии, или оживет, — ответил Бонпо-лама.

— Да, — проговорил я, — негативно закрученные торсионные поля или полностью дестабилизируют состояние сомати, приведя к гибели этого человека, или стимулируют выход из сомати, способствуя оживлению.

— Такое бывает, — сказал Бонпо-лама.

— Скажите, а все-таки существуют сведения о прохождении защитных барьеров пещер с людьми в сомати?

— К сожалению, таких сведений после оккупации Тибета Китаем немало, — с досадой сказал Бонпо-лама. — Например, в одной из пещер южного Тибета люди видели несколько необычных, очень больших человеческих тел, которые были подвешены к потолку за шею у входа в пещеру. Незадолго до этого в пещере побывал полк китайцев.

— М-да, представить схватку гигантов-атлантов с китайцами можно только в фантастическом фильме, — угрюмо сказал я. — Надо же что-то делать, ведь они уничтожают Генофонд человечества, от которого сами же произошли!

— А что сделаешь? Китайцев полтора миллиарда...

— Это ужасно! Почему же ООН...

— Но имейте в виду, — глаза Бонпо-ламы заблестели, — что случаев гибели китайцев от защитных барьеров пещер значительно больше, чем случаев их преодоления. Сейчас они боятся ходить в пещеры! Они тоже хотят жить! Времена «культурной революции» прошли! Древние люди сильнее китайцев! Древние люди могут защитить себя и человечество! А самых древних людей китайцы никогда не найдут; их защитит камень!

— Вы бы не могли привести пример?

— В одной из сомати-пещер, тоже в южном Тибете, при входе в пещеру нашли полк китайцев, все солдаты которого лежали мертвыми на камнях с обезображенными от ужаса лицами. Тела их были целыми, ни у кого не было никакого ранения или повреждения. Их убила сила духа древних людей.

По этому поводу у Е. П. Блаватской можно найти следующие слова («Тайная доктрина», 1937, т. 2, с. 466): «...где они [речь идет об Атлантах] пребывают и посейчас, невидимые для всех и защищенные от доступа к ним целыми Воинствами Духов».

— Я думаю, что это не единственный случай...

— Таких примеров много. Вот один из них, — продолжал Бонпо-лама. — Люди окрестных деревень видели несколько десятков обезумевших китайских солдат, которые бегали, кричали, хватались за голову и живот. Говорят, что эти безумные солдаты один за другим умерли. Все они посещали потаенную пещеру.

— Вы говорили, что самых древних людей (лемуро-атлантов) защищает камень. Из нашего сегодняшнего разговора я понял, что тела их в сомати закрыты камнями (плитами), в связи с чем их почти невозможно найти в пещере. Кроме того, памятуя ваши слова «камень для них не преграда», можно предположить, что лемуро-атланты способны за счет психической энергии воздействовать на гравитацию и сдвигать эти камни при выходе из сомати. Возможно также, что эти высочайше духовно развитые люди древности могут создавать психический защитный барьер при входе в пещеру. Так ли это? — спросил я.

— Да, мы об этом уже говорили, — ответил Бонпо-лама.

— Исходя из всего сказанного, — продолжал я, — можно думать о трех основных видах защиты пещер с людьми в сомати:

1. Барьер психической энергии.
2. Каменный барьер.
3. Потаенный вход в пещеру.

— Не забывайте еще о том, — сказал Бонпо-лама, — что местонахождение пещер с людьми в сомати хранится в глубочайшей тайне. В этом заслуга служителей религии. Об этом мы говорим только в иносказательной форме.

— Но ведь китайцы об этом узнали! Они осквернили святые места сомати!

— Да, оказалось не так-то легко сохранить тайну.

Об этом же говорит Е. П. Блаватская («Тайная доктрина», 1937, т.2, с.158): «Непроницаемый покров тайны был наброшен на Оккультные и Религиозные Мистерии после потопления последних представителей Расы Атлантов, около 12 000 лет тому назад, во избежание того, чтобы они стали уделом недостойных и таким образом осквернены».

— Мне все-таки кажется, — сказал я, — что наступило время в той или иной степени приоткрыть тайну сомати, чтобы люди знали о Генофонде человечества. Естественно, нельзя рассказывать подробности, нельзя указывать месторасположение пещер, нельзя называть имена. Но если люди будут знать, что на земле есть Генофонд человечества, от которого мы произошли, то это уже будет много значить. Тогда остальные страны смогут более сильно воздействовать на Китай, зная, на что они замахнулись. Они замахнулись и осквернили своих праотцов и праматерей. К счастью, политика Китая изменилась, возможно, правительство Китая сможет понять это и принять меры.

— Да, да. Вы правы, — сказал Бонпо-лама.

— Если мы уж взялись подводить итог нашему длинному разговору, уважаемый Бонпо-лама, — сказал я, — то можно выделить три типа пещер с людьми в сомати:

1. Сомати-пещеры с людьми нашей цивилизации.

2. Сомати-пещеры с людьми предыдущих цивилизаций, где могут быть как атланты, так и лемуро-атланты (по раздельности или вместе).

3. «Смешанные» сомати-пещеры с людьми нашей и предыдущих цивилизаций.

— Я думаю, — продолжал я, — люди нашей цивилизации стараются попасть в сомати-пещеры с людьми предыдущих цивилизаций; в этом случае они будут надежно защищены барьерами психической энергии. Но видимо, не всегда это получается. Смешанные сомати-пещеры наиболее ценны, так как они представляют весь арсенал Генофонда человечества.

— Хорошее определение вы предложили — Генофонд человечества, — сказал Бонпо-лама.

— И в заключение позвольте вас еще раз спросить. Что такое Шамбала?

— Мы верим, что Шамбала существует. Это духовная страна, куда можно войти только с чистой (очищенной) душой.

— Вот именно! — воскликнул я. — В Шамбалу можно войти только с полностью очищенной душой. В пещеру с Генофондом человечества, как мы говорили, тоже можно войти только с полностью очищенной душой. Роль Шамбалы для человечества, как свидетельствуют устные предания и письменные источники, велика. Роль Генофонда человечества не вызывает сомнений. Шамбала, как известно, страна духовная. В пещерах с Генофондом человечества вся действенная роль принадлежит духам (духовному) при законсервированности их тел.

— Видите, — с напором продолжал я, — прослеживается несколько параллелей, из которых можно предположить, что место локализации (пещерные храмы, пещеры, пирамиды) Генофонда человечества и есть Шамбала.

Вместе с Бонпо-ламой

Бонпо-лама пристально смотрел на меня. Наступило молчание.

— Я хотел бы с вами погорить наедине, — сказал я и посмотрел на Бонпо-ламу.

Мы поднялись и пошли в заднюю комнату. Американец тронул за плечо и сказал: «Good luck» («Желаю удачи»).

О чем мы говорили с Бонпо-ламой? На этот вопрос я отвечу словами Особых людей, имеющих доступ в сомати-пещеры: «Я не скажу этого даже Богу!»

Прощаясь, мы обнялись с Бонпо-ламой. Венер Гафаров тихо спросил:

— Будут изменения?

Я промолчал. Американец крикнул нам вслед:

— Good luck!

Глава 6

Кем был Будда?

На Востоке в каждом магазинчике можно купить статуэтку Будды. Цены на них очень большие, так как каждый иностранец, бывая в буддийских странах, хочет приобрести на память статуэтку того, кому поклоняется почти половина населения земного шара.

Верить в то, что скульптор смог в точности передать характерные черты внешности Будды, было бы наивным. Все ламы, которым мы задавали вопрос о внешности Будды, говорили, что скульпторы и художники внесли много отсебятины, например, огромные висячие уши.

Как выглядел Будда

Как же выглядел Будда? Еще до экспедиции мы знали по религиозным книгам о том, что Будда имел необычную внешность. Но древнее описание внешности Будды мы нашли только в Непале у историка господина Мина. Ламы также дали нам древнее описание внешности Будды, совпадавшее с тем, которое нам дал господин Мин. Однотипность описания, полученная при сопоставлении разных источников, позволила нам доверительно отнестись к полученной информации.

По древним источникам, Будда имел 32 признака, характеризующих его внешность. Думаю, читателю будет интересно о них узнать.

1. Руки и ноги Будды были помечены тысячью колес со спицами.

Будда (статуя)

2. Ступни ног Будды были похожи на черепашьи. Они были мягкие, плоские и полные.

3. Пальцы рук и ног Будды были соединены перепонками, которые достигали уровня половины пальцев. Руки и ноги были похожи на утиные лапки.

4. Плоть рук и ног Будды была мягкой и молодой.

5. Тело Будды имело семь выпуклостей и пять углублений. Два углубления находились у лодыжек, два — у плеч и одно — позади головы.

6. Пальцы рук и ног Будды были очень длинные.

7. Пятки Будды были широкие (1/4 фута).

8. Тело Будды было большим и стройным. Оно измерялось семью кубами и не было изогнутым.

9. На ступнях Будды не было подъема.

10. Каждый волос тела Будды рос вверх.

11. Икры ног Будды были как у антилопы — гладкие и прямые.

12. Руки Будды были длинные и красивые, они доставали до его колен.

13. Мужской орган Будды был спрятан как у коня. Его нельзя было увидеть.

14. Кожа у Будды имела золотистый оттенок. Она названа золотой не из-за цвета, а потому, что была совершенно чистой.

15. Кожа у Будды была тонкой и гладкой.

16. Каждая часть тела Будды имела только один волос, растущий вправо.

17. Лоб Будды был украшен вьющимися волосами, которые имели 6 особенностей: гладкие, белые, послушные, способные растягиваться на 3 кьюбитса, завитые справа налево и повернутые концами наверх. Они казались серебристыми, прическа по форме напоминала амбала-фрукт.

18. Верхняя часть туловища Будды была как у льва.

19. Верхняя часть плеч Будды была круглой и полной.

20. Грудь Будды была широкая. Между плечами грудь была плоская.

21. Будда мог ощущать лучший вкус, потому что язык его не был поражен тремя болезнями: ветра, слизи и желчи... Однажды благодетель предложил Будде кусок конины, который был неприятен на вкус. Будда положил этот кусок себе на язык и затем отдал его благодетелю. Мясо на вкус стало как самая деликатесная пища.

22. Тело Будды напоминало дерево Tadrota, чьи корни, ствол и ветви имеют один размер.

23. Будда имел возвышение на голове круглой формы, которое напоминало завиток по часовой стрелке.

24. Будда имел длинный и красивый язык, которым он мог доставать до линии волос и до ушей. Язык был красного цвета, как цветок Utpala.

25. Речь Будды имела 5 достоинств: все могли понимать ее; все его слова имели одну интонацию; речь была глубока и полезна для всех; речь была приятна и глубоко притягательна; слова произносились в правильном порядке, чисто и без ошибок.

Признаки	Гипотетический атлант (реконструированный по глазам)	Будда
голова	большая	возвышение на голове круглой формы в виде завитка по часовой стрелке, лоб украшен белыми волосами, способными растягиваться
глаза	большие, необычный изгиб верхнего века	глубокого голубого цвета, ресницы прямые и чистые
нос	клапановидный со спиральным завитком	обычного вида
щеки	небольшие, как и вся нижняя часть лица	круглые и полные
рот	небольшой (возможно, соединен с вертикальным разрезом носового отверстия)	обычного вида
зубы	трудно сказать	40 зубов, очень белых, одинаковой длины, не имеющих межзубных промежутков
язык	трудно сказать	длинный, мог доставать языком до линии волос и ушей
шея	мощная с выраженными мышцами в затылочной области	углубление позади головы (что свидетельствует о развитости задней группы мышц шеи)
грудная клетка	очень большая	широкая, как у льва
плечи	мощные и округлые	круглые и полные
руки	длинные, выражены задняя и передняя группы мышц с углублением между ними	длинные, доставали до колен, два углубления у плеч
кисти рук	лопатоподобные, большие (возможно, есть перепонки)	пальцы очень длинные с перепонками, достающими до середины пальцев; похожи на утиные лапки
ноги	развитость передней и задней групп мышц с углублением между ними	углубления у лодыжек
ступни ног	ластообразные	были похожи на черепашьи ноги, мягкие, плоские и полные, пятки широкие, не было подъема
половой орган	трудно сказать	спрятан, как у коня, его нельзя увидеть
кожа	гладкая	имела золотистый оттенок, тонкая и гладкая
рост	очень большой	тело было большим и стройным, измерялось семью кубами и не было изогнутым

26. Щеки у Будды были круглыми и полными. Их контур был сходен с ритуальным зеркалом.

27. Зубы у Будды были очень белые.

28. Длина зубов у Будды была одинаковой.

29. Между зубами у Будды не было щелей.

30. Будда имел 40 зубов.

31. Глаза Будды были глубокого голубого цвета, как сапфиры.

32. Ресницы Будды были прямые и чистые, как у «жаждущей коровы».

А теперь давайте сопоставим отличительные особенности Будды с особенностями облика человека (гипотетического атланта), реконструированного по глазам, изображенным на тибетских храмах.

Будда и человек, глаза которого изображены на тибетских храмах

Из приведенной таблицы видно, что облик человека, реконструированный по изображению глаз на тибетских храмах, во многом совпадает с обликом Будды. Особенности тела обоих свидетельствуют об их полуводном образе жизни: ластообразные ноги, руки с перепонками, изгиб верхнего века, прикрывающий роговицу под водой, мощная грудная клетка, необходимая для длительного ныряния, мощные затылочные мышцы, необходимые для удержания головы при плавании, клапановидный нос и т. п.

Когда мы провели это сопоставление, то у нас возникло чувство удовлетворения, так как совершенно независимая реконструкция по глазам с использованием офтальмогеометрического и логико-анатомического анализа привела к созданию необычного облика человека, в общих чертах похожего на Будду, отличительные признаки которого описали, видимо, люди, видевшие его.

Но с другой стороны, обращают на себя внимание и различия между обликом Будды и обликом человека, реконструированным по глазам. Прежде всего, это отсутствие у Будды клапановидного носа в виде завитка. Этот факт, исходящий из первоисточника (изображение глаз вместе с носом на тибетских храмах), является достаточно достоверным и не укладывается в облик Будды, в отличительных особенностях которого не указа-

Сопоставление облика последнего Будды с обликом человека, реконструированным по изображению глаз на тибетских храмах

но этого весьма примечательного признака. Кроме того, в отличительных признаках Будды не указан необычный изгиб верхнего века.

Отсюда следует, что на тибетских храмах изображены глаза не Будды, а другого человека, тоже имеющего необычную внешность, но несколько иного характера. Кто же он? Вспомним, Бонпо-лама ответил на этот вопрос: «Это глаза значительно более древнего человека, чем Будда». Может быть, это глаза Бонпо-Будды — самого первого Будды на Земле?

Тем не менее, сопоставляя отличительные черты Будды и человека, глаза которого изображены на тибетских храмах, с чертами современного человека, можно сказать, что и тот и другой не были представителями людей нашей цивилизации. Как явствует из исторических источников, облик самых древних людей нашей цивилизации немногим отличался от облика современного человека. Для людей нашей цивилизации, живущих в любых уголках земного шара, совершенно не характерно наличие перепонок, ластообразных ног, огромных глаз с необычно изогнутыми веками и, тем более, клапановидного носа с завитком. Люди нашей цивилизации, живущие на морском побережье, пользуются дарами моря, но никто не ведет полуводного образа жизни и не выращивает подводных плантаций.

Может быть, они инопланетяне? Но это столь спорный вопрос, что рассуждать на эту тему с научной точки зрения, по крайней мере, преждевременно. Значительно логичнее предположить, что Будда и человек, глаза которого изображены на тибетских храмах, были представителями людей предыдущих цивилизаций, вышедших из состояния сомати в Генофонде человечества и появившихся на земле. На это предположение, принимая во внимание все изложенное в книге, имеется больше оснований, чем на досужие домыслы об инопланетных гуманоидах.

Но кем были они — Будда и человек, чей облик был реконструирован по глазам, изображенным на тибетских храмах? Вышли ли они из сомати или родились от матери? Чтобы постараться ответить на этот вопрос, мы начали тщательно изучать историю рождения Будды. Сведения о человеке, глаза которого изображены на тибетских храмах, были лишь отрывочными.

При изучении вопроса о рождении Будды мы вскоре поняли, что он чрезвычайно запутан. Трудно было понять, кем была его мать, кем был его отец и были ли они вообще. Например, господин Мин по этому поводу говорил следующее: «Будда был рожден на Земле и аккумулировал в себе много прошлых женитьб. Он был высокого роста, очень красив и хорошо знал древние знания, четко осознавая, что происходит на Земле». Историк господин Прадхан говорил: «Будда родился от короля Тару и Марии Девы в местечке Люмбини (Непал) в воде озера».

Остальные сведения о рождении Будды носили подобный же характер: «непорочное зачатие», «рождение имело духовный характер» и т. п. То есть ничего конкретного нельзя было сказать о его матери и отце. Только в одном месте (у господина Прадхана) прозвучало, что отцом Будды был король племени тару.

Племя тару

Кто такие тару? Собирая сведения о племени тару, мы встретились с руководителем Российского культурного центра в Катманду Владимиром Павловичем Ивановым. Он рассказал, что недалеко от местечка Люмбини, где родился Будда, действительно живут люди, которые называют себя тару. Он вывел нас на людей, которые знают историю племени тару. Кроме того, В. П. Иванов рассказал, что в Люмбини началось строительство международного центра буддизма, в которое вкладывают большие деньги азиатские страны и буддийские общины европейских стран и США. Этот центр будет центром международного паломничества буддистов. Будда, проповедовавший систему знаний на основе индуизма, убрал из него кастовую структурную решетку, сделав ее мировой. До Будды индуизм мог распространяться только в пределах касты и не мог выйти за ее пределы.

Люди, рассказавшие нам о племени тару, не относились к разряду крупных религиозных деятелей или известных ученых. Вначале это вызвало у нас чувство опасения за достоверность передаваемых сведений, но то, что они рассказали, оказалось столь любопытным, что мы на некоторое время даже забыли о рекомендациях Делийского университета по поводу осторожного отношения к данным, полученным от случайных людей.

В частности, один из этих людей, имя которого я бы не хотел называть по понятным соображениям, рассказывал следующее. Тару живут в джунглях на границе Гималайских гор. На севере от места проживания тару располагается район Джумла, который по некоторым данным считается местом происхождения людей нашей цивилизации. Люди племени тару единственные в мире имеют иммунитет против малярии, в результате чего они приобрели известность в мире. Популяция тару в настоящее время составляет около 1 миллиона человек. Считается, что это племя живет в указанном месте более 3 тысяч лет. Но самым удивительным оказалось описание внешности тару; они имеют круглое лицо с маленьким подбородком, маленький невыпяченный нос, очень большую грудную клетку, толстую и короткую шею, стопы ног без подъема, плоские и широкие. То есть, в определенной степени приближения, в этих признаках можно было усмотреть отличительные черты Будды.

Профессор-тару

Понятно, что у нас возникло желание увидеться с представителями племени тару и убедиться в этом. Если бы это подтвердилось, то людей тару можно было бы считать наследниками Будды на земле.

В. П. Иванов помог найти в Катманду представителя этого племени —

единственного для тару ученого-профессора. Каково было наше разочарование, когда вместо ожидаемых отличительных признаков мы встретили типичного восточного человека с обычной внешностью. Тем не менее, двое из членов экспедиции съездили в местечко Люмбини, нашли там деревню племени тару, провели анатомическое обследование и окончательно убедились в обычной внешности людей тару.

История с племенем тару, отнявшая у нас довольно много времени и средств, послужила нам хорошим уроком. Когда собеседник, не обремененный религиозным саном или принципиальностью серьезного ученого, уловив предмет твоего интереса, начинает утвердительно говорить то, о чем бы ты хотел слы-

Женщина-тару

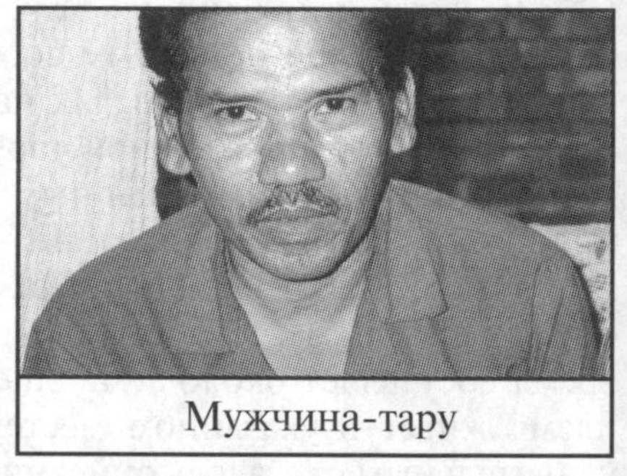
Мужчина-тару

шать, вначале мерещится, что твои предположения находят реальное подтверждение. Далее тебе кажется, что уж слишком легко все получается – что бы ты не предположил, все верно. А в конце ждет горькое разочарование и сожаление по поводу потерянного времени и средств. Но таков научный путь: никогда не обходится без ошибок, а перепроверки и тройной контроль являются постоянным атрибутом исследований. Самое главное — не включить малодостоверные сведения в логическую цепочку научных размышлений, иначе логика заведет в тупик или приведет к неверным выводам.

В подобных беседах, в отличие от разговоров со свами, ламами, гуру и крупными учеными, редко услышишь «может быть...», «не знаю...», «нет, это не так...». Ламы, свами и гуру слишком значимы в восточном мире, чтобы иметь соблазн в чем-то выделиться перед иноземным ученым и сказать в угоду ему что-нибудь сенсационное. Напротив, для них характерно отечески-ироничное отношение к европейскому научному интересу, перемешанное с уважительным любопытством. Восточно-религиозный тип образования воспитывает, видимо, в них глубочайшее уважение к древним религиозным знаниям, сохранять и развивать которые они, собственно, и призваны, и говорить отсебятину считается великим грехом. Любой лама, свами или гуру в случае, если он почему-либо неуверен в собственных познаниях, спокойно скажет: «Я этого не помню...» — и порекомендует другого религиозного деятеля, который, по его мнению, знает больше, чем он, в данной области. Ученые Индии и Непала воспитаны в том же духе, потому что глубоко религиозны, и фактам, полученным от них, можно доверять.

Кто он, Будда?

В научных исследованиях религиозного характера возникает большой соблазн пользоваться научно-популярной литературой на русском или английском языках. Но эти книги очень часто пишут люди с особым складом психики, выдающие за абсолютную истину свои собственные «видения» в состоянии транса. К сожалению, люди, медитируя и входя в транс, «видят» одно и то же в столь разноплановом виде, что основываться на этих данных весьма проблематично. Учитывая это, мы старались брать за основу религиозные первоисточники и труды Елены Блаватской, которая признана на Востоке как великая Посвященная.

Просветление Будды

Возвращаясь к изучению Будды, можно, тем не менее, прийти к заключению, что факт рождения Будды от матери и отца (тару) достаточно сомнителен, а считать людей племени тару наследниками Будды вряд ли возможно. А принимая во внимание знания о сомати и необычную внешность Будды, нельзя исключить возможность выхода Будды из состояния водного сомати в озере у местечка Люмбини или приход его из расположенных вблизи гор, где он мог пребывать в состоянии пещерного сомати. Последний вариант мы считаем даже более вероятным, так как в легендах о Будде существует факт того, что он во взрослом состоянии начал голодать, исхудал и ушел в дикий лес, откуда явился на люди красивым и преображенным. Не исключено, что явился совсем другой человек, а все истории о непорочном зачатии — вымысел.

Как мы уже указывали (Бонпо-лама), в период текущего 30-тысячелетия на Земле должно появиться 1002 Будды.

По этому поводу у Е. П. Блаватской мы находим следующее («Тайная доктрина», 1937, т. 2, с. 529, 530): «Будды являются всемирным или общим достоянием; они есть исторические Мудрецы... Из одной группы в девяносто семь Будд и из пятидесяти трех в другой... ...Эти корзины древнейших писаний на «пальмовых листьях» сохраняются в большой тайне... Тот особый Манускрипт, из которого последующие отрывки были извлечены и затем переданы на более понятном языке, был списан с каменных таблиц, принадлежащих одному Будде самых первых дней Пятой Расы, который был свидетелем Потопа и погружения основных Материков Расы Атлантов».

То, что написала Е. П. Блаватская о Буддах, можно понять по-разному. С одной стороны, обращает на себя внимание тот факт, что Будды называются «историческими Мудрецами». Дело в том, что в другом месте (с. 440) Е. П. Блаватская пишет: «Адепты или Мудрые Люди Третьей, Четвертой и Пятой Расы обитали в подземных жилищах...». Понятия «исторические Мудрецы» и «Мудрые Люди», видимо, являются синонимами. Тогда синонимом является и слово «Адепты». Кто такие адепты? Из бесед со свами и ламами мы поняли, что адептами называются люди живущие сотни, тысячи и более лет, находясь в состоянии сомати и периодически возвращаясь к обычному образу жизни.

Отсюда следует, что последний Будда (и, видимо, другие Будды), являясь адептом, появился на земле, выйдя из состояния сомати в Генофонде человечества. Слова Е. П. Блаватской «...Из одной группы в девяносто семь Будд и из пятидесяти трех в другой...» — можно понять как указание на это.

Необычная внешность Будды может быть объяснена тем что он был адептом-атлантом или адептом-лемурийцем (вспом

Статуэтка Будды
(III век н. э., Пакистан).
Изображение Будды похоже
на изображение людей
в состоянии сомати

ним слова Е. П. Блаватской: «Адепты или Мудрые Люди Третьей, Четвертой и Пятой Расы...»). Огромные познания последнего Будды, которым его никто не учил при обычной земной жизни, могут быть объяснены тем, что он владел знаниями цивилизации атлантов и лемурийцев. Косвенно об этом может также свидетельствовать фраза Е. П. Блаватской о «каменных таблицах» и Будде времен Потопа. В конце концов Е. П. Блаватская почти прямо указывает на то, что Будда был представителем четвертой расы, то есть атлантом (с. 280, 281): «...черты и типы характера, приписываемого великанам Четвертой Расы... эти Будды, хотя часто обезображенные символическим изображением длинных висячих ушей...»

С другой стороны, не исключено, что слова Е. П. Блаватской можно интерпретировать совершенно иным образом и говорить о слабой логике у нас или подтасовке фактов. Но все религиозные деятели Востока знают про адептов и даже, как они говорят, встречаются с ними! Факт существования феномена сомати на Востоке вряд ли оспорим. Будда имел существенно необычную внешность, приспособленную для полуводного образа жизни. Будда имел огромные познания... и т. д. Все же имеется достаточное количество сведений, свидетельствующих о том, что вышеописанная логика может иметь место в виде гипотезы.

Но если мы возьмем за основу эту гипотезу, то придется брать за основу и гипотезу о существовании Генофонда человечества. Существует ли он на самом деле? Неужели параллельно с нами находится подземный и подводный мир людей разных цивилизаций в сомати? Неужели Будда и другие пророки выходили к людям на поверхность земли оттуда?!

Подводя итог исследованиям, изложенным в этой главе, постараемся сделать предположительный вывод, отвечая на вопрос — кем были последний Будда и человек, глаза которого изображены на тибетских храмах? Анализ их внешности позволяет судить о том, что последний Будда занимает промежуточное положение между современным человеком и человеком, глаза которого изображены на тибетских храмах. Прослеживается также изменчивость в отношении перехода от полуводного образа жизни к жизни только на суше: замена клапановидного носа (как дышло у дельфинов) на обычный нос, исчезновение перепонок. Кроме того, у Е. П. Блаватской написано о том, что в подземных жилищах находятся адепты третьей (лемурийцы), четвертой (атланты) и пятой (наша цивилизация) рас.

Исходя из всего этого, можно предположить, что последний Будда был атлантом, а человек, глаза которого изображены на тибетских храмах, — лемурийцем или лемуро-атлантом.

Кто же они — лемурийцы и кто же они — атланты?

Глава 7

Кто они, лемурийцы и атланты?

Методы исследований

В подобного рода исследованиях трудно ожидать получения каких-либо точных данных. Приходится идти на обобщение сведений, полученных из разных источников путем логики, предварительно сопоставив их друг с другом и принимая в расчет те сведения, которые повторяются в источниках разного характера.

Самым опасным, на наш взгляд, является анализ научно-популярной литературы, где много вымысла, хотя некоторые книги, написанные в научно-популярном стиле, весьма серьезны. В частности, это книги Лобсанга Рампы «Третий глаз», «Доктор из Лхасы», «Пещеры древних» и др. Этот автор, обучаясь медитации у своего наставника, научился входить в состояние сомати и пробыл в этом состоянии некоторое время в одной из сомати-пещер Тибета. Вызывает доверие книга Джона Хислопа «Беседы с Бхагаваном Шри Сатья Саи Бабой», построенная в виде бесед с Великим Саи, который в некоторых регионах Индии считается не только Посвященным, но и воплощением Бога на земле. Весьма интересна книга Рудольфа Штайнера «Из летописи мира», которая описывает содержание тайной «Хроники Акаши», написанной в древности Посвященными. Сведения, полученные из этих книг, были приняты в расчет.

Анализ восточной религиозной литературы оказался очень сложным не только по причине того, что она написана на труднодоступных для нас языках (санскрит, непали и проч.), но и по причине особой, по-восточному изощренной аллегоричности подачи материала. В религиозных источниках, относящихся к разным видам восточных религий, мы нашли сведения о жизни людей предыдущих цивилизаций, которые не многим отличались друг от друга. Но самым любопытным было то, что эти сведения в общих чертах совпадали со сведениями, изложенными в трудах великих Посвященных, таких как Е. П. Блаватская и Нострадамус. Ламы, гуру и свами знали о людях предыдущих цивилизаций, но подробно об этом старались не рассказывать, то ли по причине, что плохо помнили этот раздел религиозной науки, то ли скрывая это как великую тайну.

Из трудов Посвященных для нас наиболее доступными явились книги Нострадамуса и Е. П. Блаватской. Но пророчества первого изложены в виде четверостиший, перевод которых со старофранцузского на русский язык мог быть не совсем точен и поэтому мог привести к ложным умозаключениям.

Елена Петровна Блаватская (1831—1891)

«Тайная доктрина» Е. П. Блаватской является трудом, колоссальным по объему и насыщенности фактами. Причем логика в этой книге показалась мне какой-то нечеловеческой: все изложено в станцах, читая которые можно найти начало мысли в конце книги, середину — в начале, а конец — в середине. Вначале, когда я первый раз прочитал «Тайную доктрину», меня это сильно раздражало, но потом я осознал, что здесь присутствует значительно более высокая логика, возможно, логика Высшего Разума, которую мой скромный человеческий мозг мог схватывать лишь частично и иногда. Отчаявшись привести в систему факты, изложенные в книге, я был вынужден применить старый студенческий способ. Дело в том, что многие студенты способны, напряженно изучая материал, запомнить его на короткое время, а потом преспокойно забыть. Я прочитал снова эту книгу, запомнив многие ее части, а потом мысленно сопоставил их и сделал выписки из книги, вводя всю информацию в русло человеческой логики и хронологии. Эти выписки уже можно было включать в логические научные построения.

Можно ли верить Посвященным? Трудно сказать «да», и трудно сказать «нет». Тем не менее любой разумный человек в Бога все же верит, хотя бы в период приближения смертного часа. А если не отрицать существования Бога, т. е. Высшего Разума, то нельзя отрицать и правомерности сведений, исходящих от Посвященных, потому что религиозные знания как божественное производное в принципиальных чертах совпадают со знаниями Посвященных. Отличие состоит в том, что религия, в раннем периоде предназначенная для полуграмотных людей, преподносится в приемлемой для них сказочной форме, а сведения Посвященных имеют характер историко-научных знаний. Можно думать о том, что Высший Разум по мере развития человечества «посвящает» отдельных людских индивидуумов в более сложные аспекты Единого всемирного знания, стараясь тем самым более глубоко развить первоначальные религиозные знания, противодействуя догматизму многих религиозных служителей.

Механизм получения знаний Посвященными с точки зрения современной физики можно представить следующим образом. С этих людей (Посвященных) снимается принцип «SoHm», в связи с чем они становятся способны с помощью своей психической энергии настроиться на частоты Всеобщего информационного пространства. Каждый Посвященный, описывая источник своих знаний, отмечает, что как бы «голос» диктовал ему это. Другого источника получения этих удивительных и сравнительно одинаковых для всех Посвященных знаний представить пока трудно. Религиозные знания и знания Посвященных — все это идет от одного источника — Всеобщего информационного пространства.

Многие люди способны с помощью медитации входить в состояние транса, в котором они как бы «видят» прошлое и настоящее. Вероятно, им приоткрываются лишь небольшие каналы информации, в связи с чем их сведения весьма сумбурны. Информационный канал Великих Посвященных, очевидно, несравненно больше, поэтому их знания очень подробны и имеют свою, как я уже отмечал, «нечеловеческую» логику.

Я думаю, читатель меня простит за то, что я ссылаюсь в основном на знания Посвященной Елены Блаватской: собственно, все Посвященные говорят об одном и том же. Дело в том, что русскоязычное издание Е. П. Блаватской ближе мне в языковом отношении.

И наконец, все описанные исследования мы старались сопоставить с анатомо-физиологическим анализом внешности людей предыдущих цивилизаций, чтобы хоть в какой-то степени ответить на вопрос, какие они были — лемурийцы и атланты.

Общие сведения о предыдущих цивилизациях

Елена Блаватская писала по этому поводу («Тайная доктрина», 1937, т. 2, с. 169):

«...История первичных Рас погребена в могиле времени не для Посвященных, но лишь для невежественной науки».

По вышеуказанным источникам никто не оспаривает происхождение человека путем уплотнения духа. Говоря словами современной физики, волновой вариант жизни (дух, Тот Свет) постепенно материализовался и обрел человеческое тело. Процесс материализации духа, сгустка психической энергии, напоминает сказку о скатерти-самобранке, когда из ничего появляется пища и т. п. Верить в это, конечно же, невозможно.

Но с другой стороны, даже из школьной физики известно, что 2 гамма = 1 электрону, т. е. волновой элемент способен трансформироваться в материальный. Житель города Уфы Марат Фатхлисламов дважды был у Великого аватара Сатья Саи Бабы (Индия) и сам воочию видел, как он материализует мысль, создавая как бы из ничего порошок, рис и прочие предметы. Кроме того, Марат привез несколько видеофильмов о Саи Бабе, в которых показывается процесс материализации.

Конечно же, процесс материализации, производимый Великим аватаром, можно принять за умело поставленный фокус.

Но уж слишком это все у него убедительно! Да и количество людей, которые ему верят, очень велико: ежедневно у него бывает около 10 тысяч человек, а на празднование его 70-летия со всего мира съехалось более 1 миллиона человек. Трудно представить такое количество простаков-простофиль.

Тем не менее, можно отметить, что гипотеза о материализации психической энергии по доказательности имеет не меньше шансов на существование, чем бытующая в настоящее время гипотеза о возникновении жизни на земле путем появления органических молекул и их постепенного усложнения.

По религии и знаниям Посвященных, на земле было 5 рас* (или цивилизаций) людей. Как я уже отмечал выше, представители первой расы людей, называемой «саморожденные», представляли собой ангелоподобных существ ростом 50—60 метров, имели один глаз (тот, который мы сейчас называем «третьим») и размножались путем деления.

Представители второй расы людей, называемой «потом рожденные», или «бессмертные», представляли собой уже более плотных, но еще призракоподобных существ, высотой около 40 метров, имели также один (тоже по типу «третьего») глаз и размножались путем почкования и спор.

Третья раса, называемая «двоякие», «андрогины» или «лемурийцы», имела наиболее длинный период существования и наибольшую изменчивость внутри себя. В пределах этой расы произошло разделение полов, появились кости, тело уплотнилось, и из четвероруких и двуликих ростом около 20 метров они превратились в двуруких и одноликих уже меньшего размера. Наибольшего развития и процветания добились позднейшие лемурийцы — лемуро-атланты.

Представители четвертой расы, называемой атлантами, были двурукие и одноликие, ростом около 6—8 метров и имели плотное тело.

Представители пятой расы (т. е. нашей цивилизации), называемой арийцами, вначале были большего роста, чем сейчас, но потом постепенно уменьшились до нынешних размеров.

Считается, что на земле будет всего 7 рас. Каждая из рас имела и будет иметь по 7 подрас.

---

* Не надо путать с бытующим у нас понятием «раса», определяющим национальные разновидности людей.

Когда возникла жизнь на Земле?

Во всех указанных источниках отмечается, что жизнь на Земле, в том числе и человек, возникла много миллионов лет назад. Е. П. Блаватская пишет по этому поводу («Тайная доктрина», 1937, т. 2., с. 261):

«Читатель может спросить, почему мы, вообще, говорим о драконах? Мы отвечаем, во-первых, потому, что знание о существовании подобных животных есть доказательство огромной древности человеческой расы».

В «Хронике Акаши» написано:

«Наряду с человеком существовали животные, которые в своем роде стояли на той же ступени развития, как и он. По современным понятиям их причислили бы к пресмыкающимся» (Р. Штайнер. «Из летописи мира», 1992, с. 66).

Та же Е. П. Блаватская в «Тайной доктрине» (1937, т. 2) приводит достаточно точные данные о времени жизни последних земных цивилизаций:

«Лемурия погибла около 700 000 лет до начала того, что ныне называется Третичным Периодом» (с. 392), «...наводнение, которое потопило последние части Атлантиды 850 000 лет тому назад...» (с. 416), «...после потопления последних представителей Расы Атлантов около 12 000 лет тому назад...» (с. 158), «...и что арийцы [наша цивилизация] существовали уже 200 000 лет, когда первый великий Остров или Материк [атлантов] был потоплен» (с. 495).*

Таким образом, возникновение человека на земле путем уплотнения духа заняло много миллионов лет эволюционной работы природы. В этом отношении мне бы хотелось привести фразу Е. П. Блаватской («Тайная доктрина», 1937, т. 2, с. 329):

---

* Имеются в виду атланты острова Платона, выжившие после всемирного потопа.

«Период в несколько миллионов лет истек со времени Первой Расы, «не имевшей разума», до появления высоко разумной и интеллектуальной Расы позднейших Лемурийцев; также как и другой период между самой ранней цивилизацией Атлантов и историческим периодом».

Итак, жизнь на земле возникла миллионы лет назад, а человеческие расы (цивилизации) рождались одна от другой, постепенно усложняясь. Но в то же время история человечества на земле испещрена глобальными катастрофами, уничтожавшими целые цивилизации. Видимо, в эволюционном труде природы по развитию человечества было вполне логичным создание также и Генофонда человечества, как страхующего звена на случай глобальных катастроф.

Материализм или идеализм

Что первично: идея или материя? Этот извечный спор в религии и трудах Посвященных склоняется в сторону идеализма. Есть ли доказательства этому? Прямые доказательства найти трудно, поскольку все погребено в могиле времени. Но сосуществование параллельно тонкого и физического миров уже никем не оспаривается, а мысль, т. е. психическая энергия, может быть вполне материальной.

С другой стороны, постепенное усложнение органических молекул, с появлением вначале примитивных форм жизни с последующим ее прогрессом, тоже нельзя исключить. Есть ли этому доказательства? Кое-какие лабораторные эксперименты позволяют смутно судить об этом, но истина также погребена в могиле времени.

Материальный вариант жизни как-то ближе и понятнее, поэтому мы ему больше доверяем. Волновой вариант жизни кажется нам чем-то мистическим и сказочным, поскольку на современном уровне мы плохо понимаем это и склонны или восклицать: «О, чудо!» — или тотально все отрицать. Наверное все же, волновой и материальный аспекты жизни взаимосвязаны между собой, как взаимосвязаны тонкий и физический миры.

А когда трудно найти прямые доказательства, то остается, если вы не атеист, верить в правоту божественного учения. Если сопоставить развитие науки с религией, то можно заметить такую тенденцию, что наука не может отвергнуть божественное учение и находит все больше и больше доказательств ее правоты. Надо понимать, что мы всего лишь малая частица Высшего Разума и не нам быть судьями. Как известно, самый большой грех — считать себя Богом. Консервативный ученый, абсолютизируя когда-то достигнутое им как конечную истину и начисто отрицая новые научные ростки, шепот которых уже раздается в научных кругах, впадает в большой грех.

Лемурийцы

Из указанных источников можно понять, что континенты на Земле в то давнее время (несколько миллионов лет назад) были совсем другие. Главный материк Лемурии располагался в районе Австралии, которая считается остатком лемурийского континента. По этому поводу в «Тайной доктрине» можно встретить следующие слова:

«...Jukes пишет: со времени Оолитного (Юрского) периода в Австралии произошло меньше изменений, нежели в других местах (цит. по: Е. П. Блаватская. «Тайная доктрина», 1937, т. 2, с. 248). «Земля в те времена была менее плотной и более текучей» (Р. Штайнер. «Из летописи мира», 1992, с. 48).

Индийские изображения четвероруких и двуликих людей

Эволюционно лемурийцы подразделялись на ранних и позднейших (лемуро-атлантов).

Ранние лемурийцы были огромного роста (около 20 метров), четверорукие и двуликие. Их тело вначале состояло из мягких веществ, было пластичным и гибким. Именно у них впервые в процессе эволюции появились кости, которые укрепили остов тела и сделали их более приспособленными к земной жизни, хотя в связи с этим у них увеличился вес. Но по одной из гипотез (Лобсанг Рампа. «Доктор из Лхасы», 1994, с.231), Земля в то время вращалась совсем по другой орбите, и сила тяжести была намного меньше. Животные существовали во множестве разновидностей и были намного крупнее. Может быть, то были легендарные динозавры? Этого нельзя исключить, тем более учитывая примерно один период существования этих огромных пресмыкающихся и лемурийской цивилизации.

У ранних лемурийцев почти не было памяти, речь напоминала нечто похожее на пение, общались они в основном путем «чтения мыслей», а главное внимание они уделяли развитию волевых моментов в жизни.

Ранние лемурийцы, как производные второй расы («потом рожденные», «бескостные»), вначале были тоже гермафродитами, но потом произошло разделение полов — появились мужчины и женщины. По этому поводу Е. П. Блаватская пишет («Тайная доктрина», 1937, т. 2, с. 249):

> *«Третья Раса человечества является самой таинственной... Тайна, как именно произошло зарождение того или иного пола, не может быть полностью объяснена. Но ясно, что отдельные единицы Третьей Расы начали разъединяться в своих оболочках или яйцах...»*

Она же указывает (с. 211), что размножались они путем, близким к почкованию, как и большинство растений, червей, улиток и т. п. В «Хронике Акаши» дается объяснение разделения полов: индивидуумы, у которых превалировал женский элемент, были более душевно развиты и испытывали любовь к индивидуумам с превалированием мужского элемента (Р. Штайнер. «Из летописи мира», 1992, с. 46, 47).

Как уже отмечалось, ранние лемурийцы были четверорукими и двуликими. Из указанных источников явствует, что четыре руки и два лица существовали в тот период жизни ранних лемурийцев, когда они были муже-женщинами (гермафродитами). После разделения полов в последующий период времени две задние руки стали постепенно атрофироваться в связи с тем, что третий глаз, расположенный в задней части головы, стал уходить внутрь черепа.

Третий глаз, расположенный сзади, придавал облику ранних лемурийцев двуликость (как бы два лица). Этот глаз был прототипом циклопического (одного) глаза первой и второй рас и мог «видеть» в диапазоне волн тонкого мира, то есть в мире психической энергии (сверхвысоких частот. — *Э. М.*) Насколько я понимаю, этот глаз «видел» примерно так, как «видят» современные йоги, входя в состояние транса или сомати. Две задние руки обслуживали этот третий глаз.

Два передних глаза появились у ранних лемурийцев, как я думаю, в связи с тем, что они начали все больше «опускаться в материю», что потребовало зрения в физическом мире. Постепенно зрение в физическом мире, видимо, начало превалировать над зрением в тонком мире.

По этому поводу Е. П. Блаватская пишет («Тайная доктрина», 1937, т. 2, с. 374):

«Третий глаз, как и в человеке, был вначале единым органом зрения. Два передних физических глаза развились лишь позднее как в животном, так и в человеке, как орган физического зрения, который в начале Третьей Расы был в том же положении, как у некоторых слепых позвоночных. Две передние руки обслуживали два передних глаза».

Итак, ранний лемуриец выглядел весьма своеобразно: огромного роста, четверорукий и двуликий. Наверное, память человечества, пронесенная через миллионы лет, сохранила этот необычный облик в виде изображений и идолов эзотерических богов Индии. По большому счету, ранние лемурийцы были весьма совершенны, так как могли видеть и предпринимать действия как в физическом, так и в тонком мире.

Поздние лемурийцы уже были двурукими и одноликими. Задняя пара рук постепенно атрофировалась, а задний третий глаз ушел в глубину черепа. Но третий глаз не перестал функционировать, так как костная преграда в виде черепа для психической энергии не принципиальна. Духовный элемент в жизни поздних лемурийцев сохранял большую роль, принцип «SoHm» не действовал и они имели связь через «третий глаз» со Всеобщим информационным пространством. Они были высокоразумной и интеллектуальной расой.

Но самым любопытным в отношении поздних лемурийцев явилось то, что у Е. П. Блаватской («Тайная доктрина», 1937, т. 2, с. 247, 248, 410) мы нашли сведения о том, что и в настоящее время существуют прямые потомки лемурийцев, не прошедшие через горнило генетических изменений в четвертой (атланты) и пятой (наша цивилизация) рас. В частности, она пишет:

> *«Можете усмотреть останки этого однажды великого народа [Лемурии третьей расы] в некоторых плоскоголовых аборигенах Австралии», «...туземцы австралийцы — сосуществующие с архаичной флорой и фауной — должны быть отнесены к огромной древности. Все окружение этой таинственной расы, о происхождении которой этнология хранит молчание, свидетельствует истину эзотерической точки зрения», «...пережитки тех поздних лемурийцев, которые избегли гибели, поглотившей их Расу, когда Главный Материк был затоплен, стали предками части настоящих туземных племен» и «...Австралия является сейчас одной из древнейших стран над водами...».*

В «Хронике Акаши» тоже имеются подобные сведения:

> *«Они [лемурийцы] выродились, а потомки их продолжают еще и теперь населять некоторые области нашей земли в качестве так называемых диких народов» (Р. Штайнер, «Из летописи мира»,1992, с. 22).*

В связи с этим исследование аборигенов Австралии, которая, как явствует из этих источников, является частью древнего главного материка Лемурии, представляет для нас большой интерес. Возможно, сохранились анатомо-топографические особенности лемурийцев. Возможно, имеются рудименты дополнительной пары рук. Возможно найти и что-то другое.

Однако наибольшего расцвета добились позднейшие лемурийцы или лемуро-атланты. Поговорим о них подробнее.

Лемуро-атланты

Из всех источников становится ясно, что лемуро-атланты резко отличались и от своих предков — ранних лемурийцев и потомков — атлантов. Они были совершеннее, чем и те, и другие. Один российский Посвященный, рассказывая мне о позднейших лемурийцах, говорил, что в сравнении с ними атланты и люди нашей цивилизации были чем-то, вроде неразумных детей. В «Хронике Акаши» написано, что в начальный период атлантической цивилизации существовали вожди, которые были воплощением бога на земле и души которых были связаны с Высшим Разумом (Р. Штайнер, «Из Летописи мира», 1992, с. 46, 56).

Интерес к лемуро-атлантам подчеркивается еше и тем, что в соответствии с некоторыми версиями они и сейчас являются главными представителями загадочной страны Шамбалы. Их летательные аппараты видят современные люди в виде таинственных летающих тарелок.

Какими же они были — лемуро-атланты? Наиболее подробное описание жизни и гибели лемуро-атлантов мы нашли у Е. П. Блаватской («Тайная доктрина», 1937, т. 2, с. 278, 340, 342, 395, 397, 427, 429, 447, 530, 537) и Лобсанга Рампы («Доктор из Лхасы», 1994, с. 230−232). В этих источниках написано, что лемуро-атланты рождались со способностью ясновидения, охватывающего все скрытые вещи. Зрение их было неограниченно, и они познавали вещи мгновенно. Для них не существовало ни расстояния, ни материальных препятствий. Они были глубоко сведущи в тайнах природы и первоначальной мудрости. Их называли Сынами Богов.

Лемуро-атланты не имели религии, ибо они не знали догм и не имели убеждений, основанных на вере. У них полностью раскрылся «третий (ментальный) глаз», в связи с чем лемуро-атланты чувствовали свое единство с вечно сущим, а также с вечно непостижимым и невидимым Всем, Единым Всемирным Божеством. Это был «золотой век» тех давних времен, век, когда боги ходили по земле и свободно общались со смертными. Когда век этот кончился, боги удалились, т. е. стали невидимыми и позднейшие поколения начали поклоняться их царствам — стихиям.

Лемуро-атланты строили огромные города, используя для этого мрамор, лаву, черный камень, металлы и редкие почвы. Из камня высекали они свои собственные изображения, по размеру и подобию своему, поклонялись им. Древнейшие остатки циклопических сооружений были произведением лемуро-атлантов. Огромные монолиты весом до 500 тонн использовались ими для строительства. Существует предположение, что «висящие камни» в долине Солюсбери (Англия) и египетский Сфинкс являются произведениями лемуро-атлантов.

Цивилизация лемуро-атлантов была самой развитой цивилизацией земного шара. У них были летательные аппараты, на

Сфинкс — творение лемуро-атлантов?

которых они могли покидать Землю. По этому поводу Сатья Саи Баба говорил (Джон С. Хислоп. «Беседы с Бхагаваном Шри Сатья Саи Бабой», 1994, с. 165), что эти летательные аппараты приводились в движение силой мантр, т.е. специальных заклинаний, произносимых человеком, продвинутым в духовной жизни. Другими словами это можно понять так, что для передвижения летательных аппаратов использовалась психическая энергия.

У лемуро-атлантов были летательные аппараты, на которых они могли покидать Землю

Лобсанг Рампа описывает людей гигантского роста, живших вместе с ранними атлантами. Он отмечает, что они были значительно крупнее атлантов, хотя последние были вдвое выше нынешних людей. Этих гигантов Лобсанг Рампа называет «суперинтеллектуалами». В связи с этим имеется много доводов к тому, чтобы считать «суперинтеллектуалов» лемуро-атлантами. Рост лемуро-атлантов достигал 6–8 метров и более.

Летательные аппараты лемуро-атлантов приводились в движение силой мантр, т. е. заклинаний.

Тот же Лобсанг Рампа пишет, что во времена «суперинтеллектуалов» климат на Земле был более теплым, флора более обильной. Земля в то время вращалась по другой орбите и имела планету-близнеца. Сила тяжести была намного меньше.

Удалось у него же найти сведения о конфликтах между разными группами лемуро-атлантов. Конфликты закончились войной, которая привела однажды к ужасному взрыву, изменившему орбиту Земли. После этого люди заметили, что планета-близнец стала приближаться к Земле. Когда планета приблизилась, моря на Земле вышли из берегов, стали дуть невиданной силы ветры. Раса лемуро-атлантов забыла о своих ссорах и поспешно поднялась в небо на своих летательных аппаратах. Они предпочли навсегда покинуть Землю.

Луна — новый спутник Земли

На Земле продолжались ужасные катаклизмы. Подлетающая планета становилась все больше, и вскоре между ней и Землей проскочила огромная искра. Наползли черные облака, наступил ужасный холод. Многие люди (атланты) погибли. После этого Солнце стало удаляться и стало подниматься на Востоке и садиться на Западе. Земля перешла на другую орбиту, у нее появился новый спутник — Луна. Впоследствии люди обнаружили на поверхности Земли большую вмятину*, которая образовалась во время столкновения планет.

Итак, имеется много сведений о том, что цивилизация лемуро-атлантов была наиболее развитой цивилизацией на Земле.

* Видимо, имеется в виду древний Попигайский кратер

Погибли ли они полностью? Некоторые данные свидетельствуют о том, что они до сих пор могут находиться в состоянии сомати как представители Генофонда человечества. По другим данным, лемуро-атланты составляют основу загадочной страны Шамбалы, научившись в процессе эволюции переходить из физического состояния в состояние тонкого мира и наоборот. Николай Рерих, описывая страну Шамбалу, неоднократно указывал, что люди ее способны исчезать или становиться невидимыми. Верить ли всему этому? Не знаю. Но взаимопереходы физического и тонкого миров, я думаю, возможны.

Атланты

Как пишет Лобсанг Рампа («Доктор из Лхасы», 1994, с. 235—237), после катастрофы, вызванной столкновением планет, оставшиеся в живых атланты стали приспосабливаться к жизни в изменившихся условиях Земли. Расы «суперинтеллектуалов», которые могли бы помочь в процессе выживания, уже не было. Как воспоминание о них возникла религия. Жрецы старались, пользуясь религией, подчинить себе людей.

Мамонты и бронтозавры исчезли с лица Земли, так как не смогли приспособиться к новому климату. Небо, ранее бывшее красным, стало другим — голубым. С неба теперь иногда падал снег, ветры стали заметно холоднее, появились приливы и отливы. Люди постепенно становились меньше ростом.

Жрецы атлантов понимали, что без знаний лемуро-атлантов трудно ожидать прогресса общества. Они стали собирать старинные писания лемуро-атлантов и старались расшифровать их. Были предприняты раскопки для обнаружения других источников древних знаний.

Овладение древними знаниями привело к прогрессу. Были построены большие и малые города, ученые не прекращали изобретать все новые средства покорения природы. Люди построили летательные аппараты и стали подниматься в воздух на самолетах без крыльев. Самолеты летали бесшумно и могли замирать над Землей где угодно. Это было достигнуто на том основании, что люди постигли тайну гравитации и научились использовать антигравитацию. Люди могли манипулировать в воздухе огромным камнем с помощью устройства, которое помещалось на ладони. Перевозки производились в основном по воздуху, наземным транспортом пользовались в случае небольших расстояний, перевозки по воде производились редко.

Е. П. Блаватская («Тайная доктрина», т. 2, 1937, с. 533) также пишет о том, что атланты имели летательные аппараты. Здесь же она указывает:

«...Именно от Четвертой Расы получили... наиболее ценные науки о сокрытых свойствах драгоценных и других камней, также химию...»

В «Хронике Акаши» (Р. Штайнер, «Из Летописи мира», 1992, с. 20) написано, что атланты имели власть над тем, что называется «жизненной силой». Например, в хлебном зерне дремлет сила, благодаря которой из него прорастает стебель. Атланты имели приспособления, с помощью которых подобная жизненная сила превращалась в применимую техническую силу, используемую для перемещения летательных и других аппаратов.

Кроме воздействия на гравитацию и использования «жизненной силы» атланты пользовались психической энергией с помощью «третьего глаза». Об этом пишет Нострадамус, указывая, что при строительстве пирамид и подобных монументов атланты переносили камни «взглядом» (видимо, настраиваясь с помощью «третьего глаза» на волновые элементы камня и противодействуя тем самым гравитации). Е. П. Блаватская («Тайная доктрина», т. 2, 1937, с. 375) отмечает, что в процессе эволюции атлантов «третий глаз» начал утрачивать свою функцию, но ими были предприняты меры по искусственному стимулированию «внутреннего зрения».

Итак, овладев необычными для нас силами (антигравитация, «жизненная сила», психическая энергия), атланты создали высокоразвитую цивилизацию, останки которой можно найти и сейчас. Е. П. Блаватская («Тайная доктрина», т. 2, 1937, с. 538) пишет о нынешних свидетельствах цивилизации атлантов следующее:

«...Пирамиды Египта, Карнака и тысячи развалин... монументальный Начкон-Ват в Камбодже... развалины Паленке и Уксмала в Центральной Америке... [цвет] неувядающих красок Люксора — пурпур тирский, яркий вермилон и ослепляющий синий, которые украшают стены этого дворца и также ярки, как в первый день наложения... неразрушимый цемент пирамид и древних акведуков... клинок Дамаска, который может быть свернут, подобно пробочнику,

в своих ножнах, не ломаясь... несравненные оттенки цветных стекол... секрет ковкого стекла...»

Лобсанг Рампа («Доктор из Лхасы», 1994, с. 237) пишет, что для общения друг с другом атланты пользовались телепатией, которая являлась универсальным «языком» для всех. Но постепенно начала развиваться речевая функция, появились разные языки, люди стали плохо понимать друг друга. Было изобретено письмо.

Творения атлантов?

В «Хронике Акаши» (Р. Штайнер, «Из Летописи мира», 1992, с. 18, 19) отмечается, что атланты отличались от современных людей очень хорошо развитой памятью, но меньшей способностью к логике. Авторитетом у них пользовались преимущественно пожилые люди, которые могли оглянуться на свой долголетний опыт.

География материков во времена атлантической цивилизации была иной, чем сейчас. В той же «Хронике Акаши» (с. 17) написано, что атлантический материк располагался на месте Атлантического океана между Европой и Америкой. Е. П. Блаватская («Тайная доктрина», т. 2, 1937, с. 279, 280) выделяет два главных материка Атлантиды: один — в Тихом океане, второй — в Атлантическом. Как отмечает автор, остатками огромного тихоокеанского материка Атлантиды являются Мадагаскар, Цейлон, Суматра, Ява, Борнео и острова Полинезии. О размерах этого материка можно судить также, найдя на карте Сандвичевы острова, Новую Зеландию и остров Пасхи, которые были «тремя вершинами затонувшего материка». Туземцы этих островов никогда не знали друг друга и, тем не менее, все они утверждали, что их остров однажды составлял часть суши огромного материка. Но самым любопытным было то, что эти туземцы говорили на одном языке и имели одинаковые обычаи.

Второй материк Атлантиды располагался в Атлантическом океане и остатками его являются Азорские и Канарские острова. На месте современного азиатского материка были лишь большие острова.

Имеются сведения о том, что атланты были разных наций и подрас. Так, в «Хронике Акаши» (Р. Штайнер, «Из Летописи мира», 1992, с. 23—29) выделяется 7 подрас в расе атлантов. Первая подраса (рмоагали) отличалась высокоразвитой памятью и магической силой слова. Вторая подраса (тлавиатли) приобрела чувство честолюбия и сохраняла в памяти свои подвиги и деяния. Третья подраса (толтеки) характеризовалась передачей своих достижений и дарований своим потомкам, в связи с чем появились клановость и вождизм. Четвертая подраса (пратуранцы) имела усиление своекорыстных желаний и устремлений. Пятая подраса (прасемиты) характеризовалась развитием способности суждения. Шестая подраса (аккадийцы) развила силу мышления, в связи с чем появилась жажда новшеств и перемен. Седьмая подраса (монголы) еще дальше развила силу мышления, но пришла к убеждению, что самое умное есть самое древнее.

Е. П. Блаватская («Тайная доктрина», т. 2, 1937, с. 278, 280, 281, 493, 532, 533) в одном месте выделяет две подрасы атлантов — дэвы и пери, отмечая, что дэвы были сильными гигантами. В другом месте автор разделяет атлантов на людей, имевших облик Будды, и людей, имевших облик статуй с острова Пасхи. При этом она отмечает, что первые были Сынами богов, а вторые — порождением злобных колдунов. Кроме того, у Е. П. Блаватской можно найти разделение атлантов на желтых, черных, коричневых и красных. Причем можно понять, что желтые атланты стали прародителями китайцев, монголов и туранцев, черные — африканских негров, а красные — евреев.

У этого же автора можно найти указание (с. 284, 378, 379) на грех атлантов, который заключался в злоупотреблении новыми технологиями. Из святилища, предназначенного для пребывания бога, была сделана кумирня всяких духовных беззаконий.

Как результат греха появились бесконечные войны между разными группами атлантов. Лобсанг Рампа («Доктор из Лхасы», 1994, с. 238, 239) объясняет причину возникновения войны появлением различных языков среди атлантов.

Этот же автор пишет, что атланты изобретали все новые и новые виды оружия. Появилось лучевое оружие, которое вызывало мутации у людей. Далее было изобретено бактериологическое оружие, результатом применения которого стала ужасная эпидемия инфекционных болезней на Земле. Вскоре было изобретено особое оружие, применение которого привело к появлению невидимых доселе облаков в стратосфере. Земля затряслась и, казалось, закачалась на своей оси. Потопы, пожары и смертоносные лучи убивали людей миллионами. Часть людей спаслась в герметичных кораблях, которые плавали на поверхности воды, часть — поднялась в воздух на летательных аппаратах.

Е. П. Блаватская («Тайная доктрина», т. 2, 1937, с. 278, 439, 466, 534) пишет о войне атлантов следующее. Черные атланты, которые управлялись низшими материальными духами земли и составляли 2/3 человечества, воевали против желтых атлантов, оставшихся верными богам и составлявших 1/3 человечества. Обе группы атлантов отличались друг от друга не только физически, но и духовно. Причем они были глубоко сведущи в первоначальной мудрости и тайнах природы и взаимно антагонистичны в своей борьбе. Автор описывает, как глава желтоликих, видя грехи черноликих, выслал свои воздушные корабли (вимана) с благочестивыми людьми к братьям-правителям со словами (с. 379):

> *«Пусть каждый желтоликий нашлет сон (гипнотический) на каждого черноликого. Пусть даже они (колдуны) избегнут боли и страданий. Пусть каждый человек, верный солнечным Богам, свяжет (парализует) каждого человека, верного лунным Богам, чтобы он не избег своей участи... Когда черноликие проснулись и вспомнили о своих вимана, чтобы спастись от поднимающихся вод, они увидели, что те исчезли».*

Итак, цивилизация атлантов, выжившая после гибели лемурийской цивилизации, постепенно овладела древними знаниями лемуро-атлантов, развила их и стала процветающей цивилизацией. Но постепенно внутри атлантической цивилизации стал накапливаться антагонизм, который привел к войне. Бесконечные войны с использованием все новых и новых видов оружия неизбежно вели к гибели Атлантиды.

Гибель Атлантиды. Всемирный потоп

Информацию об этом нам удалось найти в основном в монументальном труде Е. П. Блаватской («Тайная доктрина», т. 2, 1937, с. 158, 179, 276, 278, 279, 284, 364, 365, 378, 379, 392, 393, 416, 438, 439, 458, 466, 495, 501, 509, 514, 535, 536, 537, 541, 546). Кое-какие дополнения удалось сделать по книгам Р. Штайнера («Из Летописи мира», 1992, с.17) и Лобсанга Рампы («Доктор из Лхасы», 1994, с.239, 240).

Бесконечные войны, в которых пребывали поздние атланты, завершились применением невиданного по своей мощи оружия, которое повлияло на стабильность земной оси. Смещение земной оси вызвало глобальные изменения в земной коре, сопровождающиеся потоплением материков Атлантиды и появлением новых материков.

Последняя фатальная война, проходившая между желтыми и черными атлантами, привела к гибели черных атлантов, находившихся в момент потопления материков под гипнотическим воздействием (телепатическое оружие). Желтым атлантам удалось спастись, улетев на своих летательных аппаратах (вимана) на Землю огня и металла, под которой можно понимать нынешние Гималаи, Тибет и Гоби. Оба главных материка Антантиды затонули.

Всемирный потоп был вызван тем, что «полюса двинулись». Из книги Е. Блаватской можно понять, что «Землей огня и металла» была полярная область (Северный полюс). Отсюда следует, что во времена Атлантиды Северный полюс располагался в районе Гималаев, Тибета и пустыни Гоби. В результате смещения земной оси Северный полюс переместился на нынешнее место.

> *«Во время Всемирного Потопа вся Земля была одной огромной водной пустыней, лишь вершины Гималаев и Тибета вместе с высоким плоскогорьем (Гоби) торчали из воды. На месте пустыни Гоби было обширное внутреннее море, на нем был остров, который в своей несравненной красоте не имел соперников во всем мире и был обитаем последними остатками*

Расы, предшествовавшей нашей. Остров этот, по преданию, существует и посейчас, как оазис, окруженный страшным безлюдием пустыни Гоби».

Лобсанг Рампа пишет, что у атлантов было одно племя, которое в свое время пользовалось особой благосклонностью «суперинтеллектуалов» (лемуро-атлантов). Проживало оно на великолепном берегу одного из морей. После всемирного потопа его территория оказалась поднятой на многие тысячи футов над уровнем моря и окруженной высокими горами (можно предположить, что это — Гоби. — *Э. М.*). Жрецы этого племени предсказали всемирный потоп. Заранее на золотых плитах они запечатлели историю, карту мира, звездного неба, а также передовые научные представления. Эти золотые плиты вместе с образцами инструментов, книг и других предметов были спрятаны в каменных пещерах в нескольких удаленных друг от друга местах, чтобы люди будущего нашли их и узнали о своем прошлом.

В результате подъема территории с этим морем климат здесь сильно изменился, вследствие чего многие жители умерли от охлаждения и разрежения воздуха. Те же, кто выжили, стали предками современных выносливых тибетцев. Именно в этих местах глубоко в горных пещерах спрятаны плиты, в которых сокрыто Знание. В эти пещеры могли попасть лишь немногие из новых жрецов. Другие свидетельства исчезнувшей цивилизации находятся в заброшенном, никем не охраняемом городе, который затерялся среди просторов горного массива Тянь-Шаня.

Указания на то, что в пещерах Тибета и Гоби сокрыто великое Знание, можно найти и у Е. Блаватской. Но этот автор не ведет речь о золотых плитах и книгах, а недвусмысленно намекает на людей в сомати, сохраняющихся в этой области земного шара:

«...Оставшиеся из числа этих Бессмертных людей, спасшихся, когда Священный Остров погиб, — нашли пристанище в Великой пустыне Гоби, где они пребывают и посейчас, невидимые для всех и защищенные от доступа к ним целыми Воинствами Духов» (с. 466); «...в Аирьяна-Ваэджо, где строится Вара... год кажется как один день и ночь... это ясный намек на полярные области» (с. 365); «...туда, в Вара, ты принесешь семена мужей и жен, семена всякого рода скота... чтобы они сохранялись там и не исчерпывались до тех пор, пока люди эти пребудут в Вара...» (с. 364).

Из всего сказанного следует, что во время всемирного потопа, вызванного изменением оси вращения Земли и смещением полюсов, часть атлантов спаслась, переместившись в район Гималаев, Тибета и Гоби. Этот район был во времена Атлантиды полярной областью, но, видимо, с иными климатическими условиями, чем на современном Северном полюсе. В этом районе проживало высокоразвитое племя атлантов. Тем не менее, подъем гор и плоскогорья (Гоби, Тибет) привел к тому, что условия жизни здесь стали весьма суровыми. Часть выживших атлантов стала предками современных тибетцев, другая часть ушла в горные пещеры и вошла в состояние сомати, сохраняя на многие тысячелетия себя и свои знания. В этих же горных пещерах сохраняются золотые плиты, книги и инструменты, свидетельствующие о знаниях атлантической цивилизации.

Авторы отмечают, что спаслись только «благочестивые» люди. Под словом «благочестивые» можно понять — «с чистой душой», то есть люди, способные освободиться от негативной энергии, что является важнейшим условием входа в глубокое сомати.

Спаслась также часть атлантов, плававших на борту полностью герметичных кораблей, а также те, которые были подняты выше уровня моря вместе с землей, на которой жили. Другие погибли под водой, возможно, над их головами сомкнулись горы.

Когда погибла Атлантида? Эти сведения мы нашли только у Е. Блаватской. Она в нескольких местах своей книги отмечает, что всемирный потоп и гибель главных материков Атлантиды произошли 850 000 лет тому назад. Во время всемирного потопа атланты погибли не сразу; оставшиеся в живых погибли в период между 850 000 и 700 000 лет тому назад. Далее у автора встречается противоречие: в одном месте она отмечает, что с 850 000 лет тому назад было полдюжины потопов и последний из них был 100 000 лет тому назад, в другом — что в период между 850 000 и 11 000 лет тому назад потопов больше не было. При этом автор четко отмечает, что всемирный потоп, погубивший главные материки Атлантиды 850 000 лет тому назад, и есть библейский потоп (или потоп Ноя), оставшийся в памяти людей; малые потопы не имеют ничего общего с ним.

Что же произошло 11 000 лет тому назад? У Нострадамуса, Е. Блаватской и в «Хронике Акаши» отмечается, что кроме Гималаев, Тибета и Гоби после всемирного потопа 850 000 лет тому назад остался не потопленным еще один участок суши (в современном Атлантическом океане), который был описан Платоном и везде проходит под названием «остров Платона». На острове Платона осталась в живых группа атлантов, которая не растеряла своих знаний и технологии. Эта группа атлантов жила на своем острове, оказывая влияние на развитие людей нашей зарождавшейся цивилизации на поднявшихся из океана материках. В частности, Е. Блаватская приписывает строительство великих египетских пирамид атлантам острова Платона и называет время строительства пирамид — 78 000 лет тому назад, когда «Египет едва лишь поднялся из вод». Она же отмечает положительное влияние атлантов острова Платона на древних египтян: «Династия древшейших египтян обладала всем знанием атлантов, хотя в их жилах не было больше крови атлантов».

11 000 лет тому назад атланты острова Платона увидели на небосводе новую звезду. Она увеличивалась в размере и вскоре, как описывает Нострадамус, стала обдавать нестерпимым жаром. Это была комета Тифона (по Нострадамусу), которая упала в районе Атлантического океана. В результате падения кометы остров Платона затонул, последние атланты на земном шаре погибли. Тело кометы пробило земную кору, в океан излилась магма. Большое количество пара и пыли поднялось в атмосферу, в результате чего на долгие годы на землю опустилась тьма. Зародившаяся в то время наша цивилизация опять попала в трудные условия выживания.

В китайских источниках также имеется описание Атлантиды, которую они называли Ma li ga si ma. Также указывается, что Атлантида опустилась на дно океана, а спасшийся китайский Ной дал продолжение роду человеческому.

О причинах гибели Атлантиды мы нашли два мнения. Первое мнение (Е. Блаватская) сводится к тому, что причиной всемирного потопа является геологический катаклизм. Второе мнение («Хроника Акаши», Лобсанг Рампа, Нострадамус, та же Е. Блаватская в другом месте ее книги) свидетельствует о роли греха атлантов, который заключался в злоупотреблении знаниями и новыми технологиями.

Рассуждая на тему о причинах гибели Атлантиды, исключить факт периодического геологического катаклизма нельзя. Но нельзя, на наш взгляд, исключить и роль греха атлантов, каким бы старомодным и религиозным это представление ни казалось. Из полученных в экспедиции сведений явствует, что атланты были подключены ко Всеобщему информационному пространству и черпали оттуда знания. Использование знаний, полученных оттуда (следует понимать, от Бога. — *прим. авт.*), для целей войны было и в самом деле великим грехом. И только Бог знает, какое влияние может оказывать тонкий мир (мир психической энергии) на физический мир; может быть, негативная энергия способствует геологическим катаклизмам. Но мы не можем не согласиться с тем, что грех атлантов привел к самой тяжкой карме людей нашей цивилизации, т. е. наши люди (пятая раса) из-за введения Высшим Разумом принципа «SoHm» стали отрезанными от знаний Всеобщего информационного пространства и были вынуждены реализоваться сами. Только редкие Посвященные имеют счастье входить в систему знаний Высшего Разума.

Если собрать отрывочные и разнообразные сведения о взаимоотношениях атлантов и людей нашей цивилизации, приведенные у Е. П. Блаватской («Тайная доктрина», 1937, т. 2, с. 178, 278, 384, 387, 439, 440, 441, 495, 509, 532, 533, 536), в «Хронике Акаши» (Р. Штайнер. «Из летописи мира», 1992, с. 31, 33, 34, 37, 38, 41, 46, 56) и Лобсангом Рампой («Доктор из Лхасы», 1994, с. 240), то получается весьма интересная картина.

Люди нашей цивилизации (пятая, или арийская, раса) появились в недрах атлантической цивилизации примерно за 200 000 лет до всемирного потопа (850 000 лет тому назад), т. е. более чем 1 000 000 лет тому назад. У атлантов тех времен стали появляться дети с необычной для них внешностью — это и были первые люди пятой расы (нашей цивилизации). Вначале это считалось анахронизмом. Но таких детей появлялось все больше и больше. Они были меньше ростом, чем атланты, но в сравнении с современным человеком были выше и крупнее.

В период совместной жизни с атлантами до всемирного потопа на людей нашей цивилизации, как и на атлантов, не распространялся принцип «SoHm», т. е. они тоже были подключены ко Всеобщему информационному пространству. Последнее послание «SoHm» начало действовать значительно позднее — после всемирного потопа.

После всемирного потопа спаслось небольшое количество атлантов, среди которых были желтые, коричневые, красные и черные. Спаслось также небольшое количество людей пятой расы (нашей цивилизации). И атланты и люди нашей цивилизации были спасены Вайсвата Ману (или Ноем), который был, как утверждает Е. Блаватская (с.278), атлантом.

Имеются сведения о том, что люди нашей цивилизации даже после всемирного потопа не переставали воевать с оставшимися атлантами. Видимо, эти войны остались в памяти людей как древние легенды и сказания, повествующие об отважных рыцарях, побеждавших великанов (дэвы и пери) и наделенных колдовской силой («третий глаз»?).

Тем не менее атланты и люди нашей цивилизации размножались не только раздельно друг от друга, но и смешивались между собой. Смешение происходило вплоть до времени, когда погиб последний атлантический остров Платона (11 000 лет тому назад). При этом старшая раса (атланты) все больше теряла свои отличительные признаки и принимала новые черты более молодой расы. Египетская цивилизация, наиболее долго и мирно сосуществовавшая с атлантами острова Платона и смешавшаяся с ними, стала обладать многими тайными знаниями и технологиями атлантов.

В процессе смешения желтые атланты породили китайцев, монголов, туранцев, черные — негров, красные — евреев, коричневые — возможно, европейцев. Отмечаются два истока происхождения человечества — Тибет и Африка. Но, нам кажется, что африканский исток происхождения человечества (наша цивилизация) погиб 11 000 лет тому назад вместе с островом Платона, и превалирующим на земном шаре оказался тибетский исток (что также подтверждается офтальмогеометрическими исследованиями).

Но самым любопытным оказалось следущее: все авторы указывают на то, что после всемирного потопа выжившие люди четвертой и пятой рас (атланты и люди нашей цивилизации) стали управляться «божественными царями». Кто они, «божественные цари»? Памятуя о том, что эти же авторы называли лемуро-атлантов «Сынами Богов», можно предположить, что оставшимися на Земле после всемирного потопа людьми четвертой и пятой рас стали управлять лемуро-атланты. Они (вожди) стали учить потерявших во время всемирного потопа свои технологии и знания людей четвертой и пятой рас развивать технологии, извлекать из земли сокровища и т. д.; души вождей были связаны с Высшим Разумом.

Но откуда появились на Земле лемуро-атланты, погибшие во время предыдущей глобальной катастрофы около миллиона лет до всемирного потопа? Невольно напрашивается вывод о существовании Генофонда человечества, состоящего из людей разных цивилизаций, откуда они могут выходить при необходимости.

Итог

Таким образом, Лемурия и Атлантида, поочередно существующие на Земле, были высокоразвитыми цивилизациями. Но технократическое развитие каждой их этих цивилизаций неизбежно вело к конфликтам и войнам, которые вели к гибели цивилизаций. Земля пережила две глобальные катастрофы: первая погубила лемурийцев, а вторая — атлантов.

Каждая цивилизация зарождалась в недрах предыдущей. Но передачи древних знаний и технологий предыдущей цивилизации не происходило. После глобальных катастроф оставшиеся люди, находящиеся в суровых условиях для выживания, теряли свои знания и технологии, появлялась опасность их полного одичания.

И только знания, сокрытые в глубоких пещерах, и только «божественные цари», появляющиеся невесть откуда, помогали людям развиваться и идти по пути прогресса.

Может быть, и в самом деле существует Генофонд человечества из людей разных цивилизаций в состоянии сомати, который предназначен страховать жизнь на поверхности Земли и который способен в случае глобальных катастроф управлять оставшимися в живых людьми или дать новый росток человеческой жизни? Нашу цивилизацию тоже может постигнуть глобальная катастрофа. Существует ли Генофонд человечества и посейчас? Что там, в сомати-пещерах?

Глава 8

В сомати-пещере

Описывая в книге ход нашей экспедиции в хронологическом порядке, в двух предыдущих главах мы отвлеклись на анализ различных сведений о Будде и людях предыдущих цивилизаций. Позвольте напомнить, что хронологическое изложение экспедиционного материала остановилось на том, что после длинной беседы с Бонпо-ламой мы вдвоем с ним удалились в другую комнату и вели разговор с глазу на глаз.

Я не скажу этого даже Богу

О чем мы говорили с Бонпо-ламой? Читатель, наверное, догадается о естественном моем желании встретиться с Особыми людьми, которые посещают сомати-пещеры, а также о желании хоть в какой-то степени наяву проверить те сведения, которые мы получили о загадочных сомати-пещерах. Скажу лишь, что разговор с Бонпо-ламой привел к длинной веренице дополнительных встреч, в результате которых нам все же удалось выяснить район, где находится одна из сомати-пещер, а также имена двух Особых людей, охраняющих эту сомати-пещеру. Где находится эта сомати-пещера и каковы имена этих двух Особых людей? На этот вопрос я отвечу словами Особых людей: «Я не скажу этого дажс Богу!» Читатель, надеюсь, меня поймет — слишком это свято, и слишком много в мире злых сил.

Что мы хотим найти в сомати-пещере

Собираясь на маршрут к сомати-пещере, мы прекрасно понимали, что беспрепятственно войти в нее и увидеть людей нашей и предыдущих цивилизаций в состоянии сомати нам вряд ли удастся. Накопившиеся сведения о существовании психоэнергетического барьера при входе в сомати-пещеры не могли быть простым вымыслом, поскольку сомати-пещеры, как часть Генофонда человечества, вряд ли могут быть доступны для любого человека, даже имеющего добрые намерения. Если же нам удастся войти в сомати-пещеру, почувствуем ли мы воздействие психоэнергетического барьера? Каким оно будет? Не погибнем ли мы?

К сожалению, люди, особенно скептики, склонны считать, что они знают все и что все тайны природы уже раскрыты. Трудно говорить о неизвестных видах энергии, особенно психического характера. Но, наверное, подобные скептики существовали и в начале нашего века, когда не было ничего известно о ядерной энергии, хотя имели место многочисленные случаи таинственной смерти людей (как сейчас стало известно) в районе урановых залежей. Подобный вариант может иметь место и здесь, поскольку виды психической энергии пока еще труднодоступны для изучения.

Как отреагируют Особые люди на наше появление? Трудно ожидать, что они расскажут то, что они видят при посещении сомати-пещер. Нас предупредили, что доверительные записки о серьезности нашего научного подхода вряд ли помогут и, скорее всего, Особые люди ответят, что не скажут этого даже Богу. Надежда оставалась на изображение гипотетического атланта — возможно, Особые люди видели подобное лицо в пещере и соответствующим образом отреагируют на него. Не исключено, что нас с этим рисунком Особые люди примут за хранителей сомати-пещер из Европы и нам удастся обсудить внешность людей в сомати по принципу: «Наш выглядит вот так, а как Ваш?» Может быть, Особых людей заинтересует наш научный подход по воссозданию внешности людей предыдущих цивилизаций и они внесут какие-то коррективы. Говоря иными словами, мы надеялись не на прямой рассказ Особых людей, а на беседу по косвенным признакам, при которой Особые люди могли бы дать нам информацию, не раскрывая напрямую великого секрета.

Тибетская деревенька

Через горные перевалы мы добрались до небольшой тибетской деревеньки, расположенной на высоте около 3 тысяч метров. Группа наша хорошо прошла длинный горный маршрут. Все-таки мы с В. Лобанковым — мастера спорта по спортивному туризму, а остальные участники экспедиции тоже опытные туристы. Все время вспоминали наш Всероссийский центр глазной и пластической хирургии, который мы создавали, основываясь на моральных принципах дружной туристской группы. Пусть некоторые наши хирурги и ученые перестали заниматься активным спортивным туризмом, но дух туристской спайки действует до сих пор.

Тибетская деревенька, являвшаяся целью нашего маршрута, состояла из небольших каменных домиков, рядом располагалась пагода. Люди здесь живут очень тесно: маленькие комнатки соединяются между собой на разных уровнях крутыми лестницами, стены обычно не имеют штукатурки или обоев. Живут бедно. По вечерам холодно.

Мы не стали останавливаться в каком-либо доме, а поставили палатки недалеко от деревеньки. Всем жителям было очень интересно видеть нас. Дети подолгу сидели около наших палаток и молча глядели на пришельцев. Они стыдливо брали предложенные конфеты и тут же убегали. Никто не говорил по-английски, и нам приходилось общаться только через нашего переводчика Кирама.

Вначале мы стали спрашивать жителей о существовании здесь в горах пещер. Все отвечали, что пещер здесь очень много. Далее мы стали спрашивать о сомати-пещерах и... ни разу не получили ответа: до этого улыбчивые и говорливые люди тут же замолкали и оставляли вопрос без ответа. Складывалось впечатление, что тайну сомати-пещер здесь хранят не только Особые люди, но и все местное население.

В этой же деревне мы нашли двоих Особых людей.

Особые люди

Первому из Особых людей было 60 лет, второму — 95. Оба они выглядели моложе своих лет. Выяснилось, что в сомати-пещеру сейчас ходит только один Особый человек, второй, ввиду преклонности своего возраста, несколько лет как перестал посещать сомати-пещеру. Оба они имели семьи, жили в таких же, как и остальные местные жители, домах.

В течение трех дней мы беседовали с ними на различные темы. Но как только мы касались вопроса сомати-пещеры, то они тут же замолкали. На более настойчивые вопросы о сомати-пещере они коротко отвечали: «Это секрет».

Казалось, что наше путешествие в эту далекую деревеньку постигла полная неудача. Оба Особых человека понимали, что мы пришли сюда не ради праздного любопытства — посмотреть, как они живут, и поговорить о том о сем. Они четко осознавали, что предметом нашего интереса является сомати-пещера, которую они охраняют. Если Особые люди представляли для нас нескрываемо большой интерес, то и мы были для них весьма любопытны. И это любопытство к белым людям, приехавшим из далекой России и знавшим о сомати, постепенно увеличивалось. «Интересно, у них там в России тоже есть сомати-пещеры?»; «Откуда они узнали о нашей сомати-пещере?» — думали, наверное, они. Но обет сохранения великого секрета, данный, видимо, Особыми людьми, не давал им возможности не только что-либо рассказывать, но и даже задавать вопросы.

Оставался последний вариант — показать Особым людям рисунок, изображающий гипотетического атланта, и спросить, видели ли они такое лицо в пещере. Тем не менее, я категорически запретил показывать этот рисунок, оставляя данный вариант для самого ответственного момента разговоров.

Еще через два дня наших встреч с Особыми людьми, и неторопливых бесед о роли Тибета в происхождении человечества на земле, мы почувствовали, что напряженность в наших отношениях сгладилась, появилась взаимная доверительность. Исходя из этого, я набрался смелости и попросил младшего (ему было 60 лет) Особого человека встретиться завтра со мной и поговорить о сомати-пещере еще раз. К счастью, младший Особый человек согласился и назначил время встречи.

На встречу мы отправились втроем: я, Валентина Яковлева и переводчик Кирам.

Что сказал младший Особый человек

Мы уселись друг напротив друга, и я, улыбнувшись, спросил:

— Ведь вам шестьдесят лет, а вы выглядите очень молодо. Скажите, это влияние сомати-пещеры, где вы бываете?

Младший Особый человек тоже улыбнулся и ответил:

— Я до сих пор сохраняю хорошую сексуальную активность, у меня пятеро детей.

— Это влияние сомати-пещеры?

— Я думаю, что да. Там много необычных сил: для кого-то эти силы будут вредны или смертельны, для кого-то — полезны.

— Как долго охраняете вы эту сомати-пещеру? — спросил я.

— Очень много лет прошло с тех пор, как собрание лам утвердило мою кандидатуру после того, как мне удалось пройти испытательную медитацию, — ответил младший Особый человек.

— Что такое — пройти испытательную медитацию?

— Получить доступ в сомати-пещеру в состоянии медитации...

— А кто дает доступ?

— Он!

— Кто это «он»?

— Он — тот, кто находится в сомати-пещере!

— «Он» — это человек?

— Да, человек в состоянии сомати.

— Этот человек имеет обычную или необычную внешность?

Молчание.

— Вы ходите в сомати-пещеру по одному или вдвоем со старшим Особым человеком? — немного уйдя от темы, спросил я.

— По одному. А сейчас я — единственный хранитель сомати-пещеры. Старший Особый человек слишком стар, чтобы ходить в сомати-пещеру. После его смерти собрание лам утвердит новую кандидатуру, если, конечно, он пройдет испытательную медитацию, — ответил младший Особый человек.

— Как часто вы ходите в сомати-пещеру?

— Я бываю там один раз в месяц.

— Как долго вы пребываете в сомати-пещере?

— Я пребываю там в среднем три часа.

— В какой день месяца вы ходите в сомати-пещеру?

— Вход в сомати-пещеру разрешен только в полнолуние, а также через 11 и 12 дней после полнолуния. Я хожу во время полнолуния. Вход разрешен не во все пещерные залы, а лишь в определенные...

— А в других пещерных залах тоже находятся люди в сомати? — не удержался и спросил я.

— Это секрет, — ответил младший Особый человек.

— В пещере, насколько я понимаю, полная темнота. Вы ходите туда с фонариком?

— Да. Но разрешено применять только слабые фонарики, да и то не везде.

— Перед входом в пещеру вы молитесь?

— Я начинаю входить в состояние медитации за неделю до входа в сомати-пещеру. А когда вхожу в первую комнату пещеры, которая отделяется от сомати-зала небольшим лазом, я начинаю молиться и усиливаю свою медитацию. Только после этого я могу идти к Телу.

— Как выглядит Тело?

Молчание.

— В первой комнате пещеры, где вы молитесь и усиливаете свою медитацию, вы ощущаете действие необычных сил? — опять отходя от вопросов о человеке в сомати, спросил я.

— Да, — ответил младший Особый человек, — именно в этой комнате начинается ощущение необычных сил. Молитва и углубление медитации нужны для того, чтобы приспособиться к действию этих сил. Если тебе это не удается — ты ощущаешь, что идти в пещеру нельзя.

— Почему?

— Можно погибнуть.

— А как вы чувствуете, что не удалось приспособиться к действию необычных сил?

— Возникает головная боль и... не очень хочется идти в пещеру.

— Не хочется?

— Хочется уйти из пещеры. Возникает чувство возмущения от того, что не смог приспособиться. Это смертельно опасно, если ты войдешь в пещеру неподготовленным, — горячо сказал младший Особый человек.

— Как часто бывают неудачи, когда не удается приспособиться к действию необычных сил?

— Вначале они были довольно частыми. Но если мне не удавалась попытка войти в пещеру в полнолуние, я повторял попытку через 11 или 12 дней. Постепенно количество неудачных попыток уменьшалось, и сейчас я вхожу в сомати-пещеру почти каждый раз удачно.

— Обычный человек может войти в сомати-пещеру?

— Это очень опасно. Смертельно опасно. Дорога там плохая. Много змей.

— Но известно, что в пещере температура +4 °С, которая является слишком низкой для змей.

— В этой пещере живет бог змей.

— ?..

— Это мистические змеи. В пещере полная тишина. Эти «змеи» оказывают влияние на вошедшего человека.

— Какое?

— Тебе не хочется идти в пещеру. Болит голова. Если преодолеть это — наступит смерть.

Вместе с младшим Особым человеком

— Опишите более подробно сомати-пещеру, — попросил я.

— Первый зал, в котором ты начинаешь ощущать действие необычных сил, — сказал младший Особый человек, — является довольно большим. В нем нет людей в состоянии сомати. Самым опасным местом является узкий и высокий лаз, соединяющий первый зал с другими залами; в нем как бы концентрируются необычные силы. За этим лазом следуют сомати-залы, в определенные из которых я имею доступ.

— Что вы видели в сомати-залах?

— Это секрет.

— В каком из залов находится человек в сомати?

— Это секрет.

— Войдя в сомати-зал, вы разговариваете с человеком в сомати?

— Я имею право только смотреть, разговаривать я не имею права. Человек в сомати может разговаривать, но я не имею права говорить.

— О чем говорил человек в сомати?

— Это секрет.

— Разговаривая, человек в сомати открывает рот?

— Немного открывает. Но разговаривает он очень редко.

— Как выглядит тело человека в сомати?

— Почти как нормальное тело, может быть, чуть более желтоватое.

— Человек в сомати облачен в одежду или нет?

— Он одет. Но может быть и без одежды.

— Как вас понимать?

Молчание.

— Вы видели у человека в сомати «третий глаз»?

— Третьего глаза нет. Я его никогда не видел.

— Каковы размеры тела человека в сомати — большие или обычные?

— Это секрет.

— В каком положении лежит человек в сомати? — продолжал спрашивать я.

— Он сидит, — ответил младший Особый человек.

— Сидит?

— Да, он сидит в позе Будды.

— Прикасается к стене?

— Нет.

— Вы трогали человека в сомати?

— Да.

— Какое у него тело?

— Холодное и плотное.

— А почему вы имеете доступ только в определенные сомати-залы? Что в остальных сомати-залах?

— Я не скажу этого даже Богу!

— Какие глаза у человека в сомати?

Молчание.

— Какой у него нос?

— Это секрет.

Тогда я вынул рисунок с изображением гипотетического атланта и протянул его младшему Особому человеку. Тот внимательно посмотрел на него, несколько раз приблизил к глазам и отложил в сторону.

— Что вы можете сказать об этом? — спросил я.

Младший Особый человек скороговоркой произнес дважды какую-то фразу.

— Что он сказал? — спросили мы у Кирама.

— Он произнес дважды какую-то религиозную фразу. Я не могу ее понять. Но он очень взволновался, — ответил переводчик Кирам.

— Дальнейшие расспросы не привели к успеху: младший Особый человек молчал или говорил, что это секрет. Мы поблагодарили его, забрали рисунок и пошли к своим палаткам. В лагере после нашего рассказа было много бесед и рассуждений.

— Если ему предложить деньги, — говорил Сергей Селиверстов, — то это будет святотатством. Хотя посмотрите, как они бедно живут. Но есть вещи, которые за деньги не купишь. Духу деньги не нужны.

— То, что покупается за деньги, не может быть свято, — сказала Валентина.

— Вот умер Рокфеллер — богатейший человек мира, — с жаром продолжал Сергей, — и что от него осталось: в гробу он был одет в костюм, ну, наверное, за 500 долларов. Этот костюм есть итог того, что он сделал в своей жизни. Свой дух Рокфеллер вряд ли обогатил, вся его жизнь была посвящена только одному — зарабатыванию денег. В СССР богом был Ленин, и люди поклонялись этому псевдобогу. В США реальный бог — доллар, и Рокфеллер всю жизнь поклонялся этому псевдобогу. Люди в мире изучают наследие Рериха, но никто не изучает наследие Рокфеллера. А ведь Лужков — молодец; восстановив храм Христа Спасителя, он увековечит свое имя.

— По сути дела, — сказал Валерий Лобанков, — младший Особый человек секрета не раскрыл, хотя подтвердил наличие психоэнергетического барьера и присутствие в пещере человека в сомати.

— Я думаю, что в пещере находится атлант, — сказал Венер Гафаров. — Ведь младший Особый человек, как вы говорите, среагировал на наш рисунок. На мой взгляд, сомати-пещеры и есть Шамбала, которая является «академией для мастеров», куда они ходят для подпитки духовной энергией.

Но... оставалось множество «но». На следующий день мы с Валерием Лобанковым пошли встречаться со старшим Особым человеком. Мы были абсолютно убеждены в том, что разговор нужно вести не напрямую, а лишь осторожно задавая косвенные вопросы.

Что сказал старший Особый человек

95-летний возраст старшего Особого человека все же чувствовался: на одном глазу явно проглядывалась катаракта, но второй глаз видел хорошо, тело его было худым, определялась затрудненность движений в суставах. Но он был полностью в здравом уме, нередко шутил, говорил быстро и с молодецким задором.

Старший Особый человек вместе с переводчиком Кирамом и Валерием Лобанковым

В маленькой комнатке у него дома мы с Валерием и переводчиком Кирамом уселись на стулья. Я открыл сумку, достал рисунок с изображением гипотетического атланта и молча протянул его старшему Особому человеку. Тот внимательно разглядел рисунок, наклоняя голову, чтобы смотреть видящим глазом. Мы с Валерием внимательно наблюдали за ним. Но никакой реакции на его лице не отразилось. Старший Особый человек отложил рисунок и сказал:

— Я ничего не скажу о сомати-пещере. Это большой секрет.

— Объясните, пожалуйста, что такое сомати, — попросил я.

— Этого я тоже не могу сказать. Об этом я не скажу даже Богу. И другой Особый человек тоже не скажет об этом.

Мы переглянулись с Валерием; с самого начала нас постигла полная неудача.

Тогда я подошел к старшему Особому человеку, деликатно взял наш рисунок, поднес к его глазам и с напором сказал:

— Мы уже много лет ищем в пещерах человека в сомати вот с такой внешностью. У него маленький нос, огромные глаза, маленькие уши, он огромного роста, с большой грудной клеткой. Вы видели такого человека в вашей сомати-пещере?

Старший Особый человек просверлил меня своим единственным видящим глазом, потом отвернуся и громко сказал:

— Я такого не видел.

— Может быть, вы не видели такого человека в тех залах сомати-пещеры, в которые вы имеете доступ. Может быть, такой человек находится в других залах пещеры, — сказал я также с напором.

— Это секрет.

— Тем не менее я убежден, что в пещерах есть люди в сомати, имеющие такую внешность, — я опять показал на наш рисунок.

— В тех залах пещеры, куда я имею доступ, людей с такой внешностью нет. Есть похожие...

Мы переглянулись с Лобанковым. Валерий шепотом сказал:

— Их там много!

— Если в тех залах пещеры, куда вы имеете доступ, находятся похожие на этот рисунок люди в сомати... — я специально сделал паузу.

— Не все похожи, — сердито сказал старший Особый человек.

— А в других залах пещеры, — продолжал я, — должны быть люди в сомати, точно такие, как этот человек на рисунке.

— Они тоже не совсем такие. Но это секрет, — ответил старший Особый человек.

После этого он взял наш рисунок в руки и вдруг сказал:

— Я очень взволнован, видя это! Откуда у вас этот рисунок?

Я выдержал многозначительную паузу.

— Я хотел бы вас спросить, — вопросом на вопрос ответил я, — вы видели в пещере людей в сомати, имеющих «третий глаз»?

— Нет, «третьего глаза» у них нет. Это символ.

— В вашей пещере есть люди в сомати вот с такими большими необычными глазами с типичными для них искривлениями век?

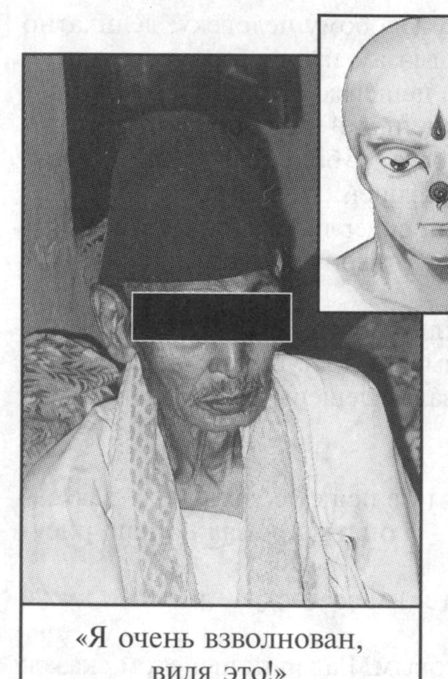

«Я очень взволнован, видя это!»

Я показал все это на рисунке.

— Некоторые люди имеют большие необычные глаза, другие имеют обычные глаза, — ответил старший Особый человек.

— Видели ли вы в вашей пещере людей вот с таким маленьким, спирально-клапановидным носом?

— Нет, форма носа у них другая. Но у одних людей в сомати нос маленький, у других — большой, как у обычных людей.

— А в других залах пещеры, куда вы не имеете доступа, могут ли быть люди в сомати с таким маленьким спирально-клапановидным носом?

— Это секрет.

Лобанков потянулся к моему уху и прошептал:

— «Это секрет» звучит как «да».

— Скажите, у людей в пещере уши большие или маленькие, как на рисунке? — продолжал я анатомический расспрос.

— В пещере у людей уши большие. У одних они очень большие, у других — как у обычных людей. Но таких маленьких ушей, как на рисунке, я не видел, — ответил старший Особый человек.

Мы с Лобанковым еще раз переглянулись, думая: «Ошибочка вышла у нас с ушами».

— У людей в пещере рот такой же, как на рисунке?

Старший Особый человек пригляделся к рисунку и ответил:

— Нет, у них не такой рот. Их рот как у обычных людей. Но... может быть, и совсем другой рот.

— Какой?

— Это секрет.

Мы снова переглянулись с Лобанковым.

Может быть, там, в залах пещеры, куда не имеет доступа этот Особый человек, находятся в сомати люди, у которых маленький спирально-клапановидный нос и необычный рот?

При воссоздании облика атланта по рисункам на тибетских храмах мы испытывали трудности как раз с этими частями лица. Видимо, мы ошиблись. Кто его знает, может быть, в этих пещерных залах, куда не ходят даже Особые люди, сидят в сомати загадочные лемуро-атланты, а в доступных залах располагаются атланты и люди нашей цивилизации. Может быть, этот Особый человек видел в соседнем пещерном зале лемуро-атланта? По крайней мере по его рассказу есть основания думать так.

— У людей в пещере большая грудная клетка или обычная? — спросил я.

— Некоторые имеют большую грудную клетку, некоторые — обычную, — ответил старший Особый человек.

— А какой у них рост?

— Я не могу сказать, они сидят.

— А все-таки, люди в пещере большие или маленькие?

— Одни большие, другие — как обычные люди.

— У людей в пещере череп большой или как у обычных людей?

— Черепа у них разного типа. Некоторые имеют очень большой череп, некоторые — большой и удлиненный в виде башни, некоторые обычный. Все они с длинными волосами.

Мы с Лобанковым снова посмотрели друг на друга. Складывалось впечатление, что в пещере находятся люди разных цивилизаций в состоянии сомати.

Вдруг старший Особый человек взял в руки наш рисунок и сам, не дожидаясь нашего вопроса, сказал:

— Если люди в пещере имеют такое лицо, как на рисунке, то тело у них большое и толстое. Если они имеют обычный тип лица, то и тело у них тоньше.

Мы с Лобанковым замолкли. Старший Особый человек как бы косвенно признал, что в пещере находятся люди, имеющие внешность, подобную внешности нашего гипотетического атланта (конечно, с определенными коррективами).

— А вы видели у людей в пещере перепонки между пальцами рук или ног? — выйдя из оцепенения, спросил я.

— Нет, не видел. У них пальцы рук и ног обычные, но с очень длинными ногтями.

— А вы раскрывали пальцы рук или ног, чтобы увидсть перепонки?

— Нет, не раскрывал.

Лобанков прошептал: «Посмотри на свои сжатые пальцы — перепонок нельзя было бы увидеть». Я кивнул. Наступило время задавать контрольные вопросы; в науке необходим двойной или тройной контроль. То есть мне предстояло еще дважды задать главные из заданных вопросов и проверить, говорит ли старший Особый человек то же самое, нет ли тут элемента фантазии. Если он фантазировал, то рано или поздно он собьется и будет говорить другое.

— Скажите, — как ни в чем не бывало, спросил я, — а все-таки «третий глаз» вы видели у людей в пещере?

— Я же говорил, что это только символ, — ответил старший Особый человек.

— А может быть, люди с большим черепом имеют «третий глаз»?

— Если только ставят его себе, — усмехнулся старший Особый человек.

— А глаза у людей в пещере какие?

— У некоторых большие, у некоторых — обычные, как у всех людей.

— Как выглядят большие глаза у людей в пещере?

— Я не могу описать точно. Но они не такие, как у обычных людей.

— Вы обращали внимание на необычную кривизну верхних век у людей с большими глазами?

— Нет, я не приглядывался. В состоянии сомати глаза полузакрыты. Могу только сказать, что большие глаза выглядят необычно.

Лобанков прошептал:

— А ведь правду говорит. Необычную кривизну верхних век заметит только офтальмолог.

— Видели ли вы людей в пещере с очень маленьким носом? — продолжал я задавать контрольные вопросы.

— Я уже говорил, что у одних людей в пещере нос маленький, у других — большой, как у обычных людей, — ответил старший Особый человек. — Он не такой, как на вашем рисунке.

— А в других залах пещеры, куда вы не имеете доступа, есть люди с таким носом?

Я показал на рисунок.

— Это секрет.

Наступило молчание. Чувствовалось, что старший Особый человек не фантазирует: повторные его ответы почти точно совпадали с первыми.

Вдруг старший Особый человек взял в руки наш рисунок и снова сказал:

— Я очень взволнован видом этого лица!

— А какая голова у людей в пещере? — не унимался я с контрольными вопросами.

— То, что я сказал раньше, верно: у одних голова большая, у других — башневидная, у третьих — обычная.

— Каковы размеры туловища у разных людей в пещерах?

— Я ведь уже говорил это, — сердито ответил старший Особый человек.

Я понял, что задавать контрольные вопросы больше не следует.

Лобанков в очередной раз прошептал мне в ухо:

— А ведь не фантазирует. Правду говорит!

Я решил повести разговор в другом аспекте, чтобы потом опять вернуться к третьей серии контрольных вопросов.

— Как вы думаете, велика ли роль сомати в сохранении человечества на земном шаре?

— Если медитация прошла успешно, то можно войти в сомати, если неудачно — войти нельзя. О роли сомати для человечества я не хочу говорить — это секрет, — ответил старший Особый человек.

— Современный человек может войти в долгое сомати?

— Современный человек не может, потому что для этого надо иметь силу от Бога. Древние люди входили в сомати в пещерах и могли войти в это состояние на очень долгий срок.

— Можно ли найти в пещерах очень древних людей?

— Это секрет.

«Звучит как "да"», — подумали мы с Лобанковым.

— Я думаю, что люди с большим черепом, необычными глазами, маленьким носом, большими ушами, большим телом и с большой грудной клеткой являются наиболее древними людьми. Так ли это? — спросил я.

— Это секрет.

— Можно ли найти в вашей пещере людей в сомати вот с такой внешностью? — я показал на рисунок гипотетического атланта.

— Это секрет.

— Могут ли сохраняться в пещерах люди предыдущих цивилизаций в состоянии сомати?

— Могут. Это возможно.

— Как долго в состоянии сомати может находиться человек в пещере?

— Это зависит от силы духа. Человек в сомати может находиться в пещере и тысячу лет, и миллионы и более лет. Но я прожил всего 95 лет, поэтому мне это трудно сказать, — ответил старший Особый человек.

— Сколько лет вы исполняете миссию Особого человека, охраняющего сомати-пещеру? — продолжал я задавать вопросы.

— Очень много лет.

— А точнее — сколько лет?

— Очень много лет.

— За все эти годы вы ни разу не видели, как человек в пещере вышел из состояния сомати?

— Нет, такого не было.

— А на вашей памяти было так, что кто-либо вошел в состояние сомати в охраняемой вами пещере?

— Нет, такого не было... хотя некоторые люди Тибета хотели войти в сомати в моей пещере.

— А почему им это не удалось?

— Они не смогли пройти испытательную медитацию. Я же говорил, что современные люди имеют слабую силу духа. Древние люди имели сильный дух.

— То есть, — продолжил я, — им не удалось войти в пещеру?

— Да, они не смогли войти в пещеру, даже несмотря на то, что хорошо владели медитацией и имели опыт вхождения в сомати, — ответил старший Особый человек.

— Они не смогли пройти психоэнергетический барьер! — тихо сказал мне Лобанков.

— Кто не пустил их в пещеру?

— Он!

— Кто это — Он?

— Это секрет.

Мы с Валерой переглянулись: скорее всего, только лемуроатлант, как представитель наиболее высокоразвитой цивилизации на земле, мог обладать такой силой психической энергии.

— Как вы думаете, — спросил я, — можно ли входить в состояние сомати многократно?

— Я такого не видел.

— А все-таки, как вы думаете, возможно ли многократное вхождение в сомати?

— Говорят, такие люди есть. Но об этом лучше знают ламы. Я таких людей не видел.

— После выхода из состояния сомати человек может жить обычной жизнью?

— Не знаю, я этого не видел.

— А все-таки, как вы думаете?

— Я этого не видел, поэтому не могу сказать. Спросите лам, они должны знать.

— А может ли выйти из сомати человек, не похожий на обычных людей?

— Я не видел этого.

— Значит, — продолжал домогаться я, — люди с необычной внешностью просидели неподвижно весь тот период, когда вы охраняли пещеру?

— Да. Но сидят неподвижно не только люди, имеющие необычную внешность, но также и люди с обычной внешностью, — ответил старший Особый человек.

— Они не разу не шевельнулись?

— Нет.

— В пещере вы разговаривали с людьми в сомати?

— Это секрет.

— Как вы думаете, могли бы люди с необычной внешностью, если бы они вышли из состояния сомати, жить на земле как обычные люди?

— Могли бы, но по-другому.

— Как?

— Об этом лучше знают ламы.

— Известно, что Будда имел необычную внешность. Может быть, Будда тоже вышел из сомати в какой-либо пещере?

— Я не знаю этого.

— Необычные люди в пещере похожи на Будду?

— Некоторые похожи, некоторые нет.

Нам с Валерием Лобанковым эта информация была особенно приятна, так как подтверждала наши смелые предположения о смешанных сомати-пещерах, с целой гаммой представителей разных земных цивилизаций.

— Как вы думаете, что толкает людей к прерыванию состояния сомати? — спросил я.

— Это должны знать ламы, — опять ответил старший Особый человек.

— Говорит только то, что знает, — тихо прокомментировал Лобанков.

— С какой целью люди входят в сомати и находятся в пещерах тысячелетия, а то и миллионы лет?

— Я думаю, большинство входят в сомати для того, чтобы увидеть будущее и сохраниться для этого.

Старший Особый человек говорил о людях в сомати, как врач говорит о пациентах, не считая это чем-то необыкновенным. Интересно, понимает ли он, что здесь заложено гораздо большее — Генофонд человечества?

— Скажите, — спросил я, — какова роль сомати-пещер? Считаете ли вы, что таким образом сохраняется Генофонд человечества, то есть тот фонд людей, который может возродить человечество на земле в случае глобальной катастрофы?

— Я всего лишь охраняю сомати-пещеру, и не мне судить об этом.

— Тем не менее вы посвятили свою жизнь охране сомати-пещеры. Наверное, вы задумывались над тем, что охраняете.

— Поскольку сомати-пещеры хорошо защищены, роль их для людей, я думаю, очень велика. Какова роль сомати-пещер для людей на земле — это лучше знают ламы. Но это большой секрет.

— А почему в сомати-пещере находятся не только обычные люди, но и необычные — не похожие на нас с вами? — не унимался я.

— Необычные люди очень древние. А сомати может быть очень долгим, — ответил старший Особый человек.

— Кто защищает сомати-пещеры?

— Дух.

— Чей дух?

— Его.

— Кто это «Он»?

— Это большой секрет.

— Что вы делаете в сомати-пещере, ежемесячно по три часа бывая там?

— Я смотрю, все ли там в порядке.

— А что именно? Смотрите, не упал ли камень, правильно ли положение тел в сомати?

— Не только это.

— А что еще?

Молчание.

— В какой позе сидят люди в сомати?

— Люди в пещере всегда сидят в позе Будды, — ответил старший Особый человек.

— То есть ноги подогнуты под себя. А как располагаются их руки? — стал уточнять я.

— Руки у них лежат на коленях.

— Глаза у них, как вы говорили, полузакрыты. А каково положение глазных яблок?

— Они повернуты вверх так, что виден только белок.

— Как у спящего человека, — прошептал я Лобанкову, — а у умершего человека глазные яблоки располагаются прямо. Это доказательство того, что люди в сомати живы.

— На чем сидят люди в состоянии сомати?

— Обычно они под себя стелют тигровую шкуру.

— Почему именно тигровую шкуру?

— Не знаю.

— Вы трогали людей в сомати?

— Конечно.

— Что вы можете сказать о своих ощущениях?

— Тело плотное и холодное.

— Люди в сомати живые?

— Конечно.

— Знаете ли вы людей, которые при вашей жизни вошли в сомати? Про вашу пещеру я не спрашиваю; вы говорили, что в ваш период там никто не вошел в сомати. А в других местах? — спросил я.

— Много лет назад в этом веке один человек из Непала по имени Сурадж Баджра, которого я знал, ушел в Тибет в пещеру и вошел там в состояние сомати. Он и сейчас находится в той пещере, — сказал старший Особый человек.

— Этот человек, по имени Сурадж Баджра, смог пройти испытательную медитацию при входе в сомати-пещеру?

— Я не знаю. Он входил в сомати не в моей пещере. Может быть, он вошел в сомати в обычной пещере, где не нужна испытательная медитация. А может быть, он обладал очень высокой силой духа, как у древних людей, и смог пройти испытательную медитацию.

— Из ваших слов я могу сделать вывод, что некоторые сомати-пещеры защищены духами, а некоторые — нет. Скажите, именно те сомати-пещеры, где есть наиболее древние люди с необычной внешностью, защищены духами?

— Это секрет.

— Есть ли еще в мире сомати-пещеры?

— Да, такие пещеры есть в Непале, Тибете, Китае, Индии.

Наступило время провести третью контрольную серию вопросов, хотя мы с Лобанковым были уже почти убеждены в том, что старший Особый человек говорит правду.

— А какие глаза у людей в пещере? — тем не менее спросил я.

— Я же говорил, что у одних — большие, необычные, у других — обычные, как у людей, — сердито ответил старший Особый человек.

— А какой у них череп?

— Я же говорил, что у одних большой, у других — башневидный, у третьих — обычный, — недоуменно посмотрев на меня, сказал старший Особый человек.

— А какой у людей в пещере нос?

— Все верно, что я раньше сказал, — оборвал меня он.

— А какие уши?

Старший Особый человек взглянул на меня как на непонятливое малое дитя.

Лобанков прошептал:

— Хватит! А то он рассердится!

— Скажите, — подойдя к главному вопросу, спросил я, — а можно нам зайти в сомати-пещеру?

Наступило молчание. Старший Особый человек, видимо, не ожидал такого вопроса.

— Вы не пройдете испытательную медитацию, — ответил он. — Никто ее не смог пройти перед входом в пещеру, кроме меня и младшего Особого человека.

— А все-таки?

— Это смертельно опасно.

— У нас добрые намерения...

— Это не имеет значения.

— Тем не менее можно попробовать?

Чувствовалось, что старший Особый человек симпатизировал нам.

— Я подумаю, приходите завтра, — ответил он.

Мы тепло попрощались со старшим Особым человеком, подарили ему рисунок с изображением нашего гипотетического атланта и ушли.

На улице Лобанков сказал:

— Как нам повезло! Какой он молодец! Мы получили уникальные сведения от человека, который всю свою жизнь проработал напрямую с людьми в сомати. Но что примечательно — их там много, причем разных цивилизаций. Это Генофонд человечества! Пустят ли нас туда?

На следующий день мы с Лобанковым пришли к старшему Особому человеку и еще раз попросили у него разрешения хотя бы взглянуть на сомати-пещеру. При этом мы заверили, что от лам уже знаем, что пользоваться фото- и видеоаппаратурой строго запрещено.

— Я еще раз хочу вам сказать, что вход даже в первый зал сомати-пещеры смертельно опасен, — тихо проговорил старший Особый человек.

— Мы понимаем это, — тут же ответил я.

— Я поговорил с младшим (Особым человеком. — *Э. М.*). Мы решили разрешить одному из вас войти в первый зал пещеры. А дальше вы все равно не пройдете, вы не сможете пройти испытательную медитацию. Никто не мог преодолеть это! — сказал старший Особый человек.

— Спасибо.

— Но имейте в виду, — продолжал старший Особый человек, — если вы почувствуете себя плохо, уходите обратно. В противном случае вы погибнете. Ясно?

— А фонарик взять можно? — спросил Лобанков.

— Можно, но слабый.

Пустят ли нас в сомати-пещеру?

Возвращаясь в лагерь, мы терялись в догадках о причинах допуска одного из нас в первый зал сомати-пещеры.

— Наверное, им легче допустить нас в первый зал пещеры и показать, что пещера непроходима, чем стеречь нас: а вдруг мы выясним, где находится сомати-пещера, пойдем туда самостоятельно и погибнем, — сказал Лобанков.

— Они могут опасаться, — предположил я, — что мы пойдем туда всей группой. С одной стороны, мы можем все погибнуть, в связи с чем у них будет множество хлопот, с другой стороны, наши объединенные торсионные поля могут дестабилизирующе подействовать на состояние сомати-людей в пещере. Вспомним рассказ о том, как полк китайских коммунистов прорвался в одну из сомати-пещер.

— Вполне возможно, — продолжал Лобанков, — что они **принимают нас за Особых людей**, охраняющих сомати-пещеру в России, и хотят посмотреть, сможет ли российский Особый человек проникнуть в тибетскую сомати-пещеру. То есть срабатывает принцип: а можете ли вы, иноземцы, делать то, что можем мы?

— Может быть.

Вечером решили, что в сомати-пещеру пойду я.

Вчетвером мы (младший Особый человек, я, Лобанков и переводчик Кирам) покинули поселок. Два-три километра мы шли по проселочной горной дорожке, идущей вдоль горного ущелья. Далее младший Особый человек свернул на незаметную тропинку, которая стала подниматься вверх по горному склону. Пройдя зону каменистых осыпей, мы вступили в царство скал. Младший Особый человек, лавируя меж скальных глыб, подвел нас к небольшому пещерному углублению в скале.

— Это и есть сомати-пещера? — спросил я.

— Да, — ответил младший Особый человек.

Я вспомнил, что ламы говорили, будто сомати-пещеры скрыты. На самом деле в окружающих скалах на безлюдном горном склоне можно было найти множество подобных пещерных углублений. А сколько таких пещерных углублений и гротов в окружающих горах, панорама которых открывалась перед нами?!

В сомати-пещере

— Мы на месте, — еще раз сказал младший Особый человек.

Мы сели, перевели дыхание, и я стал готовиться к входу в сомати-пещеру. Был полдень. К сожалению, мы попали не в полнолуние, во время которого Особые люди входят в сомати-пещеру.

Я надел на себя гортексовую куртку, положил в карман лыжную шапочку и на всякий случай взял с собой веревку (репшнур) и альпеншток. Проверил, работает ли тусклый фонарик.

Небольшой лаз, в который я вошел, через несколько метров расширился. Я вернулся обратно, высунул голову из лаза и попросил у младшего Особого человека разрешения сфотографировать меня здесь. Младший Особый человек, категорически запрещавший фотографировать вход в сомати-пещеру, разрешил сфотографировать меня в расширении лаза. Один раз, но не более. Лобанков сделал это.

Все остались у входа в сомати-пещеру. Я пошел вглубь. За указанным расширением лаза начался узкий проход двух-трехметровой ширины. Пройдя по нему 25—30 метров, уже в полной темноте я встретил в наиболее узком месте железную дверь, запертую на замок. Я в недоумении остановился.

Вдруг сзади я услышал звук шагов. Сердце екнуло. Я посветил фонариком и увидел младшего Особого человека. Он молча приблизился ко мне (мы не могли говорить без переводчика), открыл замок и так же молча удалился назад, на поверхность.

При свете фонарика я осмотрел дверь. Она была сделана из пяти-шестимиллиметрового железа и раскрашена красной, коричневой и желтой краской. Разводы краски выявляли три фигуры, отдаленно напоминавшие глаза. Дверь была вмонтирована в скалы и скреплена цементом.

Наклонившись, я прошел в дверь. Почему-то подумалось: как бы кто не запер ее за мной.

Пройдя еще несколько метров, я оказался в просторном зале. Мне стало холодно. Я надел лыжную шапочку. Пройдя по залу 15—20 метров, я остановился и прислушался к своим ощущениям. Никакого воздействия на себя я не чувствовал. Я выключил фонарик и простоял несколько минут в темноте: абсолютная темнота, какая может быть только в пещерах, и полная тишина. Еще раз прислушался к своим ощущениям — все нормально и только ритмичное биение сердца напоминало о том, что я жив. Страха не было — видимо, сказывалась многолетняя спортивная и хирургическая привычка уметь концентрироваться в сложных ситуациях.

Я включил фонарик и пошел дальше. Вскоре на противоположной стороне зала я увидел еще один, примерно двухметровой ширины, лаз. «Наверное, это тот лаз, в котором начинает действовать психоэнергетический барьер сомати-пещеры», — подумал я.

Внимательно прислушиваясь к своим ощущениям, я приблизился к этому лазу. Все было нормально. Но за один-два метра до входа в лаз я ощутил легкое чувство тревоги. Вначале я подумал, что я все-таки боюсь, и постарался заглушить в себе это чувство. При входе в лаз я неожиданно ощутил чувство непонятного страха, которое через несколько десятков шагов по лазу так же неожиданно исчезло, но сменилось чувством непонятного и сильного негодования. Еще через несколько десятков шагов началась головная боль.

Вообще-то я могу сказать о себе, что я человек не робкого десятка, быть в горах и пещерах мне не впервой. Я явно ощущал, что страх и негодование были какими-то наведенными, то есть причина была не во мне.

Еще через несколько шагов вперед чувство негодования усилилось, а головная боль стала распирающей. Преодолевая эти ощущения, я прошел вперед еще около 10 метров. Головная боль стала такой, что я еле терпел ее. Я остановился, выключил фонарик и в полной темноте постарался сосредоточиться, пытаясь освободиться от не унимавшейся головной боли. Я заставил себя вспомнить, как в одном из походов по Саянским горам за 200 километров до человеческого жилья сломал мениски и порвал связки в коленном суставе; тогда я тоже периодически останавливался и, сосредоточившись, напрягал свою волю так, чтобы бороться с нестерпимой болью.

Однако если тогда на Саянах волевое усилие помогало, то здесь, в пещере, оно не принесло каких-либо результатов. Головная боль пульсирующими волнами накатывала с определенной периодичностью, казалось, что голова вот-вот лопнет. Но наиболее тяжело переносимым оказалась даже не головная боль, а чувство непонятного негодования. В глубине души я понимал, что это наведенное чувство негодования. Я не мог понять, по поводу чего я негодую. Было такое ощущение, что душа твоя негодует и хочет вернуться наружу. Вскоре я понял, что я негодую оттого, что иду туда — вглубь таинственной сомати-пещеры; наведенному воздействию подверглись именно те части моей души, которые отвечали за чувство, противоположное удовлетворению, — негодование.

Я включил фонарик и, собрав последние остатки воли, сделал еще несколько шагов вперед. Наступила резкая слабость, дико болела голова, негодующая душа не давала покоя. Я понял, что дальше идти нельзя, в противном случае наступит смерть. Я направил свет фонарика вперед. Руку, протянутую вместе с фонариком вперед, я перестал почему-то ощущать. Глаза застилал пот, невесть откуда взявшийся в пещерном холоде.

Луч фонарика тускло осветил конец лаза и большой пещерный зал за ним. Превозмогая боль и полный душевный разброд, я стал смотреть вперед. Как не хватало света! «Ах вот почему Особые люди порекомендовали мне взять с собой тусклый фонарик!» — подумал я.

Тусклый луч фонарика осветил какие-то камни и несколько темных выступов над полом. Что это? Уж не фигуры ли сидящих в сомати людей? Да, это вроде фигуры людей. В свете тусклого фонарика они показались мне громадными.

Больше я ничего не могу сказать. Я повернулся и, с трудом двигая ногами, пошел обратно. При выходе из лаза в первый зал я споткнулся и упал, ударившись когда-то поврежденным коленом.

Я стоял в середине первого зала спиной к измучившему меня загадочной силой лазу. Постепенно пришло понимание того, что я жив. Вернулись ясность мысли, прошла головная боль, исчезло чувство негодования. Я понимал, что если бы я еще немного прошел вперед, я бы погиб. Перспектива погибнуть, пусть даже внутри сомати-пещеры, меня, конечно же, не прельщала.

«Лемурийцы, атланты! Они живы, живы уже миллионы лет! Они берегут себя ради человечества на земле! Кто я в сравнении с ними? Маленькая песчинка со своим научным любопытством!» — думал я. Я еще раз вспомнил свои ощущения внутри лаза, ведущего в сомати-зал пещеры. «Ох и силен же Он! Кто это — загадочный Он? Лемуро-атлант? Помню, один посвященный говорил, что Шамбалу охранять не надо — она намного сильнее людей на поверхности земли. Только теперь, ощутив силу психической энергии, я начинаю понимать ее мощь. Я никогда не смогу преодолеть Его, если не получу Его разрешения!» — проносились мысли в моей голове.

Но доля сомнения все же оставалась. А вдруг я слишком гипертрофированно воспринял психоэнергетическое воздействие? А вдруг мне все это померещилось в пещерной тишине? Я повернулся и снова пошел к лазу, ведущему в сомати-зал.

События повторились в той же последовательности. В том же месте перед входом в лаз появилось то же чувство тревоги. Я остановился и прислушался к этому чувству; оно было явно наведенным, поскольку тревога уже не могла быть связана с неизвестностью, ждущей впереди. Далее появились чувство страха, быстро перешедшее в чувство известного уже мне негодования, а также пульсирующая головная боль. Чувство негодования и головная боль усилились по мере продвижения вперед и примерно в том же месте стали нестерпимыми, наступила слабость. Поднять руку и посветить фонариком уже не было сил. Я повернул обратно.

Я снова стоял посреди первого зала, снова выключил фонарик и снова прислушался к своим ощущениям. Все ощущения постепенно утихали, но остаточное чувство слабости было значительно более выражено. У меня практически уже не было сомнений, что все эти ощущения не есть результат стрессового состояния, а являются проявлением воздействия психоэнергетического барьера сомати-пещеры.

Тем не менее, памятуя, что в науке наиболее достоверным является тройной контроль, я собрал последние силы и снова пошел к лазу, ведущему в сомати-зал. Пройдя знакомые «зоны» чувств тревоги и страха, и достигнув «зоны» негодования и головной боли, я не смог продвинуться до того места, где эти ощущения были наиболее сильными. Физически не было сил.

Я повернулся и пошел назад. С облегчением увидел в свете фонарика спасительный первый зал пещеры, вошел в него и стал искать на противоположной стене лаз выхода. Прошел к темному пятну, но оно оказалось всего лишь углублением в стене. Следующее темное пятно в стене оказалось настоящим выходным лазом. Вот она, дверь! Пройдя ее, я пошел к окончательному выходу из пещеры. Мучила слабость. Вспомнились слова Елены Блаватской: «Эти пещеры защищены целыми Воинствами Духов...»

Дневной свет больно ударил в глаза. Валера Лобанков подбежал ко мне, крепко стиснул руками и спросил:

— Ты жив, старина?

— I am alive (я жив), — почему-то по-английски сказал я.

Завеса тайны только приоткрылась

В лагере у деревни меня мучили слабость и головная боль. Венер Гафаров измерил мне пульс и давление, послушал сердце. Пульс был несколько учащен, давление в норме, сердце работало хорошо. Через два дня слабость прошла и я обрел нормальную человеческую бодрость. Но голова продолжала болеть еще несколько дней. Позже, уже в России, я прошел тщательное медицинское обследование — все оказалось в пределах нормы.

Уходя в обратный путь, мы собрали рюкзаки, закинули их за плечи и пошли в деревню, чтобы попрощаться с Особыми людьми. Прощаясь, Особые люди смотрели на нас каким-то странным взглядом, в котором можно было прочесть то ли сожаление оттого, что уходят пришлые люди, проявившие бурный интерес к тому, чему они посвятили свою жизнь, то ли облегчение, связанное с тем, что эти пришлые люди больше не будут спрашивать о великом секрете, который они хранят.

В моей душе копошились два взаимно противоположных чувства. С одной стороны, это была радость, связанная с тем, что все же нам удалось встретить Особых людей, поговорить с ними, увидеть сомати-пещеру, войти в нее и даже ощутить действие знаменитого психоэнергетического барьера. С другой стороны, это было огорчение, связанное с тем, что до людей в сомати оставались считанные метры, а дойти до них, осмотреть и обследовать — не удалось. Психоэнергетический барьер, действие которого мне довелось испытать, казался мне чем-то таинственным и могущественным. Сомати-пещера только приоткрыла завесу своей тайны, но полностью ее не открыла. Будет ли кем-либо и когда-либо полностью раскрыт этот великий секрет человечества? Я не знаю.

Тем не менее из похода в сомати-пещеру и из разговоров с Особыми людьми можно было сделать научные выводы. А именно:

1. Сомати-пещеры реально существуют.
2. В сомати-пещерах находятся люди разной внешности (видимо, разных цивилизаций) в состоянии сомати.
3. Сомати-пещеры защищены психоэнергетическим барьером, который стимулирует чувства страха, тревоги, негодования и вызывает головную боль и слабость. Для неподготовленных людей психоэнергетический барьер непреодолим.
4. Получены данные об облике разных людей, находящихся в состоянии сомати. Эти данные могут быть использованы для корректировки и воспроизведения внешности людей предыдущих цивилизаций.

А как хотелось кроме этих сухих научных выводов получить окончательный результат — воочию увидеть людей предыдущих цивилизаций и напрямую доказать существование Генофонда человечества! Но возможности современного человека ограничены, и его научное любопытство, в сравнении с великой ролью Генофонда человечества, стоит не так уж много. Значит, не наступило еще время раскрыть великую тайну. Вспомним слова старшего Особого человека о том, что современные люди не могут войти в долгое сомати, потому что у них слабый дух. Видимо, поэтому никто из современных людей не смог войти в эту сомати-пещеру и присоединиться к Генофонду человечества. Наверное, такое время наступит, и наверное, тогда тайна Генофонда человечества будет раскрыта.

Мы, на современном уровне, только начали понимать, что кроме физического мира существует еще и тонкий мир — мир психической энергии. Силу и роль этой энергии мы еще плохо осознаем. Я думаю, что психоэнергетический барьер сомати-пещер пока еще непреодолим. Но такое время, наверное, наступит.

Валерий Лобанков — специалист по физике поля — считает, что психоэнергетический барьер действует путем раскручивания торсионных полей души человека в негативную сторону. Напомню, что злые мысли и болезни раскручивают торсионные поля в негативную сторону, а добрые мысли и здоровье — в позитивную. По В. М. Лобанкову, те ощущения, которые я испытал при входе в сомати-пещеру, можно объяснить негативным закручиванием тех частей торсионных полей души, которые отвечают за чувства тревоги, страха и негодования. То есть воздействие психоэнергетического барьера происходит на уровне тонкого мира, а головная боль и слабость как физические явления являются следствием этого воздействия. Кроме того, В. М. Лобанков склонен думать, что процесс мышления осуществляется в основном на уровне торсионных полей ментального тела души, а мозг является тем компьютером, который превращает психоэнергетические моменты процесса мышления в реальные нервные импульсы, руководя физическим телом человека.

Рюкзак привычно давил на плечи. С каждой ходкой загадочная сомати-пещера оставалась все дальше и дальше. Под рюкзаком хорошо думается о пространном. Особые люди все же рассказали нам кое-что о внешности людей предыдущих цивилизаций, которых они наяву видят в этой пещере. Сейчас можно уточнить и скорректировать наши научные данные по реконструкции облика лемуро-атлантов и атлантов. Как же они выглядели?

Глава 9

Внешность людей предыдущих цивилизаций

Описать наши представления о внешности людей предыдущих цивилизаций было бы логичнее в главе «Кто они, лемурийцы и атланты?», но мы специально вынесли эту главу на тот этап изложения материала, когда мы получили прямые сведения по этому вопросу от Особых людей, бывающих в одной из сомати-пещер.

Литературные сведения

Читатель, конечно же, уже встретил в предыдущих главах книги некоторые аспекты описания внешности людей предыдущих цивилизаций и имеет уже кое-какие представления о том, как выглядели лемурийцы и атланты. Однако из этих описаний, базирующихся на литературных данных, можно вынести преимущественно общие сведения, касающиеся роста, телосложения и особо отличительных характеристик тела, таких как наличие четырех рук и третьего глаза на затылке у ранних лемурийцев. Никто не пытался гипотетически воспроизвести облик людей предыдущих цивилизаций. И это вполне объяснимо. Те знания, которые имеют великие Посвященные (такие, как Нострадамус и Е. П. Блаватская) и которые получены, видимо, из Всеобщего информационного пространства, наверное, носят все же, из-за обширности поля знаний, довольно общий характер, и детализация таких мелких признаков, как форма глаз, носа, размер черепа и прочее, вряд ли возможна. Для детализации внешних признаков, по-видимому, нужно прямое лицезрение людей предыдущих цивилизаций, что возможно при появлении их на земле в виде пророков (например, Будда) или при посещении сомати-пещер.

Тем не менее из литературы известно, что поздние лемурийцы (лемуро-атланты) были огромного роста, достигающего 7´—8 и более метров, атланты имели тоже большой рост и достигали 3—5 метров, а рост людей нашей цивилизации, как известно, не превышает 2 метров (Шри Сатья Саи Баба — цит. по: Д. Хислоп. «Беседы с Бхагаваном Шри Сатья Саи Бабой», 1994, с. 164; Е. П. Блаватская. «Тайная доктрина», 1937, т. 2, с. 425, 426). Но нет никаких сведений такого порядка, по которым можно было бы нарисовать гипотетический портрет этих людей.

Особняком стоят два сообщения. Первое из них исходит от Лобсанга Рампы («Третий глаз», 1992, с.192), описывающего свое пребывание в сомати-пещере, где он, будучи одним из величайших йогов современности, входил на некоторое время в состояние сомати. Лобсанг Рампа пишет:

«Три обнаженных тела лежали передо мной. Двое мужчин и одна женщина. Тела были огромны! Женщина была более трех метров, а более рослый из мужчин — не менее пяти метров. У них были большие головы, слегка сходящиеся на макушке в конус, угловатые челюсти, небольшой рот и тонкие губы, длинный и тонкий нос, глубоко посаженные глаза. Их нельзя было принять за мертвых, — казалось, они спали».

Кого описывает Лобсанг Рампа? Мне кажется, что он описывает атлантов, находящихся в состоянии сомати. Можно ли к этому описанию отнестись серьезно? Я не могу ответить полностью утвердительно. Но, учитывая то, что это описание во многом совпадает с рассказами Особых людей, его, по-видимому, можно принять во внимание.

Другое сообщение, стоящее особняком, опять же исходит от Е. П. Блаватской («Тайная доктрина», 1937, т.2, с. 280, 281), которая пишет: «...останки на острове Пасхи являются наиболее поразительными и красноречивыми памятниками первобытных великанов... достаточно обследовать головы этих колоссальных статуй, оставшиеся целыми, чтобы при первом же взгляде признать черты и типы характера, приписываемого великанам Четвертой Расы...»

Далее она пишет про статуи Будды:

«...Эти Будды, хотя часто обезображенные символическим изображением длинных висячих ушей, обнаруживают очевидную разницу от типа статуй на острове Пасха. Они могут быть одной Расы...»

Это описание, приведенное Посвященной Е. П. Блаватской, интересно тем, что здесь недвусмысленно проводится параллель между внешностью Будды и истуканов с острова Пасхи с внешностью людей четвертой расы — атлантов. А поскольку внешность Будды и внешность истуканов с острова Пасхи разнятся, то можно думать о том, что внешность Будды могли иметь одни атланты (наверное, желтые), а внешность истуканов с острова Пасхи — другие (наверное, черные атланты).

Все эти литературные данные мы приняли в расчет при составлении облика людей предыдущих цивилизаций.

Методика реконструкции внешности людей предыдущих цивилизаций

Для воспроизведения гипотетической внешности людей предыдущих цивилизаций мы постарались использовать комплекс исследований, состоящий из следующих подходов:

1. Реконструкция облика человека, глаза которого изображены на тибетских храмах. С одной стороны, этот реконструированный облик в виде рисунка уже помог в экспедиционных исследованиях, поскольку его можно было показывать и обсуждать. С другой — однотипное изображение необычных глаз на всех тибетских и непальских храмах не могло быть случайностью: скорее всего, были изображены глаза прародителя нашей цивилизации, коим, как считают на Востоке, является Бонпо-Будда (или Рама).

2. Показания Особых людей, которые воочию видят необычных людей в сомати-пещерах.

3. Описание внешности Будды, которое сделано людьми, воочию видевшими его (см. главу «Кем был Будда?»). Необычная внешность Будды, а также мнение Е. П. Блаватской о сопоставимости его внешности с внешностью людей четвертой расы позволяют думать о том, что здесь имеет место описание внешности атланта.

4. Литературные сведения о внешности людей предыдущих цивилизаций, изложенные выше.

Применяя это все в комплексе, мы старались отбросить противоречивые моменты и использовать лишь те, которые логически совмещались при многоплановом аналитическом подходе.

Известно, что на Земле было 5 цивилизаций (рас). Делая попытку воспроизвести внешность людей этих земных цивилизаций, мы столкнулись с определенными сложностями воспроизведения облика людей I, II расы и ранних лемурийцев из-за отсуствия достаточных сведений, кроме отрывочного их описания у Е. П. Блаватской и Р. Штайнера. Поэтому весь упор мы сделали на реконструкцию внешности поздних лемурийцев (лемуро-атлантов) и атлантов.

Внешность лемуро-атлантов

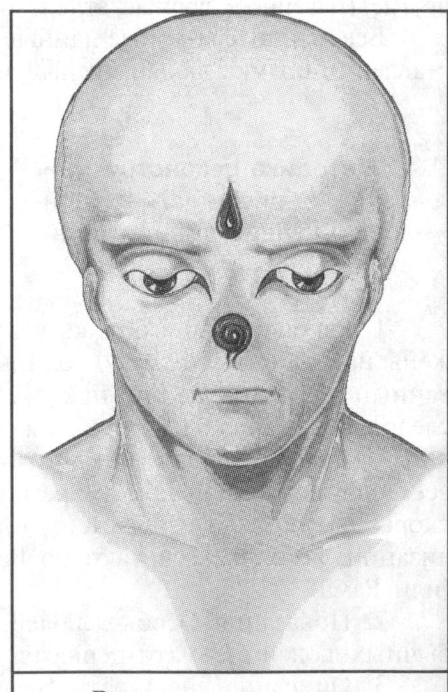

Внешность человека, реконструированная по изображениям необычных глаз на тибетских храмах (Рис. О. Ишмитовой)

Когда мы реконструировали внешность человека, глаза которого изображены на тибетских храмах, и получили совершенно необычный для человека облик с огромными глазами, большим черепом, «третьим глазом» и клапановидным носом, то, вполне естественно, перед нами встал вопрос — кто это? Мы посчитали, что так выглядели атланты — люди предыдущей цивилизации. Почти весь период экспедиции мы думали, что это так, хотя это было грубой ошибкой.

Честно говоря, в ходе экспедиции у нас возникали некоторые сомнения в том, что изображенный нами на рисунке человек является атлантом; человека на нашем рисунке ламы и Особые люди принимали за того, кого они называли «Он», хотя они знали об атлантах и четко понимали значение слова «атлант».

Окончательно сомнения развеял в постэкспедиционный период один крупный московский религиозный деятель (он просил не называть его имени). Когда я показал этот рисунок и представил его как гипотетическое изображение атланта, этот настоятель монастыря оборвал меня и сказал:

— Это не атлант!

— Кто это, по-вашему? — спросил я.

— Это лемуриец! — ответил настоятель.

— Почему вы так думаете?

— Я знаю это.

— Откуда у вас такие знания? — удивленно спросил я.

— У меня не знания, у меня — ведение, — ответил настоятель.

— Что такое «ведение»?

— От слова «ведут». То есть меня как бы ведут по знаниям.

— Вы — Посвященный?

— Да.

Говорить с этим человеком в черной рясе было очень легко. Я только начинал говорить, а он почти тотчас же продолжал мою мысль. Было такое ощущение, что он является участником нашей экспедиции. Я был поражен. Но об этом человеке я расскажу подробнее в последней части книги, в разделе о Шамбале. А что касается внешности людей предыдущих цивилизаций, то в разговоре с настоятелем эта тема имела следующее продолжение:

— Почему вы считаете, что это лемуриец, а не атлант? — спросил я, держа в руках наш рисунок.

— Атланты выглядели по-другому. Их внешность была ближе к современному человеку. Они сейчас составляют основу Генофонда человечества. Основная масса людей в сомати — это атланты. А это, — настоятель показал на наш рисунок, — лемуриец! Да что стоят атланты перед лемурийцами! Лемурийцы были и есть значительно более высокоразвитыми людьми из всех цивилизаций! Они составляют основу стран Шамбала и Агари.

— Ламы и Особые люди в разговорах о сомати-пещерах постоянно называют кого-то «Он». Как вы думаете, — спросил я, — может быть, этот загадочный «Он» и есть лемуриец?

— Да.

— Известно, что были ранние (четверорукие и трехглазые) и поздние лемурийцы. Последних Е. П. Блаватская называет лемуро-атлантами. Это, — я показал на рисунок, — поздний или ранний лемуриец?

— Поздний, это лемуро-атлант.

— «Третий глаз» у лемурийцев был расположен на лбу или это всего лищь символ?

— «Третий глаз» у лемурийцев был очень развит, но располагался в глубине черепа. А на лбу — это всего лишь символ, — ответил настоятель.

На этом я вынужден буду прервать этот диалог собственными рассуждениями о внешности людей предыдущих цивилизаций.

Итак, постараемся обосновать, что облик человека, реконструированный по глазам, изображенным на тибетских храмах, является гипотетическим портретом не атланта, а позднего лемурийца (лемуро-атланта). Во-первых, в литературе имеются прямые указания на то, что Будда был атлантом (Е. П. Блаватская. «Тайная доктрина», 1937, т. 2, с. 281), а облик Будды не совпадает с обликом на нашем рисунке.

Во-вторых, в описании внешности Будды присутствует немало признаков, свидетельствующих о приспособленности его организма к полуводному образу жизни: ластоподобные ноги, перепонки между пальцами, большая грудная клетка и прочее. Если сравнить это с обликом, реконструированным по глазам на тибетских храмах, то можно заметить еще большую приспособленность к полуводному образу жизни в последнем случае. В частности, об этом свидетельствуют клапановидный нос (характерный для водных животных) и особый тип глаз. Складывается впечатление, что эволюция человека на земле шла по пути постепенного перехода от полуводного образа жизни к чисто наземному. Отсюда следует, что облик человека, наиболее приспособленный к полуводному образу жизни, является наиболее древним, т. е. относится к лемурийцам, а не к атлантам.

В-третьих, на тибетских храмах, скорее всего, изображены глаза прародителя нашей цивилизации. А им, насколько позволяют нам судить полученные сведения, является Бонпо-Будда (или Рама), который способствовал возрождению пятой расы 18 013 лет тому назад. Е. П. Блаватская пишет («Тайная доктрина», 1937, т. 2, с. 439), что пятая раса, зарождаясь, управлялась «божественными царями», которых она же, а также другие авторы считают поздними лемурийцами (лемуро-атлантами). Можно думать, что лемуро-атланты, являющиеся представителями наиболее высокоразвитой цивилизации (суперинтеллектуалами) и сохранившиеся в состоянии сомати, управляли возрождением пятой расы. Поэтому глаза этих «божественных людей» стали символами на тибетских храмах.

Убедительны наши доводы или нет — судить не мне, а читателю. Тем не менее мы считаем, что облик человека, реконструированный по глазам, изображенным на тибетских храмах, принадлежит лемуро-атланту.

Кроме того, рисунок облика лемуро-атланта претерпел некоторые изменения в связи с показаниями Особых людей и научным анализом Венера Гафарова. Изменения коснулись характеристик «третьего глаза», ушей и ротового отверстия.

«Третий глаз», изображенный на лбу, мы были вынуждены убрать из рисунка, поскольку показания лам и Особых людей свидетельствовали о том, что это всего лишь символ, говорящий о большой роли «третьего глаза» в жизни людей предыдущих цивилизаций. Как известно, «третий глаз» располагается в полости черепа на том месте, где находится анатомическое образование, называемое эпифиз.

Размер ушей мы все же увеличили, так как Особые люди прямо указали, что уши у необычных людей в пещере больше.

Что касается ротового отверстия: наш специалист по стоматологии и челюстно-лицевой хирургии В. Г. Гафаров провел научный анализ по вертикальному сочленению костей лицевого черепа в процессе эмбриогенеза. Известно, что эмбриональное (внутриутробное) развитие ребенка повторяет основные вехи развития человека на Земле. При этом кости лицевого черепа формируются пораздельно с обеих сторон (справа и слева) и вскоре смыкаются по центру, образуя костный остов лица. Кроме того, если все остальные кости тела полностью заканчивают свое развитие к 20-ти годам жизни человека, то кости лицевого черепа заканчивают свое развитие только к 25-ти годам. С более медленным развитием костей лицевого черепа ученые-стоматологи связывают многочисленные аномалии развития в области рта, такие как «заячья губа», «волчья пасть», а также то, что почти 100% людей имеют кариес и пародонтоз.

Дефекты развития лицевого черепа, например «заячья губа» (расщелина верхней губы) или «волчья пасть» (расщелина верхнего неба) образуются в результате задержки развития на раннем этапе эмбриогенеза, когда две половины костей лицевого черепа еще не срослись и были разделены расщелиной. Отсюда, принимая во внимание то, что эмбриональное развитие повторяет эволюционное развитие человека на Земле, можно заключить, что древние люди имели кости лицевого черепа, не полностью сросшиеся по центру.

Кто из древних людей мог иметь центральную расщелину на лице? Учитывая, что расщелина между костями лицевого черепа является одним из наиболее ранних признаков, и то, что кости в процессе эволюции впервые появились у лемурийцев (Е. П. Блаватская. «Тайная доктрина», 1937, т. 2, с. 208), можно предположить, что лемурийцы имели расщелину на верхней губе и верхнем небе. Подтверждением этого является то, что на тибетских храмах вместе с необычными глазами изображен спиралевидный нос, разрез которого опускается вниз (считай, в область верхней губы) к ротовому отверстию.

Вертикальная расщелина, соединяющая ротовое и носовое отверстия, выполняла у лемурийцев определенную, важную для полуводного образа жизни функцию. По бокам от вертикальной расщелины, там, где у современного человека располагаются гайморовы пазухи, у лемурийцев располагались небольшие жабры, которые помогали обогащать кровь кислородом и способствовали более долгому пребыванию под водой. Вода, засасываемая ртом, пропускалась через эти жабры и выводилась через вертикальную расщелину. Видимо, лемурийцы имели также большую грудную клетку для сохранения в легких запаса воздуха во время пребывания под водой. Таким образом, у лемурийцев были совмещены, образно говоря, «рыбий» и «млекопитающий» элементы приспособления к воде. А гайморовы пазухи у современных людей В. Г. Гафаров считает рудиментами жаберных образований лемурийцев.

Наличие жабр по бокам от вертикальной расщелины, соединяющей рот и нос, по законам анатомии должно было привести к тому, что гортань не могла выполнять роль звуковоспроизводящего аппарата. В этом случае функция звуковоспроизведения должна была перевестись в область носа. Вспомним из первой части книги, что индийский свами Ананта Кришна, ссылаясь на древние религиозные источники, говорил, что наиболее древние люди (видимо, лемурийцы) говорили носом, причем звуковоспроизведение происходило не только в диапазоне обычного голоса, но и в диапазоне ультразвуковых и инфракрасных волн.

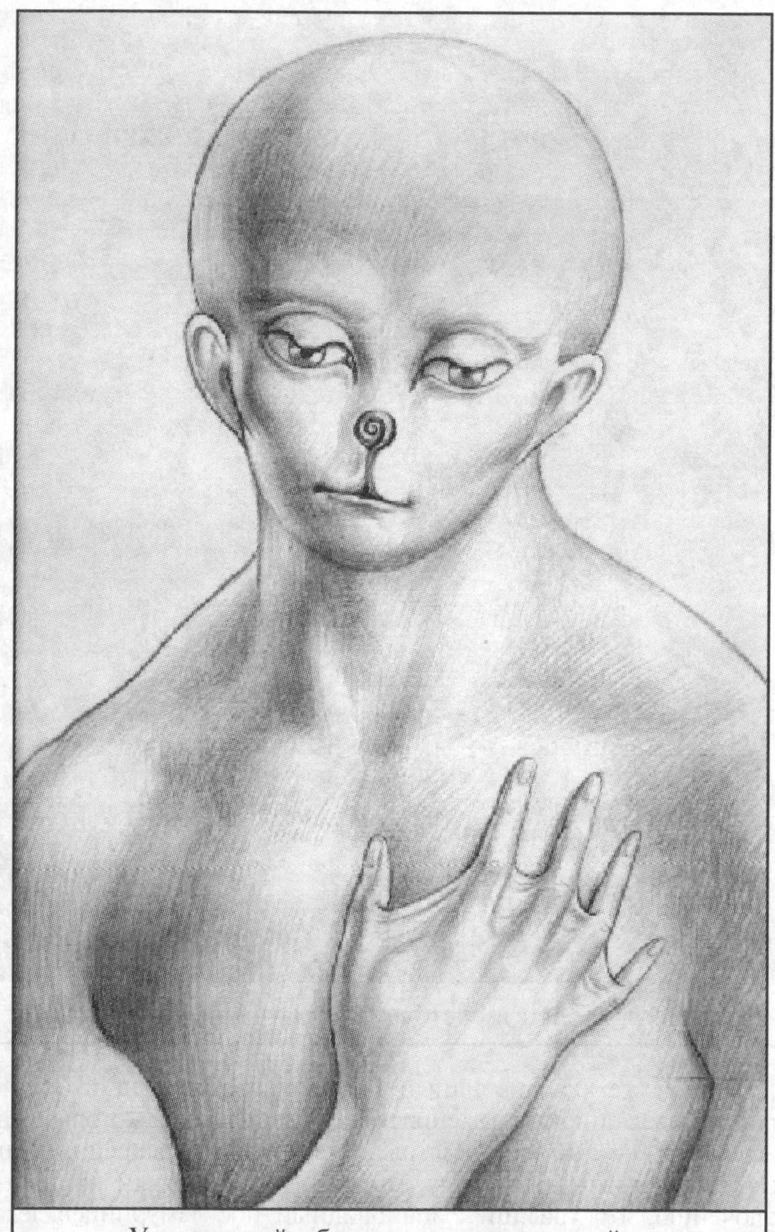

Уточнснный облик позднего лемурийца
(по нашим разработкам рисунок выполнен
художником В. Куприяновым)

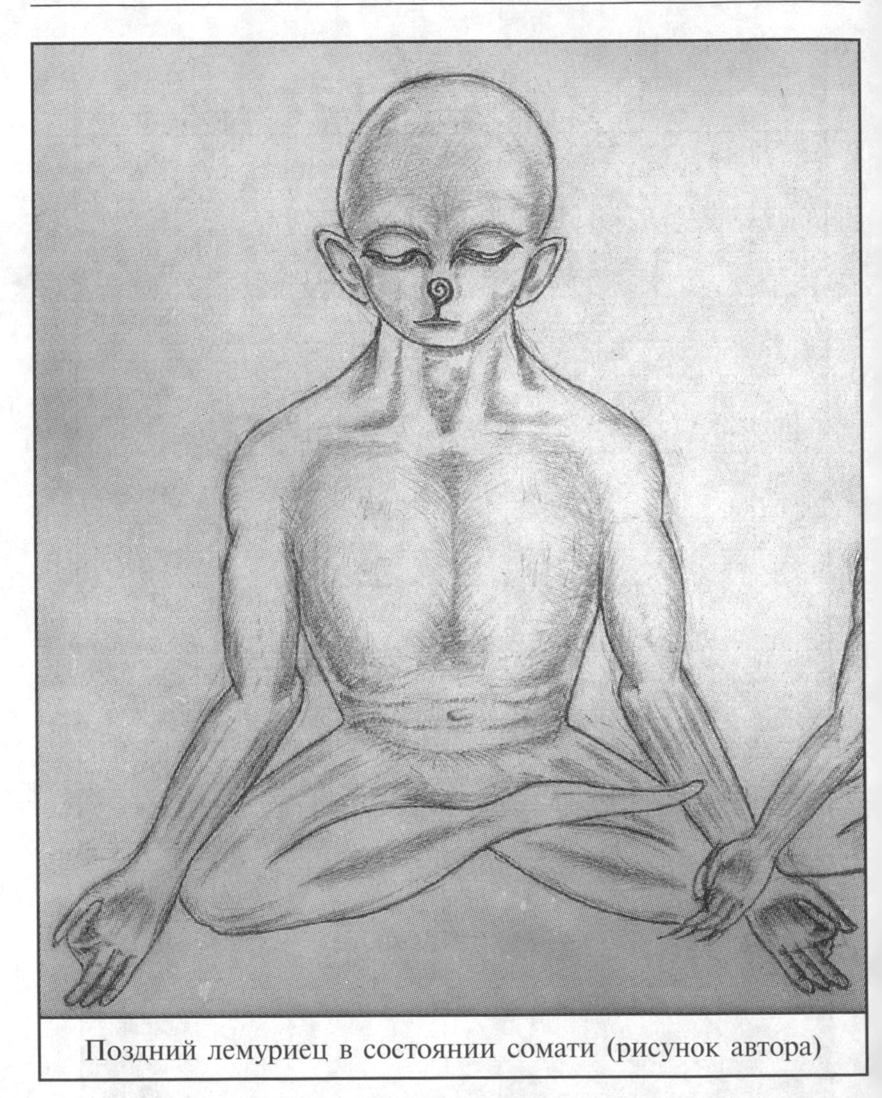

Поздний лемуриец в состоянии сомати (рисунок автора)

Почему же клапановидный звуковоиспроизводящий нос лемурийцев эволюционно заменился на обычный нос, который был присущ, как мы считаем, атлантам, а также людям нашей цивилизации? Рассуждая на эту тему, мы с В. Г. Гафаровым пришли к заключению, что мягкий клапановидный нос лемурийцев легко подвергался травматизации, что нарушало одновременно функции дыхания и речи. Риск нарушения столь важных функций, по-видимому, способствовал эволюционно-постепенному формированию обычного, защищенного костными и хрящевыми тканями носа, даже в ущерб некоторой потере способности длительного пребывания под водой в связи с редукцией жабр. В этом случае звуковоспроизводящий аппарат переносился в гортань, полости на месте жабр (гайморовы пазухи) стали выполнять роль резонаторов звука, а вертикальная расщелина между ртом и носом заросла.

Итак, на наш взгляд, поздние лемурийцы (лемуро-атланты) имели следующие внешностные характеристики:

— рост 7—8 метров и более;

— большой череп;

— большие необычного вида глаза с двойным изгибом верхнего века;

— спиралевидный клапаноподобный нос без переносицы;

— вертикальная расщелина между носом и ртом, по бокам от которой располагались жабры;

— небольшой горизонтальный рот;

— небольшие размеры нижней челюсти;

— сравнительно большие уши;

— мощная шея;

— мощная грудная клетка;

— сравнительно длинные руки;

— ластоподобные ступни ног;

— перепонки между пальцами рук и ног, доходящие до середины пальцев;

— желтоватого цвета кожа.

Наверное, мы в чем-то правы, в чем-то ошиблись. Но исследование внешности людей предыдущих цивилизаций, вследствие скудости фактического материала, даже при самой строгой логике не может быть абсолютно точным.

Внешность атлантов

В этом исследовании за основу мы взяли внешностные особенности Будды в сочетании с данными, почерпнутыми из литературных источников, и попытались логически осмыслить предположение о том, что атланты были эволюционно-переходной формой от полуводного к наземному образу жизни.

Не утруждая читателя излишне детализированным анализом различных параметров, мы позволим себе привести вкратце основные внешностные характеристики атлантов, которые, по нашему мнению, они имели:

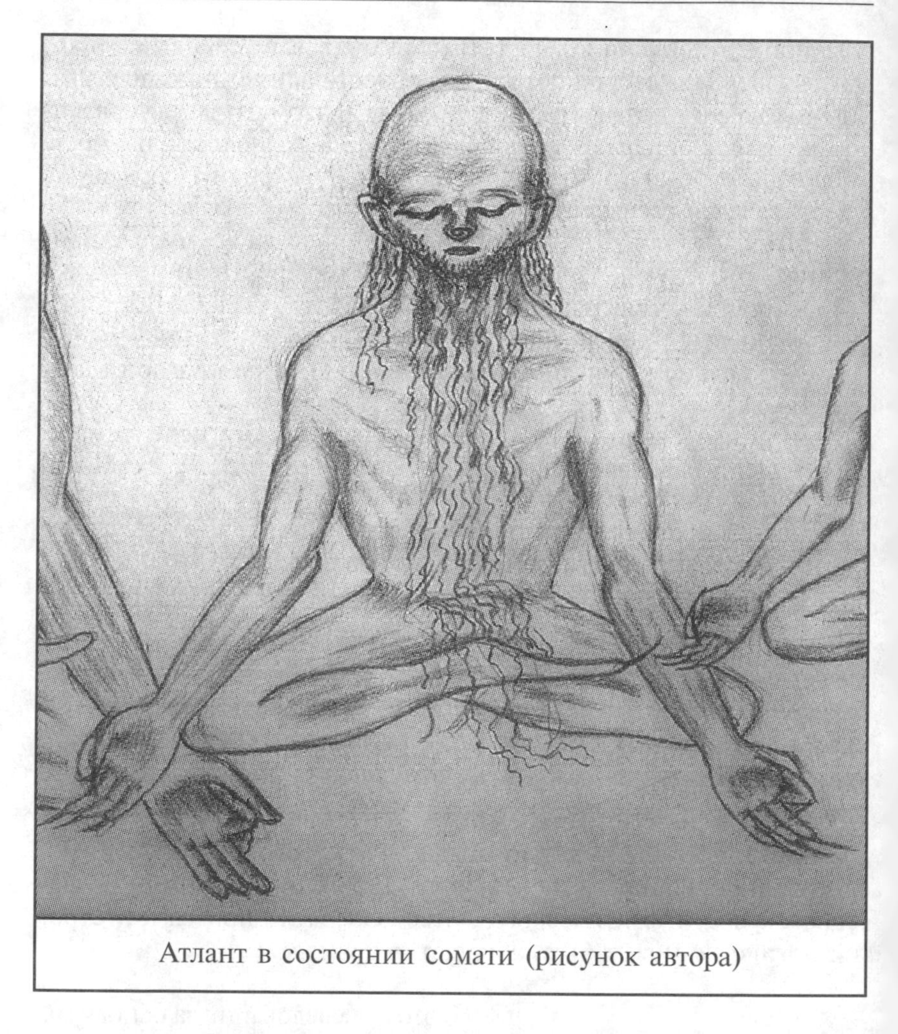

Атлант в состоянии сомати (рисунок автора)

— рост 3—5 метров;

— большой череп округлой или башневидной формы;

— большие необычные глаза, но двойной изгиб верхнего века выражен меньше, чем у лемурийцев;

— прямой нос обычного вида;

— вертикальная расщелина между носом и ртом отсутствует;

— небольшой горизонтальный рот;

— размеры нижней челюсти несколько меньше, чем у человека нашей цивилизации;

— сравнительно большие уши;

— мощная шея;
— мощная грудная клетка;
— сравнительно длинные руки, доходящие до колен;
— ластоподобные ступни ног, но ластоподобность выражена в меньшей степени, чем у лемурийцев;
— перепонки между пальцами рук и ног, доходящие до середины пальцев;
— втянутый половой орган у мужчин;
— цвет кожи или желтый, или красный, или коричневый, или черный.

Таким образом, в результате этих исследований можно сделать вывод о том, что атланты, как и лемурийцы, имели явные признаки, свидетельствующие о полуводном образе жизни: ластообразные ноги, перепонки между пальцами, большая грудная клетка, двойной изгиб верхнего века. В то же время у атлантов, в отличие от лемурийцев, появилось больше признаков, характерных для наземного образа жизни: клапановидный нос заменился на прямой обычный нос, исчезла вертикальная расщелина между ртом и носом с жабрами. В связи с этим, должно быть, произошло перемещение звуковоспроизводящего аппарата из носа в гортань. Очевидно также, что атланты могли проводить меньше времени под водой, чем лемурийцы (исчезли жабры).

Характерные для атлантов (как и для лемурийцев) большие размеры черепа могут свидетельствовать как о развитости мозга, так и о развитости «третьего глаза», расположенного в полости черепа. Отсюда следует, что атланты, как и лемурийцы, были людьми с высоким интеллектом, часто использующими для решения различных жизненных ситуаций силу «третьего глаза».

Внешность людей нашей цивилизации

Конечно же, мы знаем, как мы выглядим. Тем не менее, после изучения литературы на эту тему складывается впечатление, что ранние люди пятой расы (нашей цивилизации), жившие в период гибели Атлантиды, около 850 000 лет тому назад, были значительно большего роста, достигавшего 3—4 метров. Потом шло постепенное уменьшение роста людей, и, на мой взгляд, в X—XVIII веках он был наименьшим. Сейчас идет увеличение роста людей — акселерация.

Указанные колебания роста людей нашей цивилизации имеют определенные параллели с монетарным циклом, по которому до недавних времен шло снижение роли духовного и увеличение роли материального, а сейчас критическая точка пройдена и пошло увеличение роли духовного. Все это наводит на мысль, что существует параллель между развитием духовного начала в человеке и его роста в эволюционном плане. Не зря лемурийцы и атланты, имевшие более высокое духовное начало и умевшие пользоваться психической энергией, были значительно большего роста, чем мы.

Судя по внешности человека нашей цивилизации, эволюционно произошел переход от полуводного образа жизни (лемурийцы, атланты) к чисто наземному. В частности, об этом свидетельствуют стопы ног, приспособленные больше к ходьбе, чем к плаванию, отсутствие перепонок между пальцами, характер глаз и прочее.

Не исключено, что площадь материков во времена Лемурии и Атлантиды была меньше, поэтому люди предыдущих цивилизаций в большей степени использовали для жизни океан.

Для современного человека также характерна существенная потеря функции «третьего глаза». Как известно, «третий глаз» остался в виде рудимента — эпифиза. Очевидно, что более развитый «третий глаз» атлантов и особенно лемурийцев занимал больший объем, что отражалось на увеличении размеров черепа у людей предыдущих цивилизаций. На увеличении размеров черепа отразились также, видимо, более высокие интеллектуальные способности лемурийцев и атлантов.

Почему же у людей нашей цивилизации «третий глаз», столь нужный как орган, позволяющий овладевать психической энергией, постепенно деградировал? Тем более это странно, что в эволюционном смысле от цивилизации к цивилизации должно было, напротив, наблюдаться увеличение роли «третьего глаза» и его развитие. Ведь с помощью «третьего глаза» можно было бы воздействовать на гравитацию, иметь телепатический перенос мыслей и прочее.

Причиной деградации «третьего глаза» у людей нашей цивилизации является, на наш взгляд, последнее послание «SoHm». Оно, как уже знает читатель, прервало постоянное сообщение духа человека со Всеобщим информационным пространством.

В условиях предыдущих цивилизаций «третий глаз» выполнял функцию настройки на частоты Всеобщего информационного пространства (Того Света). Видимо, эта функция была главной функцией «третьего глаза», и прекращение ее за счет после-

Ариец (человек нашей цивилизации) в состоянии сомати (Рисунок автора)

днего послания «SoHm» в условиях нашей цивилизации привело к постепенной деградации «третьего глаза». И только отдельные люди нашей цивилизации способны преодолеть «барьер SoHm» и настроиться на частоты Всеобщего информационного пространства. Эти отдельные люди — Посвященные. Им подвластны знания Того Света, те знания, которые были подвластны всем без исключения лемурийцам и атлантам.

Последнее послание «SoHm», следствием которого явился принцип «реализуйся сам» (или «аминь»), наложило отпечаток на развитие людей нашей цивилизации. Оторванные от Высшего духовного начала, люди нашей цивилизации реализовали себя преимущественно в физическом мире, что не замедлило сказаться на их внешнем видс.

Глава 10

Человек, живущий 300 лет

После похода в сомати-пещеру мы на три дня остановились в Катманду. Пока я приводил в порядок экспедиционные записи, В. М. Лобанков вместе с другими членами экспедиции провели две дополнительные встречи, каждая из которых оказалась весьма любопытной.

Что написано в Ведах

Участник экспедиции Шесканд Ариэль организовал встречу с профессором Непальского университета, учителем санскрита господином Шиварайей Ачаридом Кавнданиаяной. Он являлся одним из лучших знатоков Вед, причем знал Веды из первоисточника, написанного на древнейшем языке мира — санскрите.

Что такое Веды? Это фундаментальнейшее и древнейшее писание, в основных чертах схожее с религией, но более подробное. Написано оно неизвестным автором. Санскрит — ныне мертвый язык — считается языком, на котором говорили атланты.

Веды написаны по какой-то необычной логике, которая совершенно не совпадает с нашей человеческой логикой. Веды трудно осознаваемы и тяжелы для восприятия. Поэтому то краткое изложение основной сути Вед, данное профессором Шиварайей, явилось весьма ценным.

Профессор Шиварайя рассказал Лобанкову, что в глубокой древности был всемирный потоп, в результате которого погибли все люди предыдущей цивилизации (атланты). Высоко в

Гималаях уцелел один человек по имени Ману, который мог медитировать и входить в состояние сомати. Когда вода начала отступать, он вышел из сомати. Ману не был Богом, но он обладал очень большой энергией. Он понимал язык рыб и от них узнал, что на другой незатопленной горе его ждет другой человек по имени Сид. Сид представлял собой генетический сгусток* и включал в себя все: человека, семя животных, растений и проч. Ману вместе с Сидом возродил цивилизацию людей. Ману также создал множество Будд, которые помогли возродиться человечеству.

Этот фрагмент из вед, рассказанный профессором Шиваройей, можно понять как свидетельство существования Генофонда человечества вместе с генофондом животных и растений, который помог возродить жизнь на земле после всемирного потопа. А Будды, выходя из состояния сомати, помогали возрождающемуся человечеству развиваться по пути прогресса.

Лобанков особенно тщательно расспросил профессора о сомати. О феномене сомати в Ведах имеется полная информация. В сомати человек может входить, отключив свое сознание от физических объектов, когда сознание находится в чистом виде (в самом себе). При этом обмен веществ снижается до нуля и энергообмен прекращается. Короткое сомати можно делать в любом месте, но не у огня. Лучшими местами для входа в сомати считаются святые места — Sadbala, которые располагаются в горах на границе вечных снегов. В длительное сомати лучше всего входить в пещере. В сомати человек может пребывать сколь угодно долго.

— Что такое Шамбала? — спросил Лобанков.

— Это система пещер с людьми в сомати. Так можно понять из Вед, — ответил профессор.

— Шамбала реально существует на земле?

— Да, существует.

— А можно ли посетить какую-либо сомати-пещеру, чтобы реально доказать людям существование древних людей в состоянии сомати? — спросил Лобанков.

— Вы никогда не сможете пощупать, потрогать и сфотографировать людей в сомати, потому что этого нельзя делать и по-

---

* Вполне возможно, это то же, о чем писала Е. П. Блаватская, отмечая создание «отгороженного места — Вара», где кроме человека были семена животных, растений и проч.

тому, что они защищены. Это как математика, когда, решая уравнение, мы получаем доказательство, которое нельзя реально потрогать и пощупать, — ответил профессор Шиварайя.

Странное сравнение — «как математика»! С одной стороны, люди в сомати существуют реально в физическом мире, с другой — добраться до них и обследовать нельзя. Видимо, слишком велика роль сомати для сохранения жизни на земле.

Гуру Ношари Нат

Именно от него В. М. Лобанков и В. Г. Яковлева узнали о человеке, который прожил уже более 300 лет и здравствует посейчас.

Гуру Ношари Нат содержит один из наиболее известных ашрамов (школ медитации) Непала и является весьма уважаемым человеком в этой стране. Ежедневно у него бывают более 100 прихожан. Одновременно он является лидером Духовного общества по изучению древних языков: санскрита, прарита, пали и непали.

Гуру Ношари Нат много путешествовал по Непалу и Западному Тибету. Во время одного из путешествий в 1992 году в горах Западного Тибета он встретился со снежным человеком (йети) и зарисовал его внешний вид. Лобанков и Яковлева видели этот рисунок и рассказывают, что на нем изображено волосатое человекоподобное существо огромного роста, сутулое, с длинными руками и короткими ногами.

Гуру Ношари Нат

В том же 1992 году гуру Ношари Нат встречался на Западном Тибете с человеком, живущим на земле более 300 лет. Имя этого человека — Кунга Джорджи Лама. Обычно в августе в день полнолуния он входит в пещеру и погружается в состояние сомати. Через 6 месяцев он возвращается к людям и живет обычной жизнью около 1 месяца. В этот период жизни он питается только коровьим молоком и листьями растения сома. После этого он вновь уходит в пещеру и погружается в сомати на 6 месяцев.

Когда гуру Ношари Нат был в районе этой пещеры, местный западнотибетский лама рассказал ему вышесказанное о человеке, живущем более 300 лет. Тогда гуру попросил разрешения посетить эту пещеру и увидеть Кунгу Джорджи Ламу в состоянии сомати. Учитывая религиозный сан и высокий духовный уровень гуру Ношари Ната, западнотибетский лама повел его в пещеру. Войдя в пещеру, гуру вскоре нашел там Кунгу Джорджи Ламу в состоянии сомати. Он имел с ним непродолжительную беседу и убедился в том, что все рассказанное о его 300-летней жизни является правдой.

Рассказав об основном содержании наших исследований, Лобанков и Яковлева задали гуру несколько прямых вопросов.

— Является ли феномен сомати тем страховочным моментом жизни на земле, когда люди, пребывающие в состоянии долгого сомати, могут в случае глобальной катастрофы выйти из сомати и быть источником продолжения жизни человечества?

— Да, — ответил гуру.

— Много ли сомати-пещер в Гималаях и в Тибете?

— Да, много.

— Можно ли увидеть людей в состоянии сомати в пещере?

— Можно. Я же видел Кунгу Джорджи Ламу, — ответил гуру.

— Можно ли с вами пойти в пещеру, где находится в сомати Кунга Джорджи Лама? — спросил Лобанков.

— Можно, — ответил гуру. — Но ваше пребывание в сомати-пещере рядом с Кунгой Джорджи Ламой будет опасно для него. Вы ведь не подготовлены и не владеете медитацией.

— Почему наше посещение будет опасно для Кунги Джорджи Ламы? Наша биоэнергетика будет дестабилизировать состояние его сомати?

— Да.

— Тем не менее, — настаивал Лобанков, — может быть, в какое-то время все же можно посетить Кунгу Джорджи Ламу в состоянии сомати?

Гуру подумал и ответил:

— В пещеру, где находится Кунга Джорджи Лама, лучше входить в 10—11 часов вечера в любое время года и месяца, но лучше всего в апреле или октябре.

Лобанков и Яковлева настояли на том, чтобы гуру Ношари Нат помог в организации этой экспедиции для встречи с Кунгой Джорджи Ламой. Гуру обещал, но сказал, что нужно еще раз встретиться с ним ориентировочно через 3—4 месяца — он уточнит некоторые детали.

Удастся ли встретиться с человеком, живущим более 300 лет

Через 4 месяца после окончания экспедиции Лобанков специально поехал в Непал, чтобы еще раз встретиться с гуру Ношари Натом и обсудить вопрос о предстоящей экспедиции для встречи с человеком, живущим более 300 лет.

Почему мы стремились встретиться с этим человеком? В результате осмысления опыта, полученного в экспедиции (поход в сомати-пещеру, беседы с ламами, Особыми людьми и т.п.) мы поняли, что реально увидеть и обследовать людей предыдущих цивилизаций в сомати пока вряд ли удастся — сомати-пещеры защищены психоэнергетическим барьером. В этом случае представлялось весьма интересным увидеть и, по возможности, обследовать человека нашей цивилизации в сомати. Мы понимали, что психоэнергетический барьер в сомати-пещерах с людьми нашей цивилизации не должен существовать. Поэтому такая встреча казалась нам реально осуществимой.

Гуру Ношари Нат сказал Лобанкову, что получил некоторые новые сведения. Человек, живущий более 300 лет (Кунга Джорджи Лама) изменил свои планы и выйдет из состояния сомати только на 2 дня во время полнолуния в июле 1997 года, а далее снова погрузится в состояние сомати в пещере. В течение этих двух дней мы можем с ним встретиться. Гуру планировал также сам идти туда. В другое время встреча с Кунгой Джорджи Ламой будет для нас проблематична. Более того, гуру Ношари Нат добавил, что мы должны быть переодеты в одежду лам и пройти некоторые уроки медитации и ламских обрядов. Кроме того, гуру подчеркнул, что это путешествие опасно, так как пещера находится в районе горы Кайлас.

Загадочная гора Кайлас

Выяснилось, что рядом с горой Кайлас находится так называемая «Долина скелетов», которая, по свидетельствам, сплошь усеяна костями. Как рассказывал уфимец Марат Фатхлисламов, дважды беседовавший с Сатьей Саи Бабой и обладающий недюжинными знаниями в области религиозных и оккультных наук, район горы Кайлас является местом, куда люди уходят умирать. Через район этой горы, как он говорил, проходит энергетический столб, который соединяет Землю со Вселенной. Считается, что если человек умирает здесь, то дух его по энергетическому столбу легко возносится на Тот Свет.

Далее мы стали находить еще и еще больше сведений о наличии в районе горы Кайлас необычной энергетики. Одни говорят или пишут, что в этом районе находится вход в Шамбалу, другие указывают, что вход находится в другом месте.

Но самой неприятной была информация не о необычной энергии, а о многочисленных случаях гибели людей в районе горы Кайлас. Ученые из Санкт-Петербурга сообщили, что пять российских альпинистов, совершившие восхождение на гору Кайлас, погибли один за другим через 1—1,5 года после восхождения от неизвестной болезни. Поступило сообщение, что в районе этой горы погибла группа из 200 паломников, которые замерзли в горах, разбежавшись в разные стороны. Есть и другие настораживающие факты.

Правда все это или нет — я не знаю. Я позвонил индийским ученым и спросил их об этом. Они ответили, что случаи гибели людей в районе горы Кайлас на самом деле регистрируются часто, но они приписывают это недостатку кислорода и низким температурам. Такое мнение вызывает сомнение: подножье горы Кайлас располагается всего лишь на высоте около 2000 метров, а паломники, всю свою жизнь прожившие в горах, вряд ли могли так запросто разбежаться в разные стороны и погибнуть поодиночке. Нельзя исключить возможности воздействия на паломников инфракрасного излучения, которое, как считают, воздействует на человеческую психику, вызывая беспричинный страх, панику и даже остановку сердца.

Мы, европейцы, склонны считать, что все на свете знаем. Однако давайте вспомним, что в начале века нередко отмечались случаи загадочной медленной смерти людей, побывавших в определенных местах. Тогда никто не знал, что в этих местах располагаются залежи урана, а смерть наступает в результате возникновения лучевой болезни. Так же и сейчас, в конце века, нет никакой уверенности, что мы знаем обо всех источниках энергии. Нельзя исключить, что в районе горы Кайлас находится зона неизвестной современной науке энергии, которая порой так губительно действует на людей.

Гора Кайлас

Но почему именно в этом районе вошел в сомати Кунга Джорджи Лама? Кто его знает, может быть, эта энергетическая зона выполняет одновременно роль того барьера, который не позволяет беспокоить людей в состоянии священного сомати. Ведь, как явствует из полученных в экспедиции фактов, люди нашей цивилизации, в отличие от людей предыдущих цивилизаций, не могут создать защитный психоэнергетический барьер сомати-пещеры.

В туризме и альпинизме многое зависит от руководителя. Именно он отвечает не только за прохождение маршрута, но и за жизнь участников похода. Так и здесь, в экспедиции, я, как руководитель, отвечаю за жизнь каждого участника экспедиции. Мне думается, что пока еще у нас маловато сведений о горе Кайлас. Нужно разобраться в этом получше. А для этого надо собрать побольше информации.

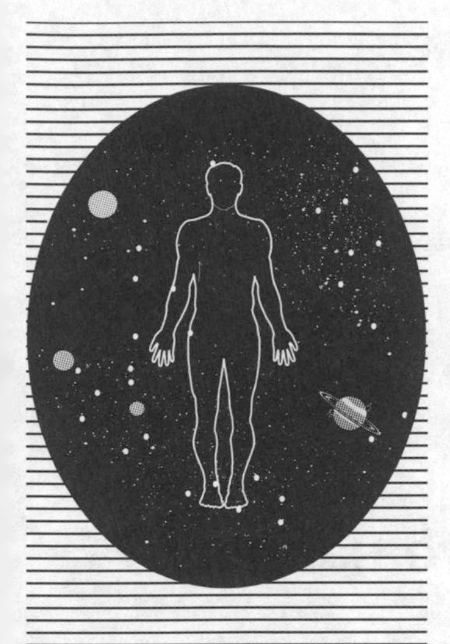

ЧАСТЬ IV

МИР СЛОЖНЕЕ, ЧЕМ МЫ ДУМАЕМ

(философское осмысление фактов)

Глава 1
Верю ли я в то, что написал?

Глава 2
Генофонд человечества

Глава 3
Шамбала и Агарти

Глава 4
История человечества на земле

Глава 5
Одичание как регрессивный эволюционный фактор

Глава 6
Негативная аура над Россией

Глава 7
Добро, любовь и зло

Глава 1

Верю ли я в то, что написал?

В предыдущих главах книги мною был изложен в основном фактический материал, полученный нами при научных исследованиях глаз людей, а также в беседах с ламами, гуру, свами и учеными Востока. Приведен анализ доступной литературы.

Когда анализ фактического материала и литературы был закончен и были подведены итоги, я невольно засомневался в полученных сведениях — уж слишком необычными они оказались и никак не укладывались в моем сознании. Если принимать во внимание изложенное выше, то приходилось признать существование на земле страхующего жизнь Генофонда человечества, зависимость развития нашей цивилизации от последнего послания «SoHm», существование особой формы жизни в тонком мире (Тот Свет) и многое другое. Вполне резонно передо мной встал вопрос: верю ли я в то, что написал?

Взгляд ученого-материалиста

За свою 20-летнюю научную карьеру я сформировался как типичный ученый-материалист. Начав свои исследования еще в научном студенческом кружке при кафедре анатомии медицинского института, я постепенно освоил ряд теоретических медицинских дисциплин (анатомию, гистологию, гистохимию, биохимию, и т. п.), которые потом очень пригодились для ведения научных исследований, когда я стал хирургом-офтальмологом. Нашей группой ученых был создан трансплантационный материал аллоплант, позволяющий стимулировать регенерацию собственных тканей человека (кровеносных сосудов, эпителия, роговицы, кожи и др.). До нас это никому не удавалось. Возможность «выращивать» собственные ткани человека открыла принципиально новые возможности хирургии, позволив оказывать помощь доселе безнадежному контингенту больных. К нашим исследованиям был проявлен большой интерес в более чем 35 странах, новые операции с аллоплантом стали распространяться по миру.

Это направление в медицине, созданное на базе сугубо материалистических подходов в науке, тем не менее, имело два труднообъяснимых момента.

Первый из них — это феномен немедленного положительного воздействия трансплантата, который особенно хорошо иногда проявляется при глазных операциях. В частности, я помню пожилую итальянку, которую я оперировал с аллоплантом по поводу пигментного ретинита (куриной слепоты). Пациентка, которая до операции в течение 5 лет еле отличала свет от тьмы, через 3—4 часа после операции стала считать пальцы в трех метрах от себя. Как это объяснить? Никакой регенерацией тканей объяснить это не представлялось возможным, потому что для регенерации тканей нужно минимум 1—2 месяца. Единственное мало-мальски подходящее объяснение можно было найти только в биополевом воздействии трансплантата; видимо, пересадка аллопланта вызывала реакцию клеток, биополе которых положительно влияло на сетчатку глаза. Но скудность наших знаний о биополе не позволяла толком проанализировать этот феномен.

Вторым труднообъяснимым моментом явились результаты операций с аллоплантом по поводу рака век. Этот вид рака после различных методов лечения дает до 30 и более процентов рецидивов опухоли, что сопровождается распространением рака по лицу и в орбиту с прорастанием в мозг. Как правило, наступает смерть. Начав операции с аллоплантом при раке век, мы очень боялись, что аллоплант будет стимулировать рост опухоли. Но у нас не было выхода, потому что нужно было чем-то закрыть большой дефект тканей, образующийся после иссечения опухоли. Прооперировав 183 пациента, мы проверили отдаленные результаты операций сроком 8 лет и более. Результаты операций оказались неожиданными для нас — количество рецидивов рака снизилось с 30 до 1,2%.

Чем объяснить столь явное положительное воздействие аллопланта при хирургическом лечении рака век? Объяснить это только тем, что мы во время операции удаляли рак полностью, вплоть до последней клеточки, было бы неправомерным, так как во многих случаях рак прорастал в кости и удалить его полностью технически было невозможно. Тогда почему оставшиеся раковые клетки после операции с аллоплантом не дали повторного роста, т. е. рецидива?

Кое-какие объяснения можно было найти с той точки зрения, что рост нормальных клеток пациента, стимулированный аллоплантом, конкурентно воздействует на раковый рост, «побеждая» его. Мы нашли некоторые доказательства этому в экспериментальных исследованиях, но полного осознания причин деградации раковых клеток не получили. Совершенно непонятным оставалось, прежде всего, то, что погибали не только раковые клетки, находящиеся в контакте с регенерирующими нормальными клетками, но и раковые клетки, расположенные на сравнительном отдалении от регенерирующей ткани пациента. Напрашивался вывод, что растущие нормальные клетки пациента обладают сильным биополем, губительно действующим на патологические раковые клетки.

В принципе, эффект положительного воздействия биополя растущих клеток для лечения различных болезней известен науке. Доктор Цзян из Хабаровска создал аппарат «Биотрон», с помощью которого облучал пациентов биополем растущих растений. Я сам видел одну из его пациенток и нашел, что лечение с помощью биополя растущих растений оказалось вполне эффективным для нее. Можно думать, что растущие клетки имеют несравненно более сильное положительное биополе, чем биополе обычных клеток организма. Также можно думать, что биополе растущих нормальных клеток человека, стимулированных аллоплантом, способно воздействовать на человеческий организм более сильно, чем биополе чужих для него клеток растений.

Возник соблазн использовать биополе растущих клеток человека для лечения метастазирующих форм рака. Но как доставить эту полевую информацию до каждой метастазировавшей раковой клетки? В процессе исследований у нас возникло множество вариантов использования аллопланта в этом смысле для лечения безнадежных раковых больных.

Но... как всегда бывает в науке, от идеи до прямой ее клинической реализации существует большая дистанция. Мы поняли, что у нас катастрофически не хватает знаний по пониманию биополя человека как такового. К сожалению, оказалось, что сведений об этом в научной литературе можно найти ничтожно мало.

Неужели за знаниями о биополе человека нужно обращаться ко всевозможным магам, волшебникам, колдунам и экстрасенсам? К сожалению, среди них слишком много шарлатанов.

Современная европейская наука только начинает подходить к необходимости изучения биополя человека, что может открыть новые возможности лечения больных. В то же время в странах Востока (Индия, Непал, Тибет и др.) биополевые методы издревле эксплуатируются для лечения больных. Для европейской медицины такие понятия, как «энергетические столбы организма», абстрактны и непонятны, а для тибетской медицины это является основой их тысячелетнего врачевания.

Ученый может пойти двумя путями: с одной стороны, он может подробно изучить ту же тибетскую медицину и стать полным ее приверженцем, но с другой — он может обратить внимание лишь на принципиальные моменты тибетской медицины, а основной исследовательский запал направить на анализ и осознание общих моментов функционирования психической энергии, души и духа, чтобы с общих позиций подойти к решению конкретной проблемы.

В ходе своего научного пути я всегда пользовался вторым подходом, т. е. тем, когда ученый идет от общего к частному. Поэтому, имея целью решение конкретных медицинских проблем, прежде всего рака, мы волей-неволей приступили к изучению психоэнергетики и связанных с ней проблем происхождения человека и мироздания.

Кроме того, как указывалось выше, другое наше научное направление — офтальмогеометрия — привело тоже к необходимости более подробного изучения истоков происхождения человечества.

Таким образом, два подхода, имеющие материалистический контекст (попытка решения проблемы рака и поиски истоков происхождения человечества), привели нас к экспедиционным исследованиям в Индии, Непале и Тибете. Перед экспедицией я вообще не задумывался над тем, что по воле судьбы мы войдем в область оккультных наук и начнем с научной точки зрения рассматривать религиозные данные.

Когда в экспедиции мы получили сведения о Генофонде человечества и последнем послании «SoHm», я испугался. Привыкнув работать в области сугубо материалистической науки, тем более ежедневно проводя хирургические операции, в которых нет места пространным размышлениям, я невольно почувствовал как бы свою причастность к клану отрешенных людей, исповедующих всевозможные оккультные и эзотерические науки. Я никогда не относился к таким людям серьезно, но оказался вынужденным анализировать то, о чем они сумбурно говорят. Я привык всю свою научную жизнь доказывать правоту своих научных выводов ученым, консерватизм которых не вызывал никакого сомнения; я даже считал, что консерватизм — это хорошо, потому что в споре рождается истина.

Он поверит в закон Ньютона только тогда, когда яблоко упадет ему на голову

После опубликования основных результатов экспедиции в газете «Аргументы и Факты» мы получили много писем. Среди этих писем были письма и солидных ученых. Как ни странно, большинство ученых хорошо и доверительно отнеслись к данным, полученным в экспедиции. Да и во время нескольких пресс-конференций, в ходе которых мы демонстрировали видео- и слайдовый материал, большинство выступавших ученых доброжелательно и хорошо оценили полученные результаты. Люди оказались способны воспринять то, что трудно укладывается в голове; например, существование в пещерах живых представителей предыдущих цивилизаций в состоянии сомати. И это несмотря на то, что мы не смогли представить прямых доказательств сказанного, а оперировали логическими построениями и косвенными фактами. Люди доверяли логике и подспудно понимали, что человек — это всего лишь небольшая частичка вселенской жизни, а не хозяин природы и ему неподвластно быть в прямом контакте с Генофондом человечества, создание которого как системы, страхующей жизнь на Земле, определено, прежде всего, греховностью человеческого существа.

Это оказалось неожиданным для меня; я ждал полного непонимания и отрицания, разгромных статей и обвинений в том, что у меня «крыша поехала». Но лишь одна бульварная газетенка «Воскресная», которую люди покупают ради программы телепередач, периодически публиковала про нашу экспедицию статьи, озлобленно смакующие не абсолютную доказанность некоторых наших данных. Меня даже обвинили в том, что я украл облик гипотетического лемуро-атланта у художника, который его нарисовал по моему же эскизу. Я умею рисовать, но понимаю, что профессионал сделает лучше. С этим художником, В. Куприяновым, мы долго смеялись над тем, как нас хотели поссорить. Причина же озлобленности этой газеты выяснилась позднее: оказывается, эта небольшая городская газета хотела с самого начала иметь эксклюзивное право на публикацию материалов нашей экспедиции, а мы отдали это право самой популярной российской газете «Аргументы и Факты».

Публикацию в «АиФ» перепечатали многие российские газеты, а также газеты разных стран мира. И ни в одной из них не было охаивания или консервативной критики. Критика в мой адрес, прозвучавшая в нескольких письмах, носила скорее конструктивный характер. В частности, писалось, что психоэнергетический барьер сомати-пещер можно объяснить вредными испарениями, что исследования по происхождению человека могут повредить моей репутации ученого-хирурга и т. д.

В чем же причина того, что консерваторы от науки обошли молчанием столь удобную для уничтожающей критики мишень, как наши исследования по Тибету? Причина этого, я думаю, состоит в том, что наши исследования по происхождению человечества стоят как бы особняком и не задевают лично кого-то из ученых, опровергая его данные. Ученый превращается в консерватора тогда, когда от успехов в его научной карьере у него начинает кружиться голова и он начинает считать достигнутое им в науке абсолютной истиной (а таковой, как известно, не бывает). Все попытки других ученых развить, дополнить или опровергнуть его данные он встречает в штыки, потому что ему кажется, что в этом случае его жизнь будет прожита зря, а ведь очень хочется остаться навечно гегемоном от науки. Такому консерватору невдомек, что наука — это динамичный процесс постижения нового в бесконечном информационном поле знаний, а его исследования тоже были полезны, дав толчок другим изысканиям.

Другой тип ученого-консерватора — это Фома неверующий, который поверит в закон Ньютона только в том случае, если яблоко упадет ему на голову. Такой ученый способен осознать только прямое доказательство, как, например, вытащенный из сомати-пещеры и оживший на виду у всех атлант. Да и то у него появится куча сомнений, таких, как атлант ли это, и т. п. Этот тип ученого-консерватора не способен владеть научной логикой и не может выстраивать косвенные сведения в стройную цепочку, он не способен понять, что хорошая гипотеза — это уже половина дела, поскольку позволяет производить целенаправленные изыскания, идущие впереди своего времени. Например, прямых доказательств теории относительности Эйнштейна не так уж и много, но эта теория уже давно лежит в основе освоения Космоса. Так же гипотеза о существовании Генофонда человечества, базирующаяся на достижении состояния сомати, может стимулировать целенаправленные исследования по использованию полевых воздействий на обмен веществ, по разработке новых способов консервации органов, по выяснению роли воды в организме человека, по применению психической энергии в различных отраслях и т. п. А Фому неверующего от науки лучше всего просто не замечать и не тратить силы, доказывая ему то, что он биологически не в состоянии воспринять.

И наконец, третий тип ученого-консерватора — это ученый, консерватизм которого продиктован коммерческой стороной вопроса. С такими учеными мы постоянно сталкивались в процессе внедрения аллопланта в разных странах мира. Например, больным с диабетическим поражением глаз очень хорошо помогают операции с аллоплантом. Внедрение таких операций очень важно для этих больных людей. Но... тогда потеряют часть прибыли фирмы, производящие малоэффективные для таких больных глазные капли, лазеры и многое другое. Маститые ученые-консультанты, получающие деньги от этих фирм за научное обоснование их продукции, тут же начинают с пеной у рта доказывать неэффективность и вредность аллопланта, поскольку понимают, что внедрение аллопланта ударит по их карману. К счастью, гипотеза о Генофонде человечества носит больше мировоззренческий характер, поэтому находится вне поля зрения коммерциализованных ученых. Но пройдет некоторое время, и на основе этой гипотезы будут созданы новые аппараты и способы для лечения больных, которые будут отвергать старые способы. Вот тогда убийственной критике будут подвергнуты не только эти способы, но и гипотеза, породившая их.

Если общение с учеными-консерваторами было для меня обычным явлением, то общение с категорией людей, занимающихся колдовством, волшебством и знахарством, было в новинку.

Маги, волшебники, шаманы, ведьмы, колдуны и экстрасенсы

Деятели такого толка проявили большой интерес к нашим исследованиям. Честно говоря, мне это было неприятно, так как для ученого как-то несолидно рассуждать на темы, например, колдовства. Ученый мир традиционно отвергает это. А современные колдуны, похоже, обрадовались, считая, что наши исследования подтверждают их сверхчеловеческие возможности. Научные и мировоззренческие подходы к проблеме Генофонда человечества их мало интересовали, для них более важными были сведения о роли «третьего глаза» для направленного действия психической энергии. Они как бы получили научное обоснование своих способностей разгонять тучи, предсказывать судьбу, лечить болезни и т. д.

Я, конечно, не отвергаю то, что некоторые люди и в самом деле обладают более сильными психоэнергетическими способностями, чем остальные. Но вся беда в том, что среди магов и колдунов встречается слишком много шарлатанов. В нашей стране, включая и правительственный уровень, в настоящее время расплодилось так много жуликов, что шарлатаны-колдуны кажутся детской игрушкой. Вреда от них в сравнении, например, с жуликами компании «МММ» значительно меньше, но, поверьте, неприятно, когда твою научную гипотезу используют для обоснования шарлатанства.

Сейчас в России возникло множество «народных лекарей», которые конкурируют между собой в борьбе за платежеспособного пациента. И порой способы конкурентной борьбы переходят все пределы человеческой этики. Например, я знаю двух «народных целителей», которые подходили к человеку и заявляли, что он болен раком, доказывая, что это ощущается экстрасенсорно. Оболганный, тем более мнительный, пациент начинал искать у себя смертельную болезнь и в конце концов обращался к этим «целителям», которые за соответствующую сумму «излечивали» у него рак. Кроме как преступлением назвать это нельзя. Но в период вседозволенности и беззакония такое проходит.

Другому «целителю» — якобы специалисту по лечению глаз — я предложил приехать в наш институт и продемонстрировать свой способ под полным офтальмологическим контролем. «Целитель» сразу отказался.

Шарлатанство на этом поприще — еще полбеды. Хуже то, что, как мне кажется, некоторые из знахарей и колдунов обладают сильным отрицательным психоэнергетическим потенциалом. У них какие-то тяжелые, ненормальные глаза. Они могут нанести вред здоровью. В подтверждение этого могу привести пример с сотрудницей нашего института. Она во время одной из конференций с участием магов и колдунов вдруг ощутила резкую слабость, которая прошла только через два дня. Экстрасенс определил, что у нее «пробита» одна из чакр.

Но мне думается, не все так печально. Некоторые из экстрасенсов и целителей могут принести реальную пользу здоровью за счет положительной психической энергии. И таких случаев много.

Как отличить шарлатана от настоящего целителя? К сожалению, таких способов пока нет. Для этого нужно развивать науку о духовном элементе в человеке и, прежде всего, подойти с научной точки зрения к данным религии и восточной медицины. В огромном влиянии психической энергии на человеческое тело нет сомнений; ведь достигается же состояние сомати за счет медитации.

Если уж мы начали говорить о всевозможных вариациях психоэнергетического потенциала человека, то нельзя обойти и людей с ненормальной психикой.

Шизофреники, шизоиды и контактеры

Я не могу сказать, что публикация наших экспедиционных материалов привлекла очень большое внимание людей с шизоидной и шизофренической психикой. Но немало возбужденных писем такого толка мы получили, а несколько человек, обуреваемых страстью поделиться своими «глубинными» мыслями, приехали из далеких городов, чтобы встретиться со мной.

Под шизофренией в медицине понимается психическое заболевание, при котором больной чаще всего имеет два узловых симптома — манию величия и бред преследования. Заболевание имеет прогрессирующий характер и обычно заканчивается шизофреническим слабоумием. Но некоторые люди, имеющие психические «странности» (угрюмость, замкнутость, неадекватные суждения и т. п.), за свою жизнь не реализуются в «полноценных» шизофреников и остаются на этой стадии. Это шизоиды.

Для шизофреников и шизоидов характерны размытость суждений и высокопарное выпячивание своих суждений как мирового открытия. Например, один человек, специально приехавший издалека, поделился своим «грандиозным открытием» того, что Бог един (хотя это общеизвестно!) и просил сообщить об этом в ООН. Другой человек умолял меня не писать больше о проблемах мироздания, поскольку это его так возбуждает, что он может сойти с ума (хотя, очевидно, «схождение с ума» уже свершилось).

Всем подобным людям, с которыми все же приходилось общаться, я задавал вопрос: откуда вы это знаете? Этот вопрос заставал их врасплох, и они никогда не могли на него ответить. Все они хотели одного — чтобы им беззаветно верили. Но... так не бывает.

Среди шизофреников и шизоидов встречается немало «контактеров». Один из них видел во сне космический корабль, пилотируемый людьми, похожими на нашего гипотетического лемуро-атланта. Другой имел видение, что после контакта с Высшим Разумом его направили в пещеру, где он общался с людьми разных цивилизаций в состоянии сомати. Третий тоже имел телепатический контакт с древними людьми в пещерах и т. д.

Шизоиды иногда производят впечатление весьма умных людей. Но в дальнейшем выясняется, что они не способны к научному анализу, логическим построениям и скрупулезному сбору фактов; они руководствуются какими-то глубинными чувствами, которые у них возникают при встрече с чем-то необычным, и шизоиды искренне верят в правомерность своих чувств.

С материалистической точки зрения шизофреники и шизоиды являются болезненным и ненормальным явлением. А может быть, мы, обычные люди, не понимаем шизоидов? Может быть, шизоиды — духовно более продвинутые люди?

В соответствии с данными религии, по монетарному циклу, человечество уже прошло крайнюю точку развития материального начала в человеке и начало восхождение в сторону развития духовного. То есть сейчас идет эволюционный процесс развития духовного начала в человеке. Но любая эволюция имеет свои неудачи, свои корявости. Я думаю, что шизофреники и шизоиды являются такими «неудачами» эволюционного процесса развития духовного начала в человеке. У них и в самом деле существует духовное начало, но оно ущербное, не приносящее пользы. Эти «жертвы эволюции» способны чувствовать что-то глубинно-духовное, но они не могут осознать смысл и значение этого.

В эволюционном плане шизофреники, на мой взгляд, сопоставимы с больными, страдающими прогрессирующей близорукостью. Сейчас в мире идет эволюционный процесс перестройки человеческого глаза преимущественно для зрения вблизи, которое более целесообразно в современных условиях, ведь близорукий человек вблизи видит лучше. Но у некоторых людей близорукость имеет прогрессирующий характер, т. е. каждый год добавляются новые и новые диоптрии. Это уже болезнь, которую надо лечить. Они, наверное, тоже своего рода «жертвы эволюции».

Возможно, когда-нибудь люди нашей цивилизации тоже достигнут такого уровня духовного развития, какой имели атланты и лемурийцы, но сейчас мы чаще встречаемся с эволюционными жертвами в виде шизоидов и шизофреников. И только отдельные индивидуумы, как исключение, имеют высокие духовные способности.

Духовно продвинутые люди

Последнее послание «SoHm», как я уже говорил, прервало связь людей нашей цивилизации со Всеобщим информационным пространством (Тем Светом) и поставило людей перед необходимостью самореализовываться. И лишь отдельные люди имеют способность настроиться на частоты Всеобщего информационного пространства и получать оттуда знания. Эти люди, как известно, называются Посвященными. Примеров Посвященных людей немало: некоторые мастера Востока, Е. П. Блаватская, Л. Н. Толстой (как считает Саи Баба), Е. Рерих, А. Бейли и др.

Вполне резонен вопрос: можно ли верить тому, о чем говорят Посвященные? Для нас этот вопрос имел особое значение, так как свои логические умозаключения мы базировали во многом на данных, полученных от Посвященных людей. Поэтому вопрос: «Верю ли я в то, что написал?» — в значительной степени сопоставим с вопросом: «Верю ли я в данные Посвященных?»

Давайте обсудим, например, Е. П. Блаватскую, на которую я часто ссылался. Откуда у нее такие огромные знания? Этот вопрос интересовал не только меня. Так, А. Н. Степанов из Самары написал письмо, в котором привел сведения о заседании Лондонского общества психических исследований. Оказывается, в начале нашего века член этого общества по фамилии Ходгсон был направлен в Россию для изучения «феномена Блаватской». Вывод, который сделал Ходгсон, был таков: «Елена Блаватская — самая образованная, остроумная и интересная обманщица в мире».

Так ли это? Конечно же, лондонские научные общества, в том числе и вышеуказанное, весьма респектабельны в мире. Но чем выше респектабельность того или иного научного общества, тем больше соблазна у его членов абсолютизировать свои знания и встать на позиции дубового консерватизма. Член научного общества Ходгсон тоже не избежал этого соблазна, обвинив Е. П. Блаватскую в обмане, поскольку ее знания выходили далеко за рамки зашоренных представлений Ходгсона. Обремененный грузом высокого понимания своей роли, Ходгсон, конечно же, не мог допустить того, что Е. П. Блаватская стократ умнее его. Ходгсон, конечно же, не догадался провести параллели между данными Блаватской и религией. И он, конечно же, игнорировал то, что многие страны Востока имеют такие же представления о мироздании и антропогенезе, как и Е. П. Блаватская. Груз респектабельности не дал Ходгсону понять это. И вот прошел почти век с того времени; кто знает Ходгсона? Да почти никто. Е. П. Блаватскую знают все.

Россияне, как представители страны, долгое время закрытой, склонны преувеличивать мнения респектабельных зарубежных научных обществ. Я тоже раньше склонял голову перед Западом. Но потом, когда в качестве ученого-хирурга объездил полмира, я понял, что лондонский или нью-йоркский апломб далеко не есть истина. Во время своих лекций, например, в Нью-Йорке, чтобы сбить этот высокопарный апломб, я даже деликатно вставляю фразу об отсутствии принципиально новых разработок в нью-йоркской школе офтальмохирургии. Понятно, что это обидно слышать, зато самовлюбленные ученые начинают внимательно слушать, а потом пускаются в бурные дискуссии. А дискуссии — это хорошо. Апломб надо стараться сбивать. Не то дело доходит до натуральной спекуляции респектабельностью; например, любой человек, выплачивая по 100 долларов ежегодно, может быть членом Нью-Йоркской академии наук (т. е. академиком) и получить удостоверение. Никто даже не задумывается, что эта «Академия» представляет собой контору по напечатанию удостоверений и сбору денег.

При нормальном доброжелательном рассмотрении «феномена Блаватской» обращает на себя внимание источник ее огромных знаний. То, о чем она пишет в двух томах своей книги, придумать и сфантазировать невозможно, тем более, что автор делает множество ссылок на древние источники. Давайте сопоставим то, о чем пишет Е. Блаватская, с данными религий разного толка — основной смысл знаний является одним и тем же, с учетом того, что религия преподносит все в аллегорической форме. Сопоставим с Ведами — основной смысл един. Сопоставим со сведениями, полученными от свами, лам и гуру — основной смысл одинаков. Сопоставим с Нострадамусом — основной смысл один.

Из этого можно сделать вывод, что в мире существует какой-то единый источник знаний, который неизвестен европейской материалистической науке, но из которого независимо друг от друга черпают свои знания люди разных стран и разных поколений. С точки зрения вероятностного подхода, существование такого всеобщего источника знаний выглядит более правдивым, чем допущение о том, что люди разных стран и разных поколений независимо друг от друга одинаково и невероятно сложно фантазировали. Этим источником знаний является, видимо, Всеобщее информационное пространство (Тот Свет). Поэтому, как ученый, я не могу отбросить и не принять во внимание то, о чем пишут Посвященные и что утверждает религия.

В процессе эволюционного увеличения духовного начала в человеке количество таких Посвященных, наверное, будет увеличиваться и в очень далеком будущем, возможно, все люди смогут пользоваться знаниями Всеобщего информационного пространства, т. е. преодолеют принцип «SoHm». Логично также, что в процессе духовной эволюции должны появляться люди, которые могут лишь частично настраиваться на частоты Всеобщего информационного пространства и в связи с этим владеть лишь некоторыми знаниями, полученными оттуда. Нескольких таких людей я знаю. Они хорошо знают литературу о роли духовного элемента в человеке, у них есть знания о сомати-пещерах, механизме психоэнергетического барьера этих пещер, адептах и т. п. На вопрос об источнике этих знаний они точно ответить не могут.

Таким образом, мне кажется, что духовно продвинутые люди существуют, и нам, ученым, можно принимать во внимание то, о чем они говорят. При этом нужно быть весьма осторожными и основываться только на тех знаниях духовно продвинутых людей, которые повторяются во времени и в разных странах, а также укладываются в стройную научную логическую цепочку. Должна быть золотая середина.

Золотая середина

Я убежден, что золотая середина должна иметь место в процессе научного анализа и подачи материала. Те сведения, которые мы получили во время экспедиции, трудно укладываются в голове воспитанного в чисто материалистических позициях человека. Но мы не можем отбросить их только из-за того, что они пока еще плохо укладываются в голове. Логика является королевой наук, и мы не имеем права нарушать логические принципы в угоду общепринятым представлениям. С другой стороны, мы не имеем права включать в логический анализ недостоверные и несерьезные факты. Нужно находить золотую середину.

Религия, которая оказалась вне науки, выполняет в настоящее время больше роль воздействия на поведение и стиль жизни человека (сравните, например, поведение мусульманина и христианина), чем пополняет знания. Я надеюсь, что шаг за шагом будет идти научное обоснование религии и постепенно религия из атрибута чистой веры превратится в научную религию и будет пополнять знание. Но для этого нужно время, нужны исследования, подобные нашему.

В такого рода исследованиях, когда ученый имеет дело не с конкретными фактами, а с разнородными сведениями из разных источников, очень трудно найти золотую середину между тем, чему можно верить, и тем, чему верить нельзя. Тем не менее мы сделали попытку найти эту золотую середину и построили несколько гипотез (о Генофонде человечества, о Шамбале и Агарти, об истории человечества на земле, об одичании как регрессивном эволюционном факторе и об устройстве Того Света).

Я верю в научную логику и поэтому в основных чертах верю в правдивость этих гипотез. В будущем в этих гипотезах что-то отвергнется, что-то изменится, но я убежден, что многое, о чем ниже пойдет речь, все же реально.

Глава 2

Генофонд человечества

Итак, на основании данных, полученных в экспедиции, мы пришли к предположению, что на земле существует Генофонд человечества в виде людей разных цивилизаций в состоянии сомати, законсервированных на тысячи и миллионы лет, но способных выйти из этого состояния и, в случае глобальной катастрофы, дать продолжение жизни на земле или, в случае регресса человеческого общества, направить его развитие по пути прогресса за счет использования древних знаний.

Значение Генофонда человечества

Если основываться на данных религии и Посвященных, человек на земле возник путем уплотнения духа. Люди первой расы были еще ангелоподобными. Они постепенно уплотнялись и достигли достаточной плотности в третьей расе (лемурийцы), еще большей плотности в четвертой расе (атланты) и наибольшей плотности — в пятой расе (наша цивилизация). Создание человеческого тела в физическом мире путем уплотнения духа явилось результатом огромной и длительной эволюционной работы природы.

Но человечество, живущее на поверхности земли, не застраховано от геологических и космических катаклизмов, а также от внутричеловеческих конфликтов, которые при достаточной развитости науки и техники могут привести к глобальной катастрофе с самоуничтожением человечества. В случае полного унич-

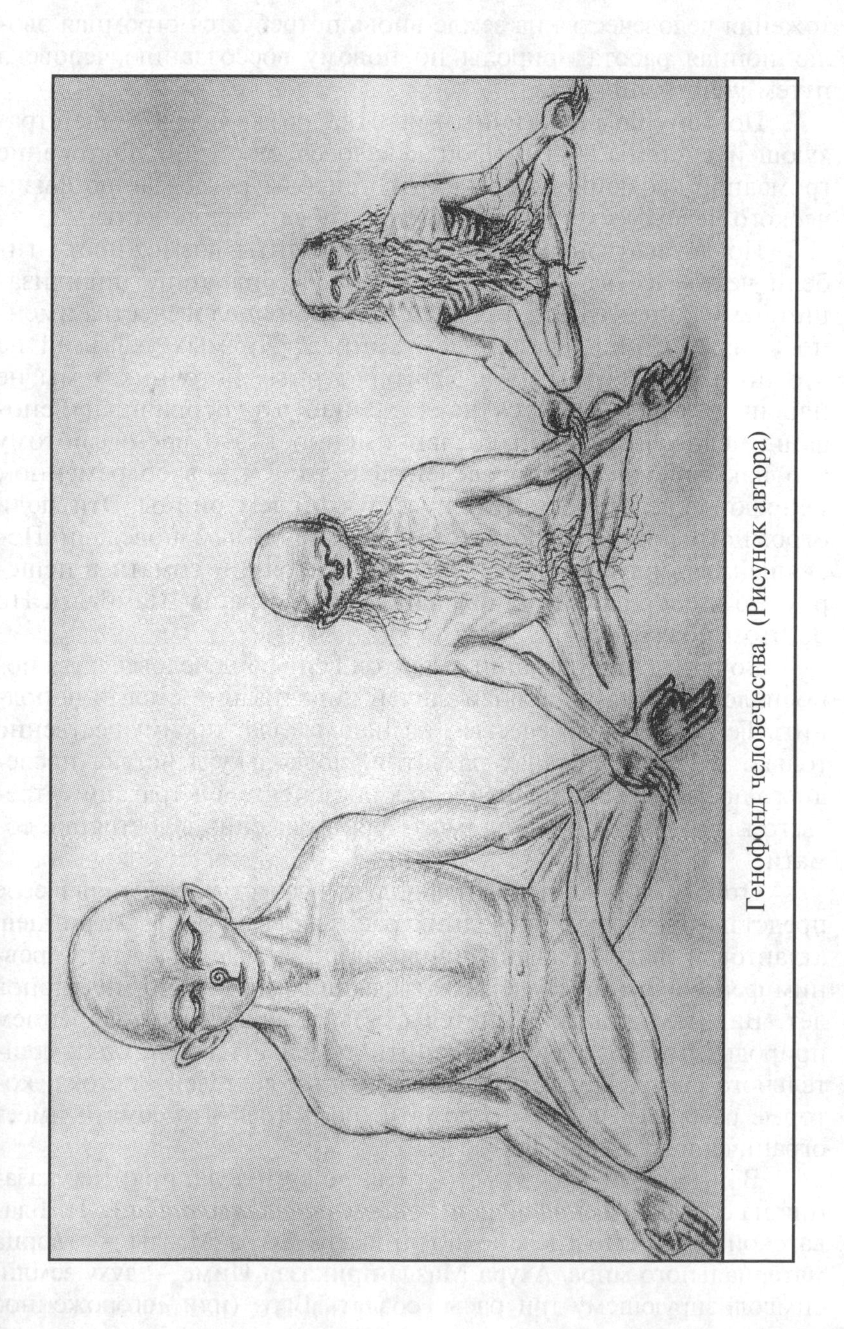

Генофонд человечества. (Рисунок автора)

тожения человечества на земле вновь потребуется огромная эволюционная работа природы по новому воссозданию человека путем уплотнения духа.

Поэтому более логичным явилось создание на земле страхующей системы — Генофонда человечества, чем повторение громадной эволюционной работы природы по созданию физического человеческого тела в случае гибели человечества.

По литературным данным, прецеденты возможности гибели человечества стали появляться уже на этапе цивилизации лемурийцев. Был ли создан Генофонд человечества именно во время цивилизации лемурийцев? Прямых указаний на это ни в религиозных, ни в литературных источниках мы не нашли. Но складывается впечатление, что первичный Генофонд человечества был создан именно в это время, потому что накопилось немало сведений о том, что в современном Генофонде человечества присутствуют и лемурийцы. Эти люди огромного роста, в соответствии с тем, о чем поведали Посвященные, находятся не только в состоянии сомати в пещерах, но и составляют основу загадочной страны Шамбалы. Но об этом позже.

Во время цивилизации атлантов Генофонд человечества пополнялся атлантами, а люди нашей цивилизации смогли пополнить Генофонд человечества, на наш взгляд, преимущественно только на ранних этапах развития, поскольку действие последнего послания «SoHm» привело к постепенной деградации «третьего глаза», столь необходимого для вхождения в состояние сомати.

Отсюда следует, что Генофонд человечества, сохраняя в себе представителей трех последних рас человечества (лемурийцев, атлантов и людей нашей цивилизации), является весьма древним феноменом на земле, охватывающим несколько миллионов лет. Видимо, сомати является столь совершенным творением природы, что позволяет сохранить людей в течение столь длительного срока. Ни один из религиозных деятелей Востока, которые рассказывали нам о сомати, не сказал, что сомати имеет ограничение по времени.

В литературе можно встретить, по сути дела, прямые указания на создание Генофонда человечества на земле. По Е. П. Блаватской, это было сделано по приказу Ахура Мазды — творца материального мира. Ахура Мазда приказал Иime — духу земли, символизирующему три расы, создать Вара (или «огороженное место», или «вместилище», или Арчха). Читая книгу Е. П. Блаватской, можно понять, что словом «Вара» она называет места для сомати, т. е. места Генофонда человечества. Автор указывает, что Ахура Мазда приказал принести в Вара семена мужей и жен, избранных из родов самых великих и лучших, а также семена всякого рода скота, чтобы они сохранялись там до тех пор, пока эти люди пребудут в «Вара».

Выражение «Генофонд человечества (Gene Pool of Humanity)» было предложено нами. Никогда и нигде мы не слышали такого выражения. Несмотря на это, все опрошенные ламы, гуру, свами и люди, которых можно было посчитать Посвященными, прекрасно понимали, что именно мы называли Генофондом человечества. Складывалось впечатление, что они не просто знают о Генофонде человечества, но и используют такое же выражение. На прямой вопрос: «Существует ли Генофонд человечества?» — в большинстве случаев они отвечали утвердительно. Казалось, что для этих людей существование Генофонда человечества является само собой разумеющимся явлением. Но высочайшая засекреченность и святость этого явления подчеркивалась постоянно.

В подтверждение сказанного приведу отрывок моего разговора с вышеотмеченным российским религиозным деятелем — настоятелем, который назвал источник своих огромных знаний «ведением».

— Дорогой настоятель, мы пришли к выводу, что на земле существует Генофонд человечества. Что вы думаете по этому поводу? — спросил я.

— Да, Генофонд человечества существует. Это объективная реальность и необходимость, — ответил настоятель.

— Откуда вы это знаете?

— У меня ведение.

— Вы когда-нибудь рассказывали кому-нибудь о Генофонде человечества?

— Нет.

— Почему?

— А зачем это знать людям? Это слишком свято. Люди не созрели для понимания роли Генофонда человечества.

— А какова роль Генофонда человечества? — спросил я.

— Сохранить жизнь человечсскую на земле, — ответил настоятель.

— Каков состав Генофонда человечества?

— Основу его составляют лемурийцы. Много там и атлантов. Но роль атлантов, хотя их и больше, значительно меньше, чем роль лемурийцев. Если Генофонд человечества будет востребован, то именно лемурийцы спасут человечество, потому что они наиболее высокоразвитые люди на земле.

— А как же люди нашей цивилизации?

— Они тоже частично входят в состав Генофонда человечества, но роль их невелика. Наша цивилизация — это слепая ветвь, это неудача антропогенеза. Люди нашей цивилизации бездуховны, злы, они не для Генофонда человечества.

— Говоря иными словами, таких в Генофонд не берут. Я смею предположить, что в основном лишь древние представители людей нашей цивилизации могли войти в состав Генофонда человечества, поскольку на раннем этапе духовность еще не была потеряна. Ведь главным условием вхождения в состояние глубокого сомати является очищение души от негативной психической энергии путем, в частности, сострадания. Трудно представить, например, «нового русского», который бы очистил свою душу путем сострадания, хотя бы к тем старикам, из карманов которых он вытащил деньги за счет 100—200-процентной посреднической надбавки к ценам на основные виды продукции, — сказал я.

— Наша цивилизация, — проговорил настоятель — это неудачный эксперимент: человек не смог устоять перед корыстью, завистью, жадностью, ненавистью даже в условиях самореализации, когда он отделен от древних знаний. Наша цивилизация должна погибнуть как неудачная...

— Да, над миром и особенно над Россией нависла негативная аура. Идет смакование криминальных случаев, насаждается культ насилия в боевиках, обман и распутство стали нормой жизни. Ламы говорили мне, что негативная аура может повлечь за собой космические и геологические катаклизмы на земле. Так ли это? — спросил я.

— Таких примеров множество. Возьмите хотя бы землетрясение в Армении, возникшее во время армяно-азербайджанского конфликта. Негативная аура над Землей приведет или к тому, что возникнет губительный для человечества катаклизм или к тому, что кто-то нажмет кнопку ядерной войны. Я думаю, что наша цивилизация скоро погибнет; она неудачна, — сказал настоятель.

— И тогда... будет востребован Генофонд человечества, — промолвил я.

— Да... когда условия на земле станут пригодными для жизни.

Но значение Генофонда человечества сводится не только к страхованию жизни на земле, но и к использованию его для направления развития человечества по пути прогресса за счет пророков. Кто может сказать, что роль Будды, Иисуса, Мухаммеда, Моисея незначительна в истории человечества? Никто. Каждый из пророков оказал столь огромное влияние на людей, что человечество даже разделилось по принципу характера воздействия пророков — мусульманский мир, буддийские страны...

У меня практически не осталось сомнений в том, что пророки являлись людьми, пришедшими из Генофонда человечества и вышедшими из состояния сомати. Как мы писали выше, Будда, внешность которого необычна и схожа с гипотетическими представлениями об атлантах, появился на земле 2044 года тому назад, в то время как основные материки Атлантиды затонули 850 000 лет тому назад. Бонпо-Будда (или Рама), внешность которого еще более необычна и соответствует гипотетическим представлениям о поздних лемурийцах, появился на земле 18 013 лет тому назад, в то время как Лемурия погибла несколько миллионов лет назад. Имеются сведения о том, что Иисус Христос родился в пещере, а далее долго обучался на Тибете и т. д.

Складывается впечатление, что в качестве пророков на Земле появлялись представители различных цивилизаций: лемуро-атланты (Бонпо-Будда), атланты (Будда) и люди нашей цивилизации (Иисус Христос, Мухаммед, Моисей). Да мы, наверное, и не знаем всех людей, которые вышли из Генофонда человечества, поскольку, видимо, далеко не все из них смогли оказать столь явное воздействие на развитие человечества, как отмеченные пророки.

Но сведения о таких «несостоявшихся» пророках все же встречаются в литературе. Так, в книге Ахмеда ибн Фадлана о его путешествии на Волгу в 921—922 годах (А. П. Ковалевский. «Книга Ахмеда ибн Фадлана», 1956, с. 138—139) описывается человек чрезвычайно огромного роста, появившийся невесть откуда в царстве булгар. Автор пишет следующее: «...и вот в нем двенадцать локтей (более 5 метров — *Э. М.*), голова у него как самый большой из котлов, нос более четверти, глаза огромны, а пальцы — каждый более четверти... он приплыл по воде... и, бывало, как взглянет на него мальчик, так и умрет, и беременная взглянет и выбросит свой плод, а иногда он сжимает человека обеими руками, пока не убьет его... мы убили его...»

В Генофонде человечества, очевидно, находится большое число людей разных цивилизаций (как мы уже писали, сомати-пещер много на земле, и в каждой из них находится много людей в состоянии сомати). Даже несмотря на то, что в Генофонд человечества отбирались лучшие люди разных цивилизаций (чистая душа, полное здоровье), очевидно, не каждый из них мог выполнить в полной мере возложенную на него великую функцию — слишком трудна была эта миссия и слишком непривычными были условия на земле при повторном появлении в физической жизни (нет привычного климата, привычных аппаратов, привычного окружения и т. п.). Поэтому не все из них могли выдержать это и тем более преодолеть сопротивление корыстных и честолюбивых людей, ради направления которых по пути прогресса они вновь появились на земле.

Ясно, что стать представителем Генофонда человечества — величайшая миссия человека, так как при этом человек заранее обрекает себя на лишения и жизнь в условиях, трудных для выживания. Стоит только представить себе собственное появление через тысячи или миллионы лет в непривычном климате в обществе полудиких племен, когда ты одинок и когда единственным твоим оружием являются твои знания и умение пользоваться психической энергией. В частности, атланту, вышедшему из Генофонда человечества в период жизни нашей цивилизации, будет очень трудно: строение глаз не приспособлено для зрения в условиях голубого неба, перепонки травмируются на твердой каменистой почве, пища твердая и невкусная, вокруг только некрасивые, маленького роста люди. Наверное, атлант будет тосковать по родному красному небу, мягкой и влажной земле, теплым морям, в которых он разводил свои подводные плантации, по привычному окружению высоких и красивых людей и т. д.

Почему в одних случаях в качестве пророков появлялись лемуро-атланты, в других — атланты, в третьих — представители нашей цивилизации? Ответить нам на этот вопрос сложно. Только Высший Разум может знать это. Но, несомненно, учитывалось множество факторов: кто из них более приспособлен к существующим в данный период времени условиям на земле, кто сможет оказать наибольшее воздействие на людей, чей характер знаний является более подходящим в этот период и т. д. Благо, есть выбор, так как Генофонд человечества содержит представителей трех коренных рас — лемурийцев, атлантов и людей нашей цивилизации, во многом отличающихся друг от друга. Вариативность изменений условий жизни на земле непредсказуема, поэтому должна быть вариативность выбора наиболее приспособленных людей для продолжения или корректировки жизни на земле.

Представитель какой бы цивилизации не появлялся на земле в качестве пророка, суть его предназначения остается одной — воздействовать на людей с помощью древних знаний и обучить их этим знаниям. Говорят, что в 2000 году Кали-Юга (11 тысяч лет) сменится на Сатья-Югу и наступит «золотой век», когда людям начнут открываться древние знания. В чем суть древних знаний? Анализируя сведения о жизни лемурийцев и атлантов, можно сказать, что основной сутью древних знаний является овладение психической энергией. Человеческая душа как продукт тонкого мира имеет огромные нереализованные возможности. Можно с определенной степенью уверенности утверждать, что древние люди в большей степени, чем мы, владели энергией тонкого мира, т. е. психической энергией. Энергия тонкого мира — это не только телепатические и гипнотические эффекты, это и новые методы лечения болезней, воздействие на гравитацию (перенос тяжестей), новые принципы воздухоплавания и т. д. и т. п.

Но суть овладения психической энергией имеет и один принципиальный ньюанс — он требует светлой души и чистых мыслей. Такова, я думаю, основная закономерность формы жизни в тонком мире.

В подтверждение этому приведу пример из книги В. Мегре («Анастасия», 1997, с.17—43), в которой автор описывает необычайно красивую сибирскую девушку Анастасию, живущую одиноко в лесу. Эта девушка владеет множеством телепатических и гипнотических эффектов, понимает язык зверей, в холодное время может обходиться без одежды, видит прошлое и будущее. На вопрос об истоках своих необычных способностей она ответила, что такие же способности имеет каждый человек, но для их реализации необходима чистота помыслов, а психическая сила человека зависит от светлых чувств.

Слова «светлые чувства», «чистая душа» кажутся, на первый взгляд, чем-то смутно-романтическим. Но давайте вспомним, что для вхождения в глубокое сомати нужно опять-таки «очистить душу», т. е. избавиться от негативно закрученных торсионных полей. Результат очищения души невероятен — человеческое тело принимает способность сохраняться тысячи и миллионы лет в живом виде.

Пророки, вышедшие из Генофонда человечества, вполне понятно, имели чистую душу и в совершенстве владели психической энергией (в противном случае они не смогли бы войти в состояние сомати). Показывая малообразованным и полудиким людям силу психической энергии, они старались передать им древние знания прежде всего психоэнергетического порядка, потому что это путь гармоничного прогресса. Так, видимо, появились религии. Конечно же, религиозны книги, будь то Библия, Коран или Талмуд, написаны для темного человека в сказочно-аллегорической форме, но многое, что в них написано, уже сейчас можно объяснить с точки зрения психоэнергетических подходов.

Итак, заканчивая наши рассуждения о значении Генофонда человечества, можно сказать, что он выполняет двоякую роль, а именно:

— Генофонд человечества является страхующим звеном для продолжения жизни на земле;

— Генофонд человечества является кладезем знаний разных земных цивилизаций, из которых периодически выходят представители той или иной цивилизации с целью пророчества.

Принимая во внимание двоякую роль Генофонда человечества, следует отметить, что многочисленность людей в сомати в нем продиктована, по-видимому, прежде всего ролью страхования жизни на земле, так как для воспроизводства человечества по генетическим законам нужно иметь достаточно большое число разнополых людей. Но анализ доступной нам литературы показал, что в истории разных цивилизаций на земле еще не было прецедента полной гибели людей, живущих на поверхности земли. Поэтому, скорее всего, Генофонд человечества еще ни разу не был востребован для воспроизводства всего человечества на земле. Пока еще Генофонд человечества использовался только как источник появления на земле пророков для коррекции направления развития человечества и, возможно, для частичного воспроизводства человечества.

Но кто знает, может быть, и придет время, когда полностью воспроизвести человечество на земле будет возможно только за счет Генофонда человечества.

Структура Генофонда человечества

По нашим представлениям, Генофонд человечества — это целая подземная и подводная страна с людьми разных цивилизаций в состоянии сомати. Эти люди в сомати не разрознены, а связаны между собой через Всеобщее информационное пространство и находятся под непосредственным контролем Высшего Разума.

Свидетельств того, что во время сомати душа покидает тело и входит в прямой контакт со Всеобщим информационным пространством (Тем Светом), много — об этом рассказывали все опрошенные ламы, гуру и свами. При этом душа сохраняет связь с телом в состоянии сомати за счет так называемой «серебряной нити». Отсюда следует, что в Генофонде человечества как бы соединены воедино две формы жизни человека — в тонком мире (душа) и в физическом мире (тело).

Почти все сведения говорят о том, что Генофонд человечества располагается под землей — в пещерах и пирамидах. Причем все ламы, гуру и Особые люди указывают на то, что сомати-пещеры локализованы преимущественно на Тибете и в Гималаях. Почему именно там? Ответ на это мы находим у Е. П. Блаватской, которая отмечает, что область Вара (Генофонд человечества. — *Э. М.*) создавалась в полярных областях земного шара. Она же пишет, что до всемирного потопа район Гималаев и Тибета являлся Северным полюсом земли, положение которого изменилось в результате изменения наклона земной оси.

Но локализация Генофонда человечества охватывает, повидимому, и другие части земного шара. У нас накопилось об этом довольно много косвенных сведений, которые желательно было бы когда-нибудь проверить.

Как стало нам известно, необходимым условием для сомати является температура + 4 °С. Такая температура характерна для пещер, помещений в пирамидах и для глубоких слоев воды. Поэтому можно предположить, что кроме пещер местом расположения людей в сомати могут быть пирамиды и подводные структуры типа гротов.

В отношении пирамид можно найти косвенные свидетельства о возможном их предназначении для сомати; например, Е. П. Блаватская отмечает, что в помещениях под пирамидами находятся люди третьей, четвертой и пятой рас.

Но в отношении глубоких слоев воды таких свидетельств нам найти не удалось, хотя можно предположить, что, учитывая полуводный образ жизни лемурийцев и атлантов, может иметь место и водное сомати.

Как мы уже отмечали, Генофонд человечества, очевидно, содержит представителей трех последних рас на земле — лемурийцев, атлантов и людей нашей цивилизации. Е. П. Блаватская прямо указывает, что люди третьей, четвертой и пятой рас находятся в подземных жилищах. Некоторые считают, что главным компонентом Генофонда человечества являются атланты, а люди нашей цивилизации представлены в нем в небольшом числе.

То мнение, что атланты являются главным компонентом Генофонда человечества, видимо, вполне оправдано. Атланты, по монетарному циклу, находились на довольно высоком духовном уровне и могли сравнительно легко входить в состояние глубокого сомати. Бесконечные войны, которые вели между собой атланты, наверное, стимулировали пополнение Генофонда человечества как предвестники глобальной катастрофы.

На мой взгляд, все же нельзя считать людей нашей цивилизации малопригодными для Генофонда человечества ввиду их бездуховности. Среди людей нашей цивилизации немало Посвященных и высокодуховных людей. А часть земного шара, включающая Индию, Непал и Тибет, можно считать духовным центром нашей цивилизации, поскольку здесь развит культ духовной реализации человека в виде школ медитации, школ сомати, йоги и прочее. Духовное развитие, культивируемое в этих странах даже в ущерб материальному богатству, не позволяет забыть основы психоэнергетической реализации человека в условиях действия последнего послания «SoHm» и в будущем, очевидно, будет основой пополнения Генофонда человечества людьми нашей цивилизации.

Лемурийцы, которые, на наш взгляд, входят в состав Генофонда человечества, играют в нем узловую роль. Это определено прежде всего тем, что эти люди являются наиболее высокоразвитыми и в условиях выживания на планете могут более целенаправленно и более разумно воссоздать жизнь на земле. Способность лемурийцев (как нам думается) к процессу дематериализации и материализации физического тела может позволять им в случае особо плохих условий жизни на поверхности земли уходить в «подземные жилища» и вновь возвращаться обратно.

Психоэнергетический барьер сомати-пещер

Фраза, которую нам говорили ламы: «Камень для них не преграда», относится, очевидно, к лемурийцам Генофонда человечества, поскольку они способны за счет дематериализации проходить сквозь каменные преграды. В этой же связи лемурийская часть Генофонда человечества должна быть наиболее скрытой, то есть находиться за каменными плитами.

Лемурийцы Генофонда человечества осуществляют, видимо, основную связь Генофонда с Шамбалой, то есть каменно-неподвижные лемурийцы в состоянии сомати за счет телепатической связи контактируют с техногенной подземной цивилизацией лемурийцев Шамбалы. Подробнее об этом речь пойдет ниже.

Именно лемурийцы Генофонда человечества, должно быть, лидируют в Генофонде и как бы руководят им. Выражение лам «Он» относится, наверное, к лемурийцам, которые могут дать или не дать допуск в сомати-пещеру.

Лемурийцы Генофонда человечества, как я думаю, являются наиболее ценной частью Генофонда, т. к. они являются продуктом наиболее развитой (в тысячи раз более развитой цивилизацией, чем наша). Поэтому они будут востребованы только в крайнем случае, когда усилия атлантов или людей нашей цивилизации будут неэффективными, как, например, это было с появлением Бонпо-Будды 18 013 лет назад.

Тело лемурийцев Генофонда человечества, как показано на рисунке, имеет все приспособления для полуводного образа жизни. Следовательно, можно думать, что воссоздание человечества за счет лемурийцев может быть целесообразным в том случае, когда планета будет иметь преимущественно водную поверхность.

Атланты Генофонда человечества, как люди, также приспособленные к полуводному образу жизни, для воссоздания жизни на земле могут быть востребованы тоже в условиях преимущественно водного характера поверхности земли. Тело их, как видно из рисунка, имеет черты лемурийцев, но более приспособлено также к наземному образу жизни. Но меньший уровень развития атлантов в сравнении с лемурийцами, видимо, сделает их усилия по воссозданию человечества менее эффективными и может потребовать помощи лемурийцев, как это было, например, в случае с Сынами Богов на заре возрождения атлантической цивилизации после гибели Лемурии. В этом же отношении можно вспомнить направляющую роль Бонпо-Будды (лемурийца) на заре возрождения арийской (нашей) цивилизации после многочисленных неудачных попыток атлантических и арийских пророков бороться с эволюционным фактором одичания.

Анализируя последние века, трудно сказать, что духовный уровень арийцев повысился и позволил более массово входить в состав Генофонда человечества. Подтверждением этому является то, что от лам и гуру мы получили сведения всего о нескольких людях, вошедших в глубокое сомати в течение последних нескольких веков (Мозе Дзял Дзян и др.).

Однако арийцы являются более приспособленными к наземному образу жизни и поэтому могут быть более предпочтительными для работы в качестве пророков в условиях сугубо наземного образа жизни (пустыни и т. п.). То же самое можно сказать про воссоздание человечества за счет арийцев в условиях засушливого климата на земле.

Таким образом, гипотетически мы пришли к заключению, что в структуру Генофонда человечества входят:

— поздние лемурийцы (лемуро-атланты);
— атланты;
— арийцы (люди нашей цивилизации).

Как мы уже говорили, Генофонд человечества расположен в пещерах, пирамидах и, возможно, в глубоких слоях воды. Пока более конкретно мы можем говорить о том, что преимущественным местом локализации Генофонда человечества являются сомати-пещеры.

Последние, на наш взгляд, бывают трех видов:

1. Сомати-пещеры с людьми только предыдущих цивилизаций:

а) лемурийские сомати-пещеры;
б) атлантические сомати-пещеры;
в) лемуро-атлантические смешанные сомати-пещеры.

2. Сомати-пещеры с людьми только нашей цивилизации (арийские сомати-пещеры).

3. Смешанные сомати-пещеры (лемуро-атланто-арийские сомати-пещеры).

Можно думать, что последний тип сомати-пещер является преимущественным, поскольку позволяет наиболее гибко манипулировать представителями Генофонда человечества в соответствии с условиями жизни на земле.

Сомати-пещеры второго типа (арийские) вряд ли могут быть очень долговечными, потому что наличие психоэнергетического барьера там проблематично. Арийцы, как мы узнали у лам, стараются войти в глубокое сомати именно в тех пещерах, где есть лемурийцы и атланты, преодолевая психоэнергетический барьер, наводимый ими.

Подземный мир Генофонда человечества защищен, как мы уже говорили, психоэнергетическим барьером. Без него Генофонд человечества был бы доступен для посторонних. Появление посторонних людей несет за собой степень риска не только из-за возможных злых намерений или неумеренного любопытства, но и из-за того, что торсионные поля этих людей могут дестабилизировать состояние сомати.

Мы представляем механизм психоэнергетического барьера как один из вариантов дистанционного гипноза. Однако возникает вопрос — как же человек в состоянии сомати при остановленных обменных процессах в головном мозге способен вызывать столь сильное психотропное воздействие? Я думаю, что на этот вопрос можно ответить вопросом — а разве форма жизни в тонком мире (Тот Свет) может обходиться без энергетического потенциала? Конечно же, нет. К сожалению, пока энергия тонкого мира плохо изучена учеными и представляется нам чем-то весьма загадочным. Но проявления этой энергии мы постоянно видим в обыденной жизни в виде феноменов тибетской медицины, экстрасенсорных воздействий, энергетических вампиров, энергетических доноров, негативной или позитивой ауры над страной и т. д. и т. п.

Более того, все описания жизни предыдущих цивилизаций свидетельствуют о том, что ими эксплуатировалась преимущественно энергия тонкого мира (воздухоплавание за счет мантр, перенос тяжестей за счет «третьего глаза» и т. д.), мощь, которой, как сказал вышеотмеченный настоятель, выше энергии физического мира. Отсюда следует, что воздействие психоэнергетического барьера сомати-пещер является воздействием энергии тонкого мира.

Уфимец Марат Фатхлисламов, занимающийся изучением подобных проблем, рассказал о мнении йогов на этот счет, которые в состоянии транса видят в районе сомати-пещер так называемых асури. Эти асури являются защитными субстанциями тонкого мира, которые имеют форму головастиков с хвостиком. При появлении постороннего человека эти асури активизируют-

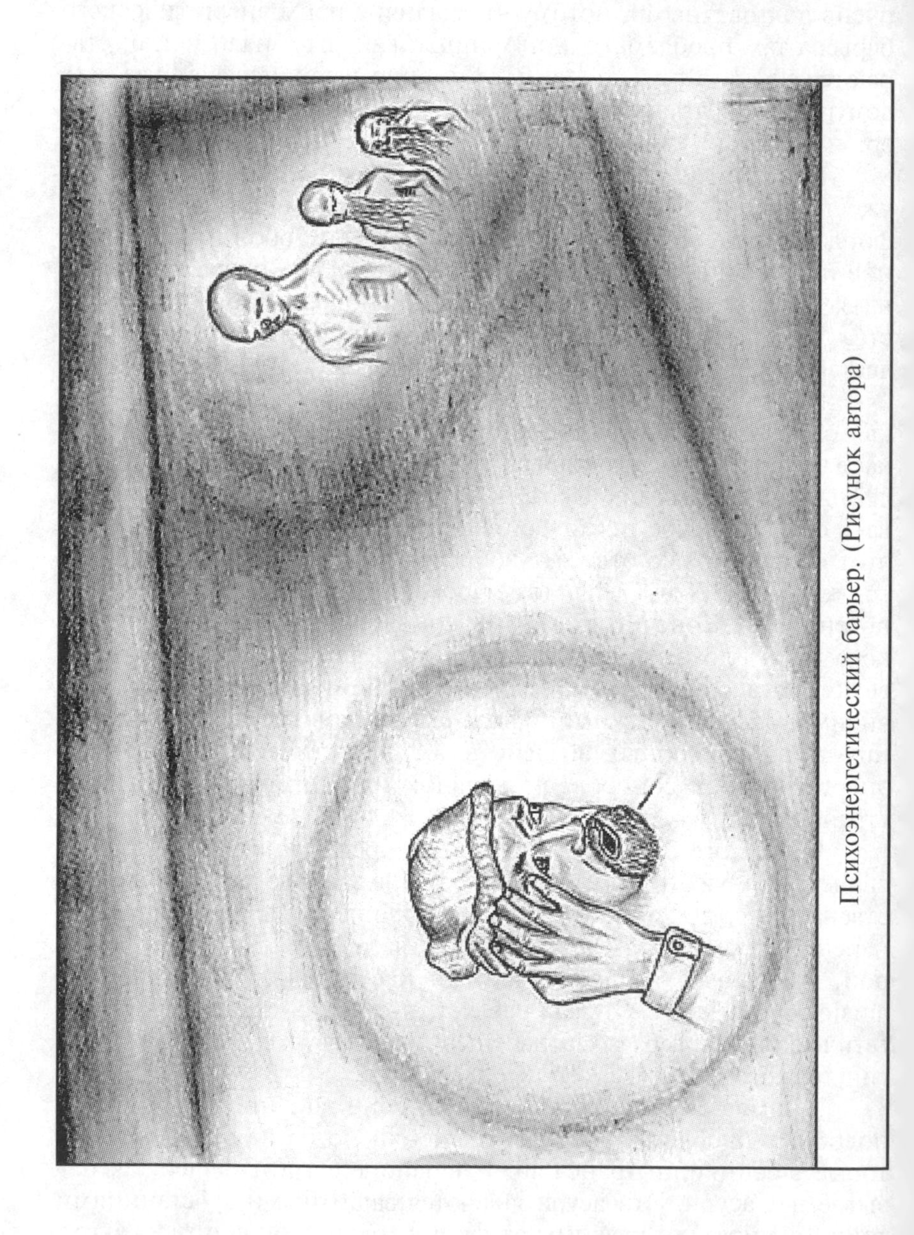

Психоэнергетический барьер. (Рисунок автора)

ся и высасывают энергию человека, вызывая чувства страха, тревоги, негодования, головной боли и слабости. Особые люди, медитируя, способны войти в контакт с асури. Поэтому во всех источниках восточных религий (например, у Лобсанга Рампы) можно найти слова о том, что никто, кроме Посвященных, не может увидеть людей в состоянии сомати. Энергия душ, энергия тонкого мира будет препятствовать этому.

Тем не менее, как бы мы ни говорили о том, что психоэнергетический барьер сомати-пещер наводится за счет энергии тонкого мира, все же кто-то должен наводить эту энергию в районе сомати-пещер. Кто же этот «кто-то»? На этот счет могут быть два варианта ответов:

— барьер наводится за счет энергии душ людей в состоянии сомати;

— барьер наводится Шамбалой.

Рассуждая на тему правомерности первого варианта, вспомним механизм глубокого сомати, описанный выше в беседах с ламами и свами. Дух человека в глубоком сомати находится, как известно, на Том Свете и соединен с физическим телом так называемой «серебряной нитью». Можно думать о том, что энергия волновой формы жизни на Том Свете через эту «серебряную нить» может нисходить на землю и оказывать влияние в районе сомати-пещер. Говоря иными словами, дух человека в сомати через канал, называемый «серебряной нитью», может наблюдать за своим телом и окружающим его пространством и оказывать энергетическое воздействие на нежеланного пришельца в сомати-пещере. Не зря Е. Блаватская писала, что сомати-пещеры «защищены целыми Воинствами Духов...». Очевидно, она имела в виду то, что все люди в глубоком сомати в пещере могут воздвигать защитный барьер за счет своих духов.

Дух человека в сомати находится на Том Свете, т. е. в ином пространственно-временном измерении, в котором и живет волновая форма жизни Того Света. «Серебряная нить» является особенностью человека в состоянии сомати и отличает его от умершего человека. С помощью этой «серебряной нити» дух может найти свое законсервированное физическое тело и, вновь войдя в него, вернуть его к жизни на земле. Но природа создала человека так, что каждый жизненный элемент, будь то физический орган или волновая структура, никогда не выполняет только одну функцию — этих функций, как правило, две. В этой связи можно думать, что «серебряная нить» также имеет двойную функцию —

функцию связи духа со своим физическим телом и функцию защиты своего физического тела за счет энергии Того Света.

Что касается роли Шамбалы в наведении психоэнергетических барьеров сомати-пещер, ее также нельзя умалять. Шамбала, как особая подземная форма жизни на земле, эксплуатирующая преимущественно феномен «материализации—дематериализации» ушедших под землю лемурийцев, призвана сохранять не только статус самой великой лемурийской цивилизации на земле, но и охранять самые священные элементы земной жизни. А самым священным элементом жизни на земле является Генофонд человечества как хранилище людей трех основных земных цивилизаций и как залог вечности прошлого, настоящего и будущего. Поэтому подземное царство Шамбалы, по-видимому, держит под бдительным контролем подземный Генофонд человечества, защищенный от бурь и войн на поверхности земли многими метрами земной коры.

Можно думать, что люди Шамбалы, основным местом жительства которых является все же земля, а не Тот Свет, способны корректировать энергетический потенциал духов людей в сомати и сделать психоэнергетический барьер сомати-пещер более логичным, оправданным и непробиваемым. Не исключено также, что Шамбала сама принимает энергетическое участие в создании или укреплении психо-энергетических барьеров.

За счет какой энергии и за счет каких информационных источников Шамбала участвует в защите сомати-пещер? Но на этом мы подробнее остановимся в слудующей главе, посвященной загадочным Шамбале и Агарти.

Как мы писали выше, механизм действия психоэнергетического барьера сомати-пещеры создан по принципу постепенного увеличения негативного воздействия на организм человека-пришельца. Только конечным этапом является смерть. Вначале возникает чувство страха, которое должно наиболее безболезненно отпугнуть человека. Вторым чувством, которое наводит психоэнергетический барьер, является негодование, которое как бы призывает человека покинуть святую пещеру. И только после этого появляются физические феномены: головная боль, слабость и, наконец, смерть.

Весь механизм психоэнергетического барьера как бы предупреждает: не иди к своей смерти, потому что ты вступаешь в святая святых — Генофонд человечества, где твое любопытство многого не стоит.

Психоэнергетический барьер сомати-пещер по своей сути является порождением добрых сил, четырехкратно предупреждая о том, что нельзя сюда идти. И только как конечная мера для любопытного пришельца используется смерть, поскольку праздное любопытство пришельца несравнимо с ролью Генофонда человечества.

«Он», о котором говорят Особые люди, и только «Он» может решить — удовлетворить это любопытство или нет. Мне трудно сказать — кто это «Он»! Я думаю, что это человек Шамбалы. Но об этом, опять-таки, будет написано в следующей главе.

Загадочные адепты

В литературе и восточных религиях можно найти много сведений о так называемых адептах. Кто они — адепты? Вначале при анализе литературы я долго не мог понять этого; одни авторы адептами называли одухотворенных долгожителей Востока, другие — людей в состоянии глубокого сомати. И только впоследствии я понял, что адептами называют людей, способных входить в состояние сомати, но под этим названием объединяют два типа сомати:

— люди в состоянии сомати, когда тело переходит в каменно-неподвижное состояние и душа сообщается с Тем Светом, не теряя связи с телом (т. е. состояние обычного глубокого сомати);

— люди в состоянии сомати, когда душа сообщается с Тем Светом, но тело остается в обычном состоянии, продолжая функционировать в физическом мире (так называемое сахаджа-сомати).

Как мы уже отмечали, первый тип сомати может длиться тысячи и миллионы лет. Второй тип сомати, по тем данным, которые мы получили, длится сотни и тысячи лет. Говоря иными словами, люди в состоянии второго типа сомати — это те отшельники, которые живут 300, 400, 1000 и 2000 лет.

Если человек входит в состояние сомати первого типа, то поверить в бесконечно долгую жизнь его каменно-неподвижного тела еще можно. Но поверить в то, что человек в состоянии сомати второго типа, в быту немногим отличающийся от обычных людей, может жить сотни и тысячи лет, сохраняя молодость, — довольно трудно.

Тем не менее существует немало свидетельств существования людей в сомати второго типа. Так, Л. В. Печуров (Москва), живший в Непале более трех лет, в письме описал нескольких отшельников, которые по рассказам местных жителей, живут 100, 200, 300 и более лет. Автора письма поразило отсутствие теплой одежды у этих отшельников, несмотря на горный холод. Он запомнил особенно одну женщину — адепта, которой на вид можно было дать не более 35 лет. Она жила в часовне, большую часть времени проводя, сидя в позе Будды на тигровой шкуре. Питалась она редко, ела вегетарианскую пищу, обязательно употребляла растение сома. По словам местных жителей, ей было более 300 лет.

Примером адепта можно считать, видимо, и знаменитого Бабаджи, про которого в Индии говорят, что ему 1700 лет, а на вид ему можно дать не более 17 лет.

Среди адептов изветны переходы второго типа сомати в первый и наоборот. В частности, описанный в третьей части этой книги (глава 10) человек, проживший 300 лет, вначале жил преимущественно земной жизнью, лишь иногда уходя в пещеру для сомати, но впоследствии стал проводить большую часть времени в пещере в состоянии сомати.

Адептов, скорее всего, тоже можно отнести к своеобразной составной части Генофонда человечества. Вполне возможно, что они выходят из Генофонда человечества, живут некоторое время среди людей, а потом вновь уходят в пещеры, сливаясь с Генофондом.

Какова роль адептов? Их вряд ли можно считать пророками, так как влияние их на человечество не столь велико. Среди адептов описаны люди только нашей цивилизации. Люди, похожие на атлантов и лемурийцев, не описаны. Можно думать, что адепты выполняют связующую роль между Генофондом человечества и человечеством, живущим на поверхности земли.

Небольшое отступление: некоторые мысли об адептах, долгожительстве и раковых заболеваниях

Тот факт, что первый и второй типы сомати имеют взаимные переходы друг в друга, говорит о близости механизмов долгожительства в том и этом случае. Очевидно, играет роль не только остановка обмена веществ с переходом тела в каменно-неподвижное состояние, но и особое состояние биополя человека, при котором замедляются процессы старения тела. Однако наукой установлено, что клетки человеческого организма имеют строго определенный жизненный цикл. Поэтому трудно представить, что жизненный цикл клеток организма многократно увеличивается. Каково же объяснение?

Выше мы отмечали, что наш трансплантационный материал аллоплант стимулирует регенерацию тканей человека, а биополе растущих клеток способно подавлять патологическую регенерацию (рак) и вызывать нормализацию функции больных клеток.

Я думаю, что подобный механизм может лежать в основе секрета долгожительства адептов. А именно, за счет медитации адепт принимает такое состояние своего биополя, что оно также подавляет патологическую регенерацию (рак), нормализует функции больных клеток и стимулирует регенерацию нормальных клеток организма. Говоря иными словами, секрет долгожительства адептов состоит не в увеличении жизненного цикла клеток, а в замене отживающих клеток на новые и предупреждении их ракового перерождения.

Известно, что одной из основных причин смерти пожилых людей является рак как патологическое перерождение отживающих свой жизненный цикл клеток. Если за счет биополя предупредить патологическое раковое перерождение отживающих клеток и стимулировать регенерацию нормальных клеток с заменой отживших клеток на новые, то можно добиться почти бесконечного обновления человеческого организма с сохранением на сотни и тысячи лет молодости и здоровья.

Однако известно, что высокодифференцированные клетки (клетки мозга, сетчатки, сердечной мышцы и др.) не обладают способностью к регенерации и функционируют в организме только в течение своего жизненного цикла. Правильно ли это? Исследования последних лет (La Vail, Factorovich, 1991) показали, что даже столь высокодифференцированные клетки, как клетки сетчатки, проявляют способность к регенерации под воздействием так называемого фактора роста фибробластов. Последний вырабатывается регенерирующими клетками. Регенерирующими (растущими) клетками! Отсюда следует, что если запустить процесс регенерации каких-либо клеток, то за счет химических агентов (фактор роста) вызывается регенерация других клеток, в том числе и высокодифференцированных.

Если возможна регенерация высокодифференцированных клеток организма, то возможен и процесс постоянного обновления клеток человеческого организма. А это путь к долгожительству и вечной молодости.

Как запустить систему постоянного обновления клеток организма? Адепты достигают это за счет медитативного воздействия на свое биополе. Можно ли этого добиться у обычных людей? Видимо, наука скоро дойдет до этого. А пока определенные перспективы сулит введение аллопланта в акупунктурные точки организма. Стимуляция регенерации нормальных клеток организма должна позитивно воздействовать на биополе человека и вызвать процесс обновления клеток. Перспективно также облучение организма биополем молодых растущих организмов или растений. Эксперименты уже начаты.

Пещеры и пирамиды

Какие же пещеры пригодны для сомати? П. Нилаям (1993), описывая Гуфа-ашрам, отмечает, что сомати-пещера должна быть сухой. Свами Дарам указывал, что сомати-пещеры расположены высоко в горах на границе снегов, где бывает очень чистый воздух. Бонпо-лама говорил, что сомати-пещеры скрыты от посторонних глаз.

В мире очень много пещер. Но некоторые группы пещер особо привлекательны для сомати. Марат Фатхлисламов привел сведения, что в Индии в районе города Бадринат существует целая «пещерная страна йогов». Недалеко от этого места находится «след Вишну» — отпечаток огромной плоскостопой человеческой ноги.

Посвященный Лобсанг Рампа пишет, что сомати-пещеры локализуются преимущественно в Тибете, Гималаях, Египте, Южной Америке и в одном месте в Сибири. Он же пишет, что многие храмы построены над сомати-пещерами.

Можно найти немало сведений и о том, что пирамиды тоже являются местом локализации Генофонда человечества. Об этом говорили индийские свами и тибетские ламы. Е. П. Блаватская писала, что адепты третьей, четвертой и пятой расы находятся в подземных жилищах под пирамидоподобными строениями.

Ультразвуковыми исследованиями установлено, что под пирамидами и в самом деле есть пустоты. Не являются ли пирамиды указателями места расположения Генофонда человечества, находящегося в подземных пустотах под пирамидами? Исключить этого нельзя. По крайней мере, гипотеза о предназначении пирамид для хранения Генофонда человечества даже более предпочтительна, чем бытующие объяснения роли пирамид как астрономических сооружений или усыпальниц фараонов. Монументальность, например, пирамиды Хеопса, поражает; строительство такого сооружения из 50-тонных блоков не подвластно современной строительной технике. Монументальность сооружения должна предопределять величественность целей его строительства; а что может быть более величественным, чем Генофонд человечества!

По данным Е. П. Блаватской, египетские пирамиды были построены 75—80 тысяч лет тому назад, а не 4—5 тысяч лет тому назад (по данным радиоуглеродного анализа). Если верить в срок, указанный Блаватской, то скорее всего египетские пирамиды были построены атлантами острова Платона с использованием психоэнергетической техники строительства (вспомним, как Нострадамус описывал строительство пирамид атлантами за счет направленного воздействия на гравитацию с помощью «третьего глаза»). Атланты острова Платона, как известно, имели тесные контакты с египетской цивилизацией.

После гибели атлантов острова Платона 11 тысяч лет тому назад (комета Тифона) на мистерии и оккультные науки (по Е. П. Блаватской) был накинут покров глубокой тайны. Можно ли интерпретировать это как засекречивание Генофонда человечества, вызванное критическим состоянием человечества в результате космической катастрофы? Исключить этого тоже нельзя.

В связи с этим наличие внутри пирамиды египетского фараона, в общем-то легкодоступного для окружающих, могло быть одним из элементов засекречивания, отвлекающего внимание от главного секрета, расположенного под пирамидой.

Мы можем предположить, что атланты острова Платона, наблюдая движение планет и комет, издавна предполагали возможность своей гибели за счет космического катаклизма. Поэтому они заранее начали строительство монументальных сооружений (пирамид) с подземными храмами, в которые стали уходить представители их цивилизации, входя в состояние сомати. Отсюда следует, что под пирамидами (египетскими и, наверное, мексиканскими) можно найти в состоянии сомати атлантов острова Платона (т. е. последних атлантов на земле, спасшихся от всемирного потопа).

Но это предположение имеет одно слабое место — входы в подземные храмы наглухо закрыты и находятся глубоко под землей. Как же атланты выйдут оттуда? Отвечая на этот вопрос, можно вспомнить слова лам о людях предыдущих цивилизаций: «Камень для них не преграда!» И в самом деле, психоэнергетическое воздействие на гравитацию (вспомните строительство пирамид, по Нострадамусу) может удивительным для нас образом открыть выходы на поверхность земли.

Был ли египетский фараон мертв? А может быть, он находился в состоянии сомати? Такое предположение полностью исключить нельзя хотя бы на том основании, что после извлечения из гробницы и помещения в музей, мумия египетского фараона начала разрушаться. Если думать о том, что египетский фараон находился до извлечения из гробницы в состоянии сомати, то изменение температурного режима (т. е. смена температуры +4 °С на комнатную температуру) могло привести к дестабилизации состояния сомати и гибели его тела.

Нельзя исключить и другое предположение о попытках древних египтян достигнуть состояния сомати искусственным образом. Они знали о сомати от соседствующих атлантов острова Платона, знали о роли пирамид. Но достижение глубокого сомати для них, возможно, было затруднительно. Пытаясь достигнуть сомати искусственным путем (за счет химических веществ и т. п.), они верили, что их фараоны оживут. Поэтому рядом с ними они клали предметы обихода и драгоценности.

Естественно, мы не можем отрицать также бытующего предположения о том, что производилось бальзамирование тел умерших фараонов, секрет которого, кстати, до сих пор не раскрыт.

Какое из предположений верно? Ответить на этот вопрос трудно. Нужно дополнительно изучать пирамиды и мумии фараонов с точки зрения сомати-концепции.

Но при всем этом очевидна необходимость бережного отношения к пирамидам и подобным монументам древности. Немецкий ученый Рудольф Гантенбринк запустил в один из узких проходов пирамиды Хеопса мини-танкетку, снабженную видеосистемой. Танкетка преодолела лаз и дошла до каменной двери, за которой ученый предположил наличие жизни. Сейчас он собирается снабдить танкетку боевым лазером, чтобы прорезать в двери отверстие и войти туда. А если за дверью находится человек предыдущей цивилизации в состоянии сомати? Психоэнергетический барьер вряд ли подействует на боевой лазер, а состояние сомати будет дестабилизировано.

Наше любопытство не стоит так дорого! Древний человек входил в сомати и провел тысячи или миллионы лет не для того, чтобы удовлетворить наше любопытство. Научное любопытство — двигатель прогресса, но ученый не Бог, чтобы влезать грубой механической рукой в божественное творение. Ведь древний человек входил в состояние сомати с величайшей целью — быть представителем Генофонда человечества.

Сомати и время

Пришанти Нилаям («Сатья Саи и Нара Нираяна Гуфа Ашрам», 1993, с. 17) описал вхождение и выход из сомати в пещере. При этом он отмечал, что 18 дней, проведенных в сомати, показались как 48 минут.

Сделав простое арифметическое действие, можно высчитать, насколько быстрее течет время в сомати. Получается, что время в сомати течет в 717 раз быстрее, чем обычный ход времени. Возможно, это и есть тот ход времени, по которому живет Тот Свет.

Что ощущает человек в сомати?

Ответ на этот вопрос довольно подробно описан Лобсангом Рампой («Третий глаз», 1992, с. 192—194), который, будучи Посвященным, мог сам входить в состояние сомати.

Автор описал, как ламы ввели его в пещеру, расположенную под храмом, и повели по тайным пещерным ходам. Ламы показали ему три огромных человеческих тела (двое мужчин и одна женщина); женщина была более трех метров, а мужчина около пяти. Они имели необычную внешность. Их нельзя было принять за мертвых — казалось, что они спали.

— Смотри, сын мой, — сказал один из аббатов, — они жили на нашей земле (Тибете. — *Э. М.*), когда здесь еще не было гор, когда море омывало берега и другие звезды горели в небесах.

Далее Лобсанг Рампа описывает, как он сам входил в состояние сомати:

«...Я начал делать респираторные движения, как меня учили на протяжении нескольких лет. Тишина и мрак угнетали. Это была настоящая могильная тишина. Неожиданно тело натянулось, мышцы напряглись. Онемевшие члены стали леденеть. Было такое ощущение, что я умираю на глубине более 100 метров от поверхности земли. Ужасный удар потряс тело изнутри, я стал задыхаться. Донесся страшный шум и треск.

Понемногу все стало заливаться странным голубым светом. Я понял, что я планирую над собственным физическим телом.

Меня поднимало, как клуб дыма. Из глубины моего тела тянулась нить голубого серебра, она вибрировала, словно живая, и играла живым блеском.

Я смотрел на свое неподвижное тело, лежащее недалеко от тел гигантов. Постепенно я услышал шум моря и шипение набегающих на берег волн. Послышались голоса и я увидел веселую группу загорелых людей. Гиганты! Все они, как один, гиганты!

Спустя какое-то время видимые мной образы затуманились и пропали. Неприятное ощущение коснулось меня, и стало так холодно, что я вспомнил, что лежу на каменной плите. Мой мозг лихорадочно заработал. Когда я поднялся, то почувствовал, как онемели мои члены. От слабости я качался. От голода я чуть не терял сознание.

— В течение трех суток ты лежал на этой плите, — сказал аббат...»

Я думаю, что комментарии здесь излишни.

Генофонд человечества — манифестация вечности жизни на земле

Подытоживая данные и наши рассуждения по Генофонду человечества, хочется отметить то, что мир, в котором мы живем, невероятно сложен. И мы даже не задумываемся над тем, что вся жизнь на земле гениально продумана и создана в виде стройной системы со страхующими звеньями, запасом прочности и залогом поступательного развития. Величественная рука Высшего Разума сделала это!

Вначале в наших головах не укладывалось то, что под землей существует Генофонд человечества, — слишком это было невероятно. А потом, когда мы накопили некоторые сведения об этом и стали сопоставлять их, существование и функционирование Генофонда человечества стало таким естественным для нас, что мы позволили себе даже анализировать «удачливых» или «неудачливых» пророков, вышедших оттуда, а не просто слепо поклоняться им. От этого наше уважение к пророкам и их заветам не стало меньшим, а напротив, мы еще более остро ощутили величие Бога, создавшего Генофонд человечества как кладезь знаний и гарант вечности жизни на земле.

Но есть на земле еще одно звено жизни, которое тесно связано с Генофондом человечества и разгадать секрет которого пытались многие поколения людей. Это Шамбала.

Глава 3
Шамбала и Агарти

Слово «Шамбала» известно большинству людей; люди под этим словом понимают что-то загадочное, но чаще всего и представления не имеют о том, что же это такое. Слово «Агарти» практически неизвестно людям, и только специалисты по древней истории Тибета могут сказать, что загадочная «страна Агарти» существует на земле наряду со «страной Шамбалой».

Вечная загадка Шамбалы

Я даже и не помню, когда я впервые услышал слово «Шамбала», — наверное, в студенческие годы во время бесед с ребятами — туристами, побывавшими на Алтае. Позже, когда я сам побывал на Алтае, на скалах вдоль туристических троп я видел надписи «Шамбала», а также встречал одиночных или небольшими группами людей отрешенного вида, которые искали страну Шамбалу. Я спрашивал у этих людей с непонятной психикой о загадочной стране Шамбале, но ни один из них ничего вразумительного мне не ответил. Все они говорили, что идут по следам великого русского ученого Николая Рериха, который тоже искал страну Шамбалу. Помню также, что один из этих отрешенных от мира сего парней сказал:

— Страну Шамбалу, по предсказаниям, говорят, найдут в конце нашего века. Наверное, предсказание верно — мы не нашли.

Мне, увлеченному спортивному туристу, эти ребята — исследователи Шамбалы — были чем-то неприятны. Они шли гурьбой, не соблюдая дисциплину хода, не знали приемов прохождения перевалов, просили кончившиеся у них сахар или соль и т. д. В то время я и подумать не мог о том, что через некоторое время сам стану исследователем Шамбалы.

О Николае Рерихе я, конечно же, слышал давно и, обладая духом путешественника, уважал его чрезвычайно. Я белой завистью завидовал тому, что Н. Рерих провел столько сложных экспедиций в столь экзотичных районах, как Тибет и Гималаи, и гордился тем, что он наш соотечественник. Будучи уроженцем закрытой коммунистической страны, я рисовал в воображении зарубежные путешествия как нечто сказочное и невыполнимое, отчего образ Н. Рериха начал принимать свойства человека-идола.

Несколько раз я принимался читать книги Рериха, но каждый раз откладывал их, поскольку понять ничего не мог. Рассуждения на тему о чистой душе и Шамбале не воспринимались моим мозгом, а описания спортивных элементов путешествий по тибетским горам, столь близкие моему сердцу, занимали небольшую часть в его книгах.

Когда я занялся офтальмогеометрией, я, естественно, не думал о том, что эта сухая математическая наука когда-либо выведет опять к Николаю Рериху и Шамбале. «Среднестатистические глаза» тибетской расы всколыхнули в памяти поход на Алтай и тех отрешенного вида ребят, искавших Шамбалу. Я снова взял книги Н. К. Рериха и стал их читать. Но опять практически ничего не понял: рассуждения о чистой душе, акцентирование внимания на положительных помыслах человека (любви, совести), отрицание негативных помыслов (жадности, эгоизма и проч.), легенды о высших существах, которые могут появляться и исчезать, намеки на подземную жизнь и т. д. В глубине души я осознавал, что Рерих гениален, поэтому я верил ему и в то, что он написал. Я ощущал, что Рерих обладал какими-то иными знаниями, в пределах которых его аллегоричные и витиеватые фразы становились понятными. Я чувствовал, что Рерих пишет о величайшей тайне человечества, которую нам не подвластно открыть, а разрешено только приоткрыть, чтобы понять роль основных душевных помыслов, на которых зиждется мир.

И только в экспедиции в Индию, Непал и Тибет, когда мы волей исследовательского порыва должны были вникнуть в психологию лам, гуру и свами, мы поняли, что те знания, которыми они обладают, дают ключ к пониманию Рериха и многих загадочных моментов, в том числе и Шамбалы. После экспедиции высокопарные фразы Рериха стали более материальны и понятны. Например, выяснение того, что только с чистой душой (т. е. без негативной психической энергии) можно достигнуть состояния сомати, было основой понимания многого — вечной жизни, наличия страхующей системы жизни на земле и т. п. Мы стали осознавать, что в почти неведомом нам мире психической энергии есть свои законы и принципы, что до нас, обычных людей, доносится лишь шепот этих законов, что, зная эти законы, можно понять много загадок и даже (в какой-то степени!) загадку Шамбалы.

Анализируя литературу с точки зрения уже новых, постэкспедиционных позиций, я был удивлен, что тайна Шамбалы интенсивно исследовалась ранее и... эти исследования опосредованно явились одной из причин величайшей трагедии человечества — Второй мировой войны.

Гитлер и Шамбала

В литературе можно найти немало сведений о том, что древняя мистика Востока оказала фатально большое влияние на формирование психики Адольфа Гитлера. По данным ряда историков, в частности Л. Повеля и Ж. Бержье (Франция), в Германии после Первой мировой войны стали распространяться различные течения и формироватья общества, имевшие в своей основе древние тибетские легенды о людях предыдущих цивилизаций и стране Шамбала.

Бывший председатель данцигского сената Раушнинг писал: «В сущности, каждый немец стоит одной ногой в Атлантиде. Там он ищет лучшей участи и лучшего наследства».

В 1933 году в Берлине была создана тайная организация «Общество Вриля». Вриль! Считалось, что вриль — это некая грандиозная энергия, которой насыщена Вселенная и которая является мерой божественности человека. Овладевший врилем станет владыкой своего тела, повелителем других людей и всего мира. Члены этого общества верили, что врилем владели сверхлюди — гиганты, которые в настоящее время таятся в глубоких пещерах и спят под золотой оболочкой в этих гималайских тайниках. Эти сверхлюди скоро появятся, чтобы править человечеством. Мир изменится, когда его господа выйдут из-под земли. Если не подготовиться и не заключить с ними союз — а для этого необходимо с ними сравняться, — то все, вместе с обычными людьми, окажутся рабами, навозом, над которым расцветет «Новое время».

«Общество Вриля» оказало достаточно большое влияние на формирование мировоззрения Гитлера. Но еще большее влияние на Гитлера оказал немецкий ученый Ганс Горбигер с его теорией космического льда (сокращенно «Вель»).

По Горбигеру, нашему времени предшествовали люди-боги, люди-гиганты, сказочные по размаху и мощи цивилизации, и так длилось сотни тысяч, если не миллионы лет. Гиганты имели рабов. Цивилизация гигантов погибла в результате потопа. Когда-нибудь и наши люди, пройдя через колоссальные катастрофы и мутации, сделаются такими же могучими, как и их далекие предки. Все в космосе подчинено циклическому закону, существует периодичность спасения и наказания рода человеческого. Горбигер считал, что чтобы спасти человечество, нужно отдать власть наиболее сильным и закаленным людям, а таковой, по его мнению, является арийская раса, нордические предки которой стали сильными во льдах и снегах.

Гитлер, перед приходом к власти, часто общался с одним тибетским ламой, жившим в Берлине. Этого ламу называли «человеком в зеленых перчатках». Посвященные называли его «держателем ключей от королевства Агарти».

Агарти по-немецки звучит как Азгард. С загадочным королевством Агарти связана мощная духовная организация «Общество Фуле». Основали ее германские ученые Экард и Гаусгоффер, которые также оказали сильное влияние на формирование психологии Гитлера. «Общество Фуле» основывалось на древней легенде, свидетельствующей о том, что тридцать-сорок веков тому назад в районе пустыни Гоби процветала высокая цивилизация. Во время гобийской катастрофы люди этой высшей цивилизации погибли не все. Оставшиеся в живых ушли в гималайские пещеры и там разделились на две части. Одни назвали свой центр Агарти (скрытое место добра), предались созерцанию и не вмешивались в земные дела. Вторые основали страну Шамбалу (центр могущества и насилия, управляющий народами и стихиями), которая является хранилищем неведомых сил, доступных лишь для посвященных в тайну.

Другая часть людей высокой гобийской цивилизации, оставшаяся в живых после катастрофы, перекочевала на север Европы и Кавказ. Эти эмигранты из Гоби и являются основным корнем арийской расы. Поэтому именно арийская раса может заключить союз с Агарти и Шамбалой и овладеть могущественными древними силами. А для этого нужно завоевать Восточную Европу, Кавказ, Памир, Тибет и Гоби. Тибет и Гоби — это район-сердце. Его обладатель владеет всей планетой, его обладатель владеет силой Шамбалы.

По приказу Гитлера в Германии был организован специальный институт Аненэрбе, который организовывал экспедиции на Тибет в поисках Шамбалы и Агарти.

Из всех этих идей Гитлер сформулировал теорию магического социализма. По этой теории каждые 700 лет люди поднимаются на новую ступень, трансформируясь при этом. Трансформация проходит в борьбе, а предвестником борьбы служит явление Сыновей Бога. Когда появляются гиганты-маги, осуществляется пересмотр творения, а именно, происходят глубокие мутации среди людей, чтобы создать новую прогрессивную расу на месте исчезающей старой расы. Эта раса должна будет знать силу Шамбалы.

Отсюда Гитлер делает страшный вывод: есть истинная раса (арийская), призванная познать следующий цикл. Удел этой расы — эпопея под водительством «высших неизвестных». Другие люди — низшие расы — только внешне похожи на человека, они отстоят от арийцев дальше, чем животные. Поэтому истребление отдельных рас (цыган, евреев, негров и др.) не может быть преступлением против человечества.

После поражения гитлеровских войск на Волге Геббельс писал: «Поймите! Сама Идея, само понимание вселенной терпит поражение...» С 1943 года Гитлер продолжал бессмысленную самоубийственную войну. Почему? Нацистские вожди ждали потопа, предсказанного Горбигером. Гитлер ждал суда богов, ждал появления человека-мага. Свершится то, что не удалось сделать человеческими силами! Чтобы вызвать месть небес, Гитлер приказывает затопить берлинское метро, где погибает 300 тысяч немцев.

На одном из международных конгрессов мне удалось посмотреть американский видеофильм, в котором приводились свидетельства гитлеровких научных разработок летательных аппаратов, похожих на летающие тарелки. Две женщины-контактера (одна — югославка, вторая — немка) передали Гитлеру чертежи и описания принципа действия летательных аппаратов людей предыдущих цивилизаций. Из фильма явствует, что гитлеровским ученым удалось и в самом деле создать эти летательные аппараты, которые уже могли летать. Но довести дело до конца не хватило времени — война была проиграна.

Обсуждая магический социализм Гитлера и его сподвижников, можно сделать два вывода.

Во-первых, гитлеровцы не задумались над простым философским постулатом о том, что добро — это созидание, а зло — разрушение. Еще во времена предыдущих цивилизаций на случай глобальных катастроф были созданы Генофонд человечества, Шамбала и Агарти. Целью их создания являлись исключительно добрые намерения — сохранять человечество на земле и направлять его развитие по пути прогресса. В религии и литературе нет ни одного упоминания о том, что люди, выходящие (по нашей гипотезе) из Генофонда человечества, имели злые намерения, такие, как уничтожение одних наций во имя процветания других и т. п. Все они, будь то Бонпо-Будда (Рама), Гаутама Будда, Иисус и другие, действовали только путем убеждения и наставления, а не путем насилия. Сила Шамбалы никогда не откроется для зла, она предназначена только для добра. И нет таких сил в мире, которые могли бы овладеть силами Шамбалы, потому что Шамбала сильнее нас. А Бог никогда не будет союзником зла, потому что Бог — олицетворение добра.

Во-вторых, случай с Гитлером (собственно говоря, как и случай со Сталиным) говорит об опасности прихода к власти людей шизоидного типа. Эти «жертвы эволюции» имеют манию величия и склонны к смакованию таинственных явлений природы. Они не обладают логическим типом мышления, не способны к скурпулезному анализу разрозненных фактов, а склонны к гипертрофированию какого-либо одного факта, особенно таинственно-мистического характера. Шизоиды у власти опасны. Шизоид, наделенный властью, способен окружить себя подобным же шизоидным окружением, которое поведет общество по ненормальному пути развития. А ненормальный путь развития будет иметь обязательно печальный конец.

В исследованиях Шамбалы также нужно бояться людей с шизоидной психикой, которых, как магнитом, притягивает эта великая тайна природы.

Гипотеза о Шамбале и Агарти

По моему мнению, в основе существования Шамбалы и Агарти лежат два природных феномена:

— материализация и дематериализация;

— Генофонд человечества.

Материализация мысли или дематериализация вещества кажутся, на первый взгляд, сказочными и фантастичными. На самом деле, разве можно поверить в скатерть-самобранку, на которой, только подумал, появляются различные явства? Разве можно поверить в то, что аватар Саи Баба материализует кольца, порошок, рис и тому подобные предметы, которые сами по себе появляются только оттого, что аватар подумал об этом?

Но давайте отвлечемся от бытового представления о том, что «чудеса творят» только фокусники. Давайте взглянем на предмет разговора шире, с философской точки зрения. Я думаю, что никто уже не оспаривает того, что кроме физического мира существует еще и тонкий мир. Между двумя мирами, существующими параллельно, должны быть взаимные переходы. Существуют же переходы волновой энергии в материю, и наоборот; например, известный из школьной физики факт: 2 гамма = 1 электрону.

Тонкий мир, т. е. мир психической энергии (мир сверхвысоких частот) должен иметь взаимопереходы и взаимосвязи с физическим миром также по типу перехода волновой энергии в материю, и наоборот. Говоря иными словами, должна существовать материализация мысли и дематериализация вещества в мысль. Современные физики постоянно подчеркивают, что мысль материальна, и это, видимо, верно.

Отсюда следует, что легенды и сказки, пришедшие из глубокой древности, имеют под собой реальную основу. По большому счету человек не очень склонен к беспочвенным фантазиям — легенды и сказки ему подсказывает шепот кармы, т. е. шепот предыдущих жизней.

Кроме того, практически во всех восточных изданиях, посвященных йогам и медитации, указывается, что высшей формой медитации человека является достижение того уровня духовного развития, когда человек способен дематериализоваться и вновь материализоваться. Правда, среди современных йогов пока, вроде бы, такого человека нет. Но видимо, они были ранее.

В восточной литературе много сведений о том, что некоторые древние люди могли мгновенно перемещаться в пространстве. Возможно, это фантазия. Но возможно и то, что дематериализуясь и материализуясь, человек оказывается в том месте, о котором подумал. А ход мысли мгновенен.

Н. К. Рерих, описывая легенды о Шамбале, отмечал, что в районе входа в нее можно видеть людей, невесть откуда появляющихся на недоступных окружающих скалах и также загадочно исчезающих. В этом случае тоже можно думать о способности этих загадочных людей к дематериализации и материализации.

Кроме дематериализации и материализации другим природным феноменом, лежащим в основе существования Шамбалы и Агарти, является, как мы предположили, Генофонд человечества. Давайте рассмотрим взаимоотношение этих двух феноменов в свете гипотезы о Шамбале и Агарти.

Если взять за основу существование феномена «дематериализация — материализация», то необходимость существования Генофонда человечества становится спорной. Зачем сохранять человеческие тела в состоянии сомати тысячи и миллионы лет, когда их можно материализовать из тонкого мира?

Однако религиозная концепция создания человеческого тела путем уплотнения духа говорит о том, что процесс материализации духа был чрезвычайно сложен и потребовал огромной эволюционной работы природы. После создания физического тела со всеми принципами работы генного аппарата для воспроизводства человека (рождение ребенка), очевидно, в информационных полях Того Света накопилось достаточно информации о строении человеческого тела, появился как бы «информационный код» человеческого организма, что на его основе стало возможным переводить человека из физического мира в тонкий, и наоборот, т. е. дематериализовать и материализовать.

Мы не знаем принципов функционирования Того Света (Всеобщего информационного пространства), но даже при этом логично думать, что удивительные по своей информационной емкости торсионные поля Того Света тем не менее вряд ли могут очень долго безгрешно сохранять «информационный код» физического человеческого тела (информацию о строении каждой клеточки, каждой молекулы и т. д.) на Том Свете. Поэтому сохранение этого «информационного кода» в дематериализованном состоянии не может длиться бесконечно долго, и время от времени должна происходить обратная материализация человеческого тела для постоянной корректировки «информационного кода» на Том Свете.

Этим определяется необходимость существования Генофонда человечества в физическом мире, который способен сохранить физическую основу «информационного кода» человека даже в условиях глобальной катастрофы и гибели всех людей на земле. Генофонд человечества с его людьми разных цивилизаций в состоянии сомати является важным условием взаимного сосуществования двух форм жизни — в тонком мире и физическом мире. Люди в сомати напрямую связаны с Тем Светом (на них не действует принцип «SoHm»), поэтому, в случае «оживления», эти люди должны быть более способны к процессу дематериализации и материализации своего физического тела, чем обычные люди, обремененные принципом «SoHm». Генофонд человечества объединяет наиболее духовно продвинутых людей всех цивилизаций земли, что также определяет их большую способность к дематериализации и материализации своего физического тела.

Дематериализация физического тела человека приводит, как мы уже отмечали, к огромному информационному перенапряжению духа (живущего на земле, как известно, вместе с физическим телом), поскольку дух человека как бы заполняется дополнительной информацией о всех структурах физического тела. Поэтому дематериализация вряд ли осуществима без подключения иных, в том числе и высших, структур Того Света. Из этого следует, что феномен дематериализации и материализации человеческого тела должен находиться под значительно большим контролем Высшего Разума (центра управления Того Света), чем обычный процесс вхождения духа в физическое тело ребенка при его рождении*.

А зачем нужен феномен дематериализации и материализации человеческого тела? Ведь человек в сомати своей душой и так связан с Тем Светом и Высшим Разумом. Ответ на этот вопрос напрашивается один — феномен дематериализации и материализации нужен для ведения подземной жизни на земле.

---

* Высшим Разумом определен основной путь взаимоотношений тонкого и физического миров в антропогенезе — в физическое тело ребенка влетает дух.

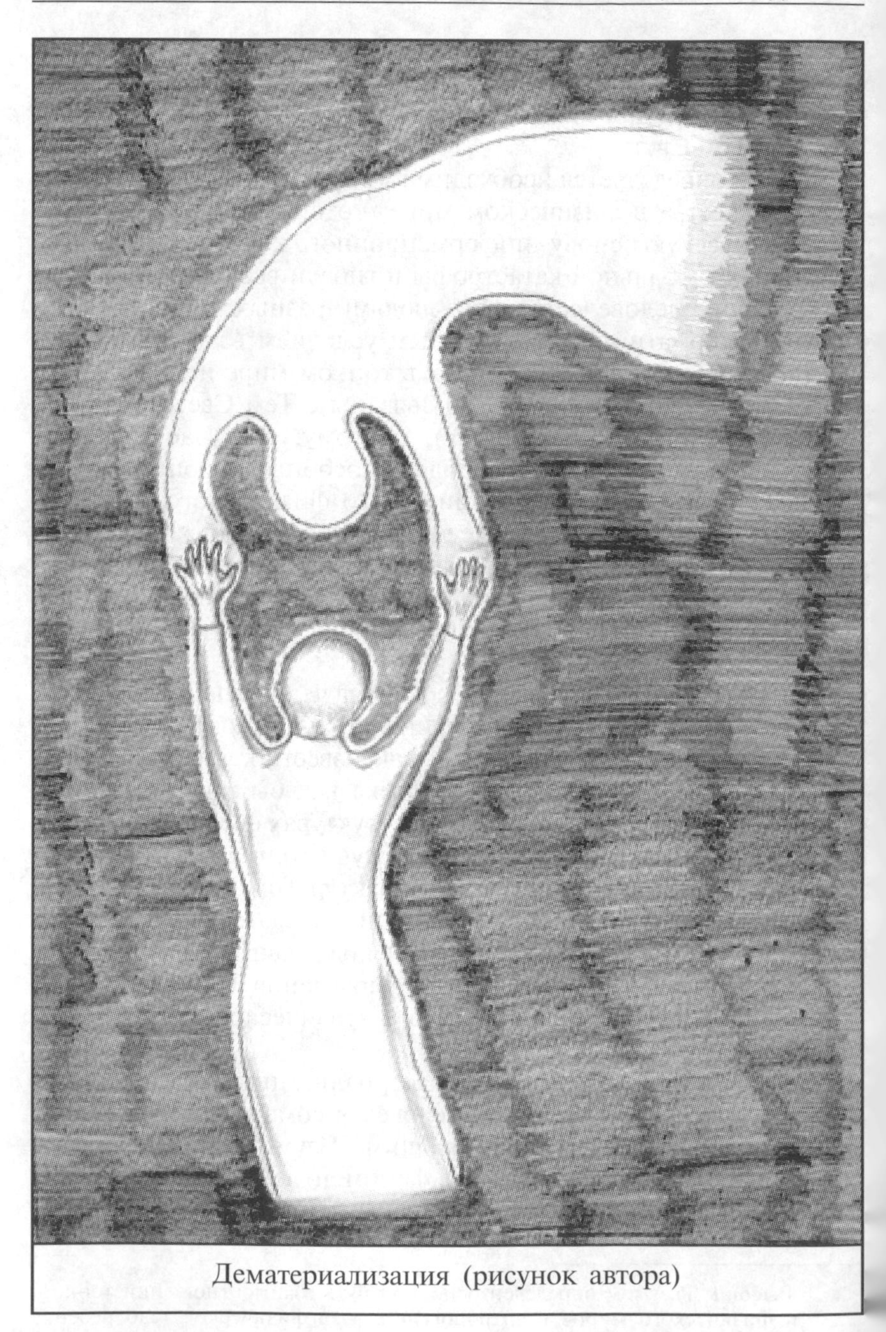

Дематериализация (рисунок автора)

Материализация (рисунок автора)

Вспомните выражение тибетских лам: «Камень для них не преграда!» Вначале я думал, что это выражение относится к способности людей предыдущих цивилизаций воздействовать на гравитацию путем направленной психической энергии. А потом я стал все больше убеждаться в том, что эта фраза скорее всего относится к феномену дематериализации и материализации, для которого камень, грунт или скалы не могут быть препятствием. Отсюда следует вывод, что феномен дематериализации и материализации был создан природой для возможности существования подземной жизни на земле.

Что такое подземная жизнь? По следам данного исследования можно сказать, что подземная жизнь — это, прежде всего, Генофонд человечества. Наверное, под землей очень много пустот и пространств, которые не имеют сообщения с поверхностью земли. Наверное, многие входы в пещеры с годами засыпались оползнями. Пещерные храмы под пирамидами (по Е. П. Блаватской) не имеют выхода на поверхность. Как же люди в сомати выйдут на поверхность? Ответ один — путем дематериализации с последующей материализацией человеческого тела на поверхности земли. То есть они как бы возникнут на пустом месте.

По-видимому, Генофонд человечества включает в себя не только людей разных цивилизаций в сомати, находящихся в пещерах с выходом на поверхность земли, но и людей в сомати, находящихся в пещерах без выхода на поверхность земли.

Также можно думать о том, что в случае геологических катаклизмов (сдвиг тектонических плит и проч.) феномен дематериализации и материализации человеческого тела позволяет осуществить перенос людей в сомати в другую, более безопасную пещеру.

Возможность материализации мысли позволяет, видимо, также производить «ремонт» поврежденных участков тела людей в сомати и обеспечивает высокий уровень сохранности тел.

Однако в литературе (а также в разговорах с ламами и свами) можно встретить сведения о существовании подземной техногенной цивилизации людей. Вначале мне это казалось абсолютнейшей сказкой. Но в свете вышеизложенного я стал более серьезно относиться к сказанному. И в самом деле, думал я, дематериализация человеческого тела может явиться способом проникновения под землю, и наоборот. Если взять это за основу, то становятся понятными сообщения Н. К. Рериха о людях, невесть откуда появляющихся на недоступных скалах и неизвестно как исчезающих оттуда. В этой связи становятся понятными высказывания Посвященного Виссариона, лам, гуру, свами, йогов о том, что под землей существует техногенная цивилизация, основанная на базе древних знаний и имеющая аппараты и машины, созданные на иных научных принципах.

Нетерпеливый читатель, замороченный рассуждениями о дематериализации и материализации человеческого тела, давно уже ждет ответа на вопрос — что же такое Шамбала и Агарти? А ответ на этот вопрос исходит из двух вариантов взаимоотношений тонкого и физического миров, о которых шла речь выше. А именно:

1-й вариант:

Дух, как информационный сгусток психической энергии, влетает в ребенка, рожденного по принципам воспроизводства человеческого тела в физическом мире (генный аппарат и проч.), живет вместе с физическим телом, а после смерти физического тела улетает вновь в тонкий мир с последующим возвратом в новое физическое тело;

2-й вариант:

Сильный дух, находясь в тонком мире, в течение длительного времени (сотни, тысячи и миллионы лет) сохраняет связь с физическим телом, находящимся в состоянии сомати I или II типа (каменно-неподвижное тело или активные адепты). В этом случае дух способен перевести сомати I типа в сомати II типа, т. е. перевести каменно-неподвижное состояние тела в функционально активное, и наоборот. Дух также способен вызвать дематериализацию физического тела и обратную материализацию его.

Первый вариант взаимоотношений тонкого и физического миров характерен для обычной жизни на земле, т. е. для простых смертных.

Второй вариант характерен, как нам кажется, для подземной (возможно, и подводной) жизни на земле, когда практически достигается бессмертие человека. По такому варианту, на наш взгляд, живут Шамбала и Агарти.

Таким образом, Шамбала и Агарти — это система параллельной жизни на земле, имеющая преимущественно подземную (подводную?) локализацию и характеризующаяся практическим бессмертием ее людей (каменно-неподвижное сомати или активные адепты), способностью их к дематериализации и материализации человеческого тела, а также к переходу от функционально пассивного состояния тела к функционально активному и наоборот.

Какие же люди населяют Шамбалу и Агарти? Стараясь ответить на этот вопрос с логической точки зрения, сопоставим второй вариант жизни на земле с описаниями жизни людей предыдущих цивилизаций — лемурийцев и атлантов (см. выше). Из этого сопоставления видно, что принципы жизни людей предыдущих цивилизаций — атлантов и особенно поздних лемурийцев (лемуро-атлантов) во многом схожи со вторым вариантом жизни на земле: они также имели прямой выход во Всеобщее информационное пространство (Тот Свет), излечивали свое тело с помощью внутренней энергии, их технологии были основаны на использовании энергии тонкого мира (психической энергии) и т. д. Достигли ли лемурийцы и атланты бессмертия и способности дематериализоваться и материализоваться? На этот вопрос трудно ответить, но расплывчатые указания в литературе по этому поводу все же имеются. Скорее всего, лишь отдельные индивидуумы лемурийцев и атлантов могли достигать подобных состояний*.

Но прежде всего бросается в глаза то, что жизнь и технологии людей предыдущих цивилизаций были основаны на том, что у них был более сильный дух. Второй вариант жизни на земле (Шамбала и Агарти) основан также на возможностях сильного духа.

Из этого сопоставления можно сделать вывод, что Шамбалу и Агарти населяют люди предыдущих цивилизаций — лемурийцы и атланты.

Кто же из них (лемурийцы или атланты) играет основополагающую роль в Шамбале и Агарти? Я думаю, что основополагающая роль принадлежит лемурийцам — как представителям наиболее развитой цивилизации на земле.

В подтверждение этого можно сказать, что цивилизация атлантов получила развитие только тогда, когда им открылись источники древних знаний, исходящих от цивилизации лемурийцев. Кроме того, в момент гибели цивилизации лемурийцев (космический катаклизм) последние, как явствует из литературы,

---

* В этом нет ничего сверхъестественного; ведь даже в недрах нашей менее развитой цивилизации встречаются адепты, а также имеются сведения о возможности материализации мысли (Саи Баба).

не полностью погибли. Вполне возможно, что наиболее развитые из лемурийцев, используя феномен дематериализации и материализации человеческого тела, ушли под землю, спасаясь от катастрофы. Там, наверное, они организовали страну Шамбалу и страну Агарти.

У всех авторов имеются указания на «Сынов Богов», которые появляются на земле невесть откуда и руководят развитием человечества на принципиальных этапах истории. Такие сведения есть как в описаниях развития нашей цивилизации (Бонпо-Будда и др.), так и в описаниях цивилизации атлантов (см. выше). Можно думать о том, что из Шамбалы и Агарти периодически выходят лемурийцы, чтобы оказать влияние на развитие цивилизаций на поверхности земли.

Входят ли атланты в состав Шамбалы и Агарти? Как известно, цивилизация атлантов была менее развита, чем цивилизация лемурийцев. Тем не менее духовный уровень атлантов был достаточно высок и позволял им входить в состояние глубокого сомати. На наш взгляд, атланты входят также в систему подземной жизни на земле, но находятся преимущественно в пассивном каменно-неподвижном состоянии сомати. Атланты, по нашему мнению, в меньшей степени способны к феномену дематериализации и материализации человеческого тела, а их состояние (пассивное сомати, активное сомати, дематериализация и т. п.) во многом контролируется лемурийцами. Вспомним, что ламы и Особые люди постоянно упоминали некоего загадочного «Его», который дает доступ в сомати-пещеры и который решает все в отношении подземных хранилищ Генофонда человечества. Возможно, что загадочный «Он» является лемурийцем Шамбалы или Агарти, призванным контролировать данную часть Генофонда человечества.

Входят ли люди нашей цивилизации в состав Шамбалы и Агарти? Наверное, все же входят, но только в виде людей, находящихся в каменно-неподвижном состоянии сомати и подвластных лемурийцам. В подтверждение этого можно привести сведения о том, что пророки, например Иисус Христос, проходили обучение на Тибете в стране Шамбала. Можно думать, что пророки, которые, по нашему предположению, выходят из сомати-пещер, получают дополнительные знания в техногенной подземной цивилизации Шамбалы и Агарти.

Наши гипотетические представления о Шамбале и Агарти во многом совпадают с данными некоторых людей, которых можно отнести к разряду Посвященных. Например, вышеуказанный настоятель одного из российских монастырей сказал, что Шамбала и Агарти включают в себя людей разных цивилизаций, объединенных в единый подземный мир. Во главе Шамбалы и Агарти стоят лемурийцы, уровень развития которых намного превышает таковой атлантов и людей нашей цивилизации. Атланты — это дети в сравнении с лемурийцами, а люди нашей цивилизации — и того ниже. Именно лемурийцы в совершенстве владеют энергией тонкого мира. В свое время, несколько миллионов лет назад, лемурийцы достигли столь высокого уровня развития, что во время страшной катастрофы на земле, они смогли спасти свою цивилизацию, уйдя под землю, где и живут до сих пор. Лемурийцы и сейчас под землей имеют невероятные аппараты и механизмы, техногенный уровень которых исключительно высок. Лемурийцы составляют основу Генофонда человечества и охраняют его. Очень давно под землей лемурийцы разделились на две страны — Шамбалу и Агарти. Агарти — более добрая страна, чем Шамбала.

Уфимец Марат Фатхлистамов, обладающий знаниями в области оккультных наук, говорит, что в последние 30 000 лет от Высшего Разума поступила команда о переходе лемурийцев из Генофонда человечества в страны Шамбалу и Агарти. Там, под землей, они находятся в физическом или тонком состоянии. Лемурийцы работают под землей, имеют свои технологии, например летающие тарелки. Часть лемурийцев находится в состоянии сомати в Генофонде человечества. Атланты все время находятся в состоянии сомати в Генофонде человечества; они ждут часа «X», когда наступит второй «золотой век» — век Истины, в котором людям будут раскрываться древние знания. В период века Истины атланты будут чаще выходить из сомати, появляться на поверхности земли и учить людей нашей цивилизации иным принципам жизни. Люди нашей цивилизации также находятся в состоянии сомати в Генофонде человечества.

Какими же технологиями владеют лемурийцы в Шамбале и Агарти? Все их технологии должны быть основаны на ином энергетическом принципе, который для нас пока непонятен. Шамбала и Агарти скорее всего используют энергию тонкого мира. Проявлением технологий Шамбалы и Агарти являются, на наш взгляд, всем известные неопознанные летающие объекты — летающие тарелки.

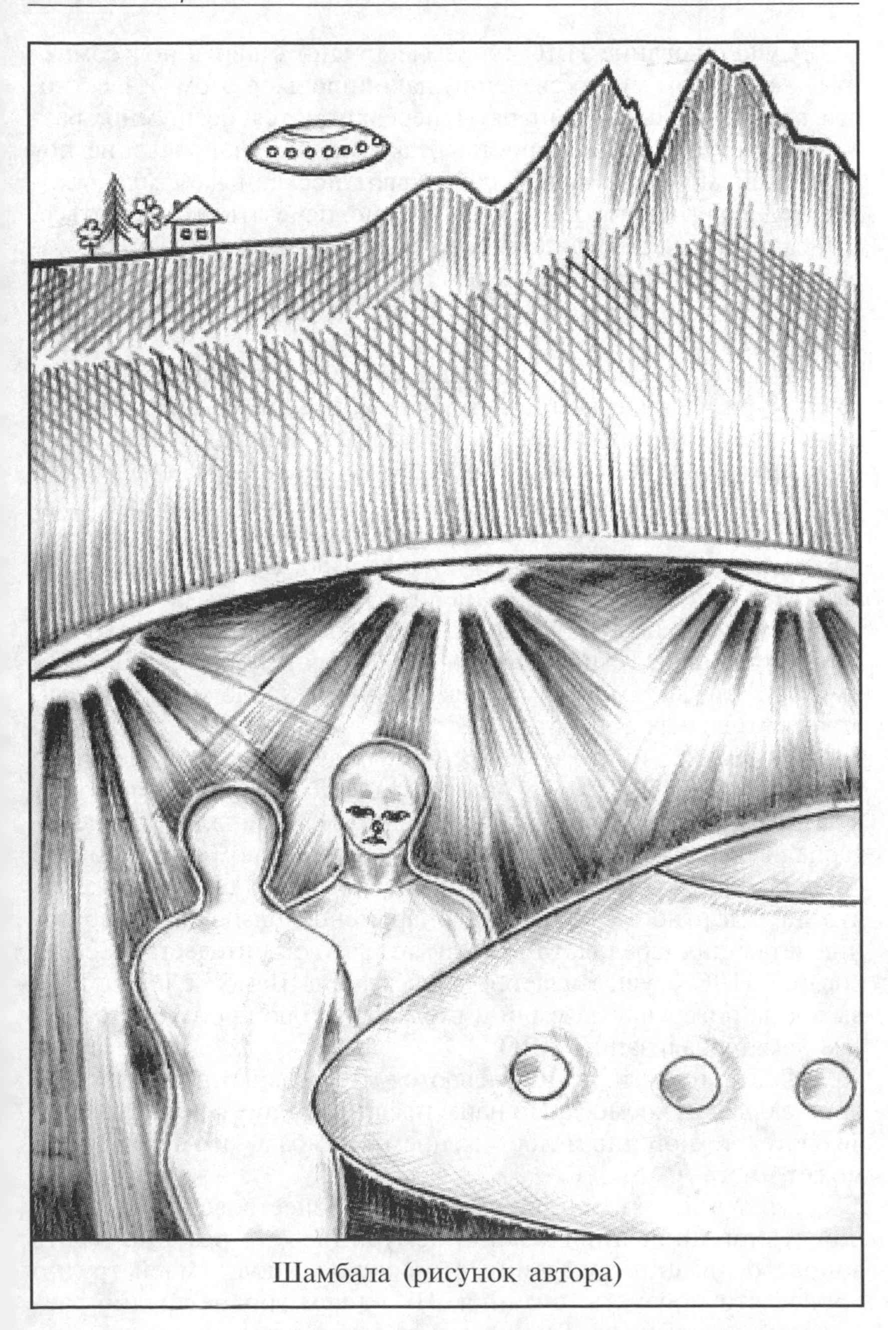

Шамбала (рисунок автора)

Существование НЛО на земле трудно ставить под сомнение — слишком много сведений накопилось об этом. Известно, что эти летательные аппараты передвигаются бесшумно, развивают невероятную скорость, резко меняют направление полета, зависают над землей, совершают посадки на землю, уходят под воду и способны неожиданно исчезать и появляться. Описано множество видов НЛО — от огромного размера кораблей до небольших летающих тарелок. Люди встречали гуманоидов — человекоподобных существ огромного роста или маленьких карликов.

Давайте сопоставим описание древних летательных аппаратов лемурийцев и атлантов (вимана) с описаниями НЛО. По тем сведениям, которые по литературе дошли до нас, вимана древних лемурийцев и атлантов также имели дискообразную форму, могли зависать над землей и водой, резко менять направление полета и т. п. То есть между современными НЛО и древними вимана можно провести близкую аналогию. Отсюда можно сделать гипотетическое заключение, что НЛО созданы и создаются в современный период в Шамбале и Агарти по древней технологии лемурийцев. Техногенная цивилизация лемурийцев Шамбалы и Агарти, видимо, не утеряла древних технологий строительства летательных аппаратов.

Почему же никто из современных людей не смог детально обследовать НЛО? Почему каждый раз НЛО загадочно исчезают в самый последний момент? Очевидно, НЛО также могут дематериализоваться и материализоваться. В противном случае трудно объяснить факты неожиданного исчезновения НЛО, а также то, что на поверхности земли не обнаружено признаков базирования летающих тарелок. Можно думать, что строительство и базирование НЛО осуществляется под землей в Шамбале и Агарти, а выход на поверхность земли и вход под землю производится путем дематериализации НЛО.

Считается, что НЛО являются летательными аппаратами пришельцев из космоса. Но наше предположение о том, что НЛО являются техногенным достижением Шамбалы и Агарти, тоже может иметь место.

Если взять за основу гипотезу о существовании подземной техногенной цивилизации лемурийцев, то резонно задать вопрос о питании лемурийцев, поскольку под землей трудно произвести продукты питания. На нашем уровне трудно рассуждать на эту тему. Тем не менее можно предположить, что лемурийцы научились получать продукты питания путем материализации мысли. Подтверждением этому являются хотя бы современные сведения о материализации риса и других продуктов питания: Сатья Саи Баба, описание жизни отшельников в Гуфа-ашраме и др.

Имеются некоторые сведения о существовании входа в Шамбалу. Марат Фатхлисламов, в частности, считает, что вход в Шамбалу находится где-то в индийских Гималаях и защищен барьером в виде светящегося шара. Виссарион пишет, что в районе входа в Шамбалу (в Гималаях) действует мощный источник неизвестной энергии.

Может быть, вход в Шамбалу существует, но это, видимо, не играет решающей роли, — способность к дематериализации и материализации позволяет обходиться без входа в подземные жилища.

В литературе много написано о так называемом «хозяине Шамбалы». Почти все религии предрекают появление на земле «хозяина Шамбалы». В исламских источниках его называют Имамом Махди, в Библии говорится о возвращении Христа, буддисты ожидают прихода Будды Майтрейи. Предполагается, что «хозяин Шамбалы» будет огромного роста, а приход его будет связан с появлением на земле Антихриста, который родится в Европе и будет называть себя богом. «Хозяин Шамбалы» будет пропагандировать всеобщую Любовь и будет противостоять Антихристу.

Трудно сказать, что будет. Но если «хозяин Шамбалы» появится на земле, то, скорее всего, это будет один из лемурийцев Шамбалы или Агарти. Нельзя исключить и того, что из Генофонда человечества может выйти атлант или человек нашей цивилизации.

Подводя итог гипотезе о Шамбале и Агарти, можно сказать следующее. Шамбала и Агарти — это система параллельной подземной (подводной?) жизни на земле людей разных цивилизаций (лемурийцев, атлантов и представителей нашей цивилизации), основанной на иных принципах взаимоотношения физического и тонкого миров, прежде всего на способности дематериализоваться и материализоваться. В Шамбале и Агарти жизнь и смерть соединены воедино, люди разных цивилизаций находятся вместе, время течет по-иному. Шамбала и Агарти были образованы в связи с глобальной катастрофой на земле в период цивилизации лемурийцев, а в дальнейшем стали выполнять роль страхующего звена в жизни на земле. Шамбала и Агарти надежно скрыты под землей и не подвержены воздействию космических или геологических катастроф. Жизнь в Шамбале и Агарти во много раз более защищена, чем жизнь на поверхности земли.

Шамбала и Агарти имеют две основные составные части:

1. Генофонд человечества.
2. Техногенная подземная цивилизация лемурийцев.

При этом техногенная цивилизация лемурийцев выполняет функцию охраны Генофонда человечества. Имея способность дематериализоваться и материализоваться, лемурийцы Шамбалы периодически появляются в разных подземных хранилищах Генофонда человечества, контролируя состояние людей в сомати. Они же помогают людям пещер при выходе из состояния сомати и выводят их на поверхность земли. Представители техногенной цивилизации лемурийцев, обладая подробной информацией о состоянии жизни на поверхности земли, обучают пророков (вышедших из сомати), как то было с Иисусом Христом и остальными пророками. Летательные аппараты подземных лемурийцев (НЛО) постоянно изучают ход жизни на поверхности земли в техногенном, биологическом, политическом и других аспектах. Эти знания анализируются и передаются пророкам, работающим на поверхности земли.

Можно думать, что загадочный «Он», дающий допуск в сомати-пещеру Особым людям, является представителем техногенной цивилизации лемурийцев. Волнение, которое испытывали Особые люди при виде нашего рисунка с гипотетическим лемурийцем, можно объяснить тем, что, возможно, иногда техногенные лемурийцы, материализуясь, неожиданно появляются в пещере перед Особыми людьми, выполняющими свою ежемесячную работу по осмотру тел в сомати. Можно представить волнение Особого человека, когда среди законсервированных тел в сомати, к виду которых он уже привык, неожиданно, как из-под земли, вырастает живой, действующий человек огромного роста.

Техногенные лемурийцы Шамбалы, по нашему мнению, также периодически входят в пассивное каменно-неподвижное состояние сомати, пополняя Генофонд человечества, а из Генофонда человечества периодически выходят лемурийцы, пополняя техногенную подземную цивилизацию лемурийцев. То есть между Генофондом человечества и техногенной цивилизацией лемурийцев существует взаимосвязь и взаимопереходы.

«Он» (рисунок автора)

Подземная техногенная цивилизация лемурийцев, на наш взгляд, отделилась от Генофонда человечества как активная его часть по следующим причинам:

— более действенная охрана Генофонда человечества;

— сохранение и развитие технологий цивилизации лемурийцев (высший уровень технологий, достигнутый на земле);

— активное изучение хода развития жизни на поверхности земли для корректировки действий пророков и прочих воздействий на человечество.

Таким образом, Генофонд человечества и подземная техногенная цивилизация лемурийцев представляют собой единую систему параллельной жизни на земле. Это и есть Шамбала и Агарти.

Чем отличаются Шамбала и Агарти? Здесь могут иметь место два предположения:

1. Шамбала и Агарти различаются по географическому принципу. В литературе можно найти много указаний на то, что местом локализации Шамбалы является Тибет, Гималаи и близлежащие к ним регионы земли. Где же локализуется Агарти? Возможно, в районе египетских пирамид, включая близлежащие регионы (Аравийский полуостров, Африка и др.). В связи с этим можно говорить о существовании двух подземных стран — Шамбалы и Агарти, каждая из которых включает в себя часть Генофонда человечества и техногенную цивилизацию лемурийцев, различаясь по локализации.

2. Если принять во внимание сведения общества Фуле (Экард и Гаусгоффер) о том, что люди высокой гобийской цивилизации, уйдя в гималайские пещеры, разделились на две ветви — Шамбалу и Агарти, первая из которых является центром могущества и неведомых сил, а вторая — скрытым местом добра и созерцания, то можно думать, что Шамбала — это техногенная цивилизация лемурийцев, а Агарти — Генофонд человечества. В этом случае страна «Шамбала + Агарти» (т. е. техногенная цивилизация лемурийцев + Генофонд человечества), видимо, имеет подземный центр на Тибете и Гималаях и распространяется по всему земному шару.

Какое из этих двух предположений верно? Трудно сказать. Но суть не в том, что и как называть, а в том, что система подземной параллельной жизни на земле, очевидно, все же существует. И в основе этой параллельной жизни лежит все же Генофонд человечества.

Они сильнее нас

Повторюсь и скажу, что в разговоре с вышеупомянутым настоятелем одного из российских монастырей я начал развивать мысль о том, что нам, людям, необходимо защищать Генофонд человечества и Шамбалу от посягательств. Настоятель прервал меня и сказал:

— Их защищать не надо. Они сильнее нас. Намного сильнее...

Тогда я еще не проанализировал ситуацию с дематериализацией и материализацией человеческого тела и не сделал выводов, поэтому многого не понимал. Я начал возражать настоятелю.

— Вы не понимаете того, что такое энергия тонкого мира, — сказал настоятель. — Это то, когда взглядом можно поднять огромный камень, мгновенно переместить его в пространстве, вызвать всеобщий гипнотический сон и т. д.

После этих слов у меня возникло сомнение — почему же Шамбала, если она сильнее нас, не захватывает военным путем поверхность земли, более пригодную для жизни, чем подземные пустоты и пещеры? Почему же люди нашей цивилизации не заменяются на более развитых лемурийцев? Но тогда моя психология еще была подвержена сильному влиянию бытовых человеческих представлений, в то время я еще не мог абстрагироваться до той степени, чтобы подумать по-другому и путем научной логики внедриться и проанализировать таинственное и непознанное. Слова настоятеля относительно силы Шамбалы вызвали в моем воображении фантастические картины войны лемурийцев против людей нашей цивилизации.

Но давайте дадим волю фантазии и представим воображаемую войну техногенных подземных лемурийцев Шамбалы против нас. Это поможет нам понять и осознать силу Шамбалы.

Представим, что в какой-нибудь стране, например в России, в каком-нибудь городе, например в Москве, в центре города, например на Красной площади, при полном стечении народа, например по поводу празднования Дня Конституции, неожиданно появится выросший как из-под земли человек 7—10 метрового роста (материализация) необычной внешности. Все люди будут в шоке. Гигант обведет взглядом окружающих людей и остановит свой взгляд, например, на мавзолее Ленина. Взгляд его начнет тяжелеть, и люди, почувствовав какую-то необычную силу этого взгляда, увидят, что вначале от Мавзолея отлетит кусок стены, а потом Мавзолей рассыплется, как карточный домик. Гигант взглядом поднимет кусок мраморной стены в воздух, поиграет этим многотонным куском в воздухе и отведет взгляд, в результате чего этот обломок с грохотом упадет на Красную площадь, давя людей.

Далее гигант поймает взгляды людей, устремленные на него; от его взора люди почувствуют непонятную слабость и тут же уснут, повалившись на землю. Кто-то из охраны Кремля поднимет свой пистолет, чтобы выстрелить в гиганта, но гигант, как бы мгновенно узнав об этом (чтение мыслей), взглянет на него, и несчастный взлетит в воздух вместе с куском стены, рядом с которой он стоял. Вызванный полк солдат, только увидев гиганта, будет тут же деморализован, а далее отброшен неведомой силой вместе со всей бронетехникой. Бронетранспортеры и танки, поднятые в воздух как пушинки, будут падать на дома, разрушая их. Летчики вертолетного полка, подлетая к месту событий, увидят, что все навигационные приборы вышли из строя, как будто вертолет попал в зону сильнейшей магнитной аномалии. Далее летчики испытают непонятные чувства тревоги и негодования, которые сменятся головной болью и сильнейшей слабостью. Вертолеты будут падать на дома, взрываясь.

А гигант будет продолжать стоять в центре площади, спокойно взирая на события. Если кто-то из лежащих людей будет способен поднять голову, он увидит, что гигант сделает несколько шагов, тело его напряжется, и... он исчезнет. И только разрушения, пожары да лежащие на земле люди будут напоминать о его пришествии.

Гиганты будут появляться то в одном, то в другом городах земного шара, сея ужас и панику среди людей. Будут применены сеансы массового гипноза, когда в гипнотическое состояние войдут люди целых стран. Все попытки военных поразить гигантов будут бесполезными: фактор неожиданности появления и исчезновения гигантов не даст возможности организовать оборону городов, все попытки вооруженной атаки гигантов будут обречены на поражение. Военные будут деморализованы оттого, что мысли их мгновенно прочитываются, сила оружия сметается неведомой силой, а при организации массированного нападения гигант загадочным образом исчезает.

Далее над городами и особенно над военными объектами будут появляться летательные объекты, по форме напоминающие тарелки. Эти летательные аппараты гигантов, зависая над землей, будут оказывать влияние на приборы и аппараты, потребляющие электроэнергию. Под воздействием неведомой энергии, исходящей от этих летательных аппаратов, будут глохнуть моторы автомобилей, поездов, пароходов и самолетов, погаснет свет в домах, выйдут из строя медицинские приборы и компьютеры, остановятся электростанции, нарушится обогрев домов и т. д. Системы наведения и управления ракетными вооруженными силами обесточатся и выйдут из строя. Атомные электростанции, лишенные управления, начнут взрываться, отравляя землю радиоактивными отходами.

Попытки сбить летательные аппараты гигантов с помощью ракет будут оборачиваться неудачей, так как ракета попадет в сильное энергетическое поле и отклонится или будет сбита с помощью направленного энергетического луча. Способность летательных аппаратов гигантов резко менять направление полета на огромной скорости сделает невозможным вести по ним прицельный огонь. Способность этих летательных аппаратов неожиданно исчезать и появляться (дематериализация и материализация) определит фактор неожиданности, важный в боевых действиях. Невозможность найти места базирования летательных аппаратов гигантов (подземная локализация) будет еще одним проигрышным моментом в борьбе с ними.

Количество летательных аппаратов гигантов будет увеличиваться, и вскоре вся энергетическая система нашей цивилизации будет разрушена. Ядерный потенциал будет нивелирован. Перестанут ходить поезда, летать самолеты, станет трудно лечить больных, будет невозможно вести научные исследования, остановится промышленность, придет в упадок сельское хозяйство, люди будут освещать свои дома свечами, топить дровами. Начнутся голод и болезни. Люди уйдут в леса и начнут вести примитивный образ жизни. Люди будут умирать миллионами. Постепенно будет происходить одичание оставшихся людей, и через несколько поколений человечество превратится в группу немногочисленных полудиких племен.

Наша цивилизация будет уничтожена. Наши достижения, основанные на знаниях физического мира, не смогут устоять перед достижениями лемурийцев, основанными на познании законов тонкого мира. Энергия тонкого мира сильнее. Разрушив нашу цивилизацию, лемурийцы даже не понесут потерь. Они намного сильнее нас!

Возможно ли нападение техногенных лемурийцев Шамбалы на нашу цивилизацию? По большому счету исключить этого нельзя, так как, по законам природы, сильнейший побеждает слабого. Но давайте проанализируем этот вопрос с исторической точки зрения.

Цивилизация лемурийцев возникла и развилась много миллионов лет тому назад на базе знаний Всеобщего информационного пространства, так как в то время не было принципа «SoHm». То есть для своего развития лемурийцы использовали знания Того Света — формы жизни в тонком мире. Поэтому прежде всего они освоили энергию тонкого мира. Цивилизация лемурийцев имела самый долгий период развития без войн на земле, поэтому развилась до самой высокой степени. Тем не менее в недрах этой высочайшей цивилизации все же возникли противоречия, которые вылились в войну, во время которой использовалась энергия тонкого мира. Был совершен величайший грех — божественные знания Того Света были использованы не во имя созидания, а во имя разрушения.

Видя предвестники глобальной катастрофы, наиболее духовно продвинутые из лемурийцев пошли в пещеры, вошли в глубокое состояние сомати и организовали Генофонд человечества. Лучшие из них, которые владели феноменом дематериализации и материализации человеческого тела, организовали подземную техногенную цивилизацию лемурийцев, чтобы сохранять и развивать технические достижения лемурийской цивилизации, а также охранять созданный Генофонд человечества. Подземные лемурийцы научились феномену самообновления клеток организма, поэтому стали практически бессмертными. Так были созданы Шамбала и Агарти.

После глобальной катастрофы и гибели Лемурии, лемурийцы Шамбалы и Агарти оказывали влияние на развитие цивилизации атлантов (появление «Сынов Богов»). Когда духовный уровень атлантов достиг достаточно высокой степени, а некоторые из атлантов начали пополнять Генофонд человечества, лемурийцы Шамбалы и Агарти начали открывать им древние знания Лемурии. На базе этих знаний цивилизация атлантов начала быстро прогрессировать, но не удержалась от соблазна разрешать свои противоречия военным путем. Еще раз был совершен грех по использованию божественных знаний Того Света во имя зла, что и привело к глобальной катастрофе атлантической цивилизации.

Учитывая двойной грех, Высший Разум ввел для пятой расы (нашей цивилизации) принцип «SoHm», следствием которого явилась блокировка доступа к знаниям Того Света. Лемурийцы Шамбалы и Агарти, используя пророков, выходящих из Генофонда человечества, старались и стараются направить развитие нашей цивилизации по пути прогресса. Но мы, в отличие от атлантов, из-за принципа «SoHm» не можем самостоятельно выйти во Всеобщее информационное пространство и использовать знания Того Света. Мы всецело зависим от Шамбалы и Агарти. Сколько они нам передадут древних знаний, столько мы и будем иметь. Наша цивилизация даже более зависима от Шамбалы и Агарти, чем атланты.

Исходя из этого, можно сделать вывод, что наша цивилизация (как и атланты) — дитя Шамбалы и Агарти. А кто будет воевать со своим ребенком? Никто.

Шамбале и Агарти принадлежит особая руководящая роль в жизни на Земле, которая сводится к святому сохранению Генофонда человечества и регулированию развития человеческих цивилизаций на поверхности земли. Техногенные лемурийцы Шамбалы никогда не поменяют свое величие и бессмертие на смертный вариант жизни на поверхности земли. Поэтому они никогда не будут завоевывать нас.

Можно ли найти Шамбалу

Когда мы отправлялись в трансгималайскую экспедицию, многие нас спрашивали:

— Ну что, Шамбалу, что ли, поехали искать?

Когда в экспедиции мы пришли к выводу о существовании Генофонда человечества, то мы подумали, что Генофонд человечества и есть Шамбала. Но после анализа литературы и ряда дополнительных сведений мы поняли, что Генофонд человечества есть лишь часть (хотя и основная) Шамбалы и Агарти, что Шамбала и Агарти включают еще и техногенную подземную цивилизацию лемурийцев как активную часть Генофонда человечества. Мы поняли, что Шамбала и Агарти — это целая система подземной жизни на земле.

Я думаю, что Шамбалу найти невозможно; она есть над нами и рядом с нами, она живет параллельно с нами, невидимая и загадочная, и изучает нас. Побывать же в Шамбале («сходить к ним в гости») невозможно, потому что подземным техногенным лемурийцам этого не нужно — мы и так для них как раскрытая книга. Поступившись своей гордыней, мы должны осознать, что уровень нашего умственного развития и технологий ниже таковых Шамбалы настолько, насколько мы отличаемся от первобытного человека, вооруженного каменным топором.

Религия предсказывает, что когда-нибудь наступит «золотой век», или век Истины, когда нам начнут раскрываться древние знания Лемурии, которые свято хранятся в Шамбале и Агарти и которые не только в свое время определили величие цивилизации лемурийцев, но и сделали могущественной цивилизацию атлантов. Но наверное, Шамбалой и Агарти будет учтено, что даже эти знания не уберегли атлантов от использования чудодейственных технологий лемурийцев во имя зла и тщеславия, что и привело к гибели их цивилизации.

Наступит ли этот «золотой век»? Все зависит от нас самих. Если мы сможем понять простой божественный постулат: «Жить надо с чистой душой», если психология чистой души укоренится в людях и станет основой их существования, то можно ждать того, что кто-то из нас (а может быть, многие из нас) будет допущен в Шамбалу, где он воочию увидит удивительный мир будущего, где ему будут передаваться невероятные знания, способные коренным образом изменить мир. Я еще раз повторяю, что Шамбала изучает нас и знает о нас все, поэтому есть один единственный путь добраться до чудодейственных технологий Шамбалы — заслужить их доверие массовыми чистыми помыслами, массовой психологией добра.

Мне кажется, что тот психоэнергетический барьер, который я испытал на самом себе в сомати-пещере, был наведен Шамбалой. Я не смог увидеть Шамбалу, но я ощутил ее, почувствовал ее силу.

Неверно думать, что если ты лично имеешь чистые помыслы, то ты будешь допущен в Шамбалу. Шамбала мыслит общечеловеческими категориями. В нашем огромном мире на поверхности земли, в буре страстей и человеческих вождений, один человек ничего не решает. Не надо иметь много воображения, чтобы представить, что если некоторые знания Шамбалы попадут в руки одного человека и реализуются в новую технологию, то тут же начнется шпионаж, уговоры военных... и эта технология превратится в новое грозное оружие. Шамбала, учитывая печальный опыт Атлантиды, будет свято хранить свои секреты до тех пор, пока на поверхности земли не восторжествует массовая психология добрых помыслов и чистоты душ.

Достигнем ли мы этого? Я не знаю. А пока Шамбала страхует жизнь на земле: техногенная подземная цивилизация лемурийцев свято охраняет Генофонд человечества, потому что не верит нам, потому что слишком мало еще среди нас чистых душ.

А нам пока дозволено путем логики и научной мысли осознавать, что же такое Шамбала. Но даже мысленное осознание этого принесет свои плоды: мы будем знать, что мы не одни на земле, что параллельно с нами течет иная жизнь, что добрые помыслы и чистота души приведут к прогрессу и расцвету. Надо помнить, что люди Шамбалы живут с рафинированно чистой душой. Невиданная сила Шамбалы — это сила кристально чистой души человека.

А найти Шамбалу как археологическую находку невозможно. Шамбала выше этого.

Глава 4

История человечества на земле

В предыдущих главах я периодически останавливался на этом вопросе и приводил ссылки на различные источники: религию, данные Посвященных (Е. П. Блаватская, Л. Рампа и др.), сведения, полученные от лам и свами, и другие. Поэтому читатель, наверное, заимел уже определенные представления о возникновении и развитии человечества на земле.

Читатель, конечно же, заметил, что эти представления коренным образом отличаются от той истории человечества, которую преподавали нам еще в школе. Из всех источников, которые мы проанализировали, явствует, что человек возник путем уплотнения духа, что на земле было пять рас (мы — пятая раса), что следующая раса появляется в недрах предыдущей и постепенно заменяет ее.

Целью написания этой главы является не анализ вечного спора между материализмом и идеализмом в вопросе возникновения человечества. Современная наука уже достигла уровня научного осознания религии и понимания того, что дарвинистская теория появления человека из обезьяны слишком примитивна, а религия является не чем иным, как аллегоричным изложением знаний древних цивилизаций.

В этой главе мне бы хотелось провести краткий (без ссылок) хронологический обзор возникновения и развития человечества на земле, начиная от проблем мироздания и кончая сегодняшним днем. В чем-то я, видимо, буду ошибаться, в чем-то буду прав, но такова судьба исторических исследований, базирующихся на сумме отрывочных фактов.

Мироздание и антропогенез

Древние считали, что материя возникла из пустоты. Так же считает гениальный российский физик Геннадий Шипов, которому удалось вывести уравнение (которое не удавалась А. Эйнштейну), описывающее физический вакуум, то есть Абсолютное ничто, или Абсолют. Также считает член нашей экспедиции, специалист по физике поля, кандидат технических наук Валерий Лобанков.

Мы с Валерием Лобанковым много рассуждали на эту тему. Ниже мне бы хотелось в концентрированном виде представить результат этих рассуждений.

Что такое Абсолют? Абсолют — это не просто Ничто, это пустота, наполненная Чем-то. Чем — пока неизвестно науке. По Г. Шипову, атом и антиатом всегда возникают из Абсолюта. Образуются и, сталкиваясь, взаимоуничтожаются. Так Абсолют поддерживает свое равновесие и существование. Но один раз, за многие миллиарды лет, наступает момент, когда образовавшиеся атомы и антиатомы в пространстве расходятся. Так из Абсолюта возникает физическая материя.

Также из Абсолюта возникают торсионные (закрученные) и антиторсионные (закрученные по-иному) поля сверхвысоких частот, которые также взаимоуничтожаются и поддерживают Абсолют. Но также может возникнуть момент, когда взаимоуничтожающиеся торсионные поля разойдутся. Так из Абсолюта возникает тонкий мир.

По гипотезе Г. Шипова, между торсионными полями тонкого мира и сознанием существует прямая связь, так как торсионные поля являются материальными носителями души и духа.

Из этого следует, что из Абсолюта возникли два мира — физический и тонкий.

Физический мир постепенно усложнялся. Появились звезды, планеты, галактики и т. п.

Тонкий мир, состоящий из различных торсионных полей, тоже усложнялся. Трудно сказать, каким путем шло усложнение и совершенствование тонкого мира. Но можно думать, что поля кручения пространства-времени (торсионные поля) становились все более информационно емкими, т. е. могли заключить в себя все больше и больше информации. Может быть, появлялись все более многослойные торсионные поля (если думать с геометрической точки зрения), может быть, усложнение торсионных полей носило другой характер. Постепенно в ходе эволюции в тонком мире появился дух — сгусток психической энергии в виде торсионных полей, который мог вечно (бессмертно) сохранять в себе большой объем информации. Множество духов образовали между собой информационные связи и создали Всеобщее информационное пространство, т. е. Тот Свет, центр управления которым мы называем Богом.

Таким путем возникла жизнь в тонком мире. В то время, когда в тонком мире шел процесс совершенствования, сохранения и переноса информации, параллельно существующий физический мир оставался мертвым и безликим.

Известно, что возникшая жизнь старается распространиться, осваивая новые области обитания. Освоить жизнь в физическом мире можно было путем уплотнения жизненной материи торсионных полей тонкого мира до уровня плотности, присущей физическому миру. Так началось уплотнение духа, результатом которого явилось создание человеческого тела в физическом мире.

В возникновении любой формы жизни основополагающую роль играет сохранение и перенос информации из поколения в поколение. У человека в физическом мире это осуществляется с помощью генного аппарата и, возможно, внутритканевой воды. Мне кажется, что генный аппарат (и вода?) возник как результат уплотнения наиболее информационно емких частей духа, когда его торсионные поля смогли выстроить атомы в молекулы ДНК, способные сохранять и переносить информацию о строении человеческого тела из поколения в поколение.

Можно представить невероятную сложность духа, который смог в процессе уплотнения создать такой генный аппарат, когда в одной-единственной яйцеклетке и в одном-единственном сперматозоиде находится информация о строении всего человеческого организма, включая каждую его молекулу и каждую его клеточку. Можно представить, насколько совершенна форма жизни в тонком мире (Тот Свет) и насколько она эволюционно более древняя, что с помощью энергии тонкого мира были созданы генный аппарат и все человеческое тело. Не зря древние говорят, что человек — это микрокосм макрокосма.

Наряду с созданием человека за счет усилий тонкого мира (Того Света) создавались более простые формы жизни в физическом мире — животные, насекомые, растения и т. п. Но принцип создания растительного и животного миров был тем же — путем уплотнения более простых форм торсионных полей Того Света.

Может ли человек в физическом мире жить без Того Света? Дух, создав генный аппарат и с его помощью запустив процесс воспроизводства человека (рождение ребенка) на земле, оставил главные мыслительные функции за собой. А именно, как явствует из религии, после рождения ребенка в него влетает дух, который и определяет основные мыслительные способности человека. То есть мыслим мы, в основном, с помощью духа, живущего в тонком мире, используя энергию тонкого мира. Мозг человека, используя энергию физического мира (питание), способен закручивать торсионные поля тонкого мира, в связи с чем помогает духу в процессе мышления. Кроме того, мозг генерирует дополнительные торсионные поля, формируя душу (биополе) в виде астрального, эфирного, ментального и других «тел», помогающих человеческому организму в процессе функционирования. После смерти человеческого тела разрушаются также многие составные части души (астральное тело, ментальное тело и др.), а дух улетает на Тот Свет и продолжает жить в тонком мире, чтобы вновь когда-нибудь влететь в новое физическое тело. Таким образом, человек, созданный в физическом мире за счет «усилий» тонкого мира, представляет собой комбинацию форм жизни в физическом и тонком мирах.

Всем хорошо известно понятие кармы, т. е. «следов», остающихся в духе от прошлых жизней. Дух, проходя земной этап жизни в физическом мире, может совершенствоваться, но может и деградировать. Добрые мысли, научные достижения и изобретения совершенствуют дух, а злые мысли, тщеславие и праздность способствуют его деградации. Этим человек и отличается от животных, что его мыслительный аппарат призван совершенствовать дух (вкладывать в него больше созидательной информации) и тем самым совершенствовать форму жизни в тонком мире. Говоря иными словами, человек, физическое дитя жизни в тонком мире, призван через физический мир способствовать прогрессу в тонком мире. Для этого он и был создан.

Несомненно, что форма жизни в тонком мире (Тот Свет) по уровню значительно выше, чем жизнь в физическом мире. Подтверждением тому является хотя бы то, что дух бессмертен. Если бы человеческое тело могло жить не 70—80 лет, а 1000—2000 лет и более, возможностей совершенствования духа через физический мир возникало бы больше, поскольку процесс покидания одного тела и внедрения в другое тело связан с длительным мыслительно малоактивным периодом (детство, старость). Поэтому развитие формы жизни в физическом мире, видимо, идет и будет идти по пути увеличения продолжительности жизни человека. И в самом деле, несколько веков назад средняя продолжительность жизни составляла 30—40 лет, а сейчас — 70—80.

Как добиться увеличения продолжительности жизни? Ответ на этот вопрос покажется странным — путем культа добра, любви и знаний. Кстати говоря, все религии и аватары (Саи Баба) пропагандируют именно это. На первый взгляд, бесконечные разговоры о любви и добре не имеют принципиальной значимости, но в этом заложен великий смысл. Тот Свет устроен так, что добрые мысли и знания способствуют развитию торсионных полей тонкого мира, а злые мысли и праздность приводят к их деградации. Частая смена жизни и смерти нужна для того, чтобы побыстрее сменить злого эгоистичного и тщеславного человека на другого с надеждой на то, что после «наказания» духа этого человека на Том Свете следующая реинкарнация будет лучше и человек будет добрее. Поэтому сказания об аде и рае, видимо, имеют под собой основу.

Очевидно, что несколько веков назад в массовом общечеловеческом отношении количество зла было больше (бесконечные войны, сожжение на кострах и т. п.), чем сейчас (реже происходят войны, и проч.). Это не замедлило сказаться на средней продолжительности жизни людей, которая повысилась. Но играют роль не отдельные добрые индивидуумы, а массовая психология добра или зла — таковы законы Того Света; путем быстрой смены жизни и смерти с последующим «наказанием злого духа», Тот Свет защищается от разрушающего влияния негативной психической энергии.

Тем не менее складывается впечатление, что в мире идет процесс увеличения «массового добра», в связи с чем увеличивается и средняя продолжительность жизни. Тот Свет чутко реагирует на баланс в сторону добра и увеличивает среднюю продолжительность жизни человека.

Я думаю, что наиболее развитая цивилизация на Земле, цивилизация лемурийцев, имевшая очень долгий период развития, шла по пути прогресса прежде всего из-за того, что в недрах лемурийской цивилизации превалировали добро и знания. Поэтому, на мой взгляд, средняя продолжительность жизни лемурийцев достигала 1000, 2000 и более лет. «Массовая чистота и доброта» лемурийцев позволила Тому Свету увеличить продолжительность их жизни, что в свою очередь было весьма целесообразным, поскольку за длинную жизнь можно лучше совершенствовать дух.

Как мы уже знаем, полное освобождение от негативной психической энергии является главным условием вхождения в глубокое сомати, при котором человек становится практически бессмертным. Однако при пассивном сомати (каменно-неподвижное состояние) тела не происходит интенсивного совершенствования духа этого человека, поскольку тело не активно. При активном сомати (адепты, живущие 200, 300, 1000 и более лет и у которых, по нашему мнению, постоянно обновляются клетки организма) происходит, видимо, более интенсивное совершенствование духа, но все же, наверное, в меньшей степени, чем это было у лемурийцев.

Вершиной антропогенеза, на наш взгляд, являются техногенные лемурийцы Шамбалы и Агарти, которые достигли почти бессмертия прежде всего за счет чистоты своих помыслов и высокой активности в получении знаний. Они, ведя активную жизнь на высочайшем уровне в физическом мире, вносят огромный вклад в совершенствование духа и всего Того Света вообще. Не зря Шамбала и Агарти были организованы прежде всего из лучших представителей цивилизации лемурийцев — наиболее высокоразвитой цивилизации на земле. Складывается впечатление, что Высший Разум предусмотрел, что последующие цивилизации на земле не достигнут уровня лемурийцев, поэтому способствовал организации системы параллельной подземной жизни на земле, чтобы сохранить и развить достижения лемурийской цивилизации.

Идеалом и целью антропогенеза является, как мне кажется, достижение всем человечеством на земле уровня Шамбалы.

А теперь я позволю себе кратко остановиться на хронологии развития человечества на земле.

Можно выделить несколько периодов в развитии человечества, а именно период ангело- и призракоподобных людей, период лемурийцев, период атлантов и период людей нашей цивилизации.

Период ангело- и призракоподобных людей на земле

Много миллионов лет назад за счет уплотнения духа на земле появились ангелоподобные создания, достигавшие роста 60 и более метров. Эти ангелоподобные люди были еще столь неплотными, что могли свободно проходить сквозь стены и другие препятствия. Природа (растения, животные) тоже были неплотными. Тем не менее уже у этих людей был сформирован неплотный генетический аппарат, который давал возможность воспроизводить себе подобных путем почкования и деления.

Ангелоподобные люди жили еще больше по законам тонкого мира и были напрямую связаны с Тем Светом. Им еще было трудно что-либо изменять и производить в значительно более плотном физическом мире. Поэтому совершенствование духа, напрямую связанное с активностью человека, происходило в малой степени.

Период ангелоподобных людей можно назвать младенческим периодом человечества, когда Тот Свет и дух поддерживали появившихся на земле людей, практически ничего не получая взамен.

В процессе эволюции шло постепенное уплотнение и уменьшение размеров физического тела человека, и из ангелоподобных (первая раса) люди превратились в призракоподобных (вторая раса). Призракоподобные люди имели один циклопический глаз, видевший в тонком мире, они размножались почкованием и делением, могли проходить сквозь стены, но уже могли выполнять кое-какие работы в физическом мире, используя для этого пока только энергию тонкого мира (воздействие на гравитацию для переноса тяжестей и проч.). Начало активной деятельности призракоподобных людей в физическом мире стало уже давать первые плоды в отношении совершенствования духа на Том Свете; человечество из младенческого периода стало переходить в детский*.

Но наибольшую отдачу Тот Свет получил в период цивилизации лемурийцев.

---

* Возможно, некоторые формы жизни призракоподобного характера не эволюционировали в сторону уплотнения и сохранились в таком виде до сих пор. Этим можно объяснить феномен приведений, духов, барабашек и т. п.

Период цивилизации лемурийцев

После еще большего уплотнения тела призракоподобных людей появились ранние лемурийцы, имевшие рост около 20 метров и бывшие четырехрукими и двуликими. Две руки спереди обслуживали два глаза, видевшие в физическом мире (свет), а две руки сзади — глаз, видевший в тонком мире. Ранние лемурийцы уже не могли проходить сквозь стены, но с помощью четырех рук могли проводить активные действия в физическом мире. Они могли полноценно использовать энергию тонкого мира (влияние на гравитацию, психовоздействие на животных и т. п.), но уже могли достаточно эффективно использовать и энергию физического мира (мышечная сила, огонь, вода и проч.). Формирование генетического аппарата у них достигло совершенства настолько, что они разделились на мужчин и женщин, началось деторождение. Складывается впечатление, что ранние лемурийцы жили во времена динозавров.

Процесс уплотнения тела продолжался, в связи с чем поздние лемурийцы (лемуро-атланты) стали меньше ростом (около 10 метров). Третий задний глаз ушел в полость черепа, но продолжал сохранять свои функции органа настройки на волны Того Света. Две задние руки, обслуживавшие реальный третий глаз, исчезли. Поздние лемурийцы вели полуводный образ жизни, небольшие жабры помогали им дышать под водой. Они построили огромные города, достигли высочайшего уровня в технике (летательные аппараты, освоение космоса и т. д.), создали первоклассную науку, излечивали свое тело внутренней энергией. Продолжительность их жизни достигала 1000—2000 и более лет.

Поздние лемурийцы научились всесторонне использовать энергию физического мира, но их технологии базировались прежде всего на знании законов тонкого мира. Каждый лемуриец имел связь с Тем Светом, черпал оттуда знания, а его деятельность (наука, добрые деяния) пополняла знаниями Тот Свет. Они могли сравнительно легко входить в состояние сомати. Наиболее передовые из поздних лемурийцев научились дематериализовываться и материализовываться. Они освоили левитацию (преодоление гравитации и подъем собственного тела над землей) и мгновенный перенос своего тела в пространстве. Была достигнута даже дематсриализация и материализация летательных и других аппаратов.

Тому Свету, создавшему человека, было чем гордиться — человек в период цивилизации лемурийцев не только освоил физический мир и утвердил физическую форму жизни, но и своими исследовательскими и добрыми деяниями обогащал новой информацией торсионные поля Всеобщего информационного пространства. Была достигнута цель — создана высокого уровня жизнь в физическом мире, которая способствовала совершенствованию и прогрессу жизни в тонком мире.

Лемурийский период явился наиболее длинным и прогрессивным периодом в истории человечества: в течение миллионов лет торжествовал культ добра и культ знаний, которые вели к прогрессу и ради которых Тем Светом было создано человечество.

Тем не менее в недрах высочайшего уровня лемурийской цивилизации культ знаний стал постепенно заменяться на культ власти. Знания стали использоваться ради достижения власти, по этой же причине стал нарушаться великий культ добра и появилось зло. Стало производиться оружие, лемурийцы разделились на группы и стали угрожать друг другу. Над землей повисла негативная психическая аура. От лемурийцев во Всеобщее информационное пространство стали поступать не только знания и положительная психическая энергия от добрых созидательных деяний, но и негативная психическая энергия, которая разрушающе воздействовала на торсионные поля Того Света. «База данных» о жизни на земле, созданная за весь период эволюции человека и заключенная в торсионных полях Того Света, стала разрушаться.

Почему же культ знаний у лемурийцев сменился на культ власти? Трудно сказать, почему это произошло. Но можно думать о том, что лемурийцы, достигшие невиданных высот и в совершенстве знавшие законы функционирования не только физического, но и тонкого миров, стали чувствовать себя полновластными хозяевами природы и пожелали получить власть над ней. Говоря иными словами, лемурийцы совершили величайший грех — стали чувствовать себя богами, забыв о том, что Бог и управляемый им Тот Свет породили их. А поскольку из всех лемурийцев «Богом» мог быть только один, началась борьба за власть.

Наиболее развитые из лемурийцев (которые владели феноменами дематериализации и материализации, левитации и переноса в пространстве) понимали, что Бог не допустит долгого разрушающего воздействия негативной психической энергии, которая «стирает базу данных» о жизни на земле в торсионных полях Того Света. Они понимали, что тонкий и физический мир произошли из единого начала — Абсолюта, что тонкий мир прогрессировал раньше физического и поэтому может оказать большое влияние на Абсолют, результатом чего будет изменение положения космических объектов (планет, астероидов и проч.) с последующей глобальной катастрофой на земле.

Понимая неизбежность катастрофы, многие из лемурийцев ушли в пещеры, вошли в состояние сомати и организовали Генофонд человечества. Наиболее развитые из лемурийцев, используя феномен дематериализации и материализации, также ушли под землю вместе со своими аппаратами и механизмами и организовали Шамбалу и Агарти, чтобы в условиях подземной жизни сохранять и развивать технологии лемурийской цивилизации и оберегать Генофонд человечества.

Космическая катастрофа не замедлила произойти, в результате чего цивилизация лемурийцев на поверхности земли погибла. Такова была цена смены культа знаний на культ власти; Высший Разум не мог допустить полного разрушения «базы данных» о жизни на земле в торсионных полях Того Света. И только Шамбала и Агарти остались как манифестация великой лемурийской цивилизации и до сих пор продолжают пополнять знаниями Тот Свет.

Но еще задолго до катастрофы в лемурийском обществе стали рождаться люди меньшего роста и другой внешности. Количество таких людей небольшого роста (всего-то 3—5 метров) постепенно увеличивалось. Это были первые представители следующей расы на земле — атланты. Часть их выжила на поверхности земли* после лемурийской катастрофы и осталась в виде немногочисленных племен.

Период цивилизации атлантов

Атланты в период лемурийской цивилизации во всем опирались на знания и технологии «старших братьев» — лемурийцев, которых считали Сынами Богов. Атлантам трудно было представить самостоятельную жизнь.

После гибели лемурийской цивилизации атланты попали в условия выживания: непривычно изменились условия жизни на

* Возможно, они вошли в состояние сомати, чтобы переждать катастрофу в пещерах.

земле и не было «старших братьев» — лемурийцев. Из числа выживших после катастрофы атлантов лишь немногие смогли продолжить жизнь, перейдя на натуральный полудикий образ существования. Атланты, как и лемурийцы, имели хорошо развитый «третий глаз» и с помощью него могли настроиться на волны Всеобщего информационного пространства и получать оттуда знания лемурийцев. Но знания лемурийской цивилизации, «записанные» в торсионных полях Того Света, не спешили раскрыться перед атлантами. Поэтому полудикий этап в жизни Атлантиды длился очень долго.

Почему же атланты не могли воспользоваться знаниями Всеобщего информационного пространства? По этому поводу можно выдвинуть два предположения:

— мозг атлантов был менее развит, чем у лемурийцев. Поэтому атланты, даже подключившись ко Всеобщему полю знаний, не могли понять, о чем идет речь. Длительная эволюционная привычка во всем надеяться на лемурийцев не давала им возможности самим анализировать знания и применить их для прогресса жизни;

— Высший Разум прервал связь атлантов со Всеобщим информационным пространством (Тем Светом), то есть ввел принцип «SoHm» — реализуйся сам. Скорее всего, принцип «SoHm» был введен еще во времена лемурийской цивилизации, когда процветали конфликты и культ власти, чтобы оградить информационные поля Того Света от разрушающей негативной психической энергии, идущей от земли. А в начальный период цивилизации атлантов ограждающий принцип «SoHm» не был снят, потому что не было уверенности в том, что атланты будут источником положительной психической энергии. Только Шамбала и Агарти, опирающиеся на культ знаний и добрые помыслы, оставались вне действия принципа «SoHm», блокирующий доступ к знаниям Того Света.

Какое же из двух предположений верно? Я думаю, второе, так как Высший Разум должен был среагировать на поступление большого количества негативной психической энергии в информационные структуры Того Света. Видимо, блокирующий принцип «SoHm» является не только индивидуальным атрибутом нашей цивилизации, но и является универсальным «оружием» Высшего Разума, направленным на предупреждение разрушения информационных полей Того Света. В условиях действия принципа «SoHm» человечество остается «само с собой», т. е. должно реализовывать себя само, без знаний Того Света. Принцип «SoHm» охраняет прежде всего знания, полученные (и записанные на торсионных полях) в прогрессивный период цивилизации лемурийцев — самой высокой цивилизации на земле. И только Шамбале и Агарти эти знания доступны всегда.

В религии есть понятие «золотой век», когда людям открываются древние знания. Говоря иными словами, «золотой век» — это время, когда с человечества снимается блокирующий принцип «SoHm», и люди начинают иметь доступ к древним знаниям лемурийцев.

Цивилизация атлантов, находясь в условиях «реализуйся сам», развивалась очень медленно. Люди освоили некоторые физические виды энергии (мышечная сила, огонь, вода), строили дома, пищу добывали преимущественно в море, вели в основном полуводный образ жизни. Шамбала и Агарти, незримо наблюдая за атлантами, стали выпускать из Генофонда человечества лемурийцев в качестве пророков. «Сыны Богов вернулись!» — наверное, вскричали атланты, в памяти которых еще сохранились легенды о могущественных великанах лемурийского периода. Но пророки-лемурийцы не торопились передавать атлантам свои технологии и знания — они пропагандировали любовь и добро как основу прогресса человечества.

Постепенно, усилиями пророков-лемурийцев, в цивилизации атлантов культ власти сменился на культ знаний, добро и любовь восторжествовали. Начался прогресс. Были освоены другие виды физической энергии, города стали лучше и краше, популяция атлантов выросла. Но энергия тонкого мира была еще неподвластна атлантам. Шамбала и Агарти, отмечая прогресс атлантов, информировали центр управления Всеобщим информационным пространством о возможности снятия принципа «SoHm», чтобы способствовать еще большему их прогрессу за счет овладения силами тонкого мира. Блок со знаний Того Света был снят. Для атлантов наступил «золотой век». Великие знания лемурийской цивилизации стали доступны для них.

Цивилизация атлантов резко пошла по пути прогресса. Были освоены телепатия, психовоздействие на гравитацию, сила мантр (заклинаний) и другие виды энергии тонкого мира. Города стали строить, перенося тяжести взглядом, стали излечивать свое тело за счет внутренней энергии, воздухоплавание осуществлялось за счет силы мантр. Были построены огромные города, над землей сновали летательные аппараты — вимана, под водой были образованы прекрасные плантации, огромные монументы (которые дошли и до наших времен) свидетельствовали о могуществе цивилизации атлантов. Мир жил в красно-багровых тонах.

В этот период культ добра и любви был основным правилом жизни атлантов. Но культ знаний не получил полноценного своего утверждения, так как атланты, с помощью «третьего глаза» настраиваясь на волны Всеобщего информационного пространства, легко получали телепатическим путем знания предыдущей цивилизации — лемурийцев. Дети атлантов не учились в школе и не заканчивали институтов, — по мере развития мозга знания сами входили из Всеобщего информационного пространства.

Знания лемурийской цивилизации, записанные на торсионных полях Того Света, были столь безбрежны, что атлантам не было необходимости интенсивно развивать науки, хорошо бы воспользоваться хоть частью лемурийских познаний. Пришла «научная праздность».

Известно, что наука — это огромный кропотливый труд, это упорство личности в преодолении научных трудностей и косности коллег, это самопожертвование ради знаний, это чистота помыслов и душевный взлет. Именно за счет этого лемурийцы достигли невиданных высот в науке и создали культ знаний, стимулирующий научные исследования. Готовых знаний, которые можно было взять телепатическим путем из Того Света, при них не было. Атланты же имели готовый пакет знаний, в свое время наработанный лемурийцами.

«Научная праздность» атлантов не смогла утвердить культа знаний, столь необходимого для пополнения информационного поля Того Света. В жизни человечества самым трудным является получение новых знаний, и это является уделом наиболее способных и прогрессивных людей. У атлантов же знания мог получить любой человек, всего-навсего настроившись на волны Всеобщего информационного пространства. Поэтому знания попадали и к недалеким тщеславным людям, которые не могли удержаться от соблазна властвовать за счет переполнявших их знаний.

Так вместо несостоявшегося культа знаний пришел культ власти. Культ добра не мог противостоять негативным властолюбивым устремлениям. Человеческие устремления — это мощнейшая сила, противостоять которой очень трудно. Человеческие устремления нельзя остановить, их лучше направить по другому пути, например, по пути получения знаний. Если бы атланты имели культ знаний, все человеческие устремления были бы направлены в безбрежную и вечную область познания, а не трансформировались бы во властолюбивые аппетиты.

Человек (будь то лемуриец, атлант или мы с вами) устроен так, что он должен всегда к чему-то стремиться. Человек создан как саморазвивающаяся субстанция. Поэтому важно устремления человека направлять куда-либо. Куда? Ответ прост — к знаниям и добру. Культ добра плюс культ знаний — вот главная составляющая прогресса человечества. В противном случае придет культ власти, а вместе с ним придет и зло, а вместе со злом придет и гибель.

Появившийся культ власти у атлантов прогрессировал. Они разделились на отдельные группы, которые враждовали между собой. Знания Того Света, полученные в свое время лемурийцами, использовались для создания оружия. Начались бесконечные войны. В торсионные поля Того Света стала поступать в большом количестве негативная психическая энергия.

Предвидя наступление глобальной катастрофы, наиболее прогрессивные из атлантов ушли в пещеры и вошли в состояние сомати, пополнив Генофонд человечества. Складывается впечатление, что вхождение в сомати у атлантов носило сравнительно массовый характер, поэтому даже сейчас основную часть Генофонда человечества составляют атланты.

Шамбала и Агарти не могли воспрепятствовать наступлению глобальной катастрофы, так как силы убеждения пророков-лемурийцев не хватало, а применить военную силу Шамбала не могла из-за утвержденных в ней культа добра и культа знаний.

Я сомневаюсь в том, что атланты пополнили подземную техногенную цивилизацию лемурийцев. Похоже, что атланты не достигли уровня феномена дематериализации и материализации человеческого тела, столь необходимого для жизни в Шамбале и Агарти.

Катастрофа разразилась 850 000 лет тому назад. Ось Земли изменила свое положение, полюса сместились, наступил всемирный потоп. Снова был введен блокирующий принцип «SoHm».

Но цивилизация атлантов погибла не сразу. Часть из них (желтые атланты) на своих воздушных кораблях (вимана) успела улететь в район Гималаев, Тибета и пустыни Гоби — наиболее возвышенные области земли, которые до всемирного потопа были Северным полюсом. Там, на берегах и островах Внутреннего моря, расположенного на месте пустыни Гоби, они обосновались и прожили еще несколько десятков тысяч лет. Но изоляция, малая численность, а главное — отсутствие «палочки-выручалочки» в виде знаний Всеобщего информационного пространства (был введен принцип «SoHm») привели к деградации общества, одичанию и гибели. Ставшая привычкой «научная праздность» не позволила атлантам выжить.

Другая часть атлантов (черные атланты) осталась в живых на возвышенных участках африканского континента. Но они очень быстро по тем же причинам деградировали, одичали и погибли. По одной из гипотез, эти черные атланты внесли лепту в формирование современных негров.

Третья часть атлантов выжила на так называемом острове Платона, находившемся в районе Атлантического океана*. Эта группа атлантов оказалась наиболее прогрессивной, она смогла не растерять своих знаний в условиях невозможности контактировать со Всеобщим информационным пространством из-за блокирующего принципа «SoHm», смогла организовать научные исследования, сохранить технологии и заставить людей совершенствоваться в духовном отношении без прямой поддержки Того Света.

Атланты острова Платона смогли самоутвердиться в новых условиях земли и прожить долгий период с 850 000 до 11 000 лет тому назад. В течение этого времени вода, залившая Землю после всемирного потопа, постепенно отступала, открывались новые земли, на которых расселялись люди новой пятой расы (люди нашей цивилизации).

Эти новые люди казались атлантам мелкими (всего 2—3 метра ростом), агрессивными и глупыми. С некоторыми из этих новых людей атланты острова Платона воевали, с некоторыми — находились в контакте и содружестве. В частности, тесные контакты атланты острова Платона имели с древними египтянами, которых научили многим своим технологиям и вместе с ними построили египетские пирамиды, используя для переноски тяжестей (каменных блоков) психоэнергетическое воздействие на гравитацию. Пирамиды были построены 75—80 тысяч лет тому назад. После окончания строительства пирамид многие из атлантов, а

* Прототип легендарной Атлантиды.

также некоторые представители египтян ушли в подземные жилища под пирамидами, вошли в состояние глубокого сомати и пополнили Генофонд человечества.

Но 11 000 лет тому назад астрономы атлантов острова Платона предсказали скорое падение на Землю кометы Тифона. Комета приблизилась и упала в районе Атлантического океана. Последняя обитель атлантов — остров Платона — погибла, погрузившись в морскую пучину. Цивилизация атлантов полностью прекратила свое существование.

Цивилизация атлантов прожила меньший период, чем цивилизация лемурийцев, и не достигла даже части того уровня, какой был у лемурийцев. «Научная праздность» погубила атлантов.

Период арийцев (людей нашей цивилизации)

Почему-то у нас принято арийцами называть германцев. Но это неправильно; во всех древних источниках арийцами называют людей нашей цивилизации вообще.

Арийцы появились в недрах атлантической цивилизации примерно 1 миллион лет тому назад. В среде атлантов стали рождаться люди меньшего роста, без перепонок, с большим носом и ступнями. Они были более приспособлены к наземному образу жизни, в связи с чем даже имели некоторые преимущества перед атлантами. Эти необычные по виду люди были активны и работоспособны, но в духовном отношении и особенно в отношении умения производить психоэнергетические воздействия были намного слабее атлантов. Тем не менее уровень их духовного развития был значительно выше, чем у современного человека; первые арийцы от своих прародителей-атлантов научились владению некоторыми видами энергии тонкого мира, могли входить в состояние сомати и вызывать телепатические и телекинетические эффекты. Первые арийцы были гигантами в сравнении с современными людьми и достигали двух-трехметрового роста, но в сравнении с атлантами были довольно мелкими.

На конечном этапе цивилизации атлантов, когда уже появились первые арийцы, блокирующий принцип «SoHm» еще не действовал. Поэтому арийцы, как и атланты, могли пользоваться знаниями Того Света. Дети первых арийцев тоже не ходили в школу, знания в них входили из Всеобщего информационного пространства по мере развития мозга. «Третий глаз» первых арийцев был развит лучше, чем у современного человека, но был менее функционально способным, чем у атлантов. Они были более материализованными и приземленными, чем атланты.

Начальный период жизни первых арийцев совпал с периодом раздора, войн и культа власти у атлантов. От атлантов первые арийцы переняли культ власти, который сохраняется в нашей арийской цивилизации до сих пор. Вместе с атлантами первые арийцы участвовали в междоусобных войнах. Они были более выносливыми и неприхотливыми, чем атланты.

Арийцы тоже осознавали приближение глобальной катастрофы, но культ власти был сильнее. В преддверии глобальной катастрофы многие из арийцев ушли в пещеры, вошли в глубокое сомати и пополнили Генофонд человечества. Я думаю, арийская часть Генофонда человечества состоит преимущественно из этих первых (до всемирного потопа) арийцев, которые до вхождения в сомати жили в условиях отсутствия блокирующего принципа «SoHm» и поэтому владели основными знаниями Того Света, а также могли производить некоторые психоэнергетические эффекты (оживление, избавление от болезней и проч.). Пророки, имевшие обычную для нас с вами внешность (Иисус Христос, Мухаммед, Моисей и др.) были, на мой взгляд, первыми арийцами, вошедшими в сомати еще до всемирного потопа. Первые арийцы, мне кажеться, знали о Шамбале и Агарти, поклонялись им и почитали лемурийцев — «Сынов Богов».

В преддверии глобальной катастрофы многие первые арийцы вошли в состояние сомати не только для того, чтобы пополнить Генофонд человечества, но и для того, чтобы переждать в пещерах саму катастрофу.

Во время всемирного потопа (850 000 лет назад) большинство первых арийцев, как и атлантов, погибли. Только небольшое число атлантов и арийцев выжили на оставшихся участках суши. Наступили тяжелые времена: дома, технологии, аппараты были утеряны. Но самым тяжелым было то, что из-за введенного блокирующего принципа «SoHm» люди были отрезаны от знаний Того Света. Началось одичание и постепенный переход к примитивному образу жизни.

В этих условиях арийцы вели постоянные войны с оставшимися атлантами. Арийцы оказались более приспособленными к суровым условиям жизни и на многих участках суши теснили атлантов. Они быстрее заселяли открывающиеся после всемирного потопа участки суши и строили там свои города и деревни. Атланты же жили изолированными колониями и, в результате малочисленности и родственных браков, постепенно вырождались.

Прогресса общества арийцев не было сотни тысяч лет. Этому были объективные причины: земля после всемирного потопа очень долгое время была представлена отдельными каменистыми островами, а изолированность и родственные браки способствовали деградации и ухудшению наследственных параметров арийцев. Имеются отдельные сведения о том, что в этот период из Генофонда человечества появлялось немало пророков (Будд), но деятельность их, видимо, не привела к успеху — дегенеративные процессы в обществе арийцев оказались сильнее. Рост арийцев уменьшился и стал около 1,5 метров, они все более и более превращались в дикие племена.

Складывается впечатление, что около 100—200 тысяч лет назад жили три основные группы арийцев — в районе Тибета, в районе юга Африки и в районе Средиземного моря. Но первые две группы постепенно окончательно деградировали и одичали, и только средиземноморская группа очень постепенно пошла по пути прогресса и в итоге сформировала древнеегипетскую цивилизацию. В формировании древнеегипетской цивилизации сыграли роль, видимо, не только пророки, но и тесные контакты с атлантами острова Платона. Египетская цивилизация достигла высокого уровня развития; строительство пирамид, очевидно, принадлежит им совместно с атлантами острова Платона. Когда и почему погибла египетская цивилизация? Мне трудно сказать. Можно думать, что древние египтяне не смогли пережить последствий катастрофы от удара о Землю кометы Тифона (11 тысяч лет тому назад) и гибели атлантов острова Платона, знаниями и умениями которых пользовались египтяне.

18 013 лет тому назад в районе Тибета и Гималаев появился новый пророк. Одни его звали Ману, другие — Рама, третьи — Бонпо-Будда. Этот пророк был огромного роста и необычной внешности. Мне кажется, что именно его глаза изображены на всех тибетских храмах. Как мы уже писали, при анализе этих глаз нами был сделан вывод, что они принадлежали лемурийцу. Итак, в качестве пророка из Генофонда человечества вышел сам лемуриец.

У меня сложилось впечатление, что за весь период существования арийской расы, начиная со времени всемирного потопа (850 000 лет тому назад), в качестве пророков из Генофонда человечества выходили только атланты и ранние арийцы. Лемурийцев среди них не было. Деятельность этих пророков не привела к серьезным успехам; арийская раса продолжала все более и более деградировать. Ближе к периоду 18 000 лет тому назад человечество преимущественно состояло из диких и полудиких племен, перспективы развития все более уменьшались. Только египетская цивилизация выделялась на этом фоне, но и она имела серьезные признаки регресса.

Шамбала и Агарти, изучавшие процессы, происходящие в арийской цивилизации, решили наконец использовать в качестве пророка лемурийца. Так, 18 013 лет тому назад появился на земле Бонпо-Будда (Рама, Ману). Он, действуя в районе Тибета, начал с того, что отобрал лучших мужей и жен арийцев, изолировал их от полудиких племен, стал учить их жить и способствовал их размножению и расселению по земному шару. Именно эти люди, на наш взгляд, имели и имеют «среднестатистические глаза» (тибетская раса). Именно они распространились по земному шару, тесня полудикие племена. Миграцию именно этих людей мы проследили по офтальмогеометрической схеме, а сохранившиеся полудикие племена (не укладывающиеся в офтальмогеометрическую схему) так и остались полудикими до сих пор. Именно у этих людей, освященных пророком-лемурийцем, начался постепенный прогресс.

Будучи более развитыми, они выдерживали конкурентную борьбу за территории у полудиких племен и на большинстве территорий смогли заменить полудиких арийцев. В некоторых местах они перемешались с полудикими племенами (Африка, Индонезия, Австралия), но в некоторых местах смогли сохранить чистоту расы, изошедшей из Тибета (Европа, Азия), меняясь во внешности сообразно условиям обитания. Полудикие племена сохранились, очевидно, в изолятах, таких, как некоторые острова тихоокеанского региона, джунгли Амазонки и Африки. Нужно также отметить, что по данным офтальмогеометрической схемы некоторые группы арийцев, изошедших из Тибета, все же одичали (Южная Америка, острова Полинезии).

Тем не менее, несмотря на смешение с полудикими племенами и факты регионального одичания, арийцы, вышедшие из

Тибета, смогли принести нашей (арийской) цивилизации постепенный прогресс. Пророк-лемуриец смог переломить деградирующий путь развития арийской расы, и поэтому он навсегда остался в памяти людей, а глаза его украшают каждый тибетский храм как символ прогресса.

Но арийскую цивилизацию ждало серьезное испытание — после удара кометы Тифона в районе Атлантического океана (11 000 лет тому назад) Землю окутала мгла, вызванная выбросом огромных масс пыли (магма и проч.) в атмосферу. Одни авторы пишут, что тьма длилась около 1000—2000 лет, другие называют значительно меньший срок. Мне трудно сказать, какими стали условия жизни на планете после этой катастрофы, но можно предположить, что они были весьма суровыми. В условиях выживания преимущество имели арийцы, изошедшие из Тибета, как более прогрессивные и способные строить дома, отапливать их, шить одежду, содержать домашний скот, вести сельское хозяйство. Многие полудикие и дикие племена не выжили и тем самым как бы очистили землю и человечество от регрессивного налета дикости. Но некоторые полудикие племена все же выжили и остались на этом уровне до сих пор.

После катастрофы, связанной с падением кометы Тифона, условия жизни на земле постепенно нормализовывались. Но прогресс развития общества все время стопорился из-за того, что у людей процветал культ власти, а культ добра и культ знаний были отодвинуты на задний план. Бесконечные войны привели даже к тому, что сформировался идеал человека в виде воина-защитника или воина-завоевателя.

Надо прямо признать, что блокирующий принцип «SoHm», не позволяющий пользоваться знаниями Того Света, не способствовал развитию культа знаний. Деградация культа знаний привела к тому, что люди стали забывать религию и только «шепот кармы» подсказывал им об их духовности. Поэтому развилось язычество, вера в идолы и т. п. Человечеству явно не стало хватать божественных знаний.

В этой ситуации Шамбала и Агарти не остались безучастными. На рубеже 2000 лет тому назад появилась группа пророков (Будда, Иисус Христос, Мухаммед, Моисей, Озоастр и другие), которые стали прививать элементы знаний Того Света человечеству. Успех деятельности этих пророков оказался налицо — были созданы религии: буддийская, индуистская, христианская, мусульманская, иудейская и другие.

В связи с этим культ добра и культ знаний на земле увеличились, но не смогли перебороть культа власти. Междоусобные войны сменились на религиозные войны. Пошел передел территорий по религиозному принципу. Опять человечество уклонилось от истинной линии развития, и виной тому был культ власти. Даже речи не могло быть о том, чтобы открывать перед арийской цивилизацией древние знания лемурийцев.

Однако в XVIII—XIX веках нашей эры в некоторых частях света (в основном в Европе) появился необычный культ знаний, который основывался только на изучении физического мира (технический прогресс, дарвинизм и проч.) без попыток осмыслить божественные знания. Быстрыми темпами, несмотря на блокирующий принцип «SoHm», пошел прогресс. Арийцы как бы показали, что технический прогресс возможен и без знаний Того Света.

Но такой культ знаний был чреват последствиями: знания добывались прежде всего в угоду культу власти. Назревала катастрофа использования этих знаний для достижения власти. Катастрофа не замедлила сказаться и выразилась в двух мировых войнах.

После Второй мировой войны человечество почувствовало разрушающую силу оружия, созданного на основе новых знаний. Человечество стало задумываться над тем, что культ знаний и культ власти несовместимы. Количество войн на планете уменьшилось.

При всем этом надо признать, что разные религии, созданные около 2 000 лет тому назад, уже стали тормозом, поскольку создавали прецедент войн за сферы религиозного влияния.

До сих пор процветающий культ власти делает опасным наличие разных религиозных течений. Люди даже не задумываются над тем, что корень всех религий один. Наступило время объединения религий и создания Единой религии. Обойдется ли это без войн и катаклизмов? Я не могу сказать.

1999 год будет концом Кали-Юги и началом Сатья-Юги*. Многие пророчества свидетельствуют о том, что в этот период наступит конец света. Нострадамус, Вира Брахмандра и некоторые другие пишут, что 11 августа 1999 года произойдет беспрецедентное полное затмение Солнца, которое будет длиться очень долго. Мир погрузится в полную тьму. За этим последует

* Юга — восточное эпохальное летосчеление

ряд катастрофических явлений, самым страшным из которых будет падение на Землю кометы или метеорита (комета «Сапожник»). Комета упадет в районе Атлантического океана. Огромные волны зальют восточное побережье США и многие районы Европы. За этим последует моретрясение, ураганы и торнадо.

Предсказывают, что погибнет две трети человечества и только одна треть выживет. Придут новые пророки (правитель Шамбалы и др.), которые объединят религии и создадут Единую религию на основе добра и любви. Появится также много лжепророков, посланных Антихристом. Постепенно будет наступать «век истины» и человечеству будут открываться древние знания.

Однако некоторые люди, в частности аватар Сатья Саи Баба, говорят, что они довольны развитием человечества, что конца света не будет, и будет постоянное объединение всех религий и создание единой религии.

Будет ли конец света?

Будет ли конец света? Ответить на этот вопрос однозначно трудно. Те люди, которые предсказывают будущее, основываются, видимо, на знаниях Всеобщего информационного пространства, куда они имеют способность входить. Но мне кажется, что будущее во Всеобщем поле знаний не определено как неотвратимая цепь предстоящих событий — в противном случае был бы исключен основной принцип создания человека как саморазвивающегося начала. Мне думается, что будущее во Всеобщем поле знаний представлено в виде позитивного и негативного прогнозов развития человечества.

Какой прогноз — позитивный или негативный — будет верен? Это зависит во многом от нас самих. Мы должны помнить, что добро и знания будут способствовать реализации позитивного прогноза развития человечества, а зло и властолюбие могут привести в будущем к глобальным катаклизмам, вплоть до конца света, или создать условия для регрессивного фактора эволюции, приводящего к одичанию.

Глава 5

Одичание как регрессивный эволюционный фактор

В предыдущей главе при анализе истории развития человечества на земле мы много раз сталкивались с фактами одичания людей и превращения целых народов в полудикие и дикие племена. Стало складываться впечатление, что одичание является регрессивным эволюционным фактором, роль которого нельзя преуменьшить.

Два года назад я приехал в Индонезию по приглашению главного офтальмолога страны. Собралось около 100 индонезийских глазных врачей, которым я прочитал цикл лекций и показал наши новые глазные и пластические операции. Мне понравились индонезийские врачи: улыбчивые, расторопные и живо интересующиеся всем новым, они производили впечатление высокоцивилизованных и высокообразованных людей. Тем не менее меня подмывало спросить их о людоедстве, которое, как мы знаем со школы, было распространено в этой стране.

— Скажите, а у вас людей едят? — не удержавшись, спросил я главного офтальмолога в частной беседе.

— Что вы, — ответил главный офтальмолог, — мы сейчас стали цивилизованной страной, и времена людоедства уже позади.

— Неужели так быстро удалось перебороть дикие обычаи диких племен! — настаивал я.

— Ну, вообще-то, — сконфузился главный офтальмолог, — в состав Индонезии входят около 13 000 островов, и на части

Одичание (рисунок автора)

этих островов до сих пор существует людоедство. Зато мы имеем специальную каннибальскую полицию, — если на каком-нибудь острове съедят человека, они тут же вылетают туда и наказывают дикарей.

— А вы стараетесь дать образование полудиким племенам, научить их более цивилизованному образу жизни?

— Конечно, стараемся, — ответил главный офтальмолог. — Существует специальная государственная программа. Но, мне кажется, это бесполезно. Дикари плохо воспринимают знания, они как животные — живут инстинктами. Наверное, много лет назад эти племена были более цивилизованными, но бесповоротно и окончательно одичали. Я сомневаюсь, что к ним может привиться цивилизация, скорее всего они вытеснятся цивилизованными людьми и постепенно погибнут.

— Я понял из ваших слов, что если люди перешли к примитивному образу жизни и одичали, то возвратить их к цивилизованным формам жизни невозможно, — сказал я.

— Я думаю, что это так, — промолвил главный офтальмолог. — Я сам бывал в этих племенах, старался лечить их глаза. Но они ничего не понимают, их мозг плохо развит.

Я замолчал. По истории человечества я знал, что на месте островов Индонезии когда-то существовал основной материк Атлантиды, на котором процветала великая цивилизация. Неужели все знания оказались забытыми! Неужели процесс одичания нельзя было остановить! Неужели наступившее одичание бесповоротно!

Обезьяна из человека или человек из обезьяны?

Из школьной программы все мы знаем, что человек произошел от обезьяны. А Рудольф Штайнер, проанализировавший «Хронику Акаши» («Из летописи мира», 1992, с. 67, 68) считает, что обезьяна произошла от человека. Автор пишет следующее:

«Дальнейшее развитие стало возможным только за счет того, что часть человеческих существ достигла высшей ступени за счет других. Сначала пришлось пожертвовать теми, кто были лишены духа. Смешение с ними в целях размножения низвело бы более развитых людей на их ступень. Поэтому все, кто могли воспринять дух, были от них отделены. Вследствие этого они погружались все ниже и ниже на ступень животных. Таким образом, наряду с человеком образовались человекообразные животные. Человек оставил за собой, так сказать, на своем пути часть своих братьев, чтобы самому подняться выше. Такими людьми минувшей эпохи, прошедшими обратное развитие, являются обезьяны. Как человек был некогда менее совершенным, чем теперь, так обезьяны были некогда совершеннее, чем теперь».

Если верить Рудольфу Штайнеру, то обезьяны произошли от человека, а современные дикари Индонезии, Амазонки и Африки находятся на стадии постепенного перехода в обезьяноподобные существа. Можно также думать, что снежный человек является одной из ветвей одичавшего человека.

Так ли это? Утверждать что-либо трудно. Но гипотеза о происхождении обезьяны из человека не менее убедительна, чем человека из обезьяны, потому что в природе, кроме прогрессивного эволюционного процесса, существует и регрессивный эволюционный процесс, название которого в отношении человечества — одичание.

Одичание в истории человечества на земле

Как я понял из изучения восточных литературных источников, массовое одичание людей связано с периодами глобальных катастроф. Процессу массового одичания подвергались как атланты, так и арийцы (люди нашей цивилизации).

Только лемурийцы избежали массового одичания, (хотя частичное одичание среди них тоже нельзя исключить). В период глобальной лемурийской катастрофы большинство из лемурийцев погибло, но лучшая часть лемурийцев, владеющая феноменом дематериализации и материализации, ушла под землю и организовала Шамбалу и Агарти. В системе параллельной жизни на земле (Шамбала и Агарти) лемурийцы достигли высочайшей степени развития. Сведений об одичании лемурийцев в литературе мы не встречали.

Атланты подверглись процессу массового одичания дважды. Зародившись еще в недрах лемурийской цивилизации, атланты, частично выжившие после глобальной лемурийской катастрофы, лишились руководящей роли лемурийцев и стали постепенно скатываться к примитивному образу жизни. Как пишет Лобсанг Рампа («Доктор из Лхасы», 1994, с. 236), совсем одичавшие племена атлантов вытеснялись более прогрессивными, и так продолжалось до тех пор, пока не были обнаружены старинные писания лемурийцев. На основании древних знаний лемурийцев пошел прогресс цивилизации атлантов.

Вторично массовое одичание в рядах атлантов наблюдалось после всемирного потопа 850 000 лет назад. Лобсанг Рампа («Доктор из Лхасы», 1994, с. 239) пишет по этому поводу, что люди забыли свою культуру и вернулись в стадию одичания; они делали себе одежду из звериных шкур, питались ягодами и носили при себе дубинки с каменными наконечниками. Итак, оставшиеся в живых после всемирного потопа атланты в большинстве случаев постепенно одичали, вытеснились племенами арийцев и погибли. Только атланты острова Платона смогли избежать процесса одичания и сохранили свою цивилизацию до 11 000 лет тому назад, когда погибли в результате космического катаклизма.

Арийцы, зародившиеся в недрах атлантической цивилизации и частично выжившие после всемирного потопа, также подверглись процессу массового одичания. Об этом свидетельствуют многие литературные источники — Е. П. Блаватская («Тайная доктрина», 1937, т. 2, с. 532), Лобсанг Рампа («Доктор из Лхасы», 1994, с. 239) и другие. Одичание среди арийцев было столь глубоким и масштабным, что только в сравнительно недавнем историческом периоде (18 000 лет тому назад) пророкам удалось переломить регрессивный ход эволюции и добиться прогресса человечества. Можно думать также, что 11 000 лет тому назад, после падения на Землю кометы Тифона, был всплеск массового одичания, связанный с изменениями условий жизни на земле.

Но не все одичавшие люди на земле уже погибли, они, как мы знаем, все еще сохранились во многих регионах земли.

Кто они, дикари?

В настоящее время дикие и полудикие племена можно встретить в Индонезии, Новой Гвинее, Австралии, Вьетнаме, Чили, Бразилии, Перу, Боливии, Эквадоре, Сибири и многих странах Африки.

Изучая литературу, мы поняли, что среди современных дикарей есть потомки трех основных рас на земле: лемурийцев, атлантов, арийцев.

Наиболее удивительно говорить о том, что среди дикарей в настоящее время можно обнаружить потомков далеких и величественных лемурийцев. Но Е. П. Блаватская («Тайная доктрина», 1937, т. 2, с. 286) прямо пишет, что плоскоголовые аборигены Австралии являются прямыми потомками лемурийцев. Ряд обзоров восточной религиозной литературы (Pillai, 1956; Zvelebil, 1973 и др.) говорит о том, что тамилы (Шри-Ланка) также являются потомками лемурийцев.

Можно ли верить в то, что до сих пор сохранились потомки лемурийцев, которые жили много миллионов лет назад? Ответить на этот вопрос сложно, прежде всего потому, что указанные аборигены серьезно не изучались с точки зрения палеоанатомии. Может быть, и в самом деле, например, у плоскоголовых аборигенов Австралии удастся обнаружить некоторые необычные особенности анатомии, сходные с описаниями лемурийцев (отличия в строении гайморовых пазух, глотки, зубов, лопаток, рук, ног и проч.).

Та же Е. П. Блаватская в нескольких местах своей книги («Тайная доктрина», 1937, т. 2, с. 482, 532, 577) указывает, что некоторые аборигены островов Тихого океана являются прямыми потомками атлантов. На месте этих островов некогда существовал основной материк Атлантиды. После его потопления остались лишь острова, на части которых атланты выжили и, одичав, сохранились до сегодняшнего дня в виде дикарей.

Так ли это? Опять же вопрос о прямых потомках атлантов не изучен; нужно проводить сравнительные анатомические исследования, проводить аналогии с обликом Будды и т. п.

Конечно же, прямые потомки лемурийцев и атлантов (если они на самом деле есть!) за тысячи и миллионы лет сильно изменились и стали больше похожими на арийцев, но отличительные черты могли сохраниться.

Наибольшая часть дикарей представлена, на наш взгляд, все же арийцами. Причем, я думаю, на островах Тихого океана, как изолятах, можно встретить ранних арийцев, одичавших в незапамятные времена первых тысячелетий после всемирного потопа. Сравнительно ранними арийцами могут быть некоторые дикари Африки, не укладывающиеся в офтальмогеометрическую схему. Та же офтальмогеометрическая схема подсказывает, что дикари Южной Америки, некоторые дикари Австралии, Новой Зеландии, Индонезии и Сибири являются сравнительно поздними арийцами, теми, которые начали распространяться по земному шару с Тибета 18 000 лет тому назад.

Хотя именно эта тибетская волна дала прогресс нашей арийской цивилизации, не каждая группа людей после миграции в разные регионы земли смогла избежать регрессивного эволюционного процесса с переходом в одичание. Например, аборигены Амазонки по офтальмогеометрической схеме имеют единый корень с японцами и финнами, но отличаются от них полнейшей дикостью.

Итак, проблема дикарей на земле является интереснейшей и сложнейшей научной проблемой и, видимо, ждет своих исследователей.

Выживут ли дикари?

Для ответа на этот вопрос я позволю себе привести два примера.

Несколько лет назад нас с доктором А. Ю. Салиховым пригласили для показа наших новых глазных операций в город Манаус (Бразилия), расположенный в самом центре бассейна Амазонки. Через неделю напряженного хирургического труда нас повезли на лодках в глубь амазонских джунглей, чтобы показать местную экзотику.

Ночью нам предложили поохотиться на крокодилов. Оказывается, при свете галогеновой лампы у крокодила зеленым светом светятся глаза, и на моторной лодке можно подплыть к нему буквально вплотную. Ослепленного светом крокодила можно ткнуть палкой, а маленького крокодильчика можно даже поймать руками. Охота на крокодилов запрещена, поэтому мы ограничивались только леденящим душу нарушением покоя огромных рептилий. Но меня поразило огромное число крокодилов: каждые 150—200 метров можно было видеть светящиеся крокодильи глаза.

Утром доктор А. Ю. Салихов наловил на удочку пираний, используя в качестве приманки остатки пищи со стола. Мы засунули в рот полуживой пиранье ветку с палец толщиной, которую она перекусила легким движением страшных челюстей.

Далее нам решили показать местных полудиких индейцев. Когда мы подплывали к их деревушке, гид сказал, что вчера здесь видели огромную анаконду около 20 метров длиной.

Предельная убогость отличала индейские жилища. Они были сколочены из досок, напоминали сарайчики для кур и были установлены на невысокие сваи над поверхностью воды у берега. Индейцы справляли нужду через отверстие в полу и оттуда же брали воду для питья. Циновка и небольшой набор посуды составляли весь домашний скарб. Трусы и майка — набор необходимой одежды. Температура на Амазонке стабильная и держится на уровне 30—35 градусов. Здесь нет комаров и других кровососущих насекомых.

Амазонские индейцы живут за счет сбора латекса с каучуковых деревьев и рыбной ловли. Они ставят сети, сплетенные из веревок, на рыбу-пираруку, вес которой достигает 300 килограммов. Если поймали рыбу — едят ее всей деревней, если нет — все голодают.

— Скажите, — спросил я одного из индейцев, мало-мальски говорившего по-английски, — крокодилы и анаконды нападают на людей?

— Конечно, — ответил индеец. — Крокодилы едят женщин, а анаконды — мужчин.

— Почему так выборочно?

— А вон, посмотрите на мою вторую жену, — кивнул головой индеец в сторону реки. — Она моет посуду на берегу. Так же моя первая жена мыла посуду на берегу, когда к ней незаметно подплыл крокодил, утащил ее в воду и растерзал.

— И часто такое случается?

— Часто, очень часто. У моего соседа крокодил съел двух жен. Много детей было съедено крокодилами.

— А вы боитесь за свою вторую жену?

— Боюсь, конечно. Но, наверное, ее тоже съест крокодил. Один раз уже нападал, но она убежала. Женщина ведь должна мыть посуду на берегу. Если и ее съест крокодил, то я возьму третью, — угрюмо проговорил индеец.

— А анаконды нападают на мужчин?

— Да, много мужчин гибнет от анаконд в сельве.

— Почему?

— Вы, наверное, видели, что сельва очень густая. Ходить по ней можно только по тропинкам. Все звери ходят по тропинкам. Мы, мужчины, тоже ходим по этим тропинкам, когда собираем латекс. А змея-анаконда находит такую тропинку, повисает на деревьях над ней и ждет добычу. Анаконда нападает на все живое: будь то человек, будь то тапир (дикая свинья)... Вот в прошлом году анаконда проглотила моего двоюродного брата, только фуражка осталась. До этого в сельве исчез его сын. Тоже анаконда...

— А анаконды большие?

— Есть очень большие, а есть и поменьше, которые глотают только детей.

— У вас есть ружья, чтобы защищаться?

— Нет, ружей у нас нет. У нас есть только это, — индеец показал на свою лачугу.

— Почему у вас нет ружей?

— Это очень дорого.

— Неужели трудно заработать на ружье? — настаивал я. — Ну в конце концов, рыбу можно коптить, солить и продавать в городе, а не сразу съедать всей деревней. Можно делать мебель из красного дерева и продавать ее. Можно делать поделки из дерева или чучела пираний — они должны пользоваться спросом. Можно собирать и продавать дикие плоды. Можно выращивать маис, сахарный тростник, кофе, какао, ананасы... Почему вы не делаете этого?

— Мы не умеем этого, — грустно сказал индеец.

— Среди вас есть образованные люди?

— Нет.

— Все безграмотные? Вы не умеете читать?

— Да.

— У вас есть вождь?

— Да.

— Он, наверное, умеет читать и писать?

— Нет. Он живет как и мы, — проговорил индеец.

— А откуда вы знаете английский язык?

— Еще мальчиком я ушел в город и много лет прожил рядом с туристическим отелем. Там я научился говорить по-английски.

— Чем вы занимались в городе? — продолжал настойчиво расспрашивать я.

— Просил милостыню, помогал носить чемоданы, убирал мусор, — сказал индеец.

— А где жили?

— На улице... Потом сделал дом из ящиков.

— А государство пытается дать вам образование, научить жить как белые люди?

— Да. Но мы не умеем жить как белые люди.

Я замолчал. Глухая безысходность сквозила от этого человека. Мне стало жалко его. Хотелось помочь. Я понимал, что эти люди не выдерживают контакта с белыми людьми; они начинают чувствовать психологически давящий комплекс неполноценности и от этого еще быстрее деградируют и вымирают. Эти люди еще не совсем одичали, еще не полностью живут инстинктами, они еще способны чувствовать унижение от своей недоразвитости. Эти люди, наверное, были счастливы среди дикой природы, чувствовали свое превосходство над дикими зверями. Они, наверное, и не предполагали, что другие группы людей ушли далеко вперед: создали механизмы, образование, построили города и т. п. Возможно, в глубине души они туманно осознают, что время безвозвратно потеряно, что они сладко и бездарно катились по регрессивному наклону эволюции, все более и более забывая своих великих предков и все более и более приближаясь к дикой бездуховной природе. Эти люди, конечно же, не понимают того, что эволюция не терпит стабильного состояния, что есть только два выбора — прогресс или регресс, а для прогресса нужно делать усилия, огромные усилия.

Нас посадили в лодку и довезли до отеля. Далее на автомобиле нас довезли до парома через Амазонку. Я залез на паром и оглядел окрестности: по берегам Амазонки ютились жалкие деревенские лачуги. Рядом со мной стоял индейский мальчуган в грязной майке с нелепой надписью «Ковбой». Он тоскливо глядел на лачуги, откуда, видимо, был родом. Я смотрел на мальчишку и думал, что никогда ему не получить образование, что судьба его определена регрессивной праздностью его далеких предков, и проведет он жизнь в одной из этих лачуг, если не будет съеден крокодилом или анакондой.

Мальчишка перехватил мой взгляд и подобострастно улыбнулся. А я стоял рядом с ним — высокий, белый и уверенный в себе. Мне повезло — мои далекие предки, упорно работая, шли по пути прогресса.

Другой пример, который я хотел привести, относится к Сибири (район полуострова Таймыр). Мы шли маршрутом высшей категории сложности и забрели в места, где, как говорится, нога человека не ступала. Шел снег с дождем. Кругом была тундра, изрезанная каменистыми ущельями. Было очень холодно, хотелось спрятаться от вездесущего пронизывающего ветра.

Вдруг в тундре мы увидели оленеводческий чум. Обрадовавшись, мы подошли к чуму. Залаяли собаки, из чума вышло несколько человек, одетых в малицы из оленьих шкур. Старший из них похлопал себя по груди и сказал:

— Начальник.

Я скинул с себя рюкзак и тоже, постучав себя по груди, сказал:

— Начальник.

Оленевод показал на чум и сказал:

— Хорошо.

Мы вошли в чум и уселись на оленьи шкуры. Стало тепло. Я сказал:

— Хорошо.

Чувствовалось, что хозяин чума знает по-русски только два вышеотмеченных слова. Он посмотрел на меня, показал на котел с вареной олениной и сказал:

— Начальник, хорошо.

Мы стали кушать. Я сбегал к рюкзаку, достал фляжку со спиртом, показал ее хозяину и сказал:

— Начальник, хорошо.

Хозяин окинул строгим взглядом свою семью и наших ребят, потом показал на себя и на меня и сказал:

— Начальник, хорошо.

Из этих слов я понял, что выпить можно только ему и мне — начальникам. Я налил спирт, и мы выпили. Хозяин порозовел и сказал:

— Начальник, хорошо.

Я закусил олениной и тоже сказал:

— Начальник, хорошо.

«Беседа» затянулась. Наступила ночь, стали ложиться спать. Вдруг хозяин показал на одну из женщин в чуме и четко сказал:

— Начальник, хорошо.

Я знал об этом обычае северных народов, но сконфузился и, показав руками, что хочу спать, сказал:

— Начальник, хорошо.

Хозяин подошел к женщине, похлопал ее по спине и сказал:

— Начальник, хорошо.

В конце концов хозяин устал уговаривать меня. Мы заснули.

Утром хозяин, провожая нас, поднял один из наших рюкзаков, поохал, показывая, что это тяжело, а потом снова подошел к указанной женщине, похлопал ее и с укором сказал:

— Эх, начальник, хорошо.

Мы взяли азимут и пошли. Через несколько километров, пересекая ущелье, мы неожиданно встретили одинокого оленевода, ехавшего на нартах. Он говорил по-русски довольно хорошо. Остановились, разговорились. Выяснилось, что он несколько лет жил в поселке, окончательно спился и вот сейчас кочует вместе с семьей оленеводов, у которых мы были.

— Старик («начальник». — *Э.М.*) очень мудрый. Он кочует в самых безлюдных местах, остерегается встретиться с белыми людьми. Он знает, что наш народ (ненцы. — *Э. М.*) плохо переносит контакт с белыми людьми, спивается и умирает. Если бы я жил вместе с белыми людьми, я бы уже умер. Старик спас меня. Но в тундре белых людей становится все больше и больше, они летают на вертолетах, ездят на вездеходах. Мы уходим все дальше на север, скоро будет некуда идти.

Итак, выживут ли дикари и полудикари? Наверное, все-таки нет. Создание тепличных условий для них бессмысленно, потому что прогресс возможен только за счет воли, желания бороться и преодолевать трудности ради будущего. Регрессивная праздность далеких предков, позволившая постепенно дичать, обернулась смертельным грехом.

Факторы одичания

Как мы уже отмечали, одним из главных факторов одичания является праздность далеких предков. Праздность всегда регрессивна, потому что человек заложен как саморазвивающееся (прогрессирующее) начало. Сменяющие друг друга праздные поколения даже не замечают того, что у них постепенно деградируют многие духовные элементы, прежде всего воля, а вслед за этим деградирует и мозг. Из поколения в поколение становится все меньше способных людей, в людях все более начинает превалировать животный элемент (поесть, поспать, размножаться и т. д.).

Другим фактором одичания является, на наш взгляд, изолированность. Подтверждением этому служит то, что большинство жителей мелких изолированных островов являются дикарями. В этой связи следует также отметить, что желание некоторых малых народов, например Чечни, самоизолироваться в виде суверенного государства может быть регрессивным фактором, так как смешение кровей и более динамичная жизнь в пределах большого государства всегда способствует прогрессу.

Следующим фактором одичания является фанатично тоталитарный характер правления в некоторых государствах или племенах. Правитель пропагандирует какую-либо теорию или факт (коммунизм, религия, шаманство, жертвоприношение и проч.)

и создает тоталитарное общество, основанное на фанатичной вере в эту теорию или факт. Все несогласные преследуются и уничтожаются. Прежде всего преследованиям подвергаются наиболее способные люди, духовный уровень которых выше фанатизма и по отношению к которым правящая верхушка испытывает чувство зависти. Постепенно количество способных людей уменьшается, в обществе все более прогрессируют дикие законы и дикие обычаи. Примерами такого рода могут служить СССР (ленинские и сталинские репрессии, которые привели к резкой деградации, прежде всего, деревенского населения и превратили страну из крупнейшего экспортера зерна в импортера) и Ирак (фанатичная мусульманская вера).

И наконец, важнейшим фактором одичания являются глобальные катастрофы, которые повергают выживших людей в условия примитивных способов производства. И только огромная воля и предприимчивость могут спасти людей от быстрого наступления одичания.

Сомати — противовес одичанию

У нас сложилось впечатление, что если прогресс является трудным и долгим эволюционным процессом, то регресс общества с переходом в одичание происходит более легко и в более короткие сроки. Понятно, что разрушающие процессы, в том числе и в эволюции, требуют меньших усилий, чем созидательные.

История человечества, видимо, имела множество шансов повернуть по необратимому пути массовой деградации и одичания. Свидетельства этому можно найти почти во всех религиозных и литературных источниках, посвященных антропогенезу. И во всех этих источниках указывается, что в те времена, когда регресс человечества приобретал опасную тенденцию в отношении необратимости, откуда ни возьмись на земле появлялись пророки, которые, используя силу своего духа, старались переломить тенденцию регресса и направить человечество по пути созидательных прогрессивных начинаний.

Мы уже пришли к гипотетическому выводу, что пророки появляются на земле, выходя из Генофонда человечества. Отсюда можно заключить, что Генофонд человечества и лежащий в его основе феномен сомати были созданы на Земле также с целью предотвращения одичания.

Мудрые Шамбала и Агарти наблюдают за нами и анализируют нас, определяя нужный момент, чтобы воззвать к помощи святой Генофонд человечества, где сконцентрированы лучшие люди трех последних цивилизаций на земле. Какие-то народы и племена, позволившие себе праздно одичать, бросаются на алтарь регрессивного эволюционного процесса, но другие подвергаются духовному влиянию пророков, в деяниях которых можно увидеть признаки величия знаний Шамбалы и самого Творца.

Заканчивая главу об одичании, я неожиданно подумал о том, что регресс в обществе начинается тогда, когда над человеком в отдельности и над страной вообще повисает негативная аура, когда оптимизм сменяется на пессимизм и негативная психическая энергия со смакованием отрицательных моментов жизни становится превалирующей.

«А ведь негативная аура повисла над Россией», — был вынужден констатировать я, и от этого мне стало не по себе.

Глава 6

Негативная аура над Россией

На любого иностранца Россия производит двоякое впечатление: с одной стороны, от нее веет силой, поскольку эта страна владеет огромными территориями и имеет высочайшую интеллектуально-научную мощь, с другой — россияне не способны организовать более или менее достойную жизнь и ютятся в жалких домах, ходят по обгаженным подъездам, ездят по грязным лужам. Парадоксальность российской души объясняют чем угодно — влиянием сибирских морозов, воздействием российских просторов, восточным элементом в душе россиян и т. п. Но давайте взглянем на Россию с точки зрения того, чему посвящена эта книга.

Что говорил Нострадамус о России

В 1555 году великий французский провидец Нострадамус писал, что в начале XX века в страну Аквилон (Россия. — *Э. М.*) придет сам Антихрист и будет править этой страной в двух обличиях, даты рождения которых отличаются на 9 лет, 9 месяцев и 9 часов. Насколько я понял исследователей Нострадамуса, даты рождения Ленина и Сталина отличаются на указанные три девятки. Эти же исследователи предполагают, что дух Ленина переселился в тело Сталина, изгнав его более слабый дух. Нострадамус также писал, что правление Антихриста в стране Аквилон будет сопровождаться тем, что над страной нависнет негативная психическая аура и люди будут уничтожать друг друга.

Я не берусь судить Нострадамуса и не уверен в том, правильно ли я понял исследователей великого провидца, но совпадение с приходом и правлением большевиков напрашивается само по себе.

Мне не хочется обижать многих пожилых людей, жизнь которых была посвящена строительству коммунизма, но факт остается фактом — ленинские и сталинские репрессии унесли миллионы жизней лучших людей России (СССР). Культ власти дошел до крайней степени; ради него не жалели никого — ни лучших крестьян (кулаков), ни лучших писателей, ни лучших ученых, ни российскую аристократию. Под внешне красивым лозунгом «равенство» выкашивался тот контингент людей, который был выше серого середнячка. Под лозунгом «диктатура пролетариата» (абсурдность которого не вызывает сомнения, поскольку это диктатура исполнителя) рабочие противопоставлялись интеллигенции, что служило также упрочению культа власти. Тотальное обобществление не оставляло места развитию человека как личности. Надоедливые партийные штампы вживались в мозги людей как молитвы. Религия была объявлена вне закона.

Негативная коммунистическая аура над Россией

Почему же коммунизм, античеловеческая сущность которого не вызывает сомнения, смог привиться на столь долгие годы? С точки зрения концепции Всеобщего информационного пространства идеи коммунизма эксплуатировали какой-то сильный вид негативной психической энергии, так что она во многом смогла подавить позитивные проявления психической энергии. На мой взгляд, идеи коммунизма в массовом порядке эксплуатировали тот вид негативной психической энергии, в основе которого лежит зависть.

Зависть — это весьма распространенное явление среди людей: завидует слабый сильному, некрасивая женщина завидует красивой, посредственность завидует таланту, бедный завидует богатому и т. д. Зависть является основой многих негативных моментов в нашей жизни: подсиживание, жалобы, карьеризм, подавление талантов и т. п. Общество старается тушить проявления зависти, создавая различные законы и теории, — в противном случае все прогрессивное было бы разрушено в угоду сладким завистническим инстинктам. Завистливый человек не может обрести покоя, его днем и ночью гложет чувство своей неполноценности в сравнении с каким-то талантливым человеком. Если чувство зависти придавлено, то человек живет более или менее спокойной жизнью, но стоит этому чувству всколыхнуться, оно превращается в болезненную и тяжелую манию. Я помню одного директора института, который мне сказал в период разрушения нашего научного направления: «Я верю, что твои операции приносят пользу людям. Но я буду бороться с тобой, Мулдашев, я уничтожу тебя, пусть я потеряю все».

Коммунистическая идея «равенства» узаконивает, кроме всего прочего, также равные права слабого и сильного, глупого и умного, бедного и богатого, в связи с чем опосредованно узаконивается чувство зависти слабого к сильному, глупого к умному, бедного к богатому. Завидующий человек, в глубине души ощущая, что равные права не есть еще равные возможности, незамедлительно начинает пользоваться этими равными правами в угоду своей вожделенной зависти. Именно поэтому коммунисты смогли в считанные месяцы организовать репрессии против кулаков, аристократии и ученых. Негативная психическая энергия в виде всколыхнувшейся зависти к сильным мира сего была их союзником.

Я думаю, коммунисты в глубине души понимали, что религия противодействует им, поскольку рассказывает о Том Свете, божественном происхождении человека и пропагандирует позитивные психические моменты (любовь, добро и т. п.), столь противоречащие их акценту на негативную психическую энергию. Поэтому коммунисты разрушили религию и создали своих богов — Ленина, Сталина и других — богов зависти. Культ власти дошел до высшей стадии — отрицания Высшего Разума и замены его на идолоподобных лидеров.

Единственное, что из позитивных явлений побоялись коммунисты полностью разрушить, — это знания. Они им были нужны, чтобы совершить «мировую революцию». Пропаганда коммунистических идей среди научных работников была особенно сильна, была введена «партийность науки», а наиболее ведущие и свободолюбивые ученые (Вавилов и др.) подвергались репрессиям.

Тем не менее нельзя сказать, что все люди, жившие при коммунистическом режиме, были полными приверженцами негативной психической энергии, нависшей над страной. Напротив, у многих людей проснулось глубинное внутреннее чувство сопротивления наступлению психического негативизма, и они боролись, кто прямо, кто опосредованно, чтобы хоть в какой-то степени торжествовали позитивные моменты жизни. Например, надо признать, что в социалистический период в России бурное развитие получила наука, хотя ученые и получали мизерную зарплату и были во многом отделены от остального научного мира, но, видимо, срабатывало неукоснительное желание утвердить самого себя хотя бы в получении знаний, о божественности и значимости которых шептала ему карма. Или получил широкое распространение туризм, когда человек, отправляясь в горы или в тайгу, утверждал самого себя в борьбе с дикой природой, у которой нет компромиссов и где на карту ставится не результат, а жизнь.

Именно эти люди, сумевшие во времена коммунистического режима найти ниши для позитивных созидательных деяний, спасли Россию (СССР), не дав ей скатиться по наклонной внутреннего самоуничтожения и даже сохранить статус великой мировой державы. Эти люди были настоящими борцами, своей позитивной психической энергией противодействуя политике утверждения тотального психического негативизма. Этих людей можно назвать героями, поскольку они не дали негативным силам превратить Россию (СССР) в деградировавшую, ленивую и полуголодную страну, такие, как Куба и Камбоджа (в этих странах я был и могу говорить об этом с полной уверенностью). Среди этих людей были как ученые, так и врачи, учителя, рабочие, а также партийные работники. Мы должны снять шапки перед этими людьми, поскольку они не просто созидали, а созидали в период властвования черных негативных сил. А партийный билет, который имели эти люди, не был помехой для созидательных деяний.

А теперь давайте постараемся ответить на вопрос, поставленный в начале этой главы, о парадоксальности россиян. Ответ напрашивается сам по себе — та часть россиян, которая в борьбе с негативизмом создавала позитивные жизненные моменты, утвердила и сохранила высокий научно-интеллектуальный потенциал страны, а та часть россиян, которая в коммунистические годы поддалась негативным психическим моментам, опустилась до уровня равнодушных, пьющих и озлобленных субъектов, исподволь ненавидящих общественное и плюющих в тот общественный колодец, из которого сами же и пьют.

Ну вот, коммунистический режим был свергнут, наступил капитализм. Как же сейчас?

Негативная капиталистическая аура над Россией

Россиянам казалось, что после свержения коммунистического режима все станет хорошо, жизнь изменится к лучшему. Наступил период политического романтизма, когда возбужденные гласностью россияне с упоением критиковали коммунистическое прошлое, начисто очерняя все и вся и не оставляя места тем положительным и даже героически положительным моментам, о которых мы говорили. Шло вожделенное смакование и жевание старого коммунистического негатива без попыток серьезной созидательной позитивной работы, что сохраняло негативную ауру над страной. Почти все претенденты в президенты, депутаты и другие органы власти получали признание не столько на основании своих программ, сколько на основании критики прошлого. Страна не могла вырваться из негативной ауры: за многие годы она стала ей ближе по душе, разговоры о плохом слаще, чем реальный и натужный труд по созданию нового общества. Не нашлось человека, который бы громко, на всю страну крикнул: «Прекратить смаковать! Давайте работать!» Страна из коммунизма скатывалась в дикий капитализм, негативную сущность которого не надо комментировать.

В этот период я был народным депутатом РСФСР. В сущности, я понимал, к чему может привести скатывание к дикому капитализму, поскольку был во многих странах и мог сравнивать. Я добился выступления на трибуне съезда и, повернувшись к сидевшему сзади в президиуме Б. Н. Ельцину, сказал:

— Борис Николаевич! Я был в Колумбии и видел, что их общество поляризовано на супербогатых, живущих в домах по типу крепостей с автоматными вышками, и преступную бедноту, способную только грабить. Если мы полностью отпустим цены и ослабим контроль государства, то очень быстро скатимся к колумбийскому варианту развития. Освободившись от коммунистических пут, каждый второй россиянин, почувствовав свободу, станет вором, потому что над ним до сих пор висит негативная психическая аура и он не готов созидательно работать без жесткой дисциплины, к которой привык в коммунистические годы. Чисто экономические проекты, о которых вы говорите и которые во многом заимствованы у Запада, не сработают в посткоммунистической стране. Нужно обратить внимание на японо-китайский вариант развития. Дэн Сяо Пин ...

— Вы за кого, за Ельцина или за коммунистов? — прервал кто-то меня из зала.

— Да! За кого вы призываете голосовать? — спросил Б. Н. Ельцин.

— Я буду голосовать за Ельцина, — с натугой ответил я.

На следующий день центральное телевидение в программе «Время» показало мою речь, сделав особый акцент на том, что я буду голосовать за Ельцина. В то время наше общество было поляризовано на два полюса и сладостно предавалось политической борьбе, забыв о созидательной позитивной работе. В то время оно было не способно услышать предупреждения о том, что капитализм — это не скатерть-самобранка, а его надо строить под жестким контролем и дисциплиной. Негативная коммунистическая аура не растаяла над страной, а перешла в сумасбродно-эйфоричную негативную ауру дикого капитализма.

Сейчас мы можем «с гордостью» сказать, что дикий криминальный капитализм построен. За эйфорично-негативную психическую энергию, в основе которой лежат вседозволенность и возвеличивание умело ворующего человека, страна расплатилась сотнями миллиардов долларов, вывезенных за рубеж, падением производства, оскудением ресурсов, ослаблением армии, развалом старой России (СССР) и т. д.

Подлили и подливают масла в огонь журналисты. Посмотрите на любую страницу любой нашей газеты: везде и всюду идет смакование негатива (криминальная хроника, правительственные вести и др.), в интервью журналисты задают преимущественно язвительные вопросы, почти любая личность обсуждается в черных тонах и т. д. Черный цвет не только превалирует в тоне газет, более того, журналисты как бы соревнуются в смаковании оттенков черного цвета.

Если бы журналисты хоть на секунду задумались над тем, что нужна не только «негативная правда», но нужно и преподносить положительные моменты жизни, то они бы достигли двух важных моментов: во-первых, «негативная правда» в сопоставлении с положительными явлениями жизни была бы более действенной, во-вторых, люди, читая положительную информацию, будут излучать позитивную психическую энергию, способную конкурировать с негативной аурой над Россией. А ведь в нашей стране есть о чем говорить в позитивном смысле — в магазинах появились продукты, есть хорошие фермеры, передовые колхозы, есть достижения науки и техники и т. п. Нужно писать о российско-патриотическом духе и даже немного хвалиться, — это поднимет тонус и дух россиян, ведь россияне устали быть под колпаком негативной ауры.

Все сказанное в адрес журналистов относится также к телевидению. Средства массовой информации называют себя четвертой властью. Это на самом деле так. Власть должна не усугублять сплошной негативизм, она должна бороться с ним. Власть должна хоть немножко знать о законах психической энергии, которую в армии метко называют боевым духом.

Резонно задать вопрос — почему же Тот Свет, если он столь всесилен и создал человека на земле, не поможет России освободиться от негативной ауры над ней? Ответить на этот вопрос, я думаю, можно следующим образом — человек на земле был зарожден не как дитя Того Света, которое надо лелеять, а как саморазвивающееся начало, которое должно само идти по пути прогресса. Высшие страхующие системы (Генофонд человечества и Шамбала) будут задействованы только в крайнем случае (массовое одичание, глобальные катастрофы и т. п.).

Грязный подъезд

Представим, что слесарь Н., живущий, положим, в квартире № 34 в девятиэтажном крупнопанельном доме на шестом этаже, выходит из своей квартиры утром. С плохим настроением от того, что сосед-алкоголик на седьмом этаже «гудел» всю ночь, он закрывает свою бронированную дверь двадцатисантиметровым гаражным ключом. Ступая по окуркам и огрызкам семечек, слесарь Н. подходит к лифту и нажимает кнопку вызова, продырявленную окурком. Ожидая лифт, слесарь Н. угрюмо взирает на стены подъезда, которые только в этом году были покрашены жэком грязно-зеленой краской, но успели уже ободраться и были «художественно оформлены» с преобладанием слов «х...» и «Fuck you». Ему становится холодно, поскольку окно в подъезде вот уже год как кто-то выбил.

«Какая сволочь выбила это окно! И куда смотрит жэк! Ему все до фени. Э-эх!» — думает слесарь Н.

Свежий ветерок приносит сочный запах помойки.

«Опять, что ли, мусоропровод забило. А ведь если даже не забился, все равно сыпят на пол рядом с люком мусоропровода. Ну что за народ, а! Ведь как в помойке живем», — думает слесарь Н., пинает гнилой помидор и смачно сплевывает на дверцу лифта.

Открывается дверца лифта. Зайдя в лифт и нажимая кнопку первого этажа, также продырявленную окурком, слесарь Н. зажимает нос, стараясь не наступить на лужу мочи, но тут видит, что в лифте находится что-то посерьезнее.

«Вчера только нас...ли, а сегодня уже наср...ли. Свиньи какие-то, а не народ! Ср..т, где живут. Ведь как в туалете еду», — думает слесарь Н., закатывая глаза от смрада и видя на стенах лифта прожженные дыры и «художества» опять-таки с преобладанием слов «х...» и «Fuck you».

Отдернув локоть, прилипший к жевательной резинке, приклеенной к стенке лифта, слесарь Н. наконец выходит из лифта. Смачно выругавшись и с удовольствием вздохнув полной грудью, слесарь Н. больно спотыкается о ящик, оставленный кем-то.

— Ну что за народ, а, твари какие-то, е..... мать, — проговаривает слесарь Н. и, пнув ногой разломанную дверь подъезда, выходит на улицу. Оглянувшись на широко рассыпанную нижнюю помойку, он ступает на тротуар.

Слесарь Н. обходит несколько луж, образовавшихся на месте вечных ям на асфальте, и оглядывается на красивую девушку в резиновых галошах, стоящую рядом с грязью на том месте, где должна быть лужайка, и выгуливающую омерзительного вида пса размером с теленка. Пес принюхивается к слесарю Н. и громко лает.

— Джесси, фу! — кричит девушка в галошах.

«Запах лифта, наверное, чует, сука, — думает слесарь Н. — Ну и собак развели, динозавры какие-то. На улицу выходить опасно, эти твари не только ногу, но и я...а оттяпают».

На пути к трамвайной остановке встречается канава с перекинутой через нее доской. Переходя по доске канаву, слесарь Н. думает:

«Хоть бы поручень к доске приделали, упасть ведь можно. Сколько пьяных, наверное, сюда попадало. Ведь год, как зарыть не могут. Ну что за государство такое, а! Жалобу, что ли, написать».

Перейдя через канаву, слесарь Н. приподнимает брючины, которые только вчера чистил, и идет неестественной походкой, стараясь не забрызгать брюки жидкой грязью, размазанной по асфальту на полкилометра в округе. Дойдя наконец до чистого асфальта, он шаркает ногами, счищая с ботинок грязь. Оглядев свои брюки, слесарь Н. с удовлетворением думает:

«Всего до пояса забрызгался. А Васька-то, токарь, вчера пришел, аж на ушах грязь была. Ну что за народ, а! Ведь, как свиньи, в грязи живем. Что, канаву закопать трудно? Ну что за правительство, а!»

Ожидая трамвая, слесарь Н. оглядывает стоящих на остановке людей. Комок злости подступает к его горлу.

«Это вот они, наверное, сс....т в лифте и канавы роют. Твари какие-то стоят, а не люди», — думает слесарь Н.

Побольнее толкнув кого-то, слесарь Н. залезает в трамвай. Увидев свободное место, он быстренько садится туда. Рядом с ним встает старушка с авоськой. Слесарь Н. отворачивает голову и смотрит в окно, будто бы с интересом оглядывая проплывающие пейзажи.

«А эта развалина куда еще едет поутру, — думает слесарь Н. — Сидела бы лучше дома. Нарожала, наверное, алкашей-засранцев, которые путают лифт с туалетом. А еще уважения требует!»

Пройдя через ободранную вертушку проходной завода, слесарь Н. приступает к работе. Зажав в тиски заготовку, слесарь Н. начинает угрюмо ее точить напильником.

«Ради чего точу, а? Ради этой зарплаты, что ли? Точу, точу, а жизнь-то собачья», — думает слесарь Н.

Он берет свою поллитровую банку, идет в курилку, наливает в банку воды и втыкает туда кипятильник. Выкурив сигарету, слесарь Н. пьет чай из банки.

«Как последняя сволочь чай-то пью, — думает он. — Сижу в курилке рядом с туалетом и пью. Никакой заботы о рабочем человеке! Хоть бы стаканы граненые купили».

Явно превозмогая себя, слесарь Н. идет на свое рабочее место и точит деталь. Наступает время обеда.

«В столовую, что ли, пойти, — думает он. — А-а, пока в очереди стоишь, кишки все переваришь. И повара все — ворье. Котлеты делают из сала с хлебом, хоть бы немножко мяса клали. Салаты вчерашние... Алюминиевые вилки как спираль перегнуты. Такие же твари работают, как и в нашем подъезде. А-а, ладно, пойду в курилку, бутерброды пожру с чаем. Сходить только надо в столовую, ложку спереть. Мою-то какая-то сволочь сперла».

Продолжая угрюмо работать после обеда, слесарь Н. прерывается и идет в туалет.

«Вонь-то какая, хуже, чем в лифте, — думает слесарь Н., залезая на унитаз и доставая из кармана газету. — Края унитаза

Негативная аура над Россией (рисунок автора)

все загажены, разве сядешь! Вот и сидишь как курица на насесте, ясно дело — мимо получается. Хоть бы туалетная бумага была, а то вот — газетой; говорят, в ней канцерогены есть. Хорошо, что хоть бесплатный! А то вон на вокзале туалеты все платные. А если денег нет, то, обоср.....ся, что ли. Ну и суки там работают, а! Хоть при них обоср...сь, без денег не пустят! Э-эх!»

Забыв дернуть ручку сливного бачка, слесарь Н. выходит из туалета и продолжает точить деталь. Настроение плохое, работа не клеится. Замерив штангенциркулем сделанную деталь и сопоставив с чертежом, слесарь Н. выясняет, что сделал натуральный брак. Сплюнув на пол, слесарь Н. вспоминает свой грязный подъезд, вонючий лифт, канаву с перекинутой доской, поллитровую банку для чая, изогнутую алюминиевую вилку в столовой, платный туалет и думает:

«Ну и хрен с ней, с этой деталью. Пойдет этим тварям. Пусть их машина с этой деталью будет барахлить; пусть лучше ремонтирует какая-нибудь сволочь, чем будет сс...ть в лифте!»

После окончания рабочего дня слесарь Н. выходит из проходной и, стараясь улучшить свое настроение, покупает в магазине бутылку водки. Вместе с токарем Васькой и разнорабочим Колькой они стараются найти место, где можно распить бутылку.

«Говорят, за границей рабочий люд ходит в рестораны, чтобы выпить. А у нас — э-эх, рестораны почти золотые, да и амбалы у входа стоят, не впустят».

Слесарь Н. распивает бутылку вместе с Васькой и Колькой за углом. Изрядно захмелев, он по пути домой доходит до канавы с перекинутой доской. Поскользнувшись на доске, слесарь Н. падает у края канавы и окончательно вымазывает в грязи свои и так запачканные брюки. Выматерившись и проклиная всех и вся, слесарь Н. входит в свой подъезд. В подъезде темно, лампочки кто-то выкрутил. Лифт долго не вызывается.

«Какая сука катается в этом «ездящем туалете», — думает он. — Сс...ть ведь охота, как до квартиры дотерпеть, а!»

Наконец открывается дверца лифта. Слесарь Н. с удовлетворением отмечает, что моча в лифте уже высохла, а на то, что посерьезнее, кто-то наступил.

«А что терпеть-то, — думает слесарь Н., расстегивает ширинку и мочится в лифте. — Завтра хоть в своей моче поеду».

Вполне понятно, что слесарь Н. в течение дня, начиная со своего грязного подъезда, получает кучу отрицательных эмоций от в общем-то простых бытовых вещей. Над ним повисает негативная психическая аура, которая отражается на результатах работы слесаря Н. А в масштабах всей страны это приводит к снижению качества российской продукции. Как результат воздействия негативной ауры слесарь Н. начинает находить удовлетворение в выпивке и в том, чтобы самому гадить. Он, слесарь Н., уповает на правительство и народ, которые должны создать ему достойные условия жизни и работы за то, что он лениво точит деталь, но сам он палец о палец не ударит для исправления создавшегося положения.

По большому счету перестройку надо было начинать не только с экономических проектов, но и с того, чтобы заставить людей самих создавать себе достойные условия жизни и работы и уважать самих себя. Да, надо людей заставить уважать самих себя. Надо брать пример хотя бы с японцев.

Японский рабочий, будь то слесарь, токарь или мусорщик, идет на работу в костюме, белой сорочке и галстуке. Он горд тем, что он работает. Сменив на работе костюм на спецодежду, японский рабочий делает любую работу с удовольствием только потому, что он уважает самого себя и людей, для которых делается эта работа. После работы японские рабочие переодеваются и, как правило, идут в ресторанчики (сравнительно дешевые), выпивают пиво или сакэ и веселенькие приходят домой. Канавы в Японии закапывают в тот же день. Никто даже и не думает использовать лифты в качестве туалетов. Над японцем в Японии висит позитивная психическая аура.

Почему же президент России и правительство не примут мер для того, чтобы россияне выбрались из негативной психической ауры? Главная причина, мне кажется, состоит в том, что они не только не понимают роли негативной ауры, но и не замечают причин, ее вызывающих. Например, в Кремле во всех туалетах висят общественные полотенца, которые давным-давно запрещены санэпидемстанциями как разносчики инфекции. Депутаты и правительство вытирают о них руки, а на унитазы залезают так же, как и слесарь Н. Туалетная бумага встречается не везде, нередко вместо нее используются различные проекты постановлений и т. п.

Один высочайший чин по архитектуре города сидел в шикарном офисе, входная дверь в который безобразно хлопала, сотрясая офис, но он этого не замечал. Зато вахтерша страдала тугоухостью.

Министр культуры никогда не убеждал российских кинорежиссеров в том, что нельзя бесконечно смаковать отрицательные моменты жизни, даже если они правдивы, что нельзя все время показывать реалистическую грязь, что нужно выбирать высоких красивых актеров, а не кургузых мужичков, одетых в серые неприглядные свитера. Слесарь Н., посмотрев такой фильм, конечно же, узнает в нем свою действительность, посмеется над ней, но это только добавит ему негативизма и безысходности. Нужно, я думаю, брать, в определенной степени, пример с голливудских фильмов с их некоторой вычурностью и счастливым концом.

В одной из популярнейших газет России было написано, что в связи с приездом в Москву мага Копперфильда, способного сносить здания с лица земли, москвичи больше всего желают снести здание Госдумы со всеми депутатами. Слесарь Н., прочитав эти газетные строчки, наверное, подумает, что смести с лица земли избранников народа опосредованно означает смести этот народ вообще. Они, кого избирали, такая же дрянь, как и я, наверное, думает слесарь Н. Все же не стоит бесконечно поносить депутатов и показывать их в идиотски комичном плане.

Негативная аура России достигла своего апогея при выборах губернатора в Иркутске в 1997 году. На пост губернатора претендовали вор, насильник и «голубой». О «достоинствах» каждого из претендентов известили газеты. Народ выбрал вора; видимо, воровство показалось иркутянам более «привлекательной» чертой, чем насилие и «голубизна».

— Ну что мы за народ, а! — говорили иркутяне. — Выбираем губернатора из вора, насильника и «голубого». Э-эх!

Но ведь в нашей жизни есть не только негативное. Есть и хорошее. Но в период царства негативной ауры хорошее забывается.

Художества в подъезде

Моим секретарем работает 19-летняя донская казачка Ирина, приехавшая из города Волгодонска (Ростовская область). В свое время наркоман выстрелил в группу девушек из дробового пистолета; дробинка попала ей в глаз. Мы ей сделали три сложнейших операции, сохранили глаз и зрение.

В период пребывания ее в клинике наших докторов очень потешала необычность речи Ирины. Ее донская речь была не только наполнена большим количеством пословиц и поговорок, но и отличалась особой мягкостью и ласковостью. Например, женщину-врача в средней полосе России могут грубо назвать «врачиха». Про своего лечащего врача Ирина говорила:

— Лилия Фуатовна — очень хорошая врачица.

Однажды она сказала, сняв повязку с глаза:

— Вон, воронок сидит.

Я ничего не понял, потому что знаю, что «воронок» — это машина, куда сажают преступников. Оказывается, словом «воронок» Ирина ласково называла ворону. Сороку она называла «сорочка», вводя в недоумение людей, одетых в сорочки. Звезды на ее языке звучали только как «звездявочки». Блюдце она называла «блюдица». Вместо того чтобы сказать «поздно уже», она говорила «позднячки уже». Слово «утром» в ее лексиконе звучало только как «с утреца». Карманы она называла «втулки», а маленькие карманы — «втулявочки».

— Ля (глянь. — *Э. М.*), а небо звездявое-звездявое, а ночь такая лунявая-лунявая, — говорила она.

Я прочитал Ирине часть главы про слесаря Н. и спросил ее мнение.

— Не все подъезды такие, — сказала Ирина. — Когда я захожу в свой уфимский подъезд, то от грязи меня псих накрывает (действует на нервы. — *Э. М.*), огурцы валяются и еще какая-то хрюканина (дрянь. — *Э. М.*). Темно, свет забрали (свет отключили. — *Э. М.*) что ли, думаю, всю меня трусит (дрожу от страха. — *Э. М.*), замыкаюсь (запираюсь. — *Э. М.*) сразу. Удивляюсь, Буратино, что ли, богатыми стали, свое гадить. А у нас в Волгодонске, где я выросла, был подъезд разрисованный.

— Всякими матерными словами?

— Нет же, мы, донские — догадульки (догадливые. — *Э. М.*). Мы поняли, что если подъезд и общаковый (общественный. — *Э. М.*), то он же и твой. Родители наши скинулись и купили цемента и краски. Мы, дети, заделали цементом все дырдочки (дырки. — *Э. М.*), отцы сами покрасили стены. Только один гребунец (жадный человек. — *Э. М.*) не дал денег.

А потом мы сказали: «А ну, мальчики и девочки, подорвались по-пыренькому (взялись за дело. — *Э. М.*)» и начали разрисовывать стены. Один мальчишка у нас был — сочиняхолка (сочинитель. — *Э. М.*), он макеты картин на стенах делал, а мы их разукрашивали. Я зебру рисовала и пингвина, другие еще что-нибудь. Каждый старался свою картину лучше обэтовать (сделать. — *Э. М.*).

— Ну, и какое впечатление производил такой разрисованный подъезд?

— О! — говорила Ирина, — как с куста скажу (убедительно скажу. — *Э. М.*), каждый, кто чужой заходил, восклицал: «Ля, кино и немцы (признак удивления. — *Э. М.*), так это же картинная галерея. А все дети из нашего подъезда хорошими вышли, образование получили, грамотюги (грамотные. — *Э. М.*). Ни одного нарика (наркомана. — *Э. М.*). Ведь красоту своими руками наводили. Самая старшая из детей нашего подъезда, Наташка, замужем уже, покабанела (поправилась. — *Э. М.*), до сих пор на своей стене новые рисунки обэтовывает. Все, кто войдет в наш подъезд, не марчит (молчит. — *Э. М.*), хвалит нас, никому не параллельно (не безразлично. — *Э. М.*). Детей с других подъездов, глядя на наши рисунки, тоже на умняк пробило (за ум взялись. — *Э. М.*), тоже начали свои подъезды хорошими картинками обэтовывать. Подъезды никто не замыкал.

— А было так, чтобы в вашем подъезде гадили?

— А то! Было два раза. Первый из них — алкоголик местный, Петрович, каких на базаре пучками продают за три копейки. Но наши ребята быстро его выщемили (обнаружили. — *Э. М.*), махачи ему устроили (побили. — *Э. М.*), сказали, что таких, как он, из подъезда будут вышвыривать пучками. Ходит сейчас, какой-то потянутый (сам не в себе. — *Э. М.*), марчит, а иногда лапшает на уши (обманывает. — *Э. М.*), что жена у него плохая, глистой в скафандре называет. Не понимает, что женщина хорошей быть не может, когда с ней хронь (хронический алкоголик. — *Э. М.*) живет.

— А второй случай?

— Да приехал тут один примороженный (человек с Севера. — *Э. М.*) к соседу-есаулу, выпил и начал гадить. Я тогда мелкая (маленькая. — *Э. М.*) была, но, увидев это, начала на него пургу гнать (ругаться. — *Э. М.*), говорю, что без руки одной, второй и головы останется, а таких, как он, у нас в подъезде гноят. А он еще с приглухью (глуховатый. — *Э. М.*) оказался, у него планка упала (разнервничался. — *Э. М.*), начал на ребенка тоже ураган гнать. На шум отец мой вышел, сказал, что кто ребенка обидит, тот вчера умрет, а таких, как он, закрывать (сажать. — *Э. М.*) надо.

— Как по-твоему, Ирина, на юге России люди культурнее, чем северяне?

— Да я б не сказала. Холодно только здесь. Когда я приехала сюда в декабре, такой мороз был, что градусники чуть не обломались все, зуб на зуб не попадал, чуть зубы не переломала. А у нас там тепло, виноград растет. Но здесь мне работа моя нравится, люблю я больных своих.

И в самом деле, вокруг этой девушки существует теплая положительная аура. Будучи постоянно окруженной больными, приезжающими со всей России и из других стран, она никогда не ведет себя как традиционная официально-холодная секретарша; у нее всегда найдется теплое слово, она напоит чаем, объяснит ожидающим людям, что после операций я устал и должен немного отдохнуть.

Ирина прекрасно понимает, что люди к нам приезжают за последней надеждой и старается сделать все, чтобы эта надежда не угасла. Больные тоже любят ее. Положительная аура усиливается, являясь одним из важных моментов лечения. Одна больная с Украины, например, мне сказала, что моя секретарша так хорошо поговорила с ней по телефону, что она приехала сюда с полной уверенностью, что снова начнет видеть. Она на самом деле прозрела. А больные из Ростовской области перешли в категорию особо уважаемых.

Какую роль оказал разрисованный подъезд на формирование души Ирины, мне трудно сказать. Но очевидно то, что родители и дети смогли переломить ситуацию в положительную сторону, превратив общественное место загаживания чуть ли не в произведение детского искусства. Главное, что они смогли сделать это сами, а не уповали на народ и правительство, как слесарь Н. Естественно, что у жителей этого разрисованного подъезда сформировалась положительная психическая аура, потому что добро победило зло.

А казачке Ирине остается пожелать, чтобы она оставалась такой же, да и не забывала свой ласковый донской русский язык.

Что делать с российскими подъездами? Мне кажется, что за грязь и беспредел в подъездах надо штрафовать жителей этого подъезда. На первый взгляд лучше бы прижучить жэки, которые должны делать ремонт и наводить порядок. Но это лишь фантазии. У работников жэка, ремонтирующих подъезды, давно сформировалась негативная аура и даже ненависть к скотообразным жителям подъезда; ведь их «труд» по покраске грязно-зеленой краской «оценивается» плевками и матерными словами. Деньги тут не помогут — они их, рискуя, своруют, но хороший ремонт для плюющих и сморкающихся людей делать не будут. Негативная аура сильнее.

Если принять систему штрафования грязных подъездов, то жители подъезда быстро вычислят наиболее гадящих людей и заставят именно их платить штраф, посадят вахтера из числа уставших от безделья пенсионеров и, боясь очередного штрафа, соберут деньги и сами сделают ремонт, который уже обгаживать не будут. Вскоре возникнет соревновательный инстинкт — чей подъезд лучше.

Я, например, в своем подъезде быстро вычислил человека, мочившегося в лифте. Я подошел к мальчишкам и строго спросил:

— Это вы мочитесь в лифте?

— Да нет, это не мы, это Дима со второго этажа, — понурив головы, ответили пацаны.

Мальчишки по моей просьбе побили Диму со второго этажа, и туалетные безобразия в лифте прекратились. Но через полгода опять кто-то начал мочиться в лифте. Те же мальчишки сообщили мне, что это делает алкоголик с седьмого этажа. По моей просьбе участковый милиционер поговорил с сс...м, но тот, уповая на отсутствие закона по этому поводу, продолжал мочиться в лифте. Тогда я взял фломастер и написал в лифте:

«Писать в лифте кто горазд, сто процентов пэдэраст».

Как сообщили мне мальчишки, алкоголик стер эту надпись и снова помочился в лифте. Я надпись восстановил. За алкоголиком прочно закрепилось прозвище — «пэдэраст», которым мальчишки сопровождали его при выходе из подъезда. От позора алкоголик перестал мочиться в лифте и вскоре даже уехал из этого подъезда. У него, видимо, все же сохранилась гордость.

Я не призываю к тому, чтобы вышеуказанной надписью сопровождались все лифты. Но человек должен бояться гадить. В этом отношении весьма примечателен один из рассказов М. Зощенко:

«Русский писатель шел по улице и негодовал от пейзажа с грязью, лужами и дохлыми кошками. Вдруг ему представилась возможность поездки в Германию. Он шел по германским улицам, любовался чистотой и на чем свет стоит костерил свой народ. Тут ему захотелось в туалет. Найдя туалет, он вошел в него и стал любоваться его чистотой и фиалками, поставленными на подоконник. «Сделав дело», он одел штаны и дернул дверь. Дверь не открывалась. Писатель стал кричать. Собрались немцы и что-то ему говорили на своем непонятном языке. Вскоре немцы нашли русскоговорящего, который сказал:

— А ты воду спусти, смой то, что нагадил, тогда дверь сама автоматически откроется.

Русский писатель тогда подумал, что даже культурные немцы придумывают всякие ухищрения, чтобы сохранять чистоту и порядок».

Я думаю, не надо бояться заставлять людей быть культурными. Культура сама не привьется. За культуру надо бороться.

Если бы в обязанности ГАИ были вменены не только отлов долгожданного водителя, не пристегнувшегося ремнем безопасности или превысившего скорость, но и наказание нерадивых копателей канав или дорожных «мастеров», кладущих асфальт поверх лужи, то наши улицы стали бы вскоре такими же, как и в Европе. Если бы ГАИ штрафовала водителей, устроивших стоянку на месте газона и размазывающих только что завезенный туда чернозем по всему городу, то наши автомобили во время дождя были бы чистыми, а брюки не забрызганы грязью.

Если бы жители деревень, превратившие свои улицы в грязные колеи, проходимые только для тракторов, или утино-свиные притоны, наказывались, то они бы быстро организовали привоз гравия и строительство нормальной дороги.

Если бы дачников обязывали вкладывать деньги не только в свой садовый участок, но и в строительство дороги к нему, то до него осенью можно было бы добраться не только на вездеходе.

К сожалению, мы все уподобились слесарю Н., привыкли причитать и кивать на дядю, ругая власти или народ и усиливая свою негативную ауру.

Мы так и npопричитаем всю жизнь. Нас надо заставлять самих менять свою жизнь и создавать вокруг себя ауру положительных эмоций. Сменить негативную ауру на позитивную можно только самим, причем сознательно.

Роль президента страны

Давайте задумаемся над вопросом — почему президент страны обладает столь огромной властью? Будь президент умным или глупым, добрым или злым, прогрессивным или регрессивным — он все равно обладает огромной властью. Наверное, в каждой стране есть люди, которые намного умнее и способнее президента, но они никогда не будут обладать даже мизерной частью власти президента, пусть даже их статьи ежедневно печатаются в газетах, а речи постоянно освещаются телевидением. Почему?

Давайте вспомним времена, когда власть в стране начинала шататься. Например, последние месяцы правления М. С. Горбачева, когда его речи ничего не могли уже изменить, а вызывали только смех. Почему же кумир, каждое слово которого мы ловили с вожделением, стал для нас малозначащим и смехотворным?

Складывается впечатление, что какие-то сверхъестественные силы в какой-то промежуток времени поддерживают президента и стимулируют силу его власти над массами людей, а в другой промежуток отворачиваются от него, превращая его в жалкую куклу на президентском посту.

На мой взгляд, огромная власть президента страны объясняется тем, что психическая энергия масс людей (жителей страны) концентрируется на своем избраннике-президенте, как бы делегируя ему полномочия не только в лидерстве и руководстве, но и в судьбе каждой отдельной личности. Надежды и желания каждого человека в виде огромных потоков психической энергии передаются на откуп одному человеку — президенту, ожидая от него прогрессивного лидерства. Если же надежды и ожидания масс людей долгое время не оправдываются, то поток психической энергии, исходящий от людей, начинает ослабевать и, как следствие, власть президента начинает шататься.

Говоря иными словами, президент страны не должен забывать о том, что он является не только личностью со своими земными заботами, но концентратом психической энергии жителей страны, ждущих от него оправдания своих надежд. Причем чем больше страна, тем большим концентратом психической энергии является президент. Человек, который становится президентом, должен помнить, что вместе с президентством он переходит в новое качественное психическое состояние, попадая в эпицентр психической энергии страны.

В подтверждение сказанного, сравним речи М. С. Горбачева нынешние и 10-летней давности; по сути дела, он говорит одно и то же. Но тогда, когда он был в эпицентре психической энергии страны, его речи вызывали бурю эмоций, а сейчас, когда он далек от этого эпицентра, его слова просто не воспринимаются.

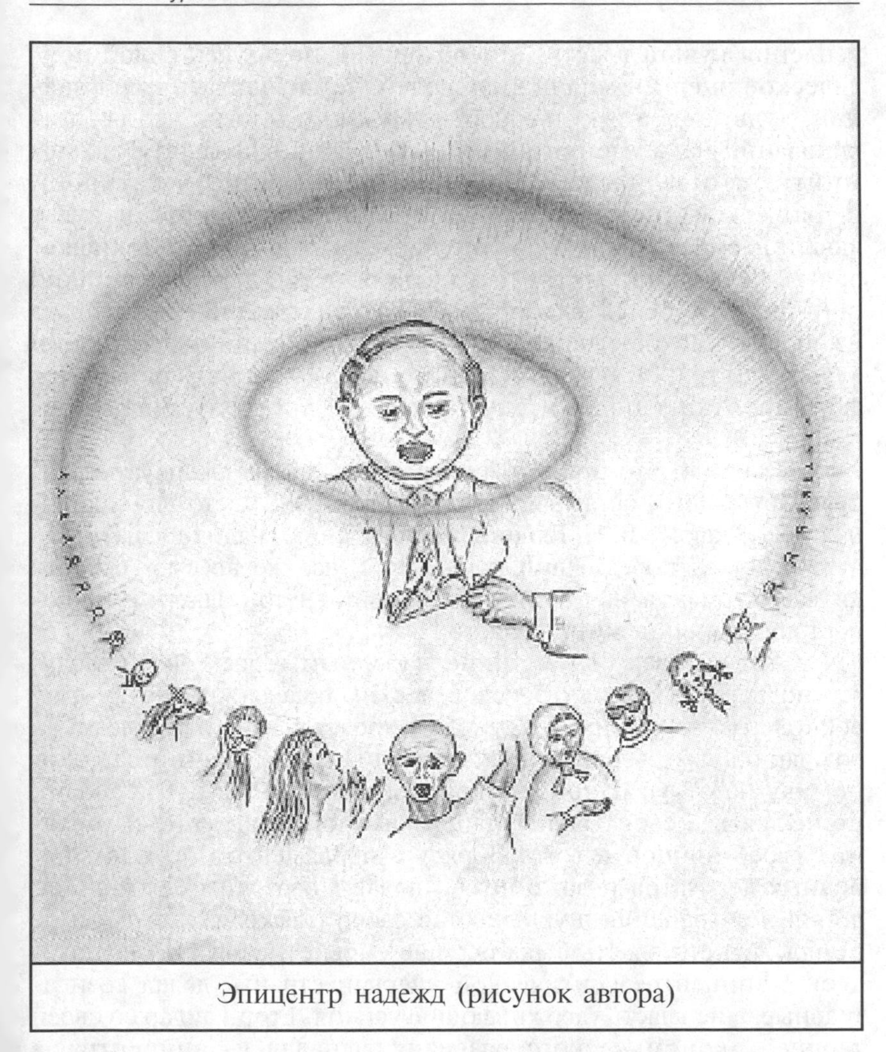

Эпицентр надежд (рисунок автора)

Для президента очень страшно выйти из эпицентра психической энергии страны. Именно этот эпицентр дает ему неограниченную власть, именно этот эпицентр дает ему удовлетворение от своей собственной значимости. Быть в эпицентре очень сладко, но потеря его вызовет сильные страдания, такие, что лучше бы не быть в этом эпицентре вообще.

Как не потерять свое эпицентральное положение? Исходя из того, что изложено в этой книге, можно рекомендовать президенту никогда не использовать свое положение для укрепления культа власти, а необходимо, пользуясь силой психической энергии миллионов людей, устанавливать культ знаний, культ добра и культ любви. Нужно помнить, что все цивилизации на земле погибали из-за культа власти. Нужно помнить, что культ власти — это проявление негативной психической энергии, а культ знаний, культ добра и культ любви несут за собой положительные психоэнергетические явления. Нужно помнить, что культ власти, действующий по принципу «добейся власти любыми средствами», вытягивает из людей плохое и способствует формированию негативной ауры над страной, а культ знаний, добра и любви приводит к формированию положительной ауры, способствующей прогрессу.

Известно, что при коммунизме все лидеры эксплуатировали культ власти, оставляя, правда, некоторое место для знаний и добра. А как же Б. Н. Ельцин? К сожалению, надо признать, что этот человек, победивший коммунизм, все же не смог освободиться от смакования столь трудно достигнутой власти и не попасть под влияние культа власти.

Этот человек был истинно народным героем, и он заслуженно встал в эпицентр человеческих надежд, но по-умному воспользоваться этим не сумел. Народ от него ждал великих созидательных свершений, но Ельцин, сознательно отдав экономику на откуп одной из экономических теорий (Е. Гайдар), принялся все свои усилия направлять на укрепление и усиление своей личной власти. Борясь с парламентом, съездом народных депутатов и даже пожертвовав Советским Союзом, он добился сохранения и укрепления своей власти. Но он так и не понял, что его власть была бы еще сильнее, если бы он, находясь в эпицентре психической энергии страны, делал созидательные, а не власть удерживающие усилия. Егор Гайдар со своей теорией экономического развития выпадал из эпицентра, а Ельцин, занимавший этот эпицентр, направлял людей не на ежедневный созидательный труд, а на политическую дележку и борьбу.

Очень жалко, что Ельцин не понял и уже, наверное, не поймет этого. Именно при нем расцвели коррупция, криминал, появились обирающие народ «МММ» и подобные предприятия, разыгралась криминальная война в Чечне, банковский произвол достиг апогея. Вместе с этим позитивная психическая энергия людей, направляемая в эпицентр и президента, стала уга-

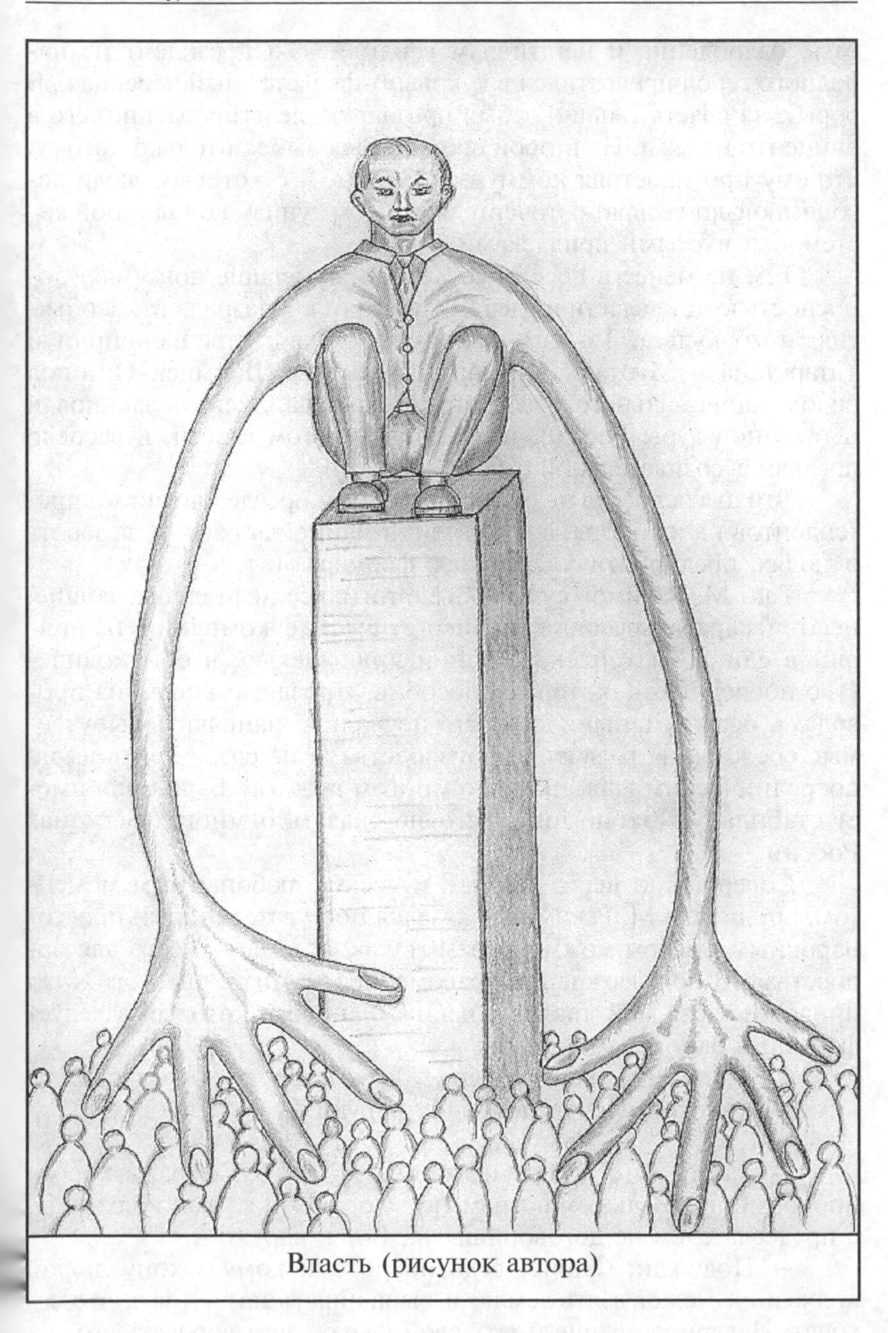

Власть (рисунок автора)

сать, озлобление и негативизм усилились, а президент из народного героя превратился в кукольно-фельетонный персонаж. В борьбе за власть Ельцин забыл про народ, делегировавший его в эпицентр надежд. На второй срок он был выбран только потому, что ему противостоял коммунист Зюганов, с которым люди ассоциировали возврат осточертевшего коммунизма с талонной системой и пустыми прилавками.

Тем не менее в России есть люди, сумевшие понять вредоносность культа власти и удержавшиеся от соблазна войти в объятия этого культа. Таковы, например, президенты Башкирии и Татарстана — Муртаза Рахимов и Ментимер Шаймиев. Они под видом национального суверенитета отгородились от законов и негативной ауры России, навеянной культом власти, и всецело предались созидательной работе.

Эти два человека не стали заниматься преследованиями претендентов на их посты, а все свое внимание направили на заботу о людях, предприятиях, колхозах, фермерах и т. п.

Так, М. Рахимов сумел объединить все нефтедобывающие, нефтеперерабатывающие и энергетические компании Башкирии в единый комплекс с одной лишь целью, чтобы количество посредников, которые способны «гроздями висеть на проводах», резко уменьшилось. Это позволило направить выручаемые средства на развитие производства, а не разбазарить их по посредническим карманам. Во многом поэтому Башкирия имеет стабильную экономику, чего не сказать о многих регионах России.

Совершенно неожиданным и весьма любопытным моментом в политике М. Рахимова оказался постулат, который простонародным языком можно выразить как «ферма — место для воровства». В подтверждение правомерности этих слов я бы хотел привести здесь мой диалог с неким Фанисом, который заведует фермой в одном из колхозов.

— Фанис, а у тебя на ферме фураж воруют? — спросил я.

— Конечно! Почти половину воруют...

— Кто?

— Да все, кто в деревне живет. А как без фуража корову прокормишь? Ведь землю нам не дают, техника вся колхозная, с председателем не договоришься... Вот и воруют...

— Подожди, Фанис, ведь по российскому закону любой колхозник может взять землю и выращивать на ней все, что захочет. Наверное, лучше иметь свой фураж, чем воровать его?

— Невозможно это сделать. Председатель не даст. Если он всю землю раздаст, какая же власть у него останется? А власти он хочет... Поэтому лучше воровать.

— А председатель ворует?

— Еще как! Знаешь, сколько у него коров? О-о-о!

— Значит, получается так — доярки работают, остальные воруют?

— Да, доярки работают очень много — в пять утра встают. А еще дома своя корова. Да еще до фермы по грязи надо дойти три километра.

— А вы за доярками ухаживаете?

— Какой там, никто не ухаживает!

— Почему, Фанис?

— Вся деревня тут же узнает!

— Как же, если ночью, на ферме — у тебя же там кабинет есть?

— Невозможно это на ферме.

— Почему, Фанис?

— Да как только приведешь доярку ночью на ферму, обязательно кто-нибудь придет фураж воровать да застукает!

Муртазе Рахимову удалось во многом сломать эту порочную систему по-воровски обобществленного хозяйства, когда каждый колхозник выступает в качестве вора и, боясь председателя, безгранично ему подчиняется. Президенту Башкирии удалось во многих колхозах сломать эту систему, заставить крестьян взять землю и уважать самих себя. Кроме того, он опять-таки заставил колхозы перестать распахивать заливные луга, убрать многие фермы с берегов рек, не пасти скот в лесах и т. д. М. Рахимов применил для решения созидательных задач всю полноту своей власти. Но он использовал власть не ради ее удержания, а для созидания.

Президент Татарстана М. Шаймиев использовал два узловых момента в своей созидательной работе: гибкую налоговую систему и принцип «помогай сильному, а не слабому».

Применяя гибкую налоговую систему, М. Шаймиев спас многие предприятия от неминуемого банкротства. Например, после вхождения в рынок добывать нефть в Татарстане стало невыгодно, в связи с чем 10 тысяч нефтяников пополнили бы армию безработных. Президент Татарстана снял с нефтяников все налоги, говоря, что хоть подоходный налог-то с зарплаты они будут платить. Нефтяники в этих условиях возродились, стали вскоре рентабельными и сейчас уже являются исправными налогоплательщиками, сохранив свою отрасль. То же самое можно сказать о Казанском медико-инструментальном заводе, успешно конкурирующим с мировыми производителями медицинского инструмента. То же самое можно сказать о военных заводах, например, о заводе, производящем сверхзвуковые бомбардировщики по 1 млрд. долларов каждый, и т. д.

Принцип «помогай сильному», когда деньги вкладываются только в «сильных» (колхозы, фермеры, предприятия), привел к быстрому подъему «сильных» и полному банкротству «слабых» с последующим поглощением их «сильными». «Слабые», оказавшись в руках «сильных», были вынуждены учиться у них хорошо и продуктивно работать. Результаты не замедлили себя ждать: например, урожайность зерновых в 1996 году достигла в среднем 28 центнеров с гектара (больше, чем на Кубани), а во многих районах достигала больше, чем 60 центнеров (это больше, чем в Голландии).

Результат деятельности М. Шаймиева в эпицентре народных надежд таков: вот уже несколько лет Татарстан имеет подъем экономики в среднем на 4,5% в год, в то время как в других регионах России отмечается ежегодный спад. М. Шаймиев понял вред борьбы за власть и смог отойти от влияния культа власти. Поэтому он стал пользоваться всенародной любовью, как русских, так и татар, поэтому на следующих выборах за него проголосовало 96% населения Татарстана. Человек, не боровшийся за власть, пришел повторно к власти безо всяких усилий, только за счет народной любви.

Если бы президенты, приходящие к власти, понимали, что они будут находиться в эпицентре надежд, которые надо оправдывать, если бы они понимали, что власть можно удержать за счет созидательной работы, а не только борьбы за власть, то прогресс и всенародная любовь не замедлили бы прийти.

Что бы я сделал на месте президента России

Давать какие-либо рекомендации всегда несколько нескромно, поскольку это носит оттенок высокомерия. Тем не менее я бы хотел высказать свое мнение, опираясь на тот анализ, который изложен в этой книге. А именно:

1. Президенту нужно четко осознать, что он находится в эпицентре надежд и что надежды народа надо оправдывать созидательным трудом. Борьба за власть сладка, и она всегда находится в центре внимания, но борьба за власть бессмысленна для народа, она имеет смысл только для власть предержащих или стремящихся к власти структур. Созидательный труд не столь заметен, растянут во времени, но это единственное, что может дать прогресс, для обеспечивания которого и предназначен президент. Лидеры, посвятившие себя революциям и борьбе за власть, входят в историю, но лидеры, обеспечившие созидательный труд и прогресс, становятся народными героями.

2. Президент должен понимать, что существует мир психической энергии, в связи с чем над страной может нависнуть негативная или позитивная психическая аура. Перевод негативного состояния ауры в позитивную является важнейшей задачей властных структур, обеспечивающей прогресс и расцвет страны.

3. Президент России должен знать, что в настоящее время большинство людей страны представляют собой пресловутого посткоммунистического слесаря Н., возмущающегося гадостями людей и самого гадящего. Отрицательные эмоции по мелочам, причитания и некачественный труд таких людей способствуют формированию негативной ауры над страной. Нужно перевоспитывать этих людей. Для этого средствам массовой информации надо широко пропагандировать положительные примеры инициативы людей по обустройству общественных мест, как, в частности, в примере с разрисованным детьми подъездом. Президенту и правительству нужно принять ряд законодательных мер и указов, наказывающих за нарушение чистоты и безынициативность в ее наведении в подъездах, туалетах, улицах, дорогах, деревнях, садовых кооперативах и других общественных местах, а также поощряющих инициативу людей, работающих в этом направлении. Заставляя людей соблюдать принцип — «чистоту и порядок в общественных местах нужно наводить своими руками», можно добиться постепенного повышения культурного уровня и доброты и, как следствие, улучшения качества труда.

4. Нужно убедить средства массовой информации в том, что они на самом деле являются «четвертой властью» и тоже имеют ответственность перед народом. Руководители СМИ должны понимать, что бесконечное пережевывание скандальных историй, «жареных фактов» и драки за власть при недостаточном внима-

нии к положительным моментам жизни, научным достижениям и человеческой инициативе, способствует формированию негативной ауры над страной. Надо улучшить качество реклам, исключая омерзительное зомбирование жующими полудебильными физиономиями или возведение женских прокладок в ранг единственного счастья в жизни.

5. Президент должен ограничить расходы выборных кампаний при избрании губернаторов, мэров, народных депутатов и прежде всего при выборах президента страны. Это не только деньги, потраченные впустую; это вредоносные деньги, поскольку позволяют за счет лживого восхваления, припудренного раздачей гречневой крупы, протащить на высочайшие государственные посты богатых коррумпированных людей. Принятие закона о равенстве финансирования претендентов в выборных кампаниях и строгое его соблюдение предотвратит тот негативизм, который существует у простых людей в отношении власть имущих. Выборы превратились в азартную и не всегда честную игру для миллионов, переводящую акцент внимания от созидательного труда на сладкие обещания претендентов по типу «скатерти-самобранки».

6. В экономической политике целесообразно изучить опыт М. Шаймиева в применении к общероссийскому масштабу и принять ряд законодательных мер, оправдавших себя в Татарстане, таких, как гибкая налоговая система и принцип «помогай сильному». Нужно понять, что истинный федерализм — это экономическая самостоятельность регионов при делегировании центру четких общефедеральных полномочий (оборона, энергетика, дороги и т. п.) с отчислением соответствующего федерального налога. В центре должны осознать, что суперцентрализованная коммунистическая экономика с перекачиванием денег из регионов в центр с последующим их выпрашиванием назад, которая продолжается и поныне, до такой степени осточертела руководителям регионов, что «московские министерские коридоры» стали притчей во языцах, а москвичи представляются жителям периферии как класс черствых бездушных бюрократов. Нужно постепенно, экономическим путем, избавляться от негативизма к Москве, чтобы повысить авторитет центральной власти и предупредить сепаратистские настроения.

7. Понятие «новый русский» отнюдь не связано с новым типом производителя, а относится к классу посредников, умеющих в процессе торговых операций добавлять свои «всего лишь»

100—300 процентов. Народ понимает, что деньги «новым русским» даются легко, и их «процент», в конечном счете, из кармана каждого человека. Поэтому их мерседесы, особняки, шикарные здания банков и тому подобное воспринимаются народом не как трудовые, а как воровские достижения, усиливая негативизм в стране.

Несмотря на то что именно посредник заполнил пустующие полки магазинов, сделав полезное дело, нужно принять ряд указов, ограничивающих безбрежные доходы от посреднических операций. Конкуренция далеко не всегда может снизить цены и сдержать их рост, потому что невозможно избежать многих монополистических моментов (рейсы самолетов, поезда, энергетика и т. п.). Поэтому во многих капиталистических странах принята система лимитных верхних цен на основные виды продукции (топливо, электроэнергия, хлеб, железо и проч.), из которых складываются цены и на остальные виды продукции. Посреднику разрешено иметь от 7 до 30% добавочно к стоимости продукта в зависимости от вида продукции, а превышение разрешенного процента посреднических услуг преследуется по закону. Такой подход способствует снижению цен, тормозит инфляцию, ограничивает сверхдоходы посредников и связанный с этим криминал, но, самое главное, дает приоритет производителю, а не тем, которых называют «купи-продай».

Я думаю, президент и правительство должны понять сказанное, даже несмотря на то, что их дети и родственники входят в состав физических лиц фирм и акционерных обществ под видом посредников. Деньги из воздуха не возникают, а перетекают из одного кармана в другой. Посредник, кладущий деньги в карман без ограничений, общественно вреден, «законно» отбирая деньги у людей. Он должен получать столько, сколько заработал. Негативизм, возникающий у производителя к системе «купи-продай», к хорошему не приведет. Посредник может погубить страну.

8. Президент должен прекратить банковский произвол, царящий в России. В этом отношении можно вспомнить Рузвельта, который во времена дикого капитализма в США временно арестовал многие банки и проверил их. По результатам проверки многие банки были закрыты волевым решением, а их финансы переданы в незапятнанные банки. После этого в стране начался прогресс, коррумпированность общества стала убывать, снизилась преступность.

Чтобы понять роль банков в обществе, приглядитесь к самым красивым зданиям Москвы и других городов. Это здания банков. Стоимость каждого из них оценивается в десятки миллионов долларов. Эти здания стоят как символ мощи и богатства, а также подспудно намекают на то, кто является реальным хозяином в жизни. Работа банковского работника возведена в ранг таинственного волшебства, недоступного для понимания.

Откуда у банков деньги на строительство супершикарных зданий? Эти деньги банки получают за счет сверхвысоких процентов при даче кредитов и сверхвысокой оценки банковских услуг. Сравните: в развитых странах прибыль банков при даче кредитов составляет 5—7%, а в России — 100—300%. То есть за каждый рубль, взятый в банке, вы должны отдать минимум два. Естественно, что прибыль в банках сыпется как с неба, в то время как предприятия, не способные жить без банковских инвестиций, надрываются, чтобы отдать дополнительно причитающиеся банку рубль или два. Несправедливость в отношении предприятий столь велика, что о ней не стоит и говорить.

Уповать на то, что конкуренция между банками приведет к снижению банковского процента при инвестициях, не приходится, потому что существует круговая банковская порука (кто же откажется от падающих с неба денег!). А если банк разоряется, то руководство банка вряд ли окажется в убытке, успев перевести «пропадающие» деньги на свои зарубежные счета. Мировая беда состоит в офшорных зонах и швейцарских банках, в которых сохраняется тайна вклада, в том числе и наворованных денег.

Я представляю, какой смелостью надо было обладать Рузвельту, чтобы поставить на колени банки США и остановить банковский произвол, за которым тянутся преступность, коррупция, спад в производстве и негативизм народа к власти в стране. Я уверен, что у нас тоже вскоре найдется российский Рузвельт, который возьмет на себя такую же смелость. Тогда шикарные здания банков не будут раздражать людей, как загадочная обитель, засовывающая руки в карманы людей, тогда эти шикарные здания станут истинно народными.

9. Россия всегда славилась развитой наукой и гениальными учеными. Сейчас, в период дикого капитализма, российская наука оказалась на задворках, а любой «новый русский», умеющий лишь арифметически складывать и отнимать, во сто крат богаче профессора.

Президент и правительство должны изыскать средства и восстановить разваливающуюся российскую науку. Да, далеко не все исследования, особенно фундаментальные, дают быстрое внедрение в производство и прибыль. Но наука, как и спорт, это престиж страны. Как не вспомнить М. Ш. Шаймиева, который заложил научно-медицинский центр на 46 миллионов долларов и сказал по этому поводу, что если на лечение в Казань будут приезжать больные со всей России и из-за рубежа, то это поднимет престиж Татарстана, что в конечном итоге выльется в инвестиции в экономику республики. Как не вспомнить М. Г. Рахимова, который начал строительство нового комплекса нашего Всероссийского Центра глазной и пластической хирургии, несмотря на то, что он Российский, а не Башкирский.

Но наука — это не просто престиж. Наука устанавливает иерархию знаний, которая по законам психической энергии противодействует негативным психическим явлениям. Если, положим, в телевидение и газеты включить рубрику «Встречи с учеными», то простые люди, в том числе и слесарь Н., будут на следующий день живо обсуждать поднятую проблему, а не чертыхаться по поводу грязного подъезда или причитать. Иерархия знаний находится в одном блоке вместе с такими психическими проявлениями, как добро и любовь, а знания, добро и любовь являются основой существования торсионных полей (волновой формы жизни) Того Света. Мы же, как известно, не только физическая форма жизни на земле, но и дети Того Света.

10. Президент должен поднять патриотизм в стране. Американцы поняли это давно, внедрив в менталитет людей желание иметь дома флаг страны и петь гимн государства. Российский же патриотизм упал донельзя низко. Роль патриотизма нельзя преуменьшать: это и боевой дух армии, и желание трудиться во благо страны, и любовь к Родине, и многое другое, что нельзя пощупать руками, но имеющее колоссальное значение для жизни страны. Патриотизм — это опять-таки категория позитивной психической энергии, которая противодействует страшному негативизму.

Как поднять патриотизм в России? Во-первых, средства массовой информации должны понять, что бесконечное выставление президента и депутатов в комично-идиотском виде не способствует патриотизму и любви к Родине. Во-вторых, сам президент, правительство и депутаты должны помнить, что патриотизм граждан во многом зависит от них самих, поскольку именно власть предержащие находятся в центре человеческих надежд. В-третьих, руководители телевидения и газет должны постоянно внедрять патриотические штрихи в свою телевизионную или газетную продукцию.

Все уважают страны, где высок патриотизм и любовь к Родине. Как нам был приятен Ю. Лужков, который патриотически заступился за исконно русский город Севастополь, в то время как украинские националисты исплевались в адрес москалей. Если бы российский патриотизм был высок, никто не посмел бы плевать в адрес России. Россия всегда была сильна патриотизмом своего народа и этот дух надо восстанавливать.

Итак, подводя итог своим мыслям о переустройстве нашей Родины, я был удивлен, что большинство из них относится к непонятной и только интуитивно ощущаемой области человеческой психической энергии. Видимо, тот факт, что мы являемся детьми волновой формы жизни на Том Свете, накладывает больший отпечаток на нас, чем желание поесть, попить и поспать. Теперь, после гималайской экспедиции, я понял, что жизнь на земле была создана Тем Светом для того, чтобы освоить физический мир, поэтому мы в процессе этого освоения должны применять не только сугубо физические методы для достижения прогресса (строить, точить, пилить и т. п.), но и пользоваться родоначальными психическими принципами Того Света, в основе которых лежат добро, любовь и знания.

А Россия, мне кажется, станет мощнейшей страной мира тогда, когда посткоммунистический причитающий и гадящий слесарь Н. превратится в прототип донской казачки Ирины, разукрашивающей общественный подъезд.

Глава 7

Добро, любовь и зло

Заканчивая книгу, я планировал подвести итог изложенным фактам и логическим построениям. Но неожиданно для самого себя я понял, что в основе тех удивительных явлений природы (законсервированные люди в пещерах, Шамбала, последнее послание и т. п.), о которых я писал, лежит единство и борьба простых и хорошо известных понятий «добро», «любовь» и «зло». И чем больше я размышлял на эту тему как ученый, тем больший и глубинный смысл приобретали эти простые слова, о которых говорят все религии мира, — «добро», «любовь» и «зло».

Что такое добро? Что такое любовь? Что такое зло? Мы в состоянии дать только бытовое определение этим понятиям, ссылаясь на примеры из жизни. О добром человеке мы судим по его намерению помочь в беде, по теплым словам, по бескорыстию и по многим другим хорошим качествам. Злого человека мы ассоциируем с завистником, карьеристом, преступником, изменником и тому подобными отрицательными типажами. А любовь мы, наверное, испытывали все и помним, что это чувство душевного взлета, прилива энергии, обожествления другого человека и сладких бессонных ночей.

Если внимательнее присмотреться к понятиям «добро», «любовь» и «зло», то мы заметим, что эти чувственные категории невозможно измерить или проанализировать какими-либо материальными способами; эти категории находятся на подсознательном уровне, и только подспудный интуитивный шепот подсказывает нам решение чувственной головоломки. Но сила этого интуитивного шепота порой столь велика, что мы всецело уходим во власть чувств и полностью подчиняем себя желанию разрешить душевную проблему. Из-за любви, например, рушились целые страны, погибали народы или совершались мировые открытия. Чувство зависти и властолюбия приводило к репрессиям и гибели миллионов людей, и т. д.

Где же истоки невероятной мощи этого интуитивного шепота, направляющего нас в сторону добра, любви или зла? Чтобы постараться ответить на данный вопрос, давайте рассмотрим с этой точки зрения основные моменты мироздания и антропогенеза, изложенные в книге.

Материя, возникшая из Абсолюта, разделилась на два мира — тонкий мир и физический мир. Физический мир постепенно изменялся по пути формирования галактик, звезд, планет и межпланетного газа. Тонкий мир, т. е. мир сверхвысоких частот, тоже изменялся, но иным путем. В тонком мире стали появляться закрученные поля, которые постепенно усложнялись. То есть тонкий мир эволюционировал за счет развития закрученных торсионных полей сверхвысоких частот. Именно эти торсионные поля, как мы считаем, и являются истоками наших основных чувств — добра, любви и зла, интуитивный шепот которых мы ежеминутно слышим.

Появление добра, знаний и зла

Торсионный эффект, т. е. закручивание полей сверхвысоких частот, имел большой эволюционный смысл — внутри закрученных полей сохранялась информация. Эта информация имела также обратное воздействие на торсионные поля, способствуя их усложнению во имя лучшего сохранения информации. Кстати говоря, полевой перенос и сохранение информации не являются чем-то сверхъестественным; стоит вспомнить хотя бы телевидение и радио.

Одни силы, бушующие в тонком мире, приводили к закручиванию полей сверхвысоких частот, другие силы раскручивали их. Те силы, которые закручивали эти поля, были полезными (позитивными), т. е. совершали доброе деяние, поскольку позволяли сохранять информацию. Те силы, которые раскручивали торсионные поля, были вредными (негативными), т. е. совершали злое деяние, поскольку стирали информацию.

Психическая энергия (мышление, чувства, интуиция и проч.) находится, как установили физики, в диапазоне сверхвысоких частот и имеет прямое отношение к тонкому миру. Говоря иными словами, в процессе мышления мы используем энергию тонкого мира, а мозг наш способствует закручиванию торсионных полей души. Поэтому многие физики (например, Г. Шипов, В. Лобанков) проводят прямую аналогию между тонким миром и миром психической энергии, а душами (духом) людей считают сгусток энергии тонкого мира в виде закрученных (торсионных) полей.

Из всего сказанного можно заключить, что процесс закручивания полей в тонком мире, сохраняющий информацию, мы психически ассоциируем с добром, а процесс раскручивания, стирающий информацию, со злом. Мы ощущаем добро и зло, потому что являемся продуктом не только физического, но и тонкого мира. Ощущение добра — это ощущение сохранения информации в торсионных полях нашей души, а ощущение зла — это ощущение разрушения информации в душе.

Таким образом, добро и зло являются фундаментальными категориями тонкого мира, лежащими в основе его развития и эволюции. Если побеждает добро, то в торсионных полях тонкого мира сохраняется информация и возникает знание. Если побеждает зло, то знание разрушается. Знание, в основе которого лежит информация об опыте борьбы добра со злом, способствует победе добра и эволюционному прогрессу. Поэтому можно говорить о единстве добра и знаний, которые можно представить как единую категорию — добро плюс знания.

Первичные, вторичные, третичные... добро и зло

В начальный период эволюции тонкого мира, на мой взгляд, существовали лишь первичное добро и первичное зло. Борьба между ними в тот начальный период шла «не на жизнь, а на смерть»: если побеждало добро, то оно побеждало полностью, если побеждало зло, то оно уничтожало добро. В этой бескомпромиссной борьбе все же побеждало добро, поскольку оно действовало совместно со знаниями. Зло начало исчезать.

Но с исчезновением зла стал тормозиться и прогресс в эволюционном развитии тонкого мира, поскольку знания являлись прежде всего информацией об опыте борьбы добра со злом.

Добро и Зло (рисунок автора)

Зло тоже имело эволюционный процесс, чтобы противодействовать добру, создавшему знания и пользующемуся знаниями для борьбы со злом. Как мне думается, возникло вторичное зло. Если первичное зло представляло собой энергию тонкого мира, раскручивающую торсионные поля и стирающую записанную в них информацию (знания), то вторичное зло представляло собой энергию, закручивающую сверхвысокие частоты тонкого мира в обратную, противоположную от добра, сторону. Такие «злые», или негативные, торсионные поля тоже могли сохранять информацию (знания), являющуюся опытом борьбы зла с добром, которая использовалась для этой борьбы.

В ответ на появление вторичного зла появилось вторичное добро в виде более сложных позитивно закрученных торсионных полей, сохраняющих информацию об опыте борьбы со вторичным злом. Появилось противоборство позитивных и негативных знаний.

В ответ на появление вторичного добра появилось третичное зло в виде еще более сложно закрученных негативных торсионных полей, сохраняющих информацию об опыте борьбы со вторичным добром. В ответ на появление третичного зла появилось третичное добро в виде сложно закрученных позитивных торсионных полей, сохраняющих информацию об опыте борьбы с третичным злом.

Далее появились четвертичные зло и добро, пятеричные зло и добро и т. д. — эволюционный процесс усложнения торсионных полей тонкого мира продолжался как результат борьбы добра и зла. Постепенно возникли сложнейшие (образно говоря, многослойные) торсионные поля тонкого мира, которые содержали в себе огромное количество позитивной и негативной информации одновременно. Противоборствовали уже не только добро и зло, но и позитивные и негативные знания.

Отсюда следует, что зло является неискоренимым атрибутом эволюции, без которого остановятся прогресс и развитие торсионных полей тонкого мира. Почему же тогда мы не говорим о равенстве приоритетов добра и зла? Почему же мы отдаем предпочтение добру и именно с добром связываем прогресс и развитие? Ответ на эти вопросы можно получить, если мы вспомним о первичных добре и зле, которые противоборствовали по принципу бескомпромиссного полного уничтожения одного другим. Борьба между добром злом способствует про-

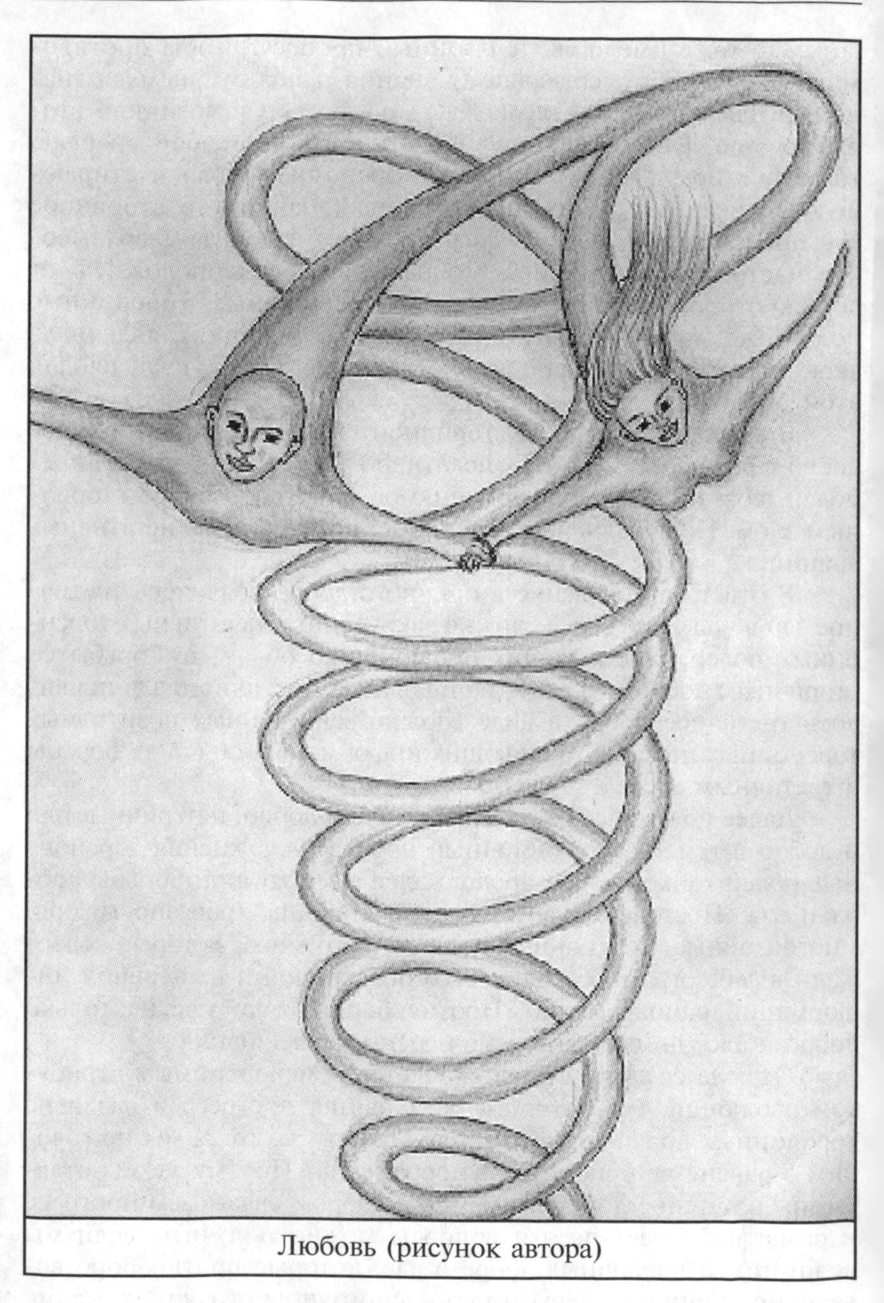

Любовь (рисунок автора)

грессу, если она происходит на каких-либо десятеричных, девятеричных или... третичных уровнях. Но не дай Бог эта борьба достигнет первичного уровня! В случае победы зла на первичном уровне произойдет стирание всей информации с торсионных полей тонкого мира — наступит информационный крах! Эволюционной работе природы все придется начинать сначала! Поэтому силам добра нельзя допускать победы зла на одном, втором, третьем и других уровнях, потому что зло может достигнуть первичного уровня и победить на этом уровне тоже. Поэтому нельзя мириться со злом, а надо помнить, что равнодушие ко злу — это страшно.

Что такое любовь?

Однако в эволюционной борьбе добра и зла, в обоих случаях облаченных в знания, присутствует один момент, который способствует перетягиванию чаши весов в сторону добра. Название этому моменту — любовь.

Что такое любовь с точки зрения высказанной гипотезы о торсионных полях тонкого мира? Любовь, на мой взгляд, это ускорение и усиление позитивного закручивания полей тонкого мира под воздействием других позитивных торсионных полей. Говоря образно, два положительных, или «добрых», торсионных поля при взаимном контакте способны усиливать степень закручивания торсионных полей друг друга, в связи с чем улучшается противодействие негативно закрученным торсионным полям, лучше сохраняется информация (знания) и появляется возможность восприятия новых знаний.

Негативные, или «злые», торсионные поля не способны при контакте друг с другом взаимно усиливать степень закручивания. Поэтому зло не имеет любви. Зло имеет только самолюбие, поскольку вторичный, третичный и другие уровни негативно закрученных торсионных полей в пределах одного комплекса торсионных полей (одной души) способны усиливать друг друга.

Любовь же действует прежде всего на первичном, главном, уровне торсионных полей, охраняя этот первичный главный уровень от проникновения туда зла, которое способно стереть всю информацию и разрушить душу. При паритете знаний, которыми обладают добро и зло, любовь способна спасти душу. Именно за счет любви добро в конечном итоге всегда побеждает. Именно любовь является гарантом сохранения и получения знаний в закрученных полях тонкого мира, являясь одной из основ волновой формы жизни.

Как устроен Тот Свет?

По ходу этой книги, основываясь на данных современной физики и религиозных писаниях, мы пришли к выводу, что Тот Свет — это волновая космическая форма жизни в тонком мире. В этой главе, анализируя понятия «добро», «любовь», «знания» и «зло» с точки зрения физики тонкого мира, мы предположили, что эти понятия лежат в основе функционирования Того Света.

Волновая космическая форма жизни! Трудно представить, что она может существовать. Что такое жизнь? Жизнь — это, прежде всего, способность материального субстрата сохранять и передавать (наследовать) информацию, а также самосовершенствоваться, т. е. идти по пути прогресса. Если в основе земной жизни лежат сохранение и наследование информации через генный аппарат, то в основе волновой космической формы жизни лежат сохранение и передача информации в торсионных полях тонкого мира, а прогресс волновой жизненной формы осуществляется за счет единства и борьбы добра (позитивной психической энергии) и зла (негативной психической энергии).

Появление (вслед за первичным добром и злом) вторичных, третичных, четвертичных и так далее (сотни, тысячи и более) добра и зла, а также взаимное усиление закручивания «добрых» торсионных полей при контакте друг с другом (любовь) привели к формированию на Том Свете сложнейших полевых структур, способных не только сохранять и передавать информацию (знания), но и прогрессивно самосовершенствоваться. Эти сложнейшие сгустки энергии тонкого мира (психической энергии), которые образно можно представить в виде многослойных закрученных (торсионных) полей, и есть души. Главная часть души, сохраняющая главную информацию, есть дух. Дух, как известно из религии, бессмертен. То есть главная информация (главное знание), эволюционно созданная и хранящаяся в торсионных полях тонкого мира, — бессмертна. Торсионные поля души (эфирное тело и др.) могут исчезнуть, т. е. записанная в них информация может стереться. Но главные торсионные поля души, т. е. дух, в котором записана главная информация, остаются вечно.

В религии есть понятия доброго и злого духа. Видимо, это на самом деле так — один дух содержит главную информацию, заключенную преимущественно в позитивных («добрых») торсионных полях, другой — преимущественно в негативных («злых») торсионных полях. Эволюционный процесс на Том Свете заложен как борьба добра со злом и наоборот, поэтому каждый дух имеет доброе и злое начала, но в одном случае превалирует добро, в другом — зло. Тем не менее добрый дух имеет больше шансов самосовершенствоваться, т. к. способен усилить закручивание своих позитивных торсионных полей за счет воздействия другого позитивного торсионного поля (любовь). Поэтому религия постоянно пропагандирует Любовь как основу прогресса и жизни.

Роль любви как усилителя добрых помыслов при контакте душ (духов) состояла, по-видимому, и в том, что в процессе эволюции Того Света духи начали контактировать друг с другом и постепенно объединились во Всеобщее информационное пространство. Появление общности духов, связанных между собой по типу компьютерной сети, привело к выгравировыванию информации общего для всех духов характера. Значение информации общего характера по мере усложнения каждого духа в процессе эволюции становилось все больше и больше, поскольку прогресс, заложенный как борьба добра и зла, должен был не только саморегулироваться в пределах каждого отдельного духа, но и подвергаться общей корректировке в пределах всего Всеобщего информационного пространства. Общие функции стали передаваться группе наиболее развитых духов, у которых постепенно появились общие торсионные поля с записанной в них информацией общего характера. Руководящие функции всем Информационным пространством со всем многообразием объединенных в нем духов приводили к ускоренному развитию и усложнению этих общих торсионных полей. В них начала скапливаться огромная по масштабу информация, которая использовалась для управления всей волновой жизнью на Том Свете. Этот мощнейший по информационной емкости и мыслительным способностям сгусток энергии тонкого мира, который можно представить в виде супермногослойных торсионных полей, мы, я думаю, называем Богом.

Бог есть центр управления волновой космической формой жизни, или Тем Светом. Бог, по сути дела, и есть Космический Разум.

В религиозной литературе можно нередко встретить упоминания о Великом духе зла, который противоборствует Богу и управляет всеми злыми деяниями. В связи с этим можно думать, что существуют два центра управления волновой космической формой жизни — позитивный центр управления (Бог) и негативный центр управления (Великий дух зла). Так ли это?

Мне трудно судить об этом, потому что мой разум ничтожно слаб в сравнении с Космическим Разумом. Тем не менее, мне думается, что нет двух Богов — доброго и злого, а есть один — единый Бог. Из логических размышлений, изложенных выше, явствует, что борьба добра и зла является основой эволюционного прогресса на Том Свете, что каждый дух включает в себя как «добрые», так и «злые» элементы, чтобы был постоянный стимул к самосовершенствованию. Также, на мой взгляд, Бог, как центральный супермощный Дух, включает в себя и позитивные (добро) и негативные (зло) элементы психической энергии. Бог не может быть только добрым, поскольку управление жизнью требует как добродетели, так и наказания, а борьба со злом и любовь являются основой прогресса в вечной космической форме жизни.

Божественную добродетель мы должны воспринимать как высочайшую похвалу за борьбу со злом, а божественное «злое» деяние как наказание за отказ борьбы со злом и совершение уничтожающе-злого деяния. Но Бог никогда не откажется от необходимости присутствия элементов зла, поскольку только в борьбе со злом добывается знание — основа мироздания. Поэтому в досужую фразу «Бог един» вкладывается, наверное, не только смысл единства для всех видов религий, но и смысл единства добрых и наказующих деяний.

Бог имеет колоссальный потенциал любви, потому что был создан как результат любви (т. е. взаимных контактов духов, усиливающих доброе начало и сохранение знания). И добродетель и наказание, исходящие от Бога, в любом случае будут свидетельством истинной великой любви. Бог — это, прежде всего, доброе начало, т. к. является результатом победы добра и любви над злом.

Не надо забывать, что знания — это прежде всего опыт борьбы добра со злом. А сохранение знания и получение нового знания есть основа жизни, поскольку именно этим живая материя отличается от мертвой.

По логике, Бог тоже должен иметь противодействующее начало, чтобы развиваться. Противоречие есть в нем самом — это добро и зло. Может быть, есть и внешние противоречия в виде других «богов» в других пространственных измерениях или мирах. Но это та область, куда слабый человеческий разум не имеет возможности проникнуть.

Итак, Тот Свет имеет, по нашему уразумению, следующие основные принципы функционирования:

— возникнув как единство и борьба позитивной и негативной психических энергий, Тот Свет эволюционно развивается за счет сохранения информации (знания) об опыте борьбы добра (позитивной энергии) и зла (негативной энергии) в торсионных полях тонкого мира. Получение новой информации (знания) дает перевес в борьбе добра и зла;

— при полной победе зла сотрется вся информация (знания) и наступит информационная смерть. Поэтому в вечной эволюционной борьбе добра и зла преимущество имеет добро. Это преимущество реализуется через любовь — способность позитивных («добрых») торсионных полей усиливать степень своего закручивания (и соответственно, противоборствовать негативным торсионным полям) при контакте друг с другом;

— любовь способствует объединению сгустков психической энергии, сохраняющих главную информацию (духов), в единую систему (Всеобщее информационное пространство) и выделению центра управления информационным пространством в виде супермощного духа (Бога). Любовь создала Бога.

Тот Свет и земная жизнь

Развиваясь в соответствии с этими принципами, Тот Свет достиг высочайшего эволюционного уровня волновой космической формы жизни, и появился позыв освоить другие виды материи, в частности, физический мир.

Я абсолютно убежден, что физическая жизнь на земле была создана путем уплотнения духа. Все теории возникновения жизни на земле путем самозарождения сложных молекул и концентрации их в живые организмы не выдерживают критики как с точки зрения религиозных познаний, так и с точки зрения современных представлений физики и химии. Главное, чего не могут объяснить эти теории, — это самовозникновение генетического аппарата, невероятная сложность которого не поддается пока даже частичному научному пониманию. И в самом деле, трудно реально осознать, как группа молекул ДНК всего лишь одной клетки может содержать и наследовать информацию о жизни всего человеческого организма, включая каждую его клетку и молекулу. Но еще труднее осознать, как самосформировалась такая удивительная информационная емкость молекул ДНК.

Если исходить из гипотезы о создании жизни на земле путем уплотнения духа, то объяснение сказанному найти значительно легче. Эволюционный процесс на Том Свете, шедший за счет единства и борьбы добра и зла и накопления информации в торсионных полях тонкого мира, привел к формированию сложнейших и высочайше организованных структур тонкого мира — духов. Центральным супермощным духом — Богом — был найден способ пространственных изменений и уплотнения духов со вхождением в материю физического мира.

Мы еще плохо понимаем организацию тонкого мира и только предполагаем о сущности его материального субстрата. Но в восточных религиях хорошо известен факт материализации мысли, т. е. переход материи тонкого мира в физическую субстанцию. В связи с этим мне думается, генетический аппарат земных организмов был создан путем физической материализации тонкой субстанции духов.

Говоря иными словами, земной генетический аппарат есть физический слепок тонкой структуры духа. Но, на мой взгляд, земной генетический аппарат значительно более примитивен, чем дух, и представляет собой лишь частичный его слепок, — мыслительные и многие другие способности остаются опять-таки за духом, незримо присутствующим в каждом человеке. Тот Свет путем уплотнения и материализации духа создал хорошую самовоспроизводящуюся «машину» — человеческий организм, с помощью которого человек (дух) живет в физическом мире, а также создал окружающий мир — растения, животных и т. п.

Гипотеза о возникновении жизни на земле путем материализации элементов волновой космической жизни (духов) может казаться принципиально новой, а может считаться и одним из вариантов религиозного представления об уплотнении духа. Но суть не в этом. Главное, что эта гипотеза позволяет объяснить многие непонятные факты и по-новому взглянуть на историю человечества на земле.

Эволюционный процесс материализации духа шел на земле очень постепенно в течение многих миллионов лет. Люди первой расы (ангелоподобные люди) представляли собой больше дух, чем физическую материю, но в них уже был сформирован первичный генный аппарат, позволяющий путем почкования и деления наследовать пока еще очень рыхлое физическое тело. Люди первой расы не были отделены от Того Света, жили по законам и принципам волновой космической жизни, но уже имели земную физическую оболочку. Они себя больше чувствовали представителями Того Света, чем землянами. Понятия «добро», «любовь» и «зло» были для них значительно важнее, чем материальные проблемы на земле.

Люди второй расы (призракоподобные люди) жили, в основном, так же, как и люди первой расы, хотя их земная оболочка стала плотнее, а генетический механизм наследования физического тела совершеннее.

Люди третьей расы (лемурийцы) имели уже достаточно плотное и совершенное физическое тело, в раннем периоде представленное огромным четырехруким и двуликим существом, а в позднем периоде — двуруким и одноликим гигантом. Дух, вселившийся в тело лемурийца, полностью сохранял связь с Тем Светом. Принцип «SoHm» не действовал. Лемуриец больше жил по законам и принципам значительно более высокоорганизованного Того Света, но активная деятельность в физическом мире также делала его неравнодушным к земным заботам.

Люди четвертой расы (атланты) также сохраняли связь своего духа с Тем Светом, но земные материальные заботы стали для них уже ближе. Понятия добра, любви и другие категории Того Света постепенно отступали, начали превалировать интересы физического тела (поесть, попить и проч.).

Людей пятой расы (нас, арийцев) можно назвать рабами физического тела. Дух, отрезанный от Того Света принципом «SoHm», стал выполнять не функции связи и единства с Тем Светом, а функции обслуживания существования физического тела. Основные категории Того Света — добро, любовь и зло — стали напоминать о себе всего лишь в виде интуитивного шепота.

Древние говорили, что человек есть микрокосм макрокосма. И это, скорее всего, верно.

Итак, материализация тонкой материи духа привела к созданию на земле самозарождающихся физических тел человека и окружающего живого мира. Но физическая жизнь человека на земле невозможна без участия Того Света; в каждом человеке есть дух, который живет на земле в «красивой машине» — человеческом теле. Мы, земные люди, — продукт освоения земли, продукт приспособления волновой космической жизни к физическим условиям земли. Поэтому земной человек — это дух плюс физическое тело.

Можно думать по аналогии, что волновая космическая жизнь (Тот Свет) создала также путем материализации физическую жизнь на других планетах Вселенной. Какова она, инопланетная жизнь? Наверное, для материализации духа использовались иные химические элементы и молекулы, характерные для каждой конкретной планеты. Наверное, условия планеты (состав атмосферы, температура, сила тяжести и т. п.) наложили свой отпечаток на размеры физического тела и строение органов инопланетянина. Но по принципиальным позициям инопланетянин должен быть похож, в основном, на землянина, поскольку тоже является продуктом материализации духа и единой созидательной работы Того Света. Инопланетянин, на мой взгляд, может ощущать добро, любовь и зло, так как это единые категории для всей волновой космической жизни и Космического Разума. Инопланетянин тоже, по моему мнению, построен по принципу — дух плюс физическое тело. Поэтому тогда, когда земляне освоят телепатический язык (передача мысли), они смогут общаться со своими братьями с других планет по типу общения духов между собой, заложенному в основополагающем Том Свете.

Многие Посвященные пишут, что когда-то земляне лидировали среди всех видов физической жизни на разных планетах, поскольку добились наибольшего прогресса. Этот период лидерства приходится на период жизни лемурийцев.

Лемурийский феномен

Лемурийская цивилизация достигла невероятно высокого уровня развития: лемурийцы владели энергией тонкого мира, на своих бесшумных летательных аппаратах посещали другие планеты, общались методом передачи мысли и т. д. Знания Того Света были открыты для них, в то же время добываемые ими знания при жизни на земле пополняли запас знаний Того Света. Именно лемурийская цивилизация смогла снабдить информационный запас Того Света наиболее ценными знаниями о жизни на земле и до сих пор является эталоном земных достижений. Последующие цивилизации (атланты и мы, арийцы) не смогли достигнуть даже малой доли уровня лемурийцев.

В чем была причина столь огромного жизненного успеха лемурийцев? Лемурийцы при жизни на земле чувствовали себя детьми Того Света и пользовались, прежде всего, законами и принципами Того Света. Они понимали, что сила и роль психической энергии несравнимо выше физической энергии, а человеческое тело вместе с душой, являясь высшим творением на земле, способны творить чудеса. Поэтому весь свой прогрессивный запал они направили по пути самосовершенствования человека и овладения энергией, заложенной в нем самом.

Ощущать себя детищем или творением Того Света очень важно, поскольку именно это ощущение определяет выбор пути прогрессивного развития. Дитя Того Света будет учиться у своего прародителя (Бога) и не будет совершать величайший грех — считать себя Богом. Дитя Того Света не будет думать о самосборке молекул в генный аппарат, происхождении человека от обезьяны и не будет ощущать себя хозяином природы. Дитя Того Света будет понимать, что человек — это микрокосм макрокосма.

Наша цивилизация пока не умеет пользоваться космической энергией. А эта энергия колоссальна. Некоторые современные физики, например, считают, что 1 $м^3$ Абсолюта имеет энергетический потенциал, равный мощности 40 триллионов ядерных бомб. Поэтому нет необходимости пользоваться земными источниками энергии (нефть, уголь и др.), а надо овладеть космической энергией. А овладеть ею может только человек, потому что именно он — микрокосм макрокосма.

Лемурийцы, овладевшие космической энергией, пользовались для этого подходами, заложенными на Том Свете. В основе этих подходов (как бы странно сейчас это ни звучало) лежали простые понятия «добро» и «любовь». Лемурийцы четко понимали, что в торсионных полях тонкого мира присутствует колоссальная энергия, а добро и зло, являющиеся главными атрибутами торсионных полей, обладают такой же колоссальной силой. Человек, как микрокосм макрокосма, способен через добро или зло реализовать энергию торсионных полей тонкого мира. При этом лемурийцы осознавали, что использовать зло (негативные торсионные поля) для получения энергии рискованно, потому что можно получить взрывоподобный информационно-коллапсирующий эффект. Поэтому для этой цели они пользовались добром. Также они использовали любовь, чтобы усилить полученный энергетический эффект от позитивных («добрых») торсионных полей за счет контакта с другими позитивными торсионными полями.

Лемурийцы полностью реализовали себя в отношении того, что человек есть микрокосм макрокосма. Они реализовали себя в отношении того, что человек есть самое мощное энергетическое создание на земле, способное через добро и любовь овладеть энергией тонкого мира. Добро и любовь для лемурийцев были не абстрактными интуитивными чувствами, а являлись мощной системой жизнеобеспечения и энергообеспечения человечества.

Для нас — арийцев — понятия добра и любви остались в виде приятных чувственных восприятий. Мы, заблокированные принципом «SoHm» и погруженные в физическую материю, даже не подозреваем, какой мощью обладают эти на первый взгляд простые слова. Для лемурийцев эти слова не были простыми, они лежали в основе их жизни и были, образно говоря, невероятно энергоемкими.

Почему же Тот Свет, живущий в тонком мире, отдает свою энергию на Землю для исполнения земных нужд? Во-первых, земная жизнь есть производное (дитя) Того Света. Во-вторых, энергия из Того Света на землю переходит для исполнения какой-либо доброй мысли, а реализация мысли пополняет информационное пространство Того Света.

Основным энергетическим феноменом лемурийцев, я думаю, были мантры — заклинания, описанные во многих религиозных источниках. Лемурийцы заклинали свои летательные аппараты, тем самым, образно говоря, заряжая «аккумуляторы» этих аппаратов энергией тонкого мира. Подобным же путем они обеспечивали энергией работу многих других земных аппаратов, используя себя в качестве наиболее мощной энергетической машины.

Лемурийцы понимали, что энергия тонкого мира может противодействовать гравитации. На этом были основаны их строительные технологии, когда огромные каменные блоки переносились взглядом. С помощью торсионного генератора, помещающегося в ладошке, можно было жонглировать огромным камнем в воздухе.

Используя принцип «человек есть микрокосм макрокосма», лемурийцы совершенствовали себя. Они, используя антигравитационный эффект энергии тонкого мира, добились феномена левитации — подъема человеческого тела над землей. Используя пока даже гипотетически непонятный для нас принцип, они могли мгновенно перемещаться в пространстве и менять место своей локализации на земле. Свое тело они лечили внутренней энергией.

Но самым главным достижением лемурийцев был феномен дематериализации — материализации. Они, принимая во внимание создание физического человеческого тела путем материализации духа, постарались воссоздать этот процесс в обратном порядке — дематериализоваться. Суть этого процесса можно выразить как «информационный перенос», т. е. вся колоссальная информация о строении человеческого тела, включая каждую молекулу, записывалась на торсионных полях духа. Надо думать, что усилиями высокоразвитого лемурийского духа были созданы дополнительные свободные оболочки торсионных полей души, что на них могла записываться информация о физическом теле.

Дух с записанной информацией о физическом теле перемещался куда надо (уходил под землю, перемещался в пространстве и т. п.) и далее, на основе этой записанной информации, происходила сборка человеческого тела — материализация. Сборка происходила, мне кажется, из атомов и простых молекул (вода и т. п.), что позволяло материализовать физическое тело, по сути дела, в любых условиях.

Итак, можно говорить о двух типах материализации:

— эволюционная материализация;

— информационный перенос.

Если эволюционная материализация шла многие миллионы лет, то материализация при информационном переносе осуществляется чуть ли не мгновенно. Можно думать, что в процессе эволюционного создания земной жизни духи Того Света в лемурийский период стали столь совершенны, их информационная емкость стала столь велика и воздействие на физическую материю стало столь значительно, что им стал подвластен феномен «дематериализации—материализации» по типу информационного переноса.

Феномен «дематериализации—материализации» лемурийцы смогли распространить не только на свое физическое тело, но и на аппараты. Это позволяло, например, их летательным аппаратам мгновенно исчезать и появляться.

На основании феномена «дематериализации — материализации» в конце своей цивилизации лемурийцы создали Шамбалу и Агарти. Они, понимая, что наступает глобальный космический катаклизм, за счет этого феномена ушли под землю и организовали подземную техногенную цивилизацию лемурийцев.

Часть лемурийцев и особенно лемурийцы Шамбалы достигли очень длинной продолжительности жизни и даже бессмертия. Это им стало удаваться за счет стимуляции внутренней энергией регенерации клеток организма, включая нервные клетки. Шло постоянное обновление физического тела.

Подводя итог, можно сказать, что в основе лемурийского чуда лежит осознание важности категорий добра, любви и зла как основных движущих сил Того Света и определение человеческой сущности как «микрокосм макрокосма». С самого начала поняв необходимость постоянного прогресса, поскольку дух человека заложен как саморазвивающееся начало в борьбе добра и зла, лемурийцы отгородились от зла как от стимулирующего прогресс духовного элемента. Понимания того, что праздность — это зло, а упорная работа во имя жизненного прогресса есть первейший долг человека, хватило, чтобы лемурийская цивилизация без перепадов и катаклизмов развилась до высочайшего уровня. Лемурийцы не допускали слепой борьбы добра и зла. Им удалось поставить на службу себе колоссальную мощь добра и любви; торсионные эффекты добра и любви растрачивались не на слепую борьбу со злом, а полноценно использовались для совершенствования человека и всей жизни на земле.

Как важно понять необходимость постоянного прогресса! Как важно не допустить того, чтобы силы добра и любви слепо растрачивались на борьбу с тупым злом! Какое страшное слово — праздность!

Лемурийцы все это поняли с самого начала и достигли такого уровня духовного развития, что могли даже вести диалог с Богом. Поэтому они были поистине божественным творением на земле.

Что с ними случилось? Почему их цивилизация (кроме Шамбалы и Агарти) погибла? Это покрыто мраком. Может быть, и в их ряды затесалась гибельная праздность.

Добро, любовь и сомати

Как достигнуть состояния глубокого сомати? Я уже писал, что все ламы считают, что для этого надо сконцентрироваться (медитировать) на любви к человечеству вообще. Когда я слышал это от лам, я не понимал глубинного смысла, и только интуитивный шепот чего-то очень важного подстегивал мои мысли.

Сейчас я почти понимаю основной принцип достижения феномена сомати. Да и читатель, читая книгу, наверное, тоже почти понимает. Любовь есть стимулятор добра. Любовь, прежде всего сильная любовь, за счет усиления закручивания позитивных (добрых) торсионных полей конкурентно изгоняет негативную (злую) психическую энергию. Любовь должна быть столь сильна, чтобы полностью освободить душу от негативной (злой) психической энергии.

Душа человека, свободная от злой психической энергии, называется чистой душой. Именно чистая душа способна творить чудеса. В чистой душе позитивная (добрая) психическая энергия не растрачивается на слепую борьбу со злом и может быть всецело направлена на выполнение какой-либо задачи. Например, задачи законсервировать физическое тело человека на тысячи и миллионы лет, т. е. достижения сомати.

При сомати, я думаю, торсионные поля души, чрезвычайно напрягаясь, переводят каждую молекулу воды тела человека в четвертое (неизвестное!) состояние, которое останавливает все обменные процессы и делает тело твердым. Вода, мне кажется, является атрибутом и материальным субстратом именно позитивной (доброй) психической энергии. Поэтому наличие негативных (злых) элементов в душе не позволяет добиться полноценного сомати. Только чистая душа способна создать феномен сомати.

Из всего этого можно заключить, что Генофонд человечества, созданный на земле еще во времена лемурийцев с чистыми душами, хранящийся в подземельях и пополняемый лучшими людьми других цивилизаций, является результатом великой победы добра и любви.

Адепты — наше будущее

Говорят, как я уже писал, что в недрах нашей арийской, погруженной в материю цивилизации где-то в Непале и в Индии встречаются необычные, как бы отрешенные от мира сего и очень просто одетые люди, которые утверждают, что их возраст 300, 500, 1000 и более лет. Это адепты.

Конечно же, им верить трудно. Уж очень неправдоподобно это звучит. Но именно эти люди есть наше будущее. Именно им, адептам, удалось поставить добро и любовь на службу своему здоровью и увеличению продолжительности жизни. Любя Бога и медитируя в этом направлении, адепты с помощью любви усиливают позитивную (добрую) энергию души и частично избавляются от негативной (злой) психической энергии, т. е. они очищают свою душу.

Мне кажется, что патологические раковые клетки являются одним из материальных субстратов негативной (злой) психической энергии, а растущие (регенерирующие) клетки — материальным субстратом позитивной (доброй) психической энергии.

В организме человека идет постоянная борьба нормально растущих и раковых клеток, так же как борьба добра и зла. Поэтому с помощью любви, стимулирующей доброе начало в душе, можно добиться постоянного уничтожения раковых клеток в организме, а также стимулировать обновление клеток тела и увеличить продолжительность жизни.

Как научиться любить с лечебной целью? Любить себя бессмысленно, т. к. самолюбие — отрицательное качество. Надо научиться любить жизнь, любить Бога — Творца земной жизни. Если эта любовь сильна и бескорыстна, то лечебный эффект наступит сам по себе. Но научиться так любить очень трудно: надо отречься от земных проблем и полностью посвятить себя молитвам во имя любви к жизни и Богу.

Необходимость отречения от обычной созидательной жизни и приводит к тому, что современные адепты-арийцы выглядят весьма просто и кажутся нам необычными.

Человечество уже прошло «физический подвал» (самую глубокую материальную точку) монетарного космического цикла и пошло по восходящей в сторону духовного развития. В связи с этим современные адепты когда-нибудь превратятся в жизненно-активных, красивых лидеров человеческого общества и будут вести это общество к духовному расцвету.

Добро, любовь и мы

Будучи уроженцем коммунистической страны, я всю свою жизнь был отделен от религии. Мои предки — религиозные деятели — были подвергнуты жесточайшим ленинским репрессиям. Изучая в студенческие годы какой-нибудь «материализм и эмпириокритицизм» и сдавая экзамены по атеизму, я всегда удивлялся бешеной ярости, с какой громились религиозные постулаты.

«Зачем это надо, — наивно думал я, — ведь религия призывает к хорошему — добру, любви и вере в Бога».

Тогда я не понимал, что добро и любовь, и прежде всего любовь к Богу, стоят поперек горла коммунистов, потому что глубинным смыслом их деяний являлось создание своего «бога» (Ленина, Сталина и др.). Они хотели заставить любить нового «бога», хотя это идет вразрез со всей природой человека вообще.

Позже, слушая и читая религиозные писания, я удивлялся бесконечному и даже назойливому акцентированию человеческого внимания на проблемах добра и любви. Из книг великого Сатьи Саи Бабы, прилюдно творящего чудеса, я вынес основную мысль его мощного мышления — любовь.

«Зачем так много говорить о любви и добре?» — наивно думал я.

Я еще не понимал, что за этими бытовыми словами кроется огромная и мощная энергия, способная вскоре изменить и улучшить нашу жизнь.

И только тогда, когда я, пользуясь научно-логическим подходом, закончил философский анализ полученных результатов гималайской экспедиции, я начал наконец-то осознавать глубинный смысл и религии, и речей Саи Бабы, и многого другого, где идут рассуждения о добре и любви. А этот глубинный смысл состоит в том, что добро и любовь — это главное созидательное начало в жизни человека.

Я обычный представитель погруженной в материю расы арийцев. Мой мозг и мое мышление ничтожно слабы в сравнении с мыслительной мощью лемурийцев и тем более Космического Разума. Но даже мой ничтожно слабый ум позволил при логическом анализе разрозненных фактов прийти к удивительному для обывателя выводу: добро и любовь есть основные базовые категории жизни человека, определяющие прогресс.

Раньше я не придавал значения таким выражениям, как «очистить душу», «покаяться в грехах» или «не брать грех на душу». Они мне казались скучными и непонятными. Но, читая Николая Рериха, я опять встретился с понятием «чистая душа». Рерих писал, что загадочную Шамбалу населяют люди с чистой душой.

«Что такое чистая душа? Почему все религии говорят о важности очищения души?» — думал я тогда.

Я даже спросил об этом знакомого попа. Поп в ответ прочитал мне проповедь, из которой я, как ученый, ровным счетом ничего не понял. Конечно же, периферийный поп, заучивший назубок ряд проповедей и молитв, не мог объяснить мне основной смысл понятия «чистая душа». Но Рерих, являвшийся и являющийся моим кумиром, тоже постоянно акцентировал свое внимание на этом. Почему?

Теперь, мне кажется, я уже смогу, пусть примитивно, но ответить на этот вопрос. Чистая душа — это качественно иное состояние души и духа человека, когда позитивная энергия торсионных полей (добро и любовь) не тратится на борьбу с негативной психической энергией (злом), а всецело направляется на созидательный процесс. В чистой душе нет зла, в борьбе с которым обычно зарождаются знание и прогресс. Отсутствие стимулирующего влияния зла в чистой душе заменяется глубоким осознанием необходимости постоянного прогресса. Главный враг чистой души — праздность.

Раньше я никогда не задумывался над праздностью. Мне никогда не были симпатичны праздные люди, которые бесцельно прожигали жизнь. Но праздность — это страшный антипод чистой души, это губитель чистой души. Какие бы хорошие помыслы ни имел праздный человек, он со своей праздностью идет поперек естества человека, который создан как постоянно саморазвивающееся начало. Из-за праздности гибли великие империи, из-за праздности рушились династии и судьбы.

Поэтому достигнуть чистоты души, как рассказывали свами и ламы, можно только путем колоссальной работы над самим собой, путем самореализации и даже самопожертвования, но... обязательно ради достижения какой-либо общечеловеческой цели, а не просто ради собственного самоутверждения. Ламы подсказывают путь достижения состояния «чистой души» — сострадание к людям и любовь к человечеству. На первый взгляд, эти слова звучат слишком абстрактно, однако в них заложен основной смысл достижения «чистой души» — надо научиться сострадать и любить людей вообще, а не кого-то в отдельности и, не дай Бог, не любить только самого себя и сострадать только самому себе. Цель, ради которой человек идет на самопожертвование и самореализацию, должна быть обязательно общечеловеческого масштаба. Добиться всего этого трудно, чрезвычайно трудно.

В современном обществе нет людей с чистой душой. Ближе всего к человеку с чистой душой стоят, на мой взгляд, ученые. Ученый (я имею в виду настоящего ученого), например в медицине, обрекает себя на многочисленные лишения (бессонные ночи, маленькая зарплата и т. п.) в процессе изобретательства, реализации идеи и пробивания через научный консерватизм, прежде всего, ради сострадания и любви к больным людям вообще. Национальность больного, научный престиж и деньги играют для настоящего ученого весьма второстепенное значение. Удовлетворение ему приносит то, что его огромная работа, лишения и борьба с консерватизмом принесли плоды в виде помощи тысячам и миллионам больных людей. Поэтому хочется сказать: «Берегите и любите настоящих ученых! Они реализуют себя и жертвуют собой ради вас, людей!»

Позитивная психическая энергия добра и любви в чистой душе, освобожденная от необходимости бороться со злом, может творить чудеса. Одним из таких чудес является сомати; вспомните рассказы лам о том, что достигнуть состояния сомати можно путем любви и сострадания к человечеству, а цель сомати — стать представителем Генофонда человечества, чтобы когда-нибудь стать пророком или прародителем новой человеческой цивилизации. Другим из таких чудес является феномен «дематериализации—материализации». Третьим — увеличение продолжительности жизни и даже бессмертие.

Знания древних и религия указывают на главный путь прогресса человечества — очищение души и достижение состояния чистой души. В этом случае позитивная энергия тонкого мира будет управляема человеком, ему откроются знания Того Света, и человек будет чувствовать свой огромный энергетический потенциал, потому что он — микрокосм макрокосма. Такое уже на земле было — это были лемурийцы. А для очищения своей души нужно научиться быть добрым и любить, нужно не бояться сострадать и работать ради достижения высокой цели вплоть до самоистязания. Не надо беречь себя, ведь человек изначально создан как саморазвивающееся начало. Подтверждением этого являются многочисленные примеры великих ученых, которые, не жалея себя, работали ради достижения научной цели и до глубокой старости сохранили свежесть ума и молодость. Они смогли в той или иной степени очистить свою душу. Самое страшное — достигнув чего-то, пожинать плоды этого, ударившись в праздность.

Читатель тем не менее может мне на это возразить: человечеству известны и злые гении. Можно вспомнить Наполеона, Ленина, Гитлера и других. Ведь эти люди смогли воплотить свои идеи и теории в жизнь, перевернув весь мир и сея вокруг себя разрушение и смерть.

«Неужели эти злые гении не могли понять бессмысленность разрушений и войн? Ведь они — гении?» — по-детски наивно думал я.

Тогда я, конечно же, не знал, что в родоначальном для нас тонком мире (Том Свете) существует паритет позитивной (добра) и негативной (зла) психических энергий, а информация (знание) рождается в борьбе добра и зла. Зло тоже способно на своих торсионных оболочках сохранять информацию о борьбе с добром и творить злое знание. Из-за существующего паритета далеко не всегда может победить доброе знание, иногда побеждает и злое знание, которое воплощают в жизнь эти самые злые гении. Но победа зла — это ложная победа, поскольку при полной победе зла на уровне первичных добра и зла происходит, как мы уже говорим, стирание информации со всех торсионных оболочек, т. е. информационный крах. В подтверждение сказанному вспомните финал деяний любого злого гения — все они потерпели крах. Наполеон проиграл войну и бесславно умер. Гитлер, разрушив Европу, покончил жизнь самоубийством. Уродливое ленинское деяние — коммунистическое общество — бесславно закончило свое существование.

Если бы злые гении, вооруженные злым знанием, хоть немножко разбирались в вопросах мироздания и антропогенеза, то они бы поняли, что окончательная историческая победа бывает только у добра. Тогда бы они возможно, обратили свой гений в сторону созидательного добра.

В каких случаях может побеждать зло? Мне думается, что зло может победить добро только в случае отсутствия или недостатка любви как стимулятора добрых деяний. В обществе, где процветает любовь (к женщине, ближнему, к народу и т. д.), злой гений никогда не найдет поддержки.

А как отличить злую идею от доброй? Что является мерилом добра или зла? Эти вопросы, наверное, волнуют любого человека. Я тоже не раз задумывался над этими вопросами и, неожиданно для самого себя, ощутил, что ответ дан в гениальном фантастическом фильме Тарковского «Сталкер».

Идея этого фильма, если вы помните, состоит в том, что какие-то пришельцы из космоса устроили на земле зону, в которой погибали все попавшие туда люди. Зона усиливала самое главное чувство человека. Этим чувством оказалась совесть! Люди погибали оттого, что совесть их не была чистой.

Так вот, мне кажется, что мерилом добра и зла является совесть. Что такое совесть? Совесть, по моему мнению, есть ощущение появления в душе негативной психической энергии, которая приведет к злым деяниям. Говоря научным языком, совесть — это ощущение раскручивания торсионных полей твоей души в негативную (злую) сторону. Запятнанная совесть — это следовая информация, записанная в торсионных полях души, о том, что в тот или иной момент по тому или иному поводу произошло раскручивание торсионных полей души в негативную (злую) сторону. Эта следовая информация в каждом подобном случае напоминает о себе, как бы говоря, что так поступать нельзя. Эта информация мучительна и неприятна. Лучше такую информацию не иметь, т. е. не идти поперек совести.

Поэтому в жизни надо внимательно прислушиваться к своей совести. Это глубинное чувство всегда скажет правду. А если хоть раз пойти поперек совести, то грязное и большое пятно останется в душе навсегда.

Я очень рад, что остался жить в России, а не уехал в Америку, где предлагались большие деньги и прекрасные условия для науки. Не уехал я только из-за совести, потому что мои друзья — коллеги (Амир Салихов, Сагит Муслимов, Ришат Булатов, Клара Захваткина, Рафик Нигматуллин, Натан Сельский, Валя Яковлева, Венера Галимова, Ляля Мусина, Неля Нигматуллина, Слава Малоярославцев, Юра Васильев и многие другие) в самые трудные времена, когда я потерял все за «еретические научные мысли», пошли за мной на лишения только из-за своей совести.

В студенческие годы на уроках по атеизму, как я помню, постоянно критиковалось понятие «тот свет». Говорилось о том, что люди склонны к фантазиям и придумывают сказки, чтобы как-то облегчить свое состояние при эксплуатации трудящихся богатыми мира сего.

«Почему же в тот свет верят не только эксплуатируемые, но и эксплуатирующие? Почему все религии мира говорят хором о «том свете»? Почему все нации и народности как один имеют на своих языках понятия «тот свет», «рай» и «ад»?» — недоумевал я молча в те времена, сдавая экзамен по атеизму.

До моего сознания, отравленного коммунистической пропагандой, не доходило то, что, образно говоря, дыма без огня не бывает. Люди, разделенные морями и океанами, верят в одно и то же! Значит, и в самом деле существует какой-то единый общечеловеческий корень, оставшийся в нашем подсознании с далекой загадочной древности. Знания о Боге, Том Свете, рае и аде, упорядоченные в религиях и распространенные пророками, сравнительно легко улеглись в сознании людей потому, что они соответствовали подсознательной сущности человека. Фантазии и сказки не смогли бы овладеть массами.

Выше в этой главе я постарался описать принципы устройства Того Света, опираясь на интуицию и научно-логический подход. Я не в состоянии доказать или утверждать что-либо, т. к. я всего-навсего «раб божий», а объект моего исследования восходит значительно выше меня по своей жизненно-природной сущности. Единственное, что я могу утверждать после завершения моих рассуждений об устройстве Того Света, это то, что я сам стал искренне верить в его существование. Да, сейчас я верю, что после смерти нашего физического тела мы не умрем, а будем продолжать жить на Том Свете. После окончания жизни на земле мы выйдем из-под влияния блокирующего принципа «SoHm», который не давал нам при земной жизни поддерживать связь с родоначальным Тем Светом. На Том Свете мы ощутим четко и ясно духовную сущность человека, а Тот Свет не будет казаться нам чужим, потому что это главная древняя родина.

Я так же, как и все мы, заблокирован принципом «SoHm». Но я верю, что сказки о рае и аде тоже правда. При высочайшей организации Того Света в нем не могло не сформироваться структур, наказывающих или поощряющих за земной этап жизни. В противном случае был бы упущен руководящий элемент Того Света и Бога, а земная жизнь была бы пущена на самотек. Наверняка злые деяния, равнодушие и праздность, проявленные на земле, должны быть наказаны на Том Свете, а добрые деяния, любовь и самореализация поощрены. Это нужно для того, чтобы в следующих инкарнациях на земле допустить меньше человеческих ошибок. Как происходит процедура наказания или поощрения? Я не знаю. Но каждый из нас узнает это на Том Свете. Единственное, что можно посоветовать, так это — любите и будьте добрее.

Жизненное колесо (жизнь — смерть — жизнь — смерть...) вращается. Мы, люди, при земной жизни под действием принципа «SoHm» как бы забываем о родоначальном Том Свете, потом снова возвращаемся туда, потом снова уходим на землю под покров «SoHm», потом снова возвращаемся, и так далее, чтобы человек и человечество постоянно и непрерывно прогрессировали.

Лемурийцы были счастливее нас. На них не распространялся принцип «SoHm», поскольку в их обществе было больше добра и меньше зла. Они и при жизни на земле чувствовали себя детьми Того Света, без боязни возвращались на свою родоначальную обитель и покорно уходили опять на землю, шаг за шагом осваивая физический вариант жизни.

Я надеюсь, что в будущем позитивные силы на земле будут преобладать над негативными и не будет никаких глобальных катаклизмов или катастроф. В этом случае в человеческом обществе на земле будет все больше появляться людей с чистыми душами, на которых не будет распространяться блокирующий от Того Света принцип «SoHm». Эти люди принесут человечеству энергию тонкого мира, которая в корне изменит жизнь. Эти люди утвердят на земле главную сущность человека — микрокосм макрокосма. И когда-нибудь, если добро и любовь значительно возобладают над злом, принцип «SoHm» будет снят со всего человечества. Тогда все люди почувствуют себя истинными детьми Того Света, будут пользоваться его огромными знаниями и отдавать свои знания туда же.

Я думаю, уже в ближайшем будущем появится новая единая религия, основанная не на сказочных аллегориях, а на серьезном научном подходе. Границы государств будут стираться, возникнет единый земной язык. Будет прогрессировать общение путем передачи мысли. Возникнет единое земное правительство по подобию единого управляющего центра всего Того Света — Бога. Люди будут учиться у Бога управлять; они так же, как и Бог, для управления не будут использовать зло, а будут опираться только на добро и любовь.

Бурный прогресс начнется тогда, когда люди в массовом порядке начнут искренне верить в Бога и Тот Свет и почувствуют себя их частью.

Заканчивая эту книгу, я хотел дать итоговые рекомендации в связи со всем вышеизложенным. Однако я почувствовал, что эти рекомендации похожи на обычную религиозную проповедь. Я даже расстроился от этого, поскольку сразу возникла ассоциация со скучным голосом служителя культа. Но далее я понял, что так и должно быть, так как и религии и мы пришли к одному единому заключению о путях человеческого самосовершен-

Мы все дети Того Света

ствования с целью прогресса человечества. И только после этого я начал искренне верить в Бога и с глубоким уважением относиться к религиозным служителям, пронесшим через тысячелетия человеческого невежества и дикости истинное знание.

Тем не менее я не удержусь и дам несколько рекомендаций по этому поводу. Утром, выйдя на улицу, постарайтесь посмотреть на других людей с любовью и говорить им добрые приятные слова. Вы сразу ощутите себя счастливым оттого, что к вам будут тянуться люди со своими бедами и радостями. Не тушуйтесь, когда встретите непонимание и зло, не отвечайте злом на зло; это достойно и гордо. Не превратитесь в пустослова-проповедника, это бессмысленно. Старайтесь своими деяниями и трудом показать, что добро все равно победит зло. Поймите, что без борьбы со злом не будет никакого прогресса, что борьба со злом — естественное состояние человека. Без колебаний наказывайте другого человека за злое деяние, т. к. наказание ради добра — это проявление добра, а равнодушие есть зло. Слушайте свою совесть. Работайте до седьмого пота, не жалейте себя, сострадайте, влюбляйтесь...

Представьте себе лемурийскую цивилизацию. С какой красивой мощью бушевали там любовь и добро, лежавшие в основе их сказочной цивилизации! А с какой невероятной мощью на Том Свете бушуют любовь и добро, создавшие его и Бога! Мы все это узнаем там...

От кого мы произошли

В прямом смысле слова мы — арийцы — произошли от атлантов. А все человечество на земле создали Бог и Тот Свет. Человек есть продукт победы добра и любви над злом, а добро и любовь являются главными критериями совершенствования человека и прогресса человечества.

В нашем физическом мире пока еще слишком много зла. Поэтому нас страхуют. В глубоких подземельях находится Генофонд человечества в виде законсервированных людей разных цивилизаций, которых нельзя пощупать и потрогать, поскольку наше полудикарское любопытство многого не стоит. Если мы самоуничтожимся, то они выйдут и дадут новый росток жизни на земле.

А чтобы этого не было, постарайтесь завтра, выйдя на улицу, посмотреть на проходящих людей с добром и любовью.

Эпилог

На этом повествование не заканчивается. Будут новые экспедиции. Будут новые исследования. О них вы узнаете из газеты «Аргументы и Факты» и из новых книг.

Оглавление

Мулдашев Эрнст Рифгатович

От кого мы произошли?

(2-е изд.)

Ответственные за выпуск
С. З. Кодзова, О. В. Ишмитова
Редактор *Н. Г. Усова*
Корректор *М. Б. Виленская*
Верстка *А. Б. Ирашина*

Подписано в печать 9.01.2004. Формат 60×90/16.
Гарнитура «Times ET». Печать офсетная. Бумага офсетная.
Уч.-изд. л 38,7. Усл. печ. л. 30.
Тираж 50 000 экз. Изд. № 04-0202-пМ. Заказ № 490.

Издательский Дом «Нева»,
199155, Санкт-Петербург, ул. Одоевского д. 29.

Отпечатано в полном соответствии с качеством
предоставленных диапозитивов в полиграфической фирме
«Красный пролетарий».
127473, Москва, ул. Краснопролетарская, 16.

РЕГИОНАЛЬНЫЕ ПРЕДСТАВИТЕЛЬСТВА:

400131, Волгоград,
ул. Скосырева, 5
тел./факс (8442) 37-68-72
E-mail: olma-vol@vlink.ru

420108, Татарстан, Казань,
ул. Магистральная, 59/1
тел./факс (8432) 78-77-03
E-mail: olma-ksn@telebit.ru

350051, Краснодар,
ул. Шоссе Нефтяников, 38
тел./факс (8612) 24-28-51
E-mail: olma-krd@mail.kuban.ru

660001, Красноярск,
ул.Копылова, 66
тел./факс (3912) 47-11-40
E-mail: olma-krk@ktk.ru

603074, Нижний Новгород,
ул. Совхозная,13
тел./факс (8312) 41-84-86
E-mail: olma_nnov@fromru.com

644047, Омск,
ул. 5-я Северная, 201
тел./факс (3812) 29-57-00
E-mail: olma-omk@omskcity.com

614064, Пермь,
ул. Чкалова, 7
тел./факс (3422) 68-78-90
E-mail: olma-prm@perm.ru

390046, Рязань,
ул. Полевая, 38
тел./факс (0912) 28-94-45, 28-94-46
E-mail: olma@post.rzn.ru

443070, Самара,
ул. Партизанская, 17
тел./факс (8462) 70-57-30
E-mail: olma-sam@samaramail.ru

196098, Санкт-Петербург,
ул. Кронштадтская, 11, офис17
тел./факс (812) 183-52-86
E-mail: olmaspb@sovintel.spb.ru

450027, Уфа,
Индустриальное шоссе, 37
тел./факс (3472) 60-21-75
E-mail: olma-ufa@bashtorg.ru

ЕДИНАЯ КНИЖНАЯ СЕТЬ «НЕВА»

Санкт-Петербург,
Телефон: (812) 146-72-12
Факс: (812) 146-71-35